# The Schinz Anthologies

*Seventeenth Century French Readings,* Revised (in collaboration with Helen Maxwell King, with vocabulary by P. F. Giroud)

*Eighteenth Century French Readings*

*Nineteenth Century French Readings,* Volume I: Romantisme

*Nineteenth Century French Readings,* Volume II: Réalisme et Symbolisme

# NINETEENTH CENTURY FRENCH READINGS

BY

## ALBERT SCHINZ

PROFESSOR OF FRENCH LITERATURE
UNIVERSITY OF PENNSYLVANIA

VOLUME I

ROMANTICISM (1789–1848)

NEW YORK
HOLT, RINEHART AND WINSTON

3163102

PRINTED IN THE
UNITED STATES OF AMERICA

# PRÉFACE

This volume is a continuation of our *Seventeenth* and *Eight-eenth Century French Readings*. But the literature of the Nineteenth Century is too rich to be pressed into one volume, and one whole volume was not thought to be too much for the period known as the period of Romanticism.

The same method has been followed of *introducing* authors and texts which had been followed before; we consider this more and more a condition of intelligent and fruitful reading by the student. We venture to say, further, that these introductions and notes will be found substantial enough to dispense with further material on the history of the literature of the period if a professor is limited by time in the classroom.

Sound psychology teaches that the selections must be made long enough in each case so that a lasting impression may be left with the student. A half a page, or even one whole page is not enough generally to achieve the purpose; a portion, not a mere sample, is needed.

The nature of the period studied has suggested that the best way to proceed was to deal with "figures saillantes," as Balzac would say, and to sacrifice secondary authors; and also to adopt this treatment by men rather than classify the material by "genres littéraires."

One of our "figures saillantes," Victor Hugo, far outlived the period of 1789 to 1848. But we thought it better to remain true to our plan of not splitting the treatment of great names. In this case, it may even serve a good purpose, namely to prepare a transition to the literature of the later part of the century.

Other names came up for consideration. Sainte-Beuve, for instance, whom we reserved for treatment in the following volume, since it was in the second half of the century rather than in his earlier years that he was of paramount importance.

The same is true of Théophile Gautier. While mention of the "gilet rouge" is not omitted (in connection with the "bataille d'Hernani"), his fame rests more on his *Émaux et Camées*, and with his theory of the "Impassibility of the Poet," and this places him nearer Baudelaire and Flaubert.

Michelet was the obvious choice to be made among the great historians of the period. Béranger's popularity under the reign of Louis-Philippe could not be ignored. As to Dumas père, Karr, and Eugène Sue, their style is represented by the more important names of Vigny, Hugo, and even George Sand.

With regard to bibliographical suggestions and to notes, we have endeavored to use good sense, and remember that while we must render the texts clear, we prepared a book of introduction to the subject, not a work for erudites.

Grateful acknowledgment is due to Dr. E. Dedeck-Héry, of New York, and to Miss Georgette Schinz, of the Institut du Grand Verger, Lausanne, Switzerland, who kindly read with great care the proofs of this book.

A. S.

UNIVERSITY OF PENNSYLVANIA

# Bibliographie Sommaire

Les Histoires générales de la Littérature: Petit de Julleville, Bédier et Hazard, Lanson, Brunetière, Doumic, Nitze and Dargan, C. H. C. Wright; et les livres de classe tels que Abry, Audic et Crouzet, Braunschvig, Desgranges, Lanson et Tuffrau, etc.

Emile Faguet, *Études littéraires sur le XIX° siècle* (Lecène-Oudin, 1887).

G. Pellissier, *Le mouvement littéraire au XIX° siècle* (Hachette 1893 – insiste surtout sur l'évolution philosophique).

Fortunat Strowski, *Tableau de la littérature au XIX° siècle* (Delaplane, 1912; 2^{me} éd. 1924).

Pour la première moitié du siècle:

J. Giraud, *L'École romantique française* (A. Colin, 1927).

Maurice Souriau, *Histoire du Romantisme en France* (Ed. Spes, 3 volumes, 1927).

Ces deux ouvrages sont à recommander pour de jeunes étudiants; les suivants sont plus spéciaux:

G. Brandès, *L'École romantique en France* (Trad. Topin, Michelon, 1902).

A. Vinet, *Études sur la Littérature française au XIX° siècle* (3 vol., 1851, nouv. éd. 1857).

D. Sauvageot, *Le Romantisme* (chap. du Tome VIII de *l'Hist. de la Litt. fr.* de Petit de Julleville; p. 49-188; A. Colin, 1899).

F. Brunetière, *L'Évolution de la Poésie lyrique en France au XIX° siècle* (Hachette, 1894).

J. Marsan, *La Bataille romantique* (Première série, Hachette, 1912).

G. Pellissier, *Le Réalisme du Romantisme* (Hachette, 1912).

Louis Reynaud, *Le Romantisme. Ses origines anglo-germaniques; influences étrangères et traditions nationales; le réveil du génie français* (A. Colin, 1926).

Henri Tronchon, *Romantisme et Préromantisme* (Belles-Lettres, 1930).

Pour le côté épisodique:

Théophile Gautier, *Histoire du Romantisme* (Charpentier, 1874 — réminiscences personnelles).

Michel Salomon, *Ch. Nodier et le Groupe romantique* (Perrin, 1910).

L. Maigron, *Le Romantisme et les mœurs* (Champion, 1910); *Le Romantisme et la mode* (Champion, 1911).

v

*Vie Parisienne à l'Époque romantique, Conférences du Musée Carnavalet,*
    par Funck-Brentano, Mme Pailleron, Bidou, etc. (Payot, 1931).
Marie-Louise Pailleron, *François Buloz et ses amis. La vie littéraire sous*
    *Louis-Philippe* (C. Lévy, 1919); *François Buloz et ses amis. Les*
    *derniers romantiques* (Perrin, 1919).

Il faut indiquer aussi une collection qui s'occupe spécialement de la
période étudiée ici: *Les Romantiques,* sous la direction d'Émile Henriot,
publiée chez Hachette, depuis 1929, volumes d'environ 200 pages, par des
auteurs de renom.   Comme la liste s'en accroît chaque jour, nous ne la
donnons pas ici; il sera tenu compte des volumes parus dans les biblio-
graphies relatives à chaque chapitre.  Il en faut dire autant de la
collection *La Littérature française illustrée,* publiée par la maison
d'édition Didier.

Il ne convient pas certes, dans un livre de la nature de celui-ci,
de s'étendre sur les attaques dont le Romantisme a été l'objet souvent.
Ces attaques du reste diminuent d'intensité à mesure que l'époque romantique *devient classique,* c'est à dire que l'on peut mieux juger d'une
manière objective et historique les écrivains en cause.  Parmi les adversaires les plus décidés, citons cependant un contemporain du Romantisme,
Désiré Nisard, dans sa grande *Histoire de la Littérature française,* en 4 volumes, publiée de 1844–61.   Beaucoup plus récemment le livre célèbre de
Paul Lasserre, *Le Romantisme français, Essai sur la révolution dans les*
*sentiments et les idées du XIX° siècle* (Mercure de France, 1911, Garnier,
1919).  Et plus récemment encore, de nombreux livres de M. Ernest
Seillière; et, en Amérique, ceux de MM. Irving Babbitt (surtout *Rousseau*
*and Romanticism* 1919), et Paul Elmer More (Vol. VIII des « Shelburn
Essays », *Romanticism,* 1913).[1]  Peut-être la meilleure réponse à ces
livres souvent violents se trouverait-elle dans le petit volume de l'Abbé
Henri Brémond, *Pour le Romantisme,* Bloud, 1923).

---

[1] En vérité, il faudrait compter ici le livre de M. L. Reynaud, cité
plus haut et où l'auteur assaisonne son érudition de virulentes attaques
contre l'esprit *étranger* qu'il attribue à tout le mouvement romantique.

# TABLE DES MATIÈRES

# INTRODUCTION HISTORIQUE

## Tableau historique de 1789–1848

Les événements auxquels il est fait allusion dans les textes cités sont notés particulièrement.

**La Révolution:** Plusieurs œuvres littéraires du XVIII° siècle annonçaient clairement l'avènement de la Révolution. Sans compter le *Contrat Social* de Rousseau, il y 5 avait le *Turcaret* de Lesage, *Le Philosophe sans le savoir*, de Sedaine, le *Charles IX* de Joseph Chénier, le *Mariage de Figaro* de Beaumarchais. Ce dernier avait été interdit pendant trois ans; il fut joué le 27 avril, 1784. Cinq ans après la Bastille était prise. 10

Devant le mécontentement du peuple, le roi avait décidé de convoquer les États généraux (assemblée où siégeaient les représentants de toute la nation, clergé, noblesse et tiers-État [c. à. d. troisième État, les bourgeois et le peuple]; ces États généraux n'avaient pas été convoqués 15 depuis 1614). Ils s'étaient ouverts à Versailles, le 5 mai, 1789, sous de mauvais auspices. Le roi ne prétendait observer là qu'une formalité; les députés des communes ou du tiers-État se refusèrent à accepter cette manière de voir. Ils se déclarèrent, le 17 juin, *Assemblée nationale*. 20 La misère du peuple augmentait, et des émeutes se produisaient. Un jour — le 20 juin, — trouvant la porte de leur salle de réunion fermée au palais, les députés se transportèrent dans une salle voisine, la salle du Jeu de paume. Là, ils jurèrent « de ne pas se séparer avant d'avoir 25 achevé la constitution » (*Serment du Jeu de paume*). Le

23 juin, le grand maître des cérémonies de la cour (Dreux-
Brézé) vint, au nom du roi, sommer l'Assemblée de se
séparer. Alors Mirabeau prononça la parole historique:
« Allez dire à ceux qui vous envoient que nous sommes ici
5 par la volonté du peuple et qu'on ne nous en arrachera que
par la force des baïonnettes. »

L'abîme entre le gouvernement et l'Assemblée se creusa
toujours davantage. Le 14 juillet, sans qu'on sût réellement comment tout cela arriva, le peuple se porta en
10 masse à la Bastille [où étaient enfermés les prisonniers
politiques et qui n'avaient droit à aucun jugement; — elle
était ainsi le symbole d'un pouvoir royal absolu et arbi-
traire]. La fameuse forteresse fut prise, démolie, et une
clef envoyée à Washington, le héros de la liberté améri-
15 caine. Personne ne songeait encore à changer de forme
de gouvernement, mais l'hostilité du pouvoir établi irrita
le peuple qui adopta le cri « Vive la nation! », au lieu de
« Vive le roi ! », et qui arbora la cocarde tricolore (le blanc
de la royauté entre le bleu et rouge de la ville de Paris).
20 La nuit du 4 août fut marquée par l'abolition des privilèges de la noblesse; et elle fut suivie bientôt de la
*Déclaration des Droits de l'Homme:* « Tous les hommes
naissent et demeurent libres et égaux en droit... Le
principe de toute souveraineté réside essentiellement
25 dans la nation. » Le roi refusa de l'accepter, ce qui raviva
le conflit. Le 5 octobre, le peuple se porta à Versailles et
ramena la famille royale à Paris.

Entre temps l'Assemblée constituante donnait à la
France une constitution, et le roi, à la Fête de la Fédéra-
30 tion (14 juillet, 1790) jura de l'observer. Cependant les
rois étrangers se concertaient pour arrêter « le fléau de la
démocratie ». Louis XVI essaya de se joindre à eux et
tenta une malheureuse fuite; il fut arrêté à Varennes (21

juin, 1791), ramené à Paris, suspendu, puis rétabli. L'Europe continuait à intriguer contre la France, qui, finalement, prit l'offensive et déclara la guerre, « la guerre aux rois, et la paix aux nations » (Merlin de Thionville).

Le 10 août, 1792, le peuple prit le palais des Tuileries, symbole de la puissance royale, comme il avait pris la Bastille trois ans auparavant; et le roi fut suspendu.

La Révolution triompha à la Bataille de Valmy (Département de la Marne) le 20 sept. 1792 contre les Prussiens, le jour même où la République était proclamée à Paris. Le 20 novembre, nouvelle victoire, à Jemmapes (Belgique), cette fois sur les Autrichiens. Le roi avait été accusé de conspiration, enfermé à la prison du Temple, avec toute sa famille, depuis le 10 août. Il fut jugé, et guillotiné le 21 janvier 1793. La reine subit le même sort, et mourut le 16 octobre de la même année. Le dauphin (proclamé roi par les royalistes, sous le nom de Louis XVII) mourut en prison le 8 juin, 1795.

La période connue sous le nom de la Terreur — où l'on guillotina en masse, non seulement les adversaires avérés de la Révolution mais tous les suspects — va du 13 juillet, 1793, au 27 juillet, 1794 (le neuf Thermidor d'après le nouveau calendrier révolutionnaire). Marat, le plus violent des chefs du gouvernement, fut assassiné par Charlotte Corday, dès le 13 juillet, 1793; et lorsque Robespierre, le chef suprême, monta lui-même sur l'échafaud (27 juillet 1794), ce fut le signal de la fin de la Terreur.

**Napoléon Bonaparte:** Depuis le 27 octobre 1795, la République fut entre les mains du Directoire (un gouvernement de cinq Directeurs, chargé de faire observer les lois préparées par l'Assemblée législative). Mais la Révolution risquait de s'abîmer dans les désordres et les conflits

entre partis. Le 5 octobre, (le treize vendémiaire) Napoléon Bonaparte entra en scène en sauvant la Convention
nationale qui siégeait aux Tuileries et était menacée par
des menées politiques, en tirant le canon sur les insurgés.
5    Ayant fait triompher la Révolution en France, il allait
la faire triompher aussi contre ses ennemis de l'étranger.

En 1796, c'est la Campagne d'Italie (Lodi, Arcole, Rivoli).

En 1798, la Campagne d'Egypte (L'Angleterre, grande
10 puissance maritime, tenait tête à la France révolutionnaire;
Bonaparte voulut la frapper dans ses possessions d'Orient;
et il y réussit malgré la bataille navale d'Aboukir où Nelson
mit en déroute la flotte française).

Le 9 novembre, 1799 (le dix-huit Brumaire), COUP
15 D'ÉTAT: Bonaparte rentrant d'Egypte et trouvant le
Directoire incapable de gouverner, lui arracha le pouvoir
et le remit aux mains de trois consuls (Bonaparte, Sieyès,
Ducos).

En 1800, Passage des Alpes, et grande victoire sur les
20 Autrichiens à Marengo.  Cela donna à Bonaparte assez
de prestige pour se faire nommer consul pour dix ans (après
la Paix d'Amiens), et puis consul à vie (1802), par le plé-
biscite du 2 août.

En 1802, en avril, Bonaparte avait signé le Concordat
25 avec le Saint-Siège, pour le rétablissement de la religion
catholique en France.[1]

En 1803, Napoléon fit mettre à mort le Duc d'Enghien,
le dernier des Condé, fusillé dans les fossés de Vincennes
sous inculpation de complot contre la France, à l'étranger.
30    En 1804, Napoléon se fit proclamer Empereur, et
donna la Constitution de l'an XII de la République; et

---

[1] Ce Concordat ne fut dénoncé qu'en 1904.

vint alors l'ère des grandes victoires sur les rois de l'Europe ligués contre la France révolutionnaire: Auster-litz (1805), Iéna (1806), Eylau, Friedland (1807), Inva-sion de l'Espagne (1808–9), Wagram (1809).

Depuis lors l'astre de Napoléon commença à pâlir. 5 La campagne de Russie, en 1812, se termina par une la-mentable retraite au milieu de l'hiver. La bataille de Leipzig, en 1813, ne fut pas une victoire. Napoléon ab-diqua à Fontainebleau en 1814. Banni à l'Ile d'Elbe (à l'Est de la Corse), il s'en échappa, le 20 mars, 1815, revint 10 à Paris, régna « cent jours »; mais, vaincu à Waterloo, il fut transporté à Sainte-Hélène, où il mourut en 1821.

N'ayant pas eu d'héritier de sa femme, Joséphine de Beauharnais, il avait divorcé, et épousé Marie-Louise d'Autriche (1810). En 1811 naquit un fils, qui reçut le 15 titre de Roi de Rome, (parfois aussi appelé Napoléon II, ou surnommé L'Aiglon) et mourut sous le nom de Duc de Reichstadt, au château de Schœnbrunn, en Autriche (1832).

**La Restauration:** La Restauration de l'ancien régime 20 — des rois de la France anté-révolutionnaire et de l'Église — mit sur le trône Louis XVIII, (frère de Louis XVI guillotiné en 1793) [1] qui donna la « Charte constitution-nelle » de 1814. Celle-ci accordait certaines des libertés réclamées par la Révolution, telles que: liberté de la 25 presse, liberté de culte, jugement par le jury, système de deux chambres.

Il se forma alors trois partis politiques. (1) Les « Ultras » (ultra-royalistes) qui voulaient profiter de la victoire pour extirper tout souvenir de la Révolution, essayèrent même 30 de retirer les libertés garanties par la charte. (2) Les

---

[1] Louis XVII, fils de Louis XVI, mourut en prison en 1795.

« Révolutionnaires » qui voulaient des libertés plus grandes que celles de la charte.  (3) Les « Doctrinaires » qui défendaient la charte, et proposaient de nouvelles libertés, mais graduellement octroyées.

5   Les « Ultras » compromirent par leurs prétentions la cause de la royauté restaurée.  Ils inaugurèrent un système de violence qu'on appelle « la Terreur blanche » [*blanc*, couleur de la bannière des rois de France].  Les ministres les plus réactionnaires furent Talleyrand, Richelieu, de Villèle.

En 1820 (13 février), un fanatique, Louvel, assassina le Duc de Berry, neveu du roi, et héritier du trône.  Cet acte fut un prétexte pour presser encore les mesures de sévérité envers les adversaires des « Ultras », et pour favoriser leurs amis.  Les Jésuites revinrent au pouvoir; les ci-devant eurent toutes les faveurs.

En 1823, l'Espagne se révoltait contre son roi; la France lui déclarait la guerre; la victoire accrut le prestige de la France royaliste.  Chateaubriand, le grand écrivain, était alors ministre (voir plus bas).

En 1824, Louis XVIII mourut, et son frère, le Comte d'Artois, monta sur le trône sous le nom de Charles X.  C'était le chef du parti des « Ultras »; ses mesures réactionnaires suscitèrent la formation de diverses sociétés pour résister (« Chevaliers de la liberté », « Carbonari », etc).  En 1828, le choix de Polignac, connu pour son esprit réactionnaire et son bigotisme comme ministre, irrita encore l'opposition.  En 1830 eurent lieu de nouvelles élections.  Le peuple nomma des députés en majorité opposés au gouvernement.  Le roi répondit par les « Ordonnances royales » du 25 juillet; par celles-ci la Chambre nouvellement élue était déclarée dissoute avant la réunion; en même temps la liberté de la presse était supprimée.

**La Révolution de juillet:** Elle éclata le 27, et le 29 les Tuileries étaient prises. Le roi révoqua les « ordonnances », et abdiqua en faveur de son petit-fils, le Duc de Bordeaux. Mais le peuple refusa et acclama Louis-Philippe, Duc d'Orléans, de branche cadette des Bourbons, qui avait 5 fait cause commune avec la Révolution en 1792, et combattu à Jemmapes contre les rois étrangers. Louis-Philippe fut « élu par les Chambres, et non roi par la grâce de Dieu ».

La « Monarchie de juillet » reprit l'idée de la Charte de 10 1814. La noblesse sut se retirer à l'arrière-plan, et la bourgeoisie devint la classe dominante. Louis-Philippe est souvent appelé le « roi bourgeois » (ou même le « roi parapluie »): « Le roi règne, mais ne gouverne pas » dit Thiers. Il y eut deux partis principaux: Le « Parti du 15 mouvement » (Thiers à la tête) qui voulait étendre les droits du peuple, et le « Parti de la Résistance » (Guizot à la tête) qui voulait procéder avec prudence. Les « Républicains » cependant, et les « Bonapartistes » s'agitaient, de leur côté, et finirent par amener la révolution qui 20 proclama la **Seconde République** en 1848, suivie trois ans après par le **Second Empire** (Louis Bonaparte, sous le nom de Napoléon III). La bourgeoisie était devenue de plus en plus prospère, et le peuple de plus en plus misérable, et ce fut depuis 1840 que graduellement le mouve- 25 ment socialiste s'affirma. Le chef Louis Blanc, dans son *Histoire de Dix ans*, raconte comment se réalisa l'organisation du travail.

# LA CONTRE-RÉVOLUTION

# CHAPITRE UN

# JOSEPH DE MAISTRE

## 1753–1821

**Consulter**: A. Gazier, *Études sur l'Histoire religieuse de la Révolution française* (A. Colin, 1887, 424 pages). L. Dimier, *Les Maîtres de la Contre-révolution au XIXᵉ siècle* (Librairie des Saints-Pères, 1907, nouv. éd. 1917. Conférences faites en 1906 à l'Institut de l'Action française: De Maistre (p. 39–59), De Bonald (p. 60–77), Rivarol, Balzac, P.-L. Courrier, Sainte-Beuve, Taine, Renan, Fustel de Coulanges, Le Play, Proudhon, les Goncourt, Veuillot.) De Lescure, *Le Comte de Maistre et sa famille* (Paris, Chappeliez, 1892; 442 pp.). G. Cogordan, *Joseph de Maistre* (Coll. Grands écrivains fr., Hachette, 1894). R. Johannet, *Joseph de Maistre* (Flammarion 1932). G. Goyau, *La pensée religieuse de Joseph de Maistre*, Revue des Deux Mondes (Février, 1921; à l'occasion du centenaire).

Excellents extraits dans « Les classiques pour tous » (Hatier, 91 pages), des *Soirées de St. Pétersbourg*.

La Bastille avait été prise, le 14 juillet 1789. Cette forteresse — où l'on enfermait par ordre muni du cachet royal (*Lettre de cachet*) les prisonniers auxquels était refusé le recours à un jugement par un tribunal — était comme un symbole d'un pouvoir arbitraire et absolu de la royauté; et la Révolution avait fini par tout bouleverser: abolir la royauté, supprimer le clergé et proclamer la République. Or, ce bouleversement avait été accompagné de tueries et de cruautés telles qu'un gouvernement autocratique bien plus absolu encore que celui des rois — celui d'un Napoléon — avait été nécessaire pour ramener l'ordre. L'effet avait été de tourner de nouveau les esprits réfléchis vers l'ancien régime de l'autorité en matière politique et religieuse. Si cet ancien régime représentait un ordre qui n'était pas parfait, il valait mieux pourtant que l'anarchie complète.

En effet, à la période révolutionnaire allait succéder la période de la Restauration (1815) — « restauration » de l'ancien régime, alliance du trône et de l'autel — qui dura jusqu'à ce que de nouvelles révolutions (1830, puis 1848) vinssent remettre tout en question.

Pendant la période révolutionnaire et napoléonienne déjà, certains écrivains s'étaient mis à attaquer violemment — d'autant plus violemment qu'ils avaient été les témoins des scènes d'horreurs de la Ré-

volution — les idées des « philosophes» du XVIII° siècle, et à
exalter les vertus de l'ancien ordre de choses que le XVIII° siècle
avait si absolument condamné.  [Ceux qui, tout en condamnant
l'œuvre de la Révolution chercheront cependant à développer les
germes heureux des idées nouvelles, viendront après.]

Deux noms sont associés surtout avec cette tendance entièrement
hostile aux doctrines révolutionnaires, et favorable au retour intégral à
l'ancien régime:  le Vicomte de Bonald (1754–1840), officier dans
l'armée de Louis XVI, émigré politique pendant la période révolutionnaire, pair de France sous la Restauration, qui publia, en 1796,
sa *Théorie des pouvoirs politiques et religieux dans la société civile;*
et Joseph de Maistre (1753–1821) qui publia, la même année 1796,
son premier ouvrage *Considérations sur la France.*  Joseph de Maistre
est le plus important des deux.

Joseph de Maistre était d'origine languedocienne, mais il naquit
à Chambéry, en Savoie, fils de magistrat et sénateur.  La Savoie
faisait alors partie encore du royaume de Sardaigne [elle ne fut rat-
tachée définitivement à la France qu'en 1860].  Elevé par les Jésuites,
mais esprit passionné pour les idées de toutes sortes (même les doctrines occultes), il dut quitter la Savoie en 1792, lors de l'invasion par
les armées françaises de son pays qui avait refusé d'embrasser les
idées révolutionnaires.  Il vécut en réfugié, successivement en Suisse,
en Italie, et surtout en Russie, où, de 1803 à 1817, il remplit l'office
de ministre plénipotentiaire de son roi, Victor-Emmanuel.  A Paris, où
il passa à son retour de Russie, il fut très fêté.  Il finit sa vie à Turin,
où il avait le titre de Garde des sceaux, le 26 février, 1821.

Les grands ouvrages de Joseph de Maistre sont: *Du Pape* (1819) —
si dogmatique que le pape n'osa en accepter la dédicace; et *Les
Soirées de Saint-Pétersbourg,* qu'il commença à écrire dès 1809, mais
qui furent publiées après sa mort, en 1821.

Le Vicomte de Bonald et Joseph de Maistre poursuivaient le
même but, l'un avec le calme imposant du philosophe, l'autre avec
une intransigeance inouïe, une « magnifique insolence», comme disait
Sainte-Beuve; la passion y était secondée par une ironie sanglante
qui rappelle celle de Pascal, et guidée par une dialectique puissante.[1]
Ce but était de démolir l'œuvre du XVIII° siècle, ou si l'on veut, de
réfuter les idées qui ont amené la Révolution; et, parmi ces idées,
celle-ci particulièrement, sur laquelle sont fondées toutes les autres,
que l'homme peut, avec sa faible raison, inventer des institutions

---

[1] Un gentilhomme sicilien qui avait connu J. de Maistre en Russie
disait de lui: « Pare il nostro Etna: ha neve in testa, ed il fuoco in
bocca. »  (Il ressemble à notre Etna: il a de la neige sur la tête et le
feu dans la bouche).

sociales efficaces; ainsi l'avaient prétendu au siècle précédent Montesquieu, Rousseau et les Encyclopédistes. L'homme ne le peut à cause des conditions si complexes qu'elles défient son intelligence bornée, et à cause des accidents qui sans cesse bouleverseraient ses prévisions: « En politique — écrivait Bonald — toute « théorie est fausse si elle néglige de calculer les passions des hommes « [et les théoriciens, justement, les ignorent en proposant des lois pour « des hommes qui n'existent pas dans la réalité], et elle est absurde si « elle ose en calculer les distances incalculables [car l'esprit de « l'homme manque absolument de la pénétration nécessaire pour « cela]». Et le même écrivain ajoutait cette page sévère: « Jadis, « dans le siècle de la force, un jeune chevalier monté sur un palefroi, « l'armet [casque de fer] en tête et la lance à la main, se persuadait, « dans ses rêves chevaleresques, qu'une belle princesse enfermée « dans une tour sous la garde d'un enchanteur, allait lui offrir sa « main et ses Etats, s'il parvenait à la tirer de sa captivité. Aujour- « d'hui, dans le siècle de l'esprit, un jeune littérateur, encore couvert « de la poussière de l'école, la plume à la main et le *Contrat social* « [l'écrit célèbre de Rousseau qu'on a appelé la « bible de la Révo- « lution »] dans la tête, s'imagine dans ses rêves philosophiques, qu'un « peuple gémissant sous le despotisme, va dans ses assemblées pri- « maires lui confier au moins le pouvoir législatif s'il parvient par « ses écrits et ses discours à briser ses fers. Ce sont là les mêmes « passions, mais le chevalier était un visionnaire généreux et brave, « le littérateur est un fou enragé et dangereux ! »

Il n'y a de saines institutions que celles inspirées à l'homme par la divinité, et qui ont été consacrées par la tradition et l'histoire: « Le « berceau de l'homme doit être entouré de dogmes, et lorsque sa raison « se réveille, il faut qu'il trouve toutes ses opinions faites, du moins « sur tout ce qui se rapporte à sa conduite. *Il n'y a rien de si important* « *que les préjugés* ». Ainsi parle Joseph de Maistre, qui critique avec vigueur les dogmes des nouveaux «philosophes»; mais surtout, il réaffirme avec éloquence ceux contre lesquels le XVIII° siècle s'était élevé avec le plus d'acharnement; et ceux qui ont le plus choqué la raison des ‹philosophes› sont justement ceux qu'il déclare les plus plausibles à une raison plus profonde. C'est ainsi que, d'une part il attaque avec violence la théorie de la ‹ bonté naturelle de l'homme › et celle de ‹la supériorité du sauvage › si chère, au XVIII° siècle, — tandis que, d'autre part, il réaffirme ‹le dogme du péché originel, › [1] et que la nature basse et souillée de l'homme est un *fait* impossible à nier. Il affirme aussi que ‹ le dogme de la Trinité › si souvent attaqué est un

---

[1] Défini ainsi: « la capacité de commettre le crime», et « qui explique tout et sans lequel on n'explique rien ».

dogme qu'il n'appartient pas à l'homme de récuser en invoquant la simple raison de quelques philosophes, car ce dogme est fondé sur une « tradition universelle » (pas seulement chrétienne) et qu'il est « plausible aux recherches de la psychologie »; il affirme encore que « l'Inquisition » fut une institution excellente malgré certains abus, lesquels témoignent seulement d'un excès de zèle, tandis que la Révolution avec ses horreurs est un châtiment divin envoyé à la France parce qu'elle a prêté une oreille complaisante aux pauvres théories sociales fondées sur la faible raison humaine.  Enfin, dans son livre *Du Pape* (1819) il expose le plan d'une théocratie catholique qui repose sur la croyance à « l'infaillibilité du pape »: il est impossible que le pape ne soit pas infaillible, car il serait « révoltant d'obliger les fidèles à courber leur raison devant une décision passible d'erreur ».

### *Les Soirées de Saint-Pétersbourg ou Entretiens sur le Gouvernement temporel de la Providence (1809-1821)*

#### *La nature corrompue de l'homme et l'inanité de la doctrine philosophique du « bon sauvage »*

Joseph de Maistre veut prouver dans son *Deuxième Entretien* que « le péché originel est un mystère sans doute; cependant, si l'homme « vient à l'examiner de près, il se trouve que ce mystère a, comme les « autres, des côtés plausibles même pour notre intelligence bornée ». C'est ce qui l'amène à réfuter avec une grande vigueur la doctrine des « bons sauvages »: « Ces sauvages qui ont fait dire tant d'extra- « vagances et qui ont surtout servi de texte éternel à Jean-Jacques « Rousseau, l'un des plus dangereux sophistes de son siècle, et ce- « pendant le plus dépourvu de véritable science, de sagacité et surtout « de profondeur, avec une profondeur apparente qui est toute dans « les mots ».[1]

Nul doute sur la dégradation, et j'ose le dire aussi, nul doute sur la cause de la dégradation, qui ne peut être qu'un crime.  Un chef de peuple ayant altéré chez lui le principe moral par quelques-unes de ces prévarications

[1] Beaucoup d'autres — comme de Maistre — ont en effet rattaché au nom de Rousseau la doctrine du « bon sauvage »; or, lui n'a pas entendu prouver que l'homme était bon de nature, mais seulement qu'il n'était *pas méchant*, ce qui est un peu différent.  Il est vrai, du reste, que Joseph de Maistre nie aussi cela.

qui, suivant les apparences, ne sont plus possibles dans l'état actuel des choses, parce que nous n'en savons heureusement plus assez pour devenir coupables à ce point; ce chef de peuple, dis-je, transmit l'anathème à sa postérité; et toute force constante étant de sa nature accélératrice, puisqu'elle s'ajoute continuellement à elle-même, cette dégradation pesant sans intervalle sur les descendants, en a fait à la fin ce que nous appelons des *sauvages*. C'est le dernier degré d'abrutissement que Rousseau et ses pareils appellent *l'état de nature*. Deux causes extrêmement différentes ont jeté un nuage trompeur sur l'épouvantable état des sauvages: l'une est ancienne, l'autre appartient à notre siècle. En premier lieu l'immense charité du sacerdoce catholique a mis souvent, en nous parlant de ces hommes, ses désirs à la place de la réalité. Il n'y avait que trop de vérité dans ce premier mouvement des Européens qui refusèrent, au siècle de Colomb, de reconnaître leurs semblables dans les hommes dégradés qui peuplaient le nouveau monde. Les prêtres employèrent toute leur influence à contredire cette opinion qui favorisait trop le despotisme barbare des nouveaux maîtres. Ils criaient aux Espagnols: « Point de violences, l'Évangile les ré- « prouve; si vous ne savez pas renverser les idoles dans le « cœur de ces malheureux, à quoi bon renverser leurs tristes « autels ? Pour leur faire connaître et aimer Dieu, il faut « une autre tactique et d'autres armes que les vôtres.[1] »

---

[1] « Peut-être l'interlocuteur avait-il en vue les belles représentations que le Père Barthélemi d'Olmedo adressait à Cortez, et que l'élégant Solis nous a conservées. *Porque se compadecian mal la violencia y el Evangelio; y aquello, en la substancia, era derribar los altares y dexar los idolos en el corazon, etc., etc.* [Car la violence et l'Évangile sont incompatibles; et cela — les associer — revient à démolir les autels en laissant les idoles dans le cœur]. (*Conquista de la Nueva Esp.*, III, 3.) (*Note de l'auteur.*)

Du sein des déserts arrosés de leur sueur et de leur sang,
ils volaient à Madrid et à Rome pour y demander des
édits et des bulles contre l'impitoyable avidité qui voulait
asservir les Indiens. Le prêtre miséricordieux les exaltait
5 pour les rendre précieux; il atténuait le mal, il exagérait le
bien, il promettait tout ce qu'il désirait; enfin Robertson,
qui n'est pas suspect, nous avertit, dans son histoire
d'Amérique, *qu'il faut se défier à ce sujet de tous les écrivains
qui ont appartenu au clergé, vu qu'ils sont en général
10 trop favorables aux indigènes.*[1] Une autre source de faux
jugements qu'on a portés sur eux se trouve dans la philosophie de notre siècle,[2] qui s'est servie des sauvages pour
étayer ses vaines et coupables déclamations contre l'ordre
social; mais la moindre attention suffit pour nous tenir en
15 garde contre les erreurs de la charité et contre celles de la
mauvaise foi. On ne saurait fixer un instant ses regards
sur le sauvage sans lire l'anathème écrit, je ne dis pas seulement dans son âme, mais jusque sur la forme extérieure
de son corps. C'est un enfant difforme, robuste et féroce,
20 en qui la flamme de l'intelligence ne jette plus qu'une lueur
pâle et intermittente. Une main redoutable appesantie
sur ces races maudites efface en elle les deux caractères
distinctifs de notre grandeur, la prévoyance et la perfectibilité. Le sauvage coupe l'arbre pour cueillir le fruit;
25 il dételle le bœuf que les missionnaires viennent de lui
confier, et le fait cuire avec le bois de la charrue. Depuis
plus de trois siècles il nous contemple sans avoir rien
voulu recevoir de nous, excepté la poudre pour tuer ses
semblables, et l'eau-de-vie pour se tuer lui-même; encore
30 n'a-t-il jamais imaginé de fabriquer ces choses: il s'en
repose sur notre avarice, qui ne lui manquera jamais.

---

[1] Robertson, *Histoire de l'Amérique*, 1, 4.
[2] Le XVIIIᵉ siècle: les théories du bon sauvage.

Comme les substances les plus abjectes et les plus révol-
tantes sont cependant encore susceptibles d'une certaine
dégénération, de même les vices naturels de l'humanité
sont encore viciés dans le sauvage. Il est voleur, il est
cruel, il est dissolu, mais il l'est autrement que nous. Pour 5
être criminels, nous surmontons notre nature: le sauvage
la suit, il a l'appétit du crime, il n'en a point les remords.
Pendant que le fils tue son père pour le soustraire aux ennuis de la vieillesse, sa femme détruit dans son sein le
fruit de ses brutales amours pour échapper aux fatigues 10
de l'allaitement. Il arrache la chevelure sanglante de son
ennemi vivant; il le déchire, il le rôtit, et le dévore en
chantant; s'il tombe sur nos liqueurs fortes, il boit jusqu'à
l'ivresse, jusqu'à la fièvre, jusqu'à la mort, également
dépourvu de la raison qui commande à l'homme par la 15
crainte, et de l'instinct qui écarte l'animal par le dégoût.
Il est visiblement maudit; il est frappé dans les dernières
profondeurs de son essence morale; il fait trembler l'observateur qui sait voir.

## Le Bourreau

Les pages les plus célèbres peut-être de Joseph de Maistre sont celles
où il cherche à démontrer que « la guerre est une institution divine »
(*Septième Entretien*), et celles où il exalte « le bourreau » comme un
administrateur de la justice divine sur la terre. Trois personnes
prennent part aux « Entretiens »: le comte de Maistre, qui est l'hôte;
un chevalier français, émigré en Russie au temps de la Révolution;
et un sénateur russe. C'est la plupart du temps le comte de Maistre
lui-même qui parle. Le sujet du *Premier Entretien* sera: « *Le bonheur
des méchants, le malheur des justes!* C'est le grand scandale de la
« raison humaine. Pourrions-nous mieux employer une soirée qu'en
« la consacrant à l'examen de ce mystère de la métaphysique divine ?
« nous serons conduits à sonder, autant du moins qu'il est permis à
« la faiblesse humaine, l'ensemble des voies de la Providence dans le
« gouvernement du monde moral ».

Et le Comte prend la parole: « Il y a longtemps, messieurs, qu'on

« se plaint de la Providence dans la distribution des biens et des maux ;
« mais je vous avoue que jamais ces difficultés n'ont fait la moindre
« impression sur mon esprit ». Et, après avoir écarté comme peu
satisfaisante la réponse habituelle des prédicateurs, que si les méchants
sont heureux dans ce monde, ils seront tourmentés dans l'autre, tandis
que les justes au contraire, qui souffrent dans celui-ci, seront heureux
dans l'autre, il reprend le sujet au point de départ :

L'expression familière qu'on ne peut adresser qu'à un
enfant ou à un inférieur, *vous ne savez ce que vous dites*, est
néanmoins le compliment qu'un homme sensé aurait droit
de faire à la foule qui se mêle de disserter sur les questions
5 épineuses de la philosophie. Avez-vous jamais entendu,
messieurs, un militaire se plaindre qu'à la guerre les coups
ne tombent que sur les honnêtes gens, et qu'il suffit d'être
un scélérat pour être invulnérable ? Je suis sûr que non,
parce qu'en effet chacun sait que les balles ne choisissent
10 personne. J'aurais bien droit d'établir au moins une parité
parfaite entre les maux de la guerre par rapport aux militaires, et les maux de la vie en général par rapport à tous
les hommes ; et cette parité, supposée exacte, suffirait
seule pour faire disparaître une difficulté fondée sur une
15 fausseté manifeste ; car il est non seulement faux, mais
évidemment FAUX *que le crime soit en général heureux, et
la vertu malheureuse en ce monde :* il est, au contraire, de la
plus grande évidence que les biens et les maux sont une
espèce de loterie où chacun sans distinction peut tirer un
20 billet blanc ou noir. Il faudrait donc changer la question,
et demander *pourquoi, dans l'ordre temporel, le juste n'est
pas exempt des maux qui peuvent affliger le coupable ; et
pourquoi le méchant n'est pas privé des biens dont le
juste peut jouir ?* Mais cette question est tout à fait diffé-
25 rente de l'autre, et je suis même fort étonné si le simple
énoncé ne vous en démontre pas l'absurdité ; car c'est
une de mes idées favorites que l'homme droit **est assez**

communément averti, par un sentiment intérieur, de la
fausseté ou de la vérité de certaines propositions avant
tout examen, souvent même sans avoir fait les études nécessaires pour être en état de les examiner avec une parfaite connaissance de cause.

5

Donc, la question véritable n'est pas: Pourquoi *le juste* souffre-t-il ?,
mais seulement: Pourquoi *l'homme* souffre-t-il ? « Cette dernière
proposition est toute différente; c'est celle de l'origine du mal.
« Commençons donc par écarter toute équivoque. Le mal est sur la
« terre; hélas ! c'est une vérité qui n'a pas besoin d'être prouvée;
« mais de plus: *Il y est très justement, et Dieu ne saurait en être l'auteur:*
« c'est une autre vérité dont nous ne doutons j'espère, ni vous ni moi,
« et que je puis me dispenser de prouver, car je sais à qui je parle ».
Il accepte cette distinction de Thomas d'Aquin: « Dieu est l'auteur
du mal qui punit, mais non de celui qui souille » (*Summa Theologiae*,
I, Quaestion 49, art. 11), et il rappelle également un mot de Platon:
« L'être bon ne peut vouloir nuire à personne » (*Timée*). Alors,
« comme on ne s'avisera jamais de soutenir que l'homme de bien cesse
« d'être tel parce qu'il châtie justement son fils, ou parce qu'il tue un
« ennemi sur le champ de bataille, ou parce qu'il envoie un scélérat
« au supplice, gardons-nous d'être moins équitables envers Dieu
« qu'envers les hommes. » Or, cette idée d'un Dieu bon qui punit,
présuppose justement l'existence du mal qui doit être puni, ou au
moins la possibilité du mal. Mais ce n'est pas tout; elle présuppose
aussi que la punition ne suit pas nécessairement *tout de suite*, l'acte de
péché. En effet:

Supposez que chaque action vertueuse soit *payée*, pour
ainsi dire, par quelque avantage temporel, l'acte, n'ayant
plus rien de surnaturel,[1] ne pourrait plus mériter une récompense de ce genre. Supposez, d'un autre côté, qu'en
vertu d'une loi divine, la main d'un voleur doive tomber au
moment où il commet un vol, on s'abstiendra de voler
comme on s'abstiendrait de porter la main sous la hache

10

---

[1] *L'acte n'ayant plus rien de surnaturel:* l'acte ayant dans *ce* monde
la conséquence naturelle de la bonne récompense, il n'y a plus de
mérite à l'accomplir; cet acte serait avantageux, et il n'y aurait plus
d'ordre *moral*.

d'un boucher; l'ordre moral disparaîtrait entièrement.
Pour accorder donc cet ordre (le seul possible pour des
êtres intelligents, et qui est d'ailleurs prouvé par le fait)
avec les lois de la justice, il fallait que la vertu fût récom-
5 pensée et le vice puni, même temporellement, mais non
toujours, ni sur-le-champ; il fallait que le lot incompa-
rablement plus grand de bonheur temporel fût attribué à
la vertu, et le lot proportionnel de malheur, dévolu au
vice; mais que l'individu ne fût jamais sûr de rien: et
10 c'est en effet ce qui est établi.  Imaginez toute autre hypo-
thèse; elle vous mènera directement à la destruction de
l'ordre moral, ou à la création d'un autre monde.

« Pour en venir maintenant au détail, commençons, je
vous prie, par la justice humaine.  Dieu ayant voulu faire
15 gouverner les hommes par des hommes, du moins extérieurement, a remis aux souverains l'éminente prérogative
de la punition des crimes, et c'est en cela surtout qu'ils
sont ses représentants...

[Mais il résulte aussi autre chose; et c'est ici que se place la page
célèbre sur le bourreau:]

Il en résulte l'existence nécessaire d'un homme destiné
20 à infliger aux crimes les châtiments décernés par la justice
humaine; et cet homme, en effet, se trouve partout, sans
qu'il y ait aucun moyen d'expliquer comment; car la
raison ne découvre dans la nature de l'homme aucun motif
capable de déterminer le choix de cette profession.  Je
25 vous crois trop accoutumés à réfléchir, messieurs, pour
qu'il ne vous soit pas arrivé souvent de méditer sur le
bourreau.  Qu'est-ce donc que cet être inexplicable qui a
préféré à tous les métiers agréables, lucratifs, honnêtes
et même honorables qui se présentent en foule à la force
30 ou à la dextérité humaine, celui de supplicier et de mettre

à mort ses semblables ?  Cette tête, ce cœur sont-ils faits
comme les nôtres ?  ne contiennent-ils rien de particulier et
d'étranger à notre nature ?  Pour moi, je n'en sais pas
douter.  Il est fait comme nous extérieurement; il naît
comme nous;  mais c'est un être extraordinaire, et pour  5
qu'il existe dans la famille humaine il faut un décret particulier, un FIAT [1] de la puissance créatrice.  Il est créé,
comme un monde.  Voyez ce qu'il est dans l'opinion des
hommes, et comprenez, si vous pouvez, comment il peut
ignorer cette opinion ou l'affronter !  A peine l'autorité  10
a-t-elle désigné sa demeure, à peine en a-t-il pris possession,
que les autres habitations reculent jusqu'à ce qu'elles ne
voient plus la sienne.  C'est au milieu de cette solitude et
de cette espèce de vide formé autour de lui qu'il vit seul
avec sa femelle et ses petits, qui lui font connaître la voix  15
de l'homme: sans eux il n'en connaîtrait que les gémissements.  Un signal lugubre est donné; un ministre abject
de la justice vient frapper à sa porte et l'avertir qu'on a
besoin de lui: il part; il arrive sur une place publique couverte d'une foule pressée et palpitante.  On lui jette un  20
empoisonneur, un parricide, un sacrilège: il le saisit, il
l'étend, il le lie sur une croix horizontale,[2] il lève le bras:
alors il se fait un silence horrible, et l'on n'entend plus que
le cri des os qui éclatent sous la barre, et les hurlements de
la victime.  Il la détache; il la porte sur une roue; les  25

---

[1] Acte de création.  Voir dans la *Genèse:* « *Fiat lux* », « Que la
lumière soit ! »
[2] On trouvera une description du supplice de la roue dans les lettres
de Madame de Sévigné (17 et 22 juillet, 1676) au sujet de la mort de
la célèbre empoisonneuse, la Brinvilliers.  Le condamné était étendu
sur deux poutres en forme de croix de Saint-André;  le bourreau lui
brisait les membres avec une barre de fer;  puis il le couchait sur une
roue en le laissant agoniser;  parfois on portait la victime sur un
bûcher pour la faire souffrir encore et mourir par le feu.

membres fracassés s'enlacent dans les rayons; la tête
pend; les cheveux se hérissent, et la bouche, ouverte comme
une fournaise, n'envoie plus par intervalle qu'un petit
nombre de paroles sanglantes qui appellent la mort.  Il a
5 fini: le cœur lui bat, mais c'est de joie; il s'applaudit, il
dit dans son cœur: *Nul ne roue*[1] *mieux que moi*.  Il descend;
il tend sa main souillée de sang, et la justice y jette de loin
quelques pièces d'or qu'il emporte à travers une double
haie d'hommes écartés par l'horreur.  Il se met à table, et
10 il mange; au lit ensuite, et il dort.  Et le lendemain, en
s'éveillant, il songe à tout autre chose qu'à ce qu'il a fait la
veille.  Est-ce un homme ?  Oui: Dieu le reçoit dans ses
temples et lui permet de prier.  Il n'est pas criminel;
cependant aucune langue ne consent à dire, par exemple,
15 *qu'il est vertueux*, *qu'il est honnête homme*, *qu'il est estimable*,
etc.  Nul éloge moral ne peut lui convenir; car tous sup-
posent des rapports avec les hommes, et il n'en a point.

Et cependant toute grandeur, toute puissance, toute
subordination reposent sur l'exécuteur: il est l'horreur et
20 le lien de l'association humaine.  Ôtez du monde cet agent
incompréhensible; dans l'instant même l'ordre fait place
au chaos, les trônes s'abîment et la société disparaît.
Dieu qui est l'auteur de la souveraineté, l'est donc aussi du
châtiment: il a jeté notre terre sur ces deux pôles; *car*
25 *Jéhovah est le maître des deux pôles, et sur eux il fait tourner*
*le monde.*[2]

Il y a donc dans le cercle temporel une loi divine et visible
pour la punition du crime; et cette loi, aussi stable que la
société qu'elle fait subsister, est exécutée invariablement
30 depuis l'origine des choses: le mal étant sur la terre, il agit
constamment; et par une conséquence nécessaire il doit

---

[1] Infliger le supplice de la roue.
[2] *Livre des Rois*, Chap. II.  « Le cantique d'Anne. »

être constamment réprimé par le châtiment; et en effet, nous voyons sur toute la surface du globe une action constante de tous les gouvernements pour arrêter ou punir les attentats du crime: le glaive de la justice n'a point de fourreau; toujours il doit menacer ou frapper. Qu'est-ce 5 donc qu'on veut dire lorsqu'on se plaint de l'*impunité du crime?* Pour qui sont le knout,[1] les gibets, les roues et les bûchers ? Pour le crime apparemment. Les erreurs des tribunaux sont des exceptions qui n'ébranlent point la règle; j'en atteste votre longue expérience, M. le sénateur; 10 c'est une chose excessivement rare qu'un tribunal homicide par passion ou par erreur.

... Qu'un innocent périsse,[2] c'est un malheur comme un autre, c'est-à-dire commun à tous les hommes. Qu'un coupable échappe, c'est une autre exception du même 15 genre. Mais toujours il demeure vrai, généralement parlant, *qu'il y a sur la terre un ordre universel et visible pour la punition temporelle des crimes;* et je dois encore vous faire observer que les coupables ne trompent pas à beaucoup près l'œil de la justice aussi souvent qu'il serait 20 permis de le croire si l'on n'écoutait que la simple théorie, vu les précautions infinies qu'ils prennent pour se cacher. Il y a souvent, dans les circonstances qui décèlent les plus habiles scélérats, quelque chose de si inattendu, de si surprenant, de si *imprévoyable*, que les hommes, appelés 25 par leur état ou par leurs réflexions à suivre ces sortes

[1] Fouet composé de lanières de cuir terminées par des boules de métal. Supplice du fouet en Russie.

[2] On vient de parler de la célèbre « affaire Calas », qui avait passionné l'opinion publique vers la fin du XVIII° siècle, et où un homme avait été supplicié pour la mort de son fils alors qu'il était apparemment innocent, un protestant victime du zèle fanatique des catholiques. Voir *Eighteenth Century French Readings,* Holt and Co. Chapitre Voltaire, p. 431 ss.

d'affaires, se sentent inclinés à croire que la justice humaine n'est pas tout à fait dénuée, dans la recherche des coupables, d'une certaine assistance extraordinaire.

Le vicomte de Bonald et Joseph de Maistre, tous deux étaient certains que le monde reviendrait aux idées qu'ils croyaient justes. « La Révolution, écrivait le premier, a commencé par la Déclaration « des Droits de l'Homme. Elle finira par la Déclaration des Droits « de Dieu». Ils n'ont, cependant, pas toujours été heureux dans leurs prophéties; ainsi Joseph de Maistre, quand on lui parlait du succès de la Révolution américaine, et de la nouvelle capitale des États-Unis d'Amérique, écrivait: « On pourrait parier mille contre un que la « ville ne se bâtira pas, ou qu'elle ne s'appellera pas Washington, « ou que le Congrès n'y résidera pas ». (*Considérations sur la France*, 1796.)

* * *

Joseph de Maistre eut un frère, plus jeune que lui, écrivait aussi: Xavier de Maistre (1764–1852) qui fut d'abord attaché au service du roi d'Italie, comme officier de marine. Quand la Révolution le chassa d'Italie, il rejoignit son frère en Russie et devint général dans l'armée russe. Il a laissé quatre petits récits qui sont des perles: *Le voyage autour de ma chambre* (1794), réminiscence du *Voyage sentimental* de Sterne; et puis trois histoires empreintes d'une sentimentalité touchante, *Le Lépreux de la Cité d'Aoste* (1811), *La jeune Sibérienne*, et *Les Prisonniers du Caucase* (1825).

# LA PREMIÈRE GÉNÉRATION ROMANTIQUE

# CHAPITRE DEUX

## CHATEAUBRIAND

### 1768–1848

**Consulter:** De Lescure, *Chateaubriand* (Coll. Grands écrivains fr., Hachette, 1892); Victor Giraud, *Vie romanesque de Chateaubriand* (Plon, 1932); M. Souriau, *L'Histoire du Romantisme* (Spes, 3 vol., 1927, les chapitres concernant Chateaubriand); Pierre Moreau, *Chateaubriand, l'homme et la vie, le génie et les livres* (Garnier, 1927); R. Canat, *Chateaubriand, Morceaux choisis,* dans la série « La litt. fr. illustrée, » (Didier, 1929). Emmanuel Beau de Loménie, *Carrière politique de Chateaubriand* (Hachette, 2 vol., 1928). E. Biré, *Les dernières années de Chateaubriand, 1830–1848* (Garnier, 1902). Chateaubriand, *Correspondance* (Champion, 2 vol., 1912–14). Yves Le Febvre, *Le Génie du Christianisme* (Coll. Grands Événements litt., Malfère, 1929).

Sur la philosophie de Chateaubriand: Victor Giraud, *Le Christianisme de Chateaubriand* (Hachette, 2 vol., 1925, 1928); Pierre Moreau, *La conversion de Chateaubriand* (Alcan, 1933). L'ouvrage célèbre de Sainte-Beuve, *Chateaubriand et son groupe littéraire sous l'Empire* (Michel Lévy, 2 vol., 1869), est entaché de partialité.

Il faut citer ici le volume de Ed. Herriot, *Madame Récamier et ses amis* (Plon, 1904; republié, Payot, 1924)

Il existe une société qui, depuis 1930 publie un « Bulletin de la Société Chateaubriand, » (Dr. Le Savoureux, La Vallée aux Loups, Châtenay-Malabry, près Paris).

### *Mémoires d'Outre-Tombe*

François-René de Chateaubriand appartenait à une famille ayant habité la Bretagne depuis le X° ou XI° siècle, et qui prétendait descendre des ducs de Bretagne; elle était, en tous cas, alliée aux plus grandes familles de Bretagne, les Rohan et les Du Guesclin.

Son père, François-Auguste de Chateaubriand, cadet de famille, s'était, à quinze ans (1733), embarqué pour l'aventure. Blessé au cours d'un voyage, il passa quelques temps aux Îles (Antilles), et, là, fit fortune. Revenu en Bretagne en 1750, il s'établit à Saint-Malo, comme armateur, en 1753 fit un mariage avantageux, et ainsi, après quelques années, put racheter le château féodal de Combourg, ancien fief de sa famille.

François-René est né, le dixième de dix enfants, à Saint-Malo, le 4 septembre, 1768. Sa mère aimant la société, ne s'occupait guère de ses enfants; elle les confiait à des nourrices ou à de vieux serviteurs. Après ses premières années à Saint-Malo, François-René fit des études au collège de Dol, puis de Rennes; il venait passer ses vacances à Combourg où son père s'était maintenant établi. Il y séjourna même tout à fait de 1784 à 1786 (après un court passage à Brest où il aurait dû entrer dans la marine royale) — années d'importance capitale pour son développement, dont il évoque le souvenir dans ses *Mémoires d'Outre-Tombe* [composés à des époques diverses depuis 1811 jusqu'en 1841, pour être publiés après sa mort, d'où le titre de *Mémoires d'Outre-Tombe*.]

Ces descriptions du formidable et lugubre château féodal, où rien ne suggérait la joie de vivre et qui était si bien fait pour développer cette mélancolie que Chateaubriand prête à plusieurs de ses personnages les plus importants, sont fort célèbres.

## Le Château de Combourg[1]

À mon retour de Brest, quatre maîtres (mon père, ma mère, ma sœur et moi) habitaient le château de Combourg. Une cuisinière, une femme de chambre, deux laquais et un cocher composaient tout le domestique; un chien de
5 chasse, et deux vieilles juments étaient retranchés dans un coin de l'écurie. Ces douze êtres vivants disparaissaient dans un manoir où l'on aurait à peine aperçu cent chevaliers, leurs dames, leurs écuyers, leurs varlets, les destriers et la meute du roi Dagobert.[2]
10 Dans tout le cours de l'année, aucun étranger ne se présentait au château, hormis quelques gentilshommes, le marquis de Monlouet, le comte de Goyon-Beaufort, qui demandaient l'hospitalité en allant plaider au Parle-

---

[1] *Mémoires d'Outre-Tombe*, Livre III.
[2] Le premier roi des Francs (626-638).

ment. Ils arrivaient l'hiver, à cheval, pistolets aux arçons, couteau de chasse au côté, et suivis d'un valet également à cheval, ayant en croupe un gros portemanteau de livrée.

Mon père, toujours très cérémonieux, les recevait 5 tête nue sur le perron, au milieu de la pluie et du vent. Les campagnards introduits racontaient leurs guerres de Hanovre,[1] les affaires de leur famille et l'histoire de leurs procès. Le soir, on les conduisait dans la tour du Nord, à l'appartement de la *reine Christine*,[2] chambre d'honneur 10 occupée par un lit de sept pieds en tous sens, à doubles rideaux de gaze verte et de soie cramoisie, et soutenu par quatre amours dorés. Le lendemain matin, lorsque je descendais dans la grand'salle, et qu'à travers les fenêtres je regardais la campagne inondée ou couverte de frimas, 15 je n'apercevais que deux ou trois voyageurs sur la chaussée solitaire de l'étang: c'étaient nos hôtes chevauchant vers Rennes.

Ces étrangers ne connaissaient pas beaucoup les choses de la vie; cependant notre vue s'étendait par eux à quel- 20 ques lieues au delà de l'horizon de nos bois. Aussitôt qu'ils étaient partis, nous étions réduits, les jours ouvrables,[3] au tête-à-tête de famille, le dimanche, à la société des bourgeois du village et des gentilshommes voisins.

Le dimanche, quand il faisait beau, ma mère, Lucile 25 et moi, nous nous rendions à la paroisse à travers le petit

---

[1] Province du nord-ouest de l'Allemagne, objet de beaucoup de disputes, et théâtre de guerre dès le XVIII° siècle, et encore pendant les guerres de la Révolution et de l'Empire.

[2] Christine de France (1606–1642) duchesse de Savoie, chassée de ses états, et réfugiée en France de 1639–1642.

[3] Terme parent de « ouvrage, ouvrier »: jours où il est permis de travailler, par opposition au dimanche et jours de fête promulgués par l'Eglise.

Mail, le long d'un chemin champêtre; lorsqu'il pleuvait, nous suivions l'abominable rue de Combourg. Mon père ne descendait qu'une fois l'an à la paroisse pour faire ses Pâques; le reste de l'année, il entendait la messe à la
5 chapelle du château. Placés dans le banc du seigneur, nous recevions l'encens et les prières en face du sépulcre de marbre noir de Renée de Rohan,[1] attenant l'autel: image des honneurs de l'homme: quelques grains d'encens devant un cercueil !

10 Les distractions du dimanche expiraient avec la journée: elles n'étaient pas même régulières. Pendant la mauvaise saison, des mois entiers s'écoulaient sans qu'-aucune créature humaine frappât à la porte de notre forteresse. Si la tristesse était grande sur les bruyères de
15 Combourg, elle était encore plus grande au château: on éprouvait, en pénétrant sous ses voûtes, la même sensation qu'en entrant à la Chartreuse de Grenoble.[2]

Le calme morne du château de Combourg était augmenté par l'humeur taciturne et insociable de mon père.
20 Au lieu de resserrer sa famille et ses gens autour de lui, il les avait dispersés à toutes les aires[3] de vent de l'édifice. Sa chambre à coucher était placée dans la petite tour de l'Est, et son cabinet dans la petite tour de l'Ouest. Les meubles de ce cabinet consistaient en trois chaises de cuir
25 noir et une table couverte de titres et de parchemins. Un arbre généalogique de la famille des Chateaubriand tapis-

---

[1] De la famille des Rohan, l'une des plus illustres de France, re-montant aux rois et ducs de Bretagne (XI° siècle) et dont Chateau-briand prétendait descendre. L'un des Rohan avait adopté cette fière devise: « Roi ne puis, duc ne daigne, Rohan suis ».

[2] Ou « la Grande Chartreuse », fondée en 1084 par Saint Bruno; un des monuments les plus impressionnants de la piété médiévale; désaffecté en 1903; Chateaubriand le visita en 1805.

[3] Terme maritime: directions du vent.

sait le manteau de la cheminée, et dans l'embrasure d'une
fenêtre on voyait toutes sortes d'armes, depuis le pistolet
jusqu'à l'espingole.[1]   L'appartement de ma mère régnait
au-dessus de la grand'salle, entre les deux petites tours;
il était parqueté et orné de glaces de Venise à facettes.   5
Ma sœur habitait un cabinet dépendant de l'appartement
de ma mère.   La femme de chambre couchait loin de là
dans le corps de logis des grandes tours.   Moi, j'étais niché
dans une espèce de cellule isolée, au haut de la tourelle de
l'escalier qui communiquait de la cour intérieure aux di-   10
verses parties du château.   Au bas de cet escalier, le valet
de chambre de mon père et le domestique gisaient dans
des caveaux voûtés, et la cuisinière tenait garnison dans
la grosse tour de l'Ouest.

Mon père se levait à 4 heures du matin, hiver comme   15
été: il venait dans la cour intérieure appeler et éveiller
son valet de chambre, à l'entrée de l'escalier de la tourelle.   On lui apportait un peu de café à 5 heures; il travaillait ensuite dans son cabinet jusqu'à midi.   Ma mère
et ma sœur déjeunaient chacune dans leur chambre, à 8   20
heures du matin.   Je n'avais aucune heure fixe, ni pour me
lever, ni pour déjeuner; j'étais censé étudier jusqu'à midi:
la plupart du temps je ne faisais rien.

A 11 heures et demie, on sonnait le dîner, que l'on servait à midi.   La grand'salle était à la fois salle à manger   25
et salon: on dînait et l'on soupait à l'une de ses extrémités
du côté de l'est; après les repas, on se venait placer à
l'autre extrémité, du côté de l'ouest, devant une énorme
cheminée.   La grand'salle était boisée, peinte en gris blanc
et ornée de vieux portraits depuis le règne de François I$^{er}$   30
jusqu'à celui de Louis XVI; parmi ces portraits, on dis-

[1] Fusil court, évasé en forme de trompe.

tinguait ceux de Condé et de Turenne; un tableau, représentant Hector tué par Achille sous les murs de Troie,
était suspendu au-dessus de la cheminée.

Le dîner fait, on restait ensemble jusqu'à deux heures.
5 Alors, si l'été,[1] mon père prenait le divertissement de la
pêche, visitait ses potagers, se promenait dans le bois;
si l'automne et l'hiver, il partait pour la chasse; ma mère
se retirait dans la chapelle, où elle passait quelques heures
en prière. Cette chapelle était un oratoire sombre, embelli
10 de bons tableaux des plus grands maîtres, qu'on ne s'attendait guère à trouver dans un château féodal, au fond
de la Bretagne ...

Mon père parti et ma mère en prière, Lucile s'enfermait
dans sa chambre; je regagnais ma cellule, ou j'allais courir
15 les champs.

A 8 heures, la cloche annonçait le souper. Après le souper, dans les beaux jours, on s'asseyait sur le perron. Mon
père, armé de son fusil, tirait les chouettes qui sortaient des
créneaux à l'entrée de la nuit. Ma mère, Lucile et moi,
20 nous regardions le ciel, les bois, les derniers rayons du
soleil, les premières étoiles. A 10 heures, on rentrait et
l'on se couchait.

Les soirées d'automne et d'hiver étaient d'une autre nature. Le souper fini et les quatre convives revenus de la
25 table à la cheminée, ma mère se jetait, en soupirant, sur un
vieux lit de jour de siamoise [2] flambée; on mettait devant
elle un guéridon et une bougie. Je m'asseyais auprès du
feu avec Lucile; les domestiques enlevaient le couvert et
se retiraient. Mon père commençait alors une promenade
30 qui ne cessait qu'à l'heure de son coucher. Il était vêtu

---

[1] Construction elliptique: *si c'était l'été*.
[2] Étoffe de coton rayé.

d'une robe de ratine [1] blanche, ou plutôt d'une espèce de manteau que je n'ai vu qu'à lui. Sa tête, demi-chauve, était couverte d'un grand bonnet blanc qui se tenait tout droit. Lorsqu'en se promenant il s'éloignait du foyer, la vaste salle était si peu éclairée par une seule bougie qu'on ne le voyait plus; on l'entendait seulement encore marcher dans les ténèbres; puis il revenait lentement vers la lumière et émergeait peu à peu de l'obscurité, comme un spectre, avec sa robe blanche, son bonnet blanc, sa figure longue et pâle. Lucile et moi nous échangions quelques mots à voix basse quand il était à l'autre bout de la salle; nous nous taisions quand il se rapprochait de nous. Il nous disait en passant: « De quoi parliez-vous ? » Saisis de terreur, nous ne répondions rien; il continuait sa marche. Le reste de la soirée, l'oreille n'était plus frappée que du bruit mesuré de ses pas, des soupirs de ma mère et du murmure du vent.

Dix heures sonnaient à l'horloge du château: mon père s'arrêtait: le même ressort qui avait soulevé le marteau de l'horloge semblait avoir suspendu ses pas. Il tirait sa montre, la montait,[2] prenait un flambeau d'argent surmonté d'une grande bougie, entrait un moment dans la petite tour de l'Ouest, puis revenait, son flambeau à la main, et s'avançait vers sa chambre à coucher, dépendante de la petite tour de l'Est. Lucile et moi nous nous tenions sur son passage; nous l'embrassions en lui souhaitant une bonne nuit. Il penchait vers nous sa joue sèche et creuse sans nous répondre, continuait sa route et se retirait au fond de la tour, dont nous entendions les portes se refermer sur lui.

---

[1] Étoffe de laine à poil long et frisé.
[2] monter, ou remonter = *wind up*.

Le talisman était brisé; ma mère, ma sœur et moi, trans-
formés en statues par la présence de mon père, nous recou-
vrions les fonctions de la vie. Le premier effet de notre
désenchantement se manifestait par un débordement de
5 paroles: si le silence nous avait opprimés, il nous le payait
cher.

Ce torrent de paroles écoulé, j'appelais la femme de
chambre et je reconduisais ma mère et ma sœur à leur
appartement. Avant de me retirer, elles me faisaient re-
10 garder sous les lits, dans les cheminées, les passages et les
corridors voisins. Toutes les traditions du château, voleurs et spectres, leur revenaient en mémoire. Les gens
étaient persuadés qu'un certain comte de Combourg, à
jambe de bois, mort depuis trois siècles, apparaissait à
15 certaines époques, et qu'on l'avait rencontré dans le grand
escalier de la tourelle; sa jambe de bois se promenait
aussi quelquefois seule avec un chat noir.

Mes jours s'écoulaient d'une manière sauvage, bizarre,
insensée et pourtant pleine de délices.

20 Au nord du château s'étendait une lande semée de pierres
druidiques; j'allais m'asseoir sur une de ces pierres au
soleil couchant. La cime dorée des baies, la splendeur de
la terre, l'étoile du soir scintillant à travers les nuages
roses, me ramenaient à mes songes... Le vent du soir
25 qui brisait les réseaux tendus par l'insecte sur la pointe
des herbes, l'alouette de bruyère qui se posait sur un caillou, me rappelaient à la réalité. Je reprenais le chemin du
manoir, le cœur serré, le visage abattu.

Les jours d'orage, en été, je montais au haut de la grosse
30 tour de l'ouest. Le roulement du tonnerre sous les combles
du château, les torrents de pluie qui tombaient en gron-
dant sur le toit pyramidal des tours, l'éclair qui sillonnait
la nue et marquait d'une flamme électrique les girouettes

d'airain, excitaient mon enthousiasme: comme Ismène sur les remparts de Jérusalem, j'appelais la foudre[1]...

## Lucile de Chateaubriand[2]

Chateaubriand avait, pour compagne de ses pensées, sa sœur Lucile, plus portée encore que lui-même à la rêverie et à une tristesse infinie.[3]

Lucile était grande et d'une beauté remarquable, mais sérieuse. Son visage pâle était accompagné de longs cheveux noirs; elle attachait souvent au ciel ou promenait 5 autour d'elle des regards pleins de tristesse ou de feu. Sa démarche, sa voix, son sourire, sa physionomie avaient quelque chose de rêveur et de souffrant.

Lucile et moi nous nous étions inutiles. Quand nous parlions du monde, c'était de celui que nous portions au 10 dedans de nous et qui ressemblait bien peu au monde véritable. Elle voyait en moi son protecteur, je voyais en elle mon amie. Il lui prenait des accès de pensées noires que j'avais peine à dissiper: à dix-sept ans, elle déplorait la perte de ses jeunes années; elle se voulait ensevelir dans 15 un cloître. Tout lui était souci, chagrin, blessure: une

---

[1] Le magicien Ismène, ami des Infidèles, qui, par ses enchantements conjure la foudre et la tempête pour arrêter les Chrétiens donnant l'assaut aux murs de Jérusalem (Le Tasse, *Jérusalem délivrée*, Chant viii, str. 87, 88, 89.)

[2] *Mémoires d'Outre-Tombe*, Livre III.

[3] Voir *Lucile de Chateaubriand* [M^me de Caud, 1764–1804] par Anatole France (Charavay, 1879, 65 p.). Chateaubriand parle beaucoup d'elle dans les *Mémoires d'Outre-Tombe*. Elle était de quatre ans son aînée; peu aimée de ses parents, elle reporta tout son immense besoin d'affection sur son frère et l'encouragea dans ses aspirations littéraires. Elle fut emprisonnée pendant la Terreur avec sa mère; délivrée, elle se maria; perdit tôt son mari; mourut elle-même en 1804, « égarée » dans son esprit, comme dit Chateaubriand. Il y avait trois autres sœurs.

expression qu'elle cherchait, une chimère qu'elle s'était faite, la tourmentaient des mois entiers. Je l'ai souvent vue, un bras jeté sur sa tête, rêver immobile et inanimée; retirée vers son cœur, sa vie cessait de paraître
5 au dehors; son sein même ne se soulevait plus. Par son attitude, sa mélancolie, sa vénusté,[1] elle ressemblait à un Génie funèbre. J'essayais alors de la consoler et, l'instant d'après, je m'abîmais dans des désespoirs inexplicables.

10 Lucile aimait à faire seule, vers le soir, quelque lecture pieuse: son oratoire de prédilection était l'embranchement de deux routes champêtres, marqué par une croix de pierre et par un peuplier dont le long style[2] s'élevait dans le ciel comme un pinceau. Ma dévote mère, toute charmée,
15 disait que sa fille lui représentait une chrétienne de la primitive Eglise, priant à ces stations appelées *laures*.[3]

De la concentration de l'âme naissaient, chez ma sœur, des effets d'esprit extraordinaires: endormie, elle avait des songes prophétiques; éveillée, elle semblait lire dans
20 l'avenir. Sur un palier de l'escalier de la grande tour, battait une pendule qui sonnait le temps au silence. Lucile, dans ses insomnies, allait s'asseoir sur une marche, en face de cette pendule; elle regardait le cadran à la lueur de sa lampe posée à terre. Lorsque les deux aiguilles, unies
25 à minuit, enfantaient dans leur conjonction formidable l'heure des désordres et des crimes, Lucile entendait des bruits qui lui révélaient des trépas lointains. Se trouvant à Paris quelques jours avant le 10 août[4] et demeurant avec

---

[1] Dérivé de Vénus: *grâce, élégance.*
[2] Tige d'un arbre.
[3] Monastère champêtre.
[4] Le peuple envahit le palais des Tuileries, le roi est déposé, la famille royale est enfermée à la prison du Temple, — premiers pas vers la guillotine de Louis XVI et de Marie-Antoinette.

mes autres sœurs dans le voisinage du couvent des Carmes, elle jette les yeux sur une glace, pousse un cri et dit: « Je viens de voir entrer la mort. »  Dans les bruyères de la Calédonie [1] Lucile eût été une femme céleste de Walter Scott douée de la seconde vue; dans les bruyères armo- 5 ricaines, elle n'était qu'une solitaire avantagée de beauté, de génie et de malheur.

La vie que nous menions à Combourg, ma sœur et moi, augmentait l'exaltation de notre âge et de notre caractère. Notre principal désennui consistait à nous promener côte 10 à côte dans le grand mail, au printemps sur un tapis de primevères, en automne sur un lit de feuilles sèches, en hiver sur une nappe de neige que brodait la trace des oi-seaux, des écureuils et des hermines. Jeunes comme les primevères, tristes comme la feuille séchée, purs comme 15 la neige nouvelle, il y avait harmonie entre nos récréa-tions et nous.  Ce fut dans une de ces promenades que Lucile m'entendant parler avec ravissement de la solitude me dit: Tu devrais peindre cela.  Ce mot me révéla ma muse.  Un souffle divin passa sur moi . . .                    20

## L'Amérique

Son père, ayant obtenu pour François-René, alors âgé de 18 ans, un brevet de sous-lieutenant au Régiment de Navarre, à Cambrai [sur l'Escaut, au nord de Paris], le jeune homme s'y rendit; il venait souvent à Paris visiter son frère aîné (qui avait épousé la petite-fille de Malesherbes, le fameux ministre sous Louis XVI), et publia quelques vers.  Il était alors imbu des idées de J.-J. Rousseau et de Bernardin de Saint-Pierre, sur la bonté de la nature.  La Révolu-tion le trouva intéressé, et même sympathique; mais choqué des scènes démagogiques, il s'en alla.

Il partit pour l'Amérique (8 avril 1791).  Il annonçait son inten-tion de découvrir vers l'extrémité nord-ouest du grand continent un

---

[1] Nom antique de l'Écosse.

passage que d'autres explorateurs avaient en vain cherché et qui devait donner accès à une grande mer polaire.[1] Il raconta au long, dans ses *Mémoires*, son voyage sur mer, son arrivée à Baltimore, puis ʾ Philadelphie où il présenta à Washington une lettre de créance:

Lorsque j'arrivai à Philadelphie, le général Washington n'y était pas; je fus obligé de l'attendre une huitaine de jours. Je le vis passer dans une voiture que tiraient quatre chevaux fringants, conduits à grandes guides.
5 Washington, d'après mes idées d'alors, était nécessairement Cincinnatus[2]; Cincinnatus en carosse dérangeait un peu ma république de l'an de Rome 296. Le dictateur Washington pouvait-il être autre qu'un rustre, piquant ses bœufs de l'aiguillon et tenant le manche de sa charrue?
10 Mais quand j'allai lui porter ma lettre de recommandation, je retrouvai la simplicité du vieux Romain.

Une petite maison, ressemblant aux maisons voisines, était le palais du président des Etats-Unis: point de gardes, pas même de valets. Je frappai; une jeune servante
15 ouvrit. Je lui demandai si le général était chez lui; elle me répondit qu'il y était. Je répliquai que j'avais une lettre à lui remettre. La servante me demanda mon nom, difficile à prononcer en anglais et qu'elle ne put retenir. Elle me dit alors doucement: « Walk in, sir; entrez, mon-
20 sieur », et elle marcha devant moi dans un de ces étroits

---

[1] « . . . s'avancer à l'ouest, jusqu'au point de couper la côte nord-ouest du golfe de Californie, puis, reconnaître le détroit de Behring, et, après être descendu à l'est, le long de la mer polaire, entreprendre le retour par la baie d'Hudson, le Labrador et le Canada ». Ce n'est qu'en 1905 que l'explorateur norvégien Amundsen (1872–1928) réalisa enfin l'exploit rêvé par Chateaubriand, et beaucoup d'autres.

[2] 3me siècle av. J. C. Célèbre pour l'austérité de ses mœurs, dictateur de la république de Rome. Quand les licteurs allèrent lui porter les insignes de sa dignité, ils le trouvèrent dans son champ, conduisant lui-même sa charrue.

corridors qui servent de vestibule aux maisons anglaises; elle m'introduisit dans un parloir où elle me pria d'attendre le général.

Au bout de quelques minutes, le général entra: d'une grande taille, d'un air calme et froid plutôt que noble, il 5 est ressemblant dans ses gravures. Je lui présentai ma lettre en silence; il l'ouvrit, courut à la signature qu'il lut tout haut avec exclamation: « Le colonel Armand ! » C'est ainsi qu'il l'appelait et qu'avait signé le marquis de la Rouërie. 10

Nous nous assîmes. Je lui expliquai tant bien que mal le motif de mon voyage. Il me répondait par monosyllabes anglais et français, et m'écoutait avec une sorte d'étonnement; je m'en aperçus, et je lui dis avec un peu de vivacité: « Mais il est moins difficile de découvrir le passage du nord- 15 ouest que de créer un peuple comme vous l'avez fait. » « Well, well, young man ! Bien, bien, jeune homme », s'écria-t-il en me tendant la main. Il m'invita à dîner pour le jour suivant, et nous nous quittâmes.

Peut-être d'autres le découragèrent-ils comme Washington de cette formidable aventure, peut-être y renonça-t-il de lui-même. Il voyagea cependant assez en Amérique pour réaliser un autre but, tout littéraire celui-ci. Ce but était de connaître un de ces pays où la civilisation n'avait pas encore laissé trop fortement son empreinte; en disciple de Rousseau qu'il était encore alors, il voulait trouver des couleurs pour une grande épopée de l'homme de la nature, et les forêts vierges de l'Amérique du nord devaient être pour lui ce que les pays des tropiques de l'Afrique avaient été pour l'auteur de *Paul et Virginie*. Il y trouva, en effet, l'inspiration pour sa première tentative littéraire à laquelle il ne donna cependant jamais une forme définitive (*Les Natchez*, publiés seulement en 1816), mais dans laquelle il puisera plus tard pour son grand ouvrage, *Le Génie du Christianisme*, et pour ses deux célèbres récits, *Atala* et *René*.

« J'étais encore bien jeune, écrit-il dans une Préface d'*Atala*, « lorsque je conçus l'idée de faire l'épopée de la nature ou de peindre « les mœurs des sauvages, en les liant à quelque événement connu. « Après la découverte de l'Amérique, je ne vis pas de sujet plus inté-

« ressant, surtout pour des Français, que le massacre de la colonie des
« Natchez à la Louisiane, en 1727. Toutes les tribus indiennes
« conspirant après deux siècles d'oppression pour rendre la vie au
« Nouveau-Monde, me parurent offrir un sujet presque aussi heureux
« que la conquête du Mexique.[1] Je jetai quelques fragments de cet
« ouvrage sur le papier; mais je m'aperçus bientôt que je manquerais
« des vraies couleurs et que si je voulais faire une image semblable, il
« fallait visiter les peuples que je voulais peindre ».

Dans cette épopée le Français René est devenu le fils adoptif de
Chactas, un ( sachem ) [chef de tribu] des Natchez; celui-ci lui raconte sa vie, son voyage en France, ses amours avec Atala; René s'é-
tablit dans la tribu, s'y marie même, aide les Natchez dans leur guerre
contre les Iroquois. Quand, plus tard la guerre éclate entre les Natchez,
ses nouveaux frères, et la France son ancienne patrie, cela le remplit
de trouble; il est pris, passe en conseil de guerre, est condamné
à la déportation, mais meurt finalement, tué par un rival en
amour.

Ce qui reste surtout des Natchez ce sont les merveilleuses descriptions dont un bon nombre ont été détachées pour être insérées dans
diverses œuvres de Chateaubriand.

[NOTE: — On a beaucoup discuté pour savoir si Chateaubriand
avait vraiment vu tous les pays qu'il avait décrits. On trouvera un
excellent résumé de l'histoire de ces discussions dans Souriau, *Histoire
du Romantisme* (Ed. Spes, 1927; vol. I, pp. 131-139), depuis la première mise en doute, en 1827, dans le *American Quarterly Review*
jusqu'aux articles de J. Bédier, dans la *Revue d'Histoire Littéraire*, et
ceux écrits en réponse par l'abbé Bertrin, de 1899 à 1906; puis ce
fut le tour du fanatique M. Dick auquel répondit le sentimental M.
Madison Stathers, de Wesleyan University, W. Va. Il est maintenant
très évident que Chateaubriand s'est aidé de récits de voyageurs,
entre autres du Père Charlevoix, mais aussi que le genre de littérature
qu'il offrait n'était pas un traité de géographie; il eût été pédant de
citer ses sources. « Tout est affaire de mesure [c. à. d. quand on n'a
plus le droit de se servir de suggestions étrangères] ... Ce que nous
cherchons maintenant c'est la valeur artistique du Voyage en Amérique ». Voir aussi pp. 170-172 où M. Souriau accepte en somme les
conclusions de G. Chinard dans *L'Exotisme américain dans l'œuvre de
Chateaubriand* (Hachette, 1918).]

[1] L'ouvrage de Don Antonio Solio, *La Conquête du Mexique*, publié
en 1684, à Madrid, avait enthousiasmé beaucoup de lecteurs.

## Le Meschacebé

(Extrait du Prologue d'*Atala*.)

Le Meschacebé,[1] dans un cours de plus de mille lieues, arrose une délicieuse contrée, que les habitants des États-Unis appellent le *nouvel Éden*, et à laquelle les Français ont laissé le doux nom de *Louisiane*.[2] Mille autres fleuves, tributaires du Meschacebé, le Missouri, l'Illinois, l'A-  5 kanza,[3] l'Ohio, le Wabache, le Tenase,[4] l'engraissent de leur limon et la fertilisent de leurs eaux. Quand tous ces fleuves se sont gonflés des déluges de l'hiver, quand les tempêtes ont abattu des pans entiers de forêts, les arbres déracinés s'assemblent sur les sources. Bientôt la vase 10 les cimente, les lianes les enchaînent, et les plantes, y prenant racine de toutes parts, achèvent de consolider ces débris. Charriés par les vagues écumantes, ils descendent au Meschacebé: le fleuve s'en empare, les pousse au golfe mexicain, les échoue sur des bancs de sable, et accroît 15 ainsi le nombre de ses embouchures. Par intervalle, il élève sa voix en passant sur les monts, et répand ses eaux débordées autour des colonnades des forêts et des pyramides des tombeaux indiens; c'est le Nil des déserts. Mais la grâce est toujours unie à la magnificence dans les 20 scènes de la nature: tandis que le courant du milieu entraîne vers la mer les cadavres des pins et des chênes, on voit sur les deux courants latéraux remonter, le long des rivages, des îles flottantes de pistia et de nénuphar, dont les roses jaunes s'élèvent comme de petits pavillons. Des 25

[1] Le Mississipi.
[2] Pays découvert par les Français, au XVII^me siècle, et ainsi nommé en l'honneur de Louis XIV.
[3] L'Arkansas.
[4] Le Tennessee.

serpents verts, des hérons bleus, des flamants roses, de
jeunes crocodiles, s'embarquent passagers sur ces vaisseaux de fleurs; et la colonie, déployant aux vents ses
voiles d'or, va aborder endormie dans quelque anse retirée
5 du fleuve.

Les deux rives du Meschacebé présentent le tableau le
plus extraordinaire.  Sur le bord occidental, des savanes
se déroulent à perte de vue; leurs flots de verdure, en s'é-
loignant, semblent monter dans l'azur du ciel, où ils s'éva-
10 nouissent.  On voit dans ces prairies sans bornes errer à
l'aventure des troupeaux de trois ou quatre mille buffles
sauvages.  Quelquefois un bison chargé d'années, fendant
les flots à la nage, se vient coucher, parmi de hautes herbes,
dans une île du Meschacebé.  A son front orné de deux
15 croissants, à sa barbe antique et limoneuse, vous le pren-
driez pour le dieu du fleuve, qui jette un œil satisfait sur
la grandeur de ses ondes et la sauvage abondance de ses
rives.

Telle est la scène sur le bord occidental; mais elle change
20 sur le bord opposé, et forme avec la première un admirable
contraste.  Suspendus sur le cours des eaux, groupés sur
les rochers et sur les montagnes, dispersés dans les vallées,
des arbres de toutes les formes, de toutes les couleurs, de
tous les parfums, se mêlent, croissent ensemble, montent
25 dans les airs à des hauteurs qui fatiguent les regards.  Les
vignes sauvages, les bignonias, [1] les coloquintes, [2] s'entre-
lacent au pied de ces arbres, escaladent leurs rameaux,
grimpent à l'extrémité des branches, s'élancent de l'érable
au tulipier,[3] du tulipier à l'alcée,  en formant mille grottes,

[1] Plante grimpante de Virginie, appelée aussi jasmin-trompette
(nommée en l'honneur de Bignon, le bibliothécaire de Louis XV).

[2] Sorte de concombres.

[3] Ses larges fleurs jaunes et vertes ont la forme de tulipes.

[4] Rose trémière (d'un mot grec qui signifie « force »).

mille voûtes, mille portiques.  Souvent, égarées d'arbre
en arbre, ces lianes traversent des bras de rivière, sur lesquels elles jettent des ponts de fleurs.  Du sein de ces mas-
sifs, le magnolia [1] élève son cône immobile; surmonté de
ses larges roses blanches, il domine toute la forêt, et n'a   5
d'autre rival que le palmier, qui balance légèrement auprès
de lui ses éventails de verdure.

Une multitude d'animaux placés dans ces retraites par
la main du Créateur y répandent l'enchantement et la vie.
De l'extrémité des avenues on aperçoit des ours enivrés   10
de raisin qui chancellent sur les branches des ormeaux,[2]
des cariboux [3] se baignent dans un lac; des écureuils noirs
se jouent dans l'épaisseur des feuillages; des oiseaux-mo-
queurs,[4] des colombes de Virginie, de la grosseur d'un pas-
sereau, descendent sur les gazons rougis par les fraises;   15
des perroquets verts à tête jaune, des piverts empourprés,

---

[1] Nommé en l'honneur de Pierre Magnol, botaniste français (1638–
1715).

[2] L'exactitude de ces descriptions si colorées a été mise en doute.
On s'est beaucoup diverti surtout, à propos de ces ‹ ours ivres ›.
Chateaubriand a tenu à se justifier.  Dans une note à une nouvelle
édition d'*Atala*, il cite trois autorités pour ce trait: " They are ex-
tremely fond of grapes, and will climb to the top of the highest trees "
(Carver's *Travels through the Interior parts of North America*, p. 433,
3d ed., London, 1781).  " The bear in America is considered not as a
fierce, carnivorous, but as an useful animal; it feeds in Florida upon
grapes " (John Bartram, *Description of East Florida*, 3d ed., London,
1760).  « Il (l'ours) aime surtout le raisin; et comme toutes les forêts
sont remplies de vignes qui s'élèvent jusqu'à la cime des plus hauts
arbres, il ne fait aucune difficulté d'y grimper » (Charlevoix, *Voyage
dans l'Amérique septentrionale*, Tome IV, lettre 44, p. 175, Paris,
1744).  Imley cite en propres termes que les ours s'enivrent de raisin
(*intoxicated with grapes*), et qu'on profite de cette circonstance pour
les prendre à la chasse ... Quant aux ‹ hérons bleus › et aux ‹ flamants roses ›, on en a douté aussi.  Sainte-Beuve dit: « Le poète
s'amuse ».

[3] Le nom du renne, dans l'Amérique du nord et surtout au Canada.

[4] Petit oiseau siffleur, qui ressemble au merle.

des cardinaux [1] de feu, grimpent en circulant au haut des cyprès; des colibris [2] étincellent sur le jasmin des Florides, et des serpents-oiseleurs sifflent suspendus aux dômes des bois, en s'y balançant comme des lianes.

## La Chute du Niagara

(Extrait de l'Épilogue d'*Atala*.)

Chateaubriand a décrit trois fois la chute du Niagara; dans son *Essai sur les Révolutions*, dans l'Épilogue d'*Atala*, et dans les *Mémoires d'Outre-tombe*.

5   Nous arrivâmes bientôt au bord de la cataracte, qui s'annonçait par d'affreux mugissements.  Elle est formée par la rivière du Niagara, qui sort du Lac Érié et se jette dans le lac Ontario; sa hauteur perpendiculaire est de cent quarante-quatre pieds.  Depuis le lac Érié jusqu'au
10  Saut, le fleuve accourt par une pente rapide, et au moment de la chute c'est moins un fleuve qu'une mer dont les torrents se pressent à la bouche béante d'un gouffre.  La cataracte se divise en deux branches et se courbe en fer à cheval. Entre les deux chutes s'avance une île creusée en dessous,
15  qui pend avec tous ses arbres sur le chaos des ondes.  La masse du fleuve qui se précipite au midi s'arrondit en un vaste cylindre, puis se déroule en nappe de neige et brille au soleil de toutes les couleurs; celle qui tombe au levant descend dans une ombre effrayante; on dirait d'une co-
20  lonne d'eau du déluge.  Mille arcs-en-ciel se courbent et se croisent sur l'abîme.  Frappant le roc ébranlé, l'eau rejaillit en tourbillons d'écume, qui s'élèvent au-dessus des forêts comme les fumées d'un vaste embrasement.  Des pins, des noyers sauvages, des rochers taillés en forme de

---

[1] Oiseaux au plumage écarlate, rappelant la robe des cardinaux.
[2] En anglais *humming bird*.

fantômes, décorent la scène.   Des aigles entraînés par le
courant d'air descendent en tournoyant au fond du gouffre,
et des carcajous [1] se suspendent par leurs queues flexibles
au bout d'une branche abaissée pour saisir dans l'abîme
les cadavres brisés des élans et des ours.                         5

### Une Aventure chez les Iroquois

(Extrait des *Mémoires d'Outre-tombe*.)

Lorsque, après avoir passé le Mohawk, j'entrai dans des
bois qui n'avaient jamais été abattus, je fus pris d'une
sorte d'ivresse d'indépendance: j'allai d'arbre en arbre, à
gauche, à droite, me disant: « Ici plus de chemins, plus de
villes, plus de monarchie, plus de république, plus de pré- 10
sidents, plus de rois, plus d'hommes. »   Et, pour essayer si
j'étais rétabli dans mes droits originels,[2] je me livrais à
des actes de volonté qui faisaient enrager mon guide, lequel, dans son âme, me croyait fou.

Hélas! je me figurais être seul dans cette forêt où je 15
levais une tête si fière! tout à coup je vins m'énaser [3]
contre un hangar.   Sous ce hangar s'offrent à mes yeux
ébaubis les premiers sauvages que j'aie vus de ma vie.   Ils
étaient une vingtaine, tant hommes que femmes, tous bar-
bouillés comme des sorciers, le corps demi-nu, les oreilles 20
découpées, des plumes de corbeau sur la tête et des anneaux
passés dans les narines.   Un petit Français poudré et frisé,
habit vert-pomme, veste de droguet [4], jabot et manchettes
de mousseline, raclait un violon de poche, et faisait danser

[1] Le blaireau d'Amérique.
[2] Ironie à l'adresse de la Révolution qui prétendait rendre à
l'homme ses droits naturels.
[3] Écraser le nez, expression familière pour « se trouver face à face ».
[4] Étoffe de fil ou de laine garnie de dessins imprimés.

*Madelon Friquet*[1] à ces Iroquois.  M. Violet (c'était son
nom) était maître de danse chez les sauvages.  On lui payait ses leçons en peaux de castors et en jambons d'ours.  Il
avait été marmiton au service du général Rochambeau,
5 pendant la guerre d'Amérique.  Demeuré à New-York
après le départ de notre armée, il se résolut d'enseigner les
beaux-arts aux Américains.  Ses vues s'étant agrandies
avec le succès, le nouvel Orphée porta la civilisation jusque
chez les hordes sauvages du Nouveau-Monde.  En me par-
10 lant des Indiens, il me disait toujours: « Ces messieurs
sauvages et ces dames sauvagesses. »  Il se louait beaucoup
de la légèreté de ses écoliers; en effet, je n'ai jamais vu
faire de telles gambades.  M. Violet, tenant son petit violon entre son menton et sa poitrine, accordait l'instrument
15 fatal; il criait aux Iroquois: A vos places !  Et toute la
troupe sautait comme une bande de démons.

### Le Génie du Christianisme

Tout à coup Chateaubriand apprend — par hasard — la fuite du
roi Louis XVI, menacé par la Révolution, et son arrestation à Varennes (21 juin, 1791); il abandonne tout et s'embarque pour la
France; il a 23 ans. Il arrive au Havre le 2 janvier 1792, se rend
d'abord à Saint-Malo où il retrouve celle qu'il avait aimée; un prêtre
non-assermenté bénit le mariage.[2]  Puis, il part pour la guerre; est

---

[1] Probablement une chanson populaire en ce temps, peut-être
tirée d'un vaudeville à la mode.  En vieux français, on a le mot
*frisque* ou *frique* (anglais *fresh*): donc, nom choisi pour désigner une
enfant éveillée et friponne.  Friquet est un nom parfois employé pour
désigner le moineau.

[2] Le grand écrivain a eu d'autres muses que M^me de Chateaubriand, M^me de Beaumont, p. ex., et surtout M^me Récamier. Mais
les deux époux eurent toujours l'un pour l'autre, une vive estime.  On
lit dans les *Mémoires d'Outre-tombe* ces mots: « Je dois donc une
tendre et éternelle reconnaissance à ma femme, dont l'attachement
a été aussi touchant que profond et sincère.  Elle a rendu ma vie plus
grave, plus noble, plus honorable en m'inspirant toujours le respect,
sinon toujours la force du devoir ».

s poètes même qui ont chanté la nature, comme Hésiode,
héocrite et Virgile, n'en ont point fait de *description* dans
 sens que nous attachons à ce mot.   Ils nous ont sans
oute laissé d'admirables peintures des travaux, des mœurs
 du bonheur de la vie rustique; mais quant à ces tableaux
s campagnes, des saisons, des accidents du ciel, qui ont
richi la muse moderne, on en trouve à peine quelques
aits dans leurs écrits.

Or, on ne peut guère supposer que des hommes aussi
nsibles que les anciens eussent manqué d'yeux pour voir
 nature, et de talent pour la peindre, si quelque cause
uissante ne les avait aveuglés.   Or cette cause était la
ythologie, qui, peuplant l'univers d'élégants fantômes,
ait à la création sa gravité, sa grandeur et sa solitude.   Il
allu que le christianisme vînt chasser ce peuple de faunes,
 satyres et de nymphes, pour rendre aux grottes leur
ence, et aux bois leur rêverie.   Les déserts ont pris sous
tre culte un caractère plus triste, plus grave, plus su-
me; le dôme des forêts s'est exhaussé; les fleuves ont
isé leurs petites urnes, pour ne plus verser que les eaux
 l'abîme du sommet des montagnes: le vrai Dieu, en
ntrant dans ses œuvres, a donné son immensité à la na-
re.

Le spectacle de l'univers ne pouvait faire sentir aux
ecs et aux Romains les émotions qu'il porte à notre âme.
 lieu de ce soleil couchant, dont le rayon allongé tantôt
umine une forêt, tantôt forme une tangente d'or sur
rc roulant des mers; au lieu de ces accidents de lumière
 nous retracent chaque matin le miracle de la création,
 anciens ne voyaient partout qu'une uniforme machine
péra.

Si le poète s'égarait dans les vallées du Taygète,[1] au bord

[1] Chaîne de montagnes en Grèce.

gravement blessé, finit par passer en Angleterre où il connaît la misère noire.   Il donne des leçons, et écrit.   Il publiera en 1797 son *Essai sur les Révolutions*, livre tumultueux et sceptique, dans lequel il ridiculise, comme Joseph de Maistre, l'idée du « progrès indéfini » lancée au XVIIIᵉ siècle: « La liberté n'est qu'un songe ».   Il faut dans la société une puissance morale qui contienne les passions des hommes; et, disciple de Rousseau, il donne ce rôle à la religion (« religion civile » disait Rousseau): « Il faut une religion, ou la société périt »; enfin, il récuse positivement le catholicisme comme mort.

Mais ce scepticisme vis-à-vis du catholicisme ne dura pas.   Il raconte ainsi sa conversion dans un passage très connu de ses *Mémoires:*

« Ma mère, après avoir été jetée par la Révolution à 72 ans dans
« des cachots où elle vit périr une partie de ses enfants, expira enfin sur
« un grabat où ses malheurs l'avaient reléguée[1].   Le souvenir de
« mes égarements répandit sur ses derniers jours une grande amertume;
« elle chargea, en mourant, une de mes sœurs de me rappeler à cette
« religion dans laquelle j'avais été élevé.   Ma sœur me manda le
« dernier vœu de ma mère: Quand la lettre me parvint au-delà des
« mers, ma sœur elle-même n'existait plus.   Elle était morte aussi[2]
des suites de son emprisonnement.   Ces deux voix sorties du tombeau,
cette mort qui servait d'interprète à la mort, m'ont frappé.   Je n'ai
point cédé, j'en conviens à de grandes lumières surnaturelles: *j'ai
pleuré et j'ai cru...* »

Il semble d'ailleurs que Chateaubriand était bien préparé à cette conversion et qu'il avait déjà commencé à mettre en œuvre son grand ouvrage chrétien lorsqu'il reçut ces terribles nouvelles de France.   Il put rentrer dans sa patrie; son ami Fontanes (qu'il avait connu comme émigré à Londres) avait obtenu de Bonaparte qu'il fût rayé de la liste des émigrés, en 1800; son ouvrage, qui était un plaidoyer contre le rationalisme du XVIIIᵉ siècle et pour le retour à la religion chrétienne parut en 1802 avec ce titre si révélateur: *Le Génie du Christianisme ou Beautés poétiques et morales de la Religion chrétienne.*

Le livre allait bénéficier des circonstances historiques.   Justement Napoléon avait décidé de s'assurer l'appui de l'Église pour son œuvre de rétablissement de l'ordre en France après la période révolutionnaire.   Le *Génie du Christianisme* venait donc à point nommé, et Napoléon non seulement approuva le livre, mais voulut s'attacher la personne de l'auteur — à quoi d'abord Chateaubriand se prêta.

« Le moment était admirablement choisi pour publier le livre et
« ce n'est pas sans raisons que Fontanes en avait retardé la publica-
« tion jusqu'à ce mois d'avril 1802.

[1] 31 Mai 1798.          [2] 22 Juillet 1799.

« Sur ces entrefaites, en effet, pour fêter la signature de la Paix
« d'Amiens avec l'Angleterre et la signature du Concordat avec le
« Saint-Siège, le gouvernement avait décidé qu'un *Te Deum* solennel
« serait célébré à Notre-Dame en présence des consuls, des généraux,
« des membres du Sénat, du Corps législatif, du Tribunat [1] et de tous
« les hauts fonctionnaires de l'État. Bonaparte avait tenu à donner
« à cette cérémonie, qui restaurait officiellement le culte catholique,
« tout l'éclat possible. Il s'était rendu à Notre-Dame en un
« long et magnifique cortège. Les troupes de la première division
« militaire, en grande tenue, faisaient la haie. L'archevêque de
« Paris était venu le recevoir à la porte de l'église, pour le mener
« sous le dais qui lui était réservé. « Le nouveau chef de l'État, dit
« Thiers dans son *Histoire du Consulat et de l'Empire*, fut conduit sous
« le dais à la place qui lui était réservée. Le Sénat, le Corps législatif,
« le Tribunat étaient rangés des deux côtés de l'autel. Derrière le
« Premier Consul, se trouvaient, debout, les généraux en grand uni-
« forme, plus obéissants que convertis, quelques-uns même affectant
« une contenance peu décente. Quant à lui, revêtu de l'habit rouge
« des consuls, immobile, le visage sévère, il ne montrait ni la dis-
« traction des uns, ni le recueillement des autres. Il était calme et
« grave, dans l'attitude d'un chef d'empire qui fait un grand acte
« de volonté et qui commande de son regard la soumission à tout le
« monde ». Tel fut ce *Te Deum* du 28 germinal an X, célébré au
« matin de Pâques, qui renouait avec éclat les relations officielles
« entre le pouvoir civil et le pouvoir religieux, entre l'État et l'Église
« … Ce fut presque le même jour — le 24 germinal an X — que
« parut chez Le Normant et Migneret le livre si souvent annoncé et
« tant attendu: *Le Génie du Christianisme*. Le moment était pro-
« pice … » (Le Febvre, *Génie du Christianisme*, Malfère, 1929, pp.
79-80.)

Le succès fut éclatant; surtout auprès de la jeune génération, et
pas seulement pour des motifs politiques; on était vraiment fatigué
du voltairianisme. L'opposition vint de quelques adhérents aux doctrines du XVIIIº siècle, et de l'Académie Française qui osa résister
à Napoléon lorsque celui-ci voulait faire couronner l'ouvrage (voir
M. Souriau, *livre cité*, I, pp. 205-7.)

Chateaubriand avait abrégé son titre. En 1799 il avait pensé
d'abord à celui-ci qui exprime plus complètement le but de l'ouvrage:
*Des Beautés poétiques et morales de la religion chrétienne, et de sa supé-
riorité sur tous les autres cultes de la terre*. (Lettre à Fontanes, 27 oct.

---

[1] Conseil établi en 1800 pour surveiller les empiétements du pouvoir exécutif; il fut supprimé en 1807.

1799). Depuis la Renaissance, trois tentatives
pour supplanter le christianisme comme religion, o
primer toute religion. Il s'agissait de les réfuter:

**1. De la supériorité du Christianisme
Polythéisme des Grecs et des Roma
du Dieu de la grande nature tel
apparaît dans toute sa splendeur
les auteurs des psaumes, par op
sition aux dieux de la mytholog
païenne.**

Boileau, au XVIIº siècle, avait formulé la théori
poétique du paganisme sur le christianisme dans
(Chant III). Rappelons ces quelques vers:

… D'un air plus grand encore la poésie épiqu
Dans le vaste récit d'une longue action,
Se soutient par la fable et vit de fiction,
Là, pour nous enchanter, tout est mis en usage
Tout prend un corps, une âme, un esprit, un v
Chaque vertu devient une divinité:
Minerve est la prudence, et Vénus la beauté;
Ce n'est plus la vapeur qui produit le tonnerre
C'est Jupiter armé pour effrayer la terre;
Un orage, terrible aux yeux des matelots,
C'est Neptune en courroux qui gourmande les
Écho n'est plus un son qui dans l'air retentisse
C'est une nymphe en pleurs qui se plaint de
(Voir *Seventeenth Century French Readings*

Voici la réponse de Chateaubriand, IIº Partie
Premier:

## Que la Mythologie rapetissait la

*Que les Anciens n'avaient point de p
proprement dite descriptive*

Le plus grand et le premier vice de la m
d'abord de rapetisser la nature et d'en ba
Une preuve incontestable de ce fait, c'est qu
nous appelons *descriptive* a été inconnue

du Sperchius, sur le Ménale aimé d'Orphée, ou dans les
campagnes d'Elore,[1] malgré la douceur de ces dénomina-
tions, il ne rencontrait que des faunes, il n'entendait que
des dryades: Priape[2] était là sur un tronc d'olivier, et
Vertumne[3] avec les zéphyrs menait des danses éternelles. 5
Des sylvains et des naïades peuvent frapper agréablement
l'imagination, pourvu qu'ils ne soient pas sans cesse re-
produits; nous ne voulons point

> ... *Chasser les tritons de l'empire des eaux,*
> *Ôter à Pan sa flûte, aux Parques leurs ciseaux* ...[4]    10

Mais enfin, qu'est-ce que tout cela laisse au fond de l'âme ?
qu'en résulte-t-il pour le cœur ? quel fruit peut en tirer
la pensée ?  Oh ! que le poète chrétien est plus favorisé
dans la solitude où Dieu se promène avec lui !  Libres de
ce troupeau de dieux ridicules qui les bornaient de toutes 15
parts, les bois se sont remplis d'une Divinité immense.  Le
don de prophétie et de sagesse, le mystère et la religion,
semblent résider éternellement dans leurs profondeurs sa-
crées.

Pénétrez dans ces forêts américaines aussi vieilles que le 20
monde: quel profond silence dans ces retraites quand les
vents reposent !  Quelles voix inconnues quand les vents
viennent à s'élever !  Êtes-vous immobile, tout est muet;
faites-vous un pas, tout soupire.  La nuit s'approche, les
ombres s'épaississent: on entend des troupeaux de bêtes 25
sauvages passer dans les ténèbres; la terre murmure sous
vos pas; quelques coups de foudre font mugir les déserts;

---

[1] *Sperchius ... Ménale ... Élore ...* Toute cette région du Pé-
loponèse méridional est associée à des souvenirs de la Grèce poétique
et mythologique.

[2] Dieu des jardins et des vignes.

[3] Divinité d'origine étrusque, qui présidait aux saisons

[4] Citation de Boileau, *Art poétique*, Chant III.

la forêt s'agite, les arbres tombent, un fleuve inconnu coule
devant vous.  La lune sort enfin de l'Orient; à mesure que
vous passez aux pieds des arbres, elle semble errer devant
vous dans leurs cimes et suivre tristement vos yeux.  Le
5 voyageur s'assied sur le tronc d'un chêne pour attendre le
jour; il regarde tour à tour l'astre des nuits, les ténèbres,
le fleuve; il se sent inquiet, agité et dans l'attente de quelque chose d'inconnu; un plaisir inouï, une crainte extraordinaire, font palpiter son sein, comme s'il allait être admis
10 à quelque secret de la Divinité: il est seul au fond des
forêts; mais l'esprit de l'homme remplit aisément les espaces de la nature, et toutes les solitudes de la terre sont
moins vastes qu'une seule pensée de son cœur ...

Il faut plaindre les anciens, qui n'avaient trouvé
15 dans l'Océan que le palais de Neptune et la grotte de Protée; il était dur de ne voir que les aventures des tritons et
des néréides dans cette immensité des mers, qui semble
nous donner une mesure confuse de la grandeur de notre
âme; dans cette immensité qui fait naître en nous un
20 vague désir de quitter la vie pour embrasser la nature et
nous confondre avec son auteur.

### 2. De la supériorité du Christianisme sur la poésie et la morale du « Bon sauvage ».

#### *Atala*

Le XVIII⁰ siècle en faisant la guerre à l'intolérance et au dogma-
tisme de l'Église avait opposé au Christianisme la « religion naturelle », c'est à dire celle qui récuse la révélation pour n'écouter que la
voix intérieure.  Chateaubriand prétend que la voix de la nature est
celle des passions égoïstes et cruelles.  La doctrine de la ‹ religion
naturelle › est exposée avec éloquence dans la *Profession de foi du
Vicaire savoyard* de J.-J. Rousseau, dont voici quelques lignes:
« Vous ne voyez dans mon exposé que la religion naturelle; il
« est bien étrange qu'il en faille une autre ... Quelle pureté de mo-

« rale, quel dogme utile à l'homme et honorable à son auteur puis-je
« tirer d'une doctrine positive [dogmatique] que je ne puisse tirer
« sans elle du bon usage de mes facultés ?   Montrez-moi ce qu'on
« peut ajouter, pour la gloire de Dieu, pour le bien de la société et
« pour mon avantage, aux devoirs de la loi naturelle, et quelle vertu
« vous ferez naître d'un nouveau culte qui ne soit une conséquence du
« mien ? . . . »

Ce qu'on peut ajouter ? — Chateaubriand veut le dire.

*Atala, ou les Amours de deux sauvages dans le désert* est un récit
qu'il avait d'abord imaginé pour sa grande épopée des hommes de la
nature, *Les Natchez*, et qu'il recomposa ensuite pour le faire entrer
dans le cadre du *Génie du Christianisme*.   Prenant comme fond de
tableau le spectacle des grandes forêts vierges américaines avant l'arrivée des blancs, il décrit les amours de deux enfants de la nature; cela
rappelait *Paul et Virginie* de Bernardin de Saint Pierre.[1]   Mais le récit
a été entièrement remanié de façon à démontrer la supériorité de la
civilisation chrétienne sur celle des sauvages.   Il reste à ceux-ci
beaucoup de poésie, avec des traits parfois fort touchants, mais cette
poésie est associée à des mœurs guerrières d'une cruauté souvent
inouïe et à des superstitions puériles.

Chactas, de la tribu des Natchez, est prisonnier des Muscogulges;
il doit être supplicié.   Atala, une fille des Muscogulges, aime Chactas
et veut lui donner les moyens de fuir; mais il refuse de fuir sans elle.
C'est par une belle nuit de lune, dans la grande savane d'Alachua
(nord de la Floride):

### Une nuit de Floride

La fille du pays des palmiers vint me trouver au milieu
de la nuit.   Elle me conduisit dans une grande forêt de
pins, et renouvela ses prières pour m'engager à la fuite.
Sans lui répondre, je pris sa main dans ma main, et je for-
çai cette biche altérée d'errer avec moi dans la forêt.   La    5
nuit était délicieuse.   Le Génie des airs secouait sa chevelure bleue, embaumée de la senteur des pins, et l'on respirait la faible odeur d'ambre qu'exhalaient les crocodiles
couchés sous les tamarins des fleuves.   La lune brillait au

[1] Bernardin de Saint-Pierre a avoué modestement: « Je n'ai qu'un
petit pinceau, M. de Chateaubriand a une brosse ».

milieu d'un azur sans tache, et sa lumière gris de perle descendait sur la cime indéterminée des forêts.  Aucun bruit
ne se faisait entendre, hors je ne sais quelle harmonie loin-
taine qui régnait dans la profondeur des bois: on eût dit
5 que l'âme de la solitude soupirait dans toute l'étendue du
désert.

Nous aperçûmes à travers les arbres un jeune homme
qui, tenant à la main un flambeau, ressemblait au Génie
du printemps parcourant les forêts pour ranimer la nature;
10 c'était un amant qui allait s'instruire de son sort à la cabane
de sa maîtresse.

Si la vierge éteint le flambeau, elle accepte les vœux
offerts; si elle se voile sans l'éteindre, elle rejette un époux.

Le guerrier, en se glissant dans les ombres, chantait à
15 demi-voix ces paroles:

« Je devancerai les pas du jour sur le sommet des mon-
« tagnes pour chercher ma colombe solitaire parmi les
« chênes de la forêt.

« J'ai attaché à son cou un collier de porcelaines [sorte
20 « de coquillage]; on y voit trois grains rouges pour mon
« amour, trois violets pour mes craintes, trois bleus pour
« mes espérances.

« Mila a les yeux d'une hermine et la chevelure d'un
« champ de riz; sa bouche est un coquillage rose garni de
25 « perles; ses deux seins sont comme deux petits che-
« vreaux sans tache, nés au même jour, d'une seule
« mère.

« Puisse Mila éteindre ce flambeau !  Puisse sa bouche
« verser sur lui une ombre voluptueuse !  Je fertiliserai
30 « son sein.  L'espoir de la patrie pendra à sa mamelle fé-
« conde, et je fumerai mon calumet de paix sur le ber-
« ceau de mon fils.

« Ah ! laissez-moi devancer les pas du jour sur le som-

« met des montagnes pour chercher ma colombe solitaire
« parmi les chênes de la forêt ! »

Ainsi chantait ce jeune homme, dont les accents portèrent le trouble jusqu'au fond de mon âme et firent changer de visage à Atala.  Nos mains unies frémirent l'une ₅
dans l'autre.

### Complainte de l'Indienne sur l'enfant mort

Voici une autre scène tirée de l'Épilogue d'*Atala:* Chateaubriand,
près de la chute du Niagara, rencontre deux sauvages de la tribu des
Natchez qui fuient leur patrie tombée entre les mains des Européens.
Leur enfant est mort au cours de ce voyage; la mère lui donne la
sépulture.[1]

J'étais arrivé tout près de cette chute, dans l'ancien
pays des Agannonsioni [les Iroquois], lorsqu'un matin, en
traversant une plaine, j'aperçus une femme assise sous
un arbre et tenant un enfant mort sur ses genoux.  Je ₁₀
m'approchai doucement de la jeune mère, et je l'entendis
qui disait:

« Si tu étais resté parmi nous, cher enfant, comme ta
« main eût bandé l'arc avec grâce !  Ton bras eût dompté
« l'ours en fureur, et sur le sommet de la montagne tes ₁₅
« pas auraient défié le chevreuil à la course.  Blanche her-
« mine du rocher, si jeune être allé dans le pays des âmes !
« Comment feras-tu pour y vivre ?  Ton père n'y est point
« pour t'y nourrir de sa chasse.  Tu auras froid, et aucun
« Esprit ne te donnera des peaux pour te couvrir.  Oh ! ₂₀
« il faut que je me hâte de t'aller rejoindre pour te chanter
« des chansons et te présenter mon sein. »

Et la jeune mère chantait d'une voix tremblante, balan-

---

[1] Victor Hugo a fait de cet épisode le sujet d'un de ses premiers
poèmes (voir l'Appendice à *Victor Hugo raconté par un témoin de sa
vie*), et Alexandre Soumet s'en est servi dans son livre *L'Incrédulité.*

çait l'enfant sur ses genoux, humectait ses lèvres du lait maternel et prodiguait à la mort tous les soins qu'on donne à la vie.

Cette femme voulait faire sécher le corps de son fils sur
5 les branches d'un arbre, selon la coutume indienne, afin de l'emporter ensuite aux tombeaux de ses pères. Elle dépouilla donc le nouveau-né, et respirant quelques instants sur sa bouche, elle dit: « Âme de mon fils, âme char-« mante, ton père t'a créée jadis sur mes lèvres par un baiser;
10 « hélas ! les miens n'ont pas le pouvoir de te donner une « seconde naissance. » Ensuite elle découvrit son sein, embrassa ses restes glacés, qui se fussent ranimés au feu du cœur maternel si Dieu ne s'était réservé le souffle qui donne la vie.

15 Elle se leva et chercha des yeux un arbre sur les branches duquel elle pût exposer son enfant. Elle choisit un érable à fleurs rouges, festonné de guirlandes d'apios [1] et qui exhalait les parfums les plus suaves. D'une main elle en abaissa les rameaux inférieurs, de l'autre elle y plaça le
20 corps; laissant alors échapper la branche, la branche retourna à sa position naturelle, emportant la dépouille de l'innocence cachée dans un feuillage odorant. Oh ! que cette coutume indienne est touchante ! Je vous ai vus dans vos campagnes désolées, pompeux monuments des Crassus [2]
25 et des Césars, et je vous préfère encore ces tombeaux aériens du sauvage, ces mausolées de fleurs et de verdure que parfume l'abeille, que balance le zéphyr, et où le rossignol bâtit son nid et fait entendre sa plaintive mélodie. Si c'est la dépouille d'une jeune fille que la main d'un amant a sus-

---

[1] Espèce de léguminées grimpantes (en anglais, *ground nut*, ou *wild bean*).

[2] Crassus formait avec Pompée et César, le premier triumvirat. Il était renommé pour ses richesses fabuleuses.

pendue à l'arbre de la mort, si ce sont les restes d'un enfant chéri qu'une mère a placés dans la demeure des petits oiseaux, le charme redouble encore. Je m'approchai de celle qui gémissait au pied de l'érable, je lui imposai les mains sur la tête en poussant les trois cris de douleur. Ensuite, 5 sans lui parler, prenant comme elle un rameau, j'écartai les insectes qui bourdonnaient autour du corps de l'enfant. Mais je me donnai garde d'effrayer une colombe voisine. L'Indienne lui disait: « Colombe, si tu n'es pas l'âme de mon fils qui s'est envolée, tu es sans doute une mère qui 10 cherche quelque chose pour faire un nid. Prends ces cheveux que je ne laverai plus dans l'eau d'esquine [1]; prends-en pour coucher tes petits, puisse le grand Esprit te les conserver ! »

Cependant la mère pleurait de joie en voyant la poli- 15 tesse de l'étranger. Comme nous faisions ceci, un jeune homme approcha: « Fille de Céluta, retire notre enfant; nous ne séjournerons pas plus longtemps ici et nous partirons au premier soleil ». Je dis alors: « Frère, je te souhaite un ciel bleu, beaucoup de chevreuils, un manteau de 20 castor et l'espérance. Tu n'es donc pas de ce désert ? — Non, répondit le jeune homme, nous sommes des exilés, et nous allons chercher une patrie ». En disant cela, le guerrier baissa la tête dans son sein, et, avec le bout de son arc, il abattait la tête des fleurs.

25

### Le Supplice du Prisonnier

Chactas, le prisonnier des Muscogulges, celui qu'Atala délivrera, doit se préparer à mourir; or:

« Ces mêmes Indiens dont les coutumes sont si touchantes . . . demandaient maintenant mon supplice à grands

[1] En anglais, *china root.*

cris, et des nations entières retardaient leur départ pour avoir le plaisir de voir un jeune homme souffrir des tourments épouvantables.

« Dans une vallée au nord, à quelque distance du grand 5 village, s'élevait un bois de cyprès et de sapins, appelé le *Bois de sang.* On y arrivait par les ruines d'un de ces monuments dont on ignore l'origine, et qui sont l'ouvrage d'un peuple maintenant inconnu. Au centre de ce bois s'étendait une arène où l'on sacrifiait les prisonniers de guerre. 10 On m'y conduit en triomphe. Tout se prépare pour ma mort: on plante le poteau d'Areskou;[1] les pins, les ormes, les cyprès tombent sous la cognée; le bûcher s'élève; les spectateurs bâtissent des amphithéâtres avec des branches et des troncs d'arbres. Chacun invente un supplice: l'un 15 se propose de m'arracher la peau du crâne, l'autre de me brûler les yeux avec des haches ardentes. Je commence ma chanson de mort:

« Je ne crains pas les tourments; je suis brave, ô Mus- « cogulges ! Je vous défie; je vous méprise plus que des 20 « femmes. Mon père Oulalissi, fils de Miscou a bu dans le « crâne de vos plus fameux guerriers; vous n'arracherez « pas un soupir de mon cœur. »

« Provoqué par ma chanson, un guerrier me perça le bras d'une flèche; je dis: « Frère, je te remercie. »[2] 25 « Malgré l'activité des bourreaux, les préparatifs du supplice ne purent être achevés avant le coucher du soleil. On consulta le Jongleur, qui défendit de troubler les Génies des ombres, et ma mort fut encore suspendue jusqu'au lendemain. Mais, dans l'impatience de jouir du

---

[1] Dieu des guerriers.

[2] On comparera avec intérêt cette attitude fière du guerrier indien et sa chanson avec ce que Montaigne raconte dans son essai *Des Cannibales,* aux dernières pages (*Essais,* Livre I, 30).

spectacle et pour être plus tôt prêts au lever de l'aurore,
les Indiens ne quittèrent point le *Bois du sang;* ils allumèrent des grands feux et commencèrent des festins et
des danses.

« Cependant on m'avait étendu sur le dos.  Des cordes ⁵
partant de mon cou, de mes pieds, de mes bras, allaient
s'attacher à des piquets enfoncés en terre.  Des guerriers
étaient couchés sur ces cordes, et je ne pouvais faire un
mouvement sans qu'ils n'en fussent avertis.  La nuit s'a-
vance: les chants et les danses cessent par degrés; les ¹⁰
feux ne jettent plus que des lueurs rougeâtres, devant lesquelles on voit encore passer les ombres de quelques sauvages; tout s'endort: à mesure que le bruit des hommes
s'affaiblit, celui du désert augmente, et au tumulte des
voix succèdent les plaintes du vent de la forêt. ¹⁵

*     *     *

La poésie, d'ailleurs, ne manque nullement au Christianisme;
elle est même plus belle et moralement supérieure; le pieux ermite,
le Père Aubry, a substitué aux coutumes guerrières des Indiens la
culture paisible du sol; il a établi le règne de la charité et de l'amour
parmi les hommes.  L'un des chapitres les plus frappants du Génie
du Christianisme est celui intitulé « Des Cloches ».[1]  L'on en trouve
un écho dans cet épisode amené par la fuite d'Atala et de Chactas.
C'est toujours Chactas qui raconte:

### L'Orage

« C'était le vingt-septième soleil depuis notre départ des
cabanes: la lune de feu avait commencé son cours, et tout
annonçait un orage.  Vers l'heure où les matrones indiennes suspendent la crosse du labour aux branches du sa-

[1] L'étudiant devrait lire ce chapitre: IVᵒ Partie, *Culte;* Livre I,
*Eglises, Ornements, Chants, Prières, Solennités,* etc.  Chap. I, *Des
Cloches*.  (Vol II, p. 66–8 de l'éd. Giraud.)

vinier [1] et où les perruches se retirent dans le creux des cyprès, le ciel commença à se couvrir. Les voix de la solitude s'éteignirent, le désert fit silence et les forêts demeurèrent dans un calme universel. Bientôt les roulements
5 d'un tonnerre lointain, se prolongeant dans ces bois aussi vieux que le monde, en firent sortir des bruits sublimes. Craignant d'être submergés, nous nous hâtâmes de gagner le bord du fleuve et de nous retirer dans une forêt.

« Ce lieu était un terrain marécageux. Nous avancions
10 avec peine sous une voûte de smilax, parmi des ceps de vigne, des indigos, des faséoles, [2] des lianes rampantes, qui entravaient nos pieds comme des filets. Le sol spongieux tremblait autour de nous, et à chaque instant nous étions près d'être engloutis dans les fondrières. Des in-
15 sectes sans nombre, d'énormes chauves-souris, nous aveuglaient, les serpents à sonnettes bruissaient de toutes parts, et les loups, les ours, les carcajous,[3] les petits tigres, qui venaient se cacher dans ces retraites, les remplissaient de leurs rugissements.

20 « Cependant, l'obscurité redouble: les nuages abaissés entrent sous l'ombrage des bois. La nue se déchire, et l'éclair trace un rapide losange de feu. Un vent impétueux, sorti du couchant, roule les nuages sur les nuages; les forêts plient, le ciel s'ouvre coup sur coup et, à travers
25 ses crevasses, on aperçoit de nouveaux cieux et des campagnes ardentes. Quel affreux, quel magnifique spectacle ! La foudre met le feu dans les bois; l'incendie s'étend comme une chevelure de flammes; des colonnes d'étincelles et de fumée assiègent les nues, qui vomissent leurs foudres dans le
30 vaste embrasement. Alors le grand Esprit couvre les mon-

---

[1] En anglais, *juniper*.
[2] En anglais, *kidney beans*.
[3] Le blaireau d'Amérique.

tagnes d'épaisses ténèbres; du milieu de ce vaste chaos
s'élève un mugissement confus formé par le fracas des
vents, le gémissement des arbres, le hurlement des bêtes féroces, le bourdonnement de l'incendie et la chute répétée
du tonnerre qui siffle en s'éteignant dans les eaux.    5

   « Le grand Esprit le sait !  Dans ce moment, je ne vis
qu'Atala, je ne pensai qu'à elle.  Sous le tronc penché d'un
bouleau, je parvins à la garantir des torrents de la pluie.
Assis moi-même sous l'arbre, tenant ma bien-aimée sur mes
genoux, et réchauffant ses pieds nus entre mes mains,  10
j'étais plus heureux que la nouvelle épouse qui sent pour la
première fois son fruit tressaillir dans son sein. »

*   *   *

   Tout à coup un immense éclair, suivi d'un éclat de foudre,
sillonne l'épaisseur des ombres, remplit la forêt de soufre et de lumière et brise un arbre à nos pieds.  Nous fu-  15
yons.  O surprise ! . . . dans le silence qui succède, nous
entendons le son d'une cloche !  Tous deux interdits, nous
prêtons l'oreille à ce bruit si étrange dans un désert.  À l'instant, un chien aboie dans le lointain; il approche, il redouble ses cris, il arrive, il hurle de joie à nos pieds; un  20
vieux solitaire portant une petite lanterne le suit à travers
les ténèbres de la forêt.  « La Providence soit bénie ! s'é-
« cria-t-il aussitôt qu'il nous aperçut.  Il y a bien longtemps
« que je vous cherche !  Notre chien vous a sentis dès le
« commencement de l'orage, et il m'a conduit ici !  Bon  25
« Dieu ! comme ils sont jeunes !  Pauvres enfants, comme
« ils ont dû souffrir !  Allons ! j'ai apporté une peau d'ours
« pour cette jeune femme; voici un peu de vin dans notre
« calebasse.  Que Dieu soit loué dans toutes ses œuvres !
« sa miséricorde est bien grande, et sa bonté est infinie ! »  30

   « Atala était aux pieds du religieux: « Chef de la prière,

« lui disait-elle, je suis chrétienne.  C'est le ciel qui t'en-
« voie pour me sauver. — Ma fille, dit l'ermite en la rele-
« vant, nous sonnons ordinairement la cloche de la mission
« pendant la nuit et pendant les tempêtes pour appeler
5 « les étrangers, et, à l'exemple de nos frères des Alpes et
« du Liban, nous avons appris à nos chiens à décou-
« vrir les voyageurs égarés. »  Pour moi, je comprenais à
peine l'ermite; cette charité me semblait si fort au-dessus
de l'homme, que je croyais faire un songe.  À la lueur de la
10 petite lanterne que tenait le religieux, j'entrevoyais sa
barbe et ses cheveux tout trempés d'eau; ses pieds, ses
mains et son visage étaient ensanglantés par les ronces.
« Vieillard, m'écriai-je enfin, quel cœur as-tu donc, toi qui
« n'as pas craint d'être frappé par la foudre ? — Craindre !
15 repartit le père avec une sorte de chaleur; craindre lors-
« qu'il y a des hommes en péril et que je leur puis être utile !
« Je serais donc un bien indigne serviteur de Jésus-Christ !
« — Mais sais-tu, lui dis-je, que je ne suis pas chrétien ?
« — Jeune homme, répondit l'ermite, vous ai-je demandé
20 « votre religion ?  Jésus-Christ n'a pas dit: « Mon sang
« lavera celui-ci, et non celui-là. »  Il est mort pour le juif et
« pour le gentil, et il n'a vu dans tous les hommes que des
« frères.  Ce que je fais ici pour vous est fort peu de chose,
« et vous trouveriez ailleurs bien d'autres secours; mais
25 « la gloire n'en doit point retomber sur les prêtres.  Que
« sommes-nous, faibles solitaires, sinon de grossiers instru-
« ments d'une œuvre céleste ?  Eh ! quel serait le soldat
« assez lâche pour reculer lorsque son chef, la croix
« à la main et le front couronné d'épines, marche devant
30 « lui au secours des hommes ? »

　　« Ces paroles saisirent mon cœur; des larmes d'admiration et de tendresse tombèrent de mes yeux.  « Mes chers
« enfants, dit le missionnaire, je gouverne dans ces fo-

« rêts un petit troupeau de vos frères sauvages.  Ma grotte
« est près d'ici dans la montagne; venez vous réchauffer
« chez moi: vous n'y trouverez pas les commodités de la
« vie, mais vous y aurez un abri, et il faut encore en re-
« mercier la bonté divine, car il y a bien des hommes qui  5
« en manquent. »

### L'œuvre de l'ermite chrétien [1]

« Le lendemain, je m'éveillai aux chants des cardinaux
et des oiseaux moqueurs nichés dans les acacias et les
lauriers qui environnaient la grotte.  J'allai cueillir une
rose de magnolia, et je la déposai, humectée des larmes 10
du matin, sur la tête d'Atala endormie.  J'espérais, selon
la religion de mon pays, que l'âme de quelque enfant mort
à la mamelle serait descendue sur cette fleur dans une
goutte de rosée, et qu'un heureux songe la porterait au
sein de ma future épouse.  Je cherchai ensuite mon hôte; 15
je le trouvai la robe relevée dans ses deux poches, un chapelet à la main et m'attendant assis sur le tronc d'un pin
tombé de vieillesse.  Il me proposa d'aller avec lui à la mission, tandis qu'Atala reposait encore; j'acceptai son offre,
et nous nous mîmes en route à l'instant.                    20

... Nous arrivâmes à l'entrée d'une vallée, où je vis un
ouvrage merveilleux: c'était un pont naturel, semblable à
celui de Virginie.  Les hommes, mon fils, surtout ceux de ton
pays, imitent souvent la nature, et leurs copies sont toujours
petites; il n'en est pas ainsi de la nature, quand elle a l'air 25

---

[1] Pour bien comprendre l'œuvre du Père Aubry telle que Chateau-
briand a voulu la décrire, il suffit de lire l'histoire des Missions de la
Californie; particulièrement celle de Santa-Barbara.  Rien ne com-
mente mieux *Atala*.  Voir par exemple, *Mission Santa-Barbara, Early
Days in Alta California.  History and Description of the Old Franciscan
Mission*, C. H. McIsaac, Publ. Santa-Barbara, Cal. 31 Pages.

d'imiter les travaux des hommes, en leur offrant des modèles. C'est alors qu'elle jette des ponts du sommet d'une
montagne au sommet d'une autre montagne, suspend des
chemins dans les nues, répand des fleuves pour canaux,
5 sculpte des monts pour colonnes et pour bassins creuse des
mers.

Nous passâmes sous l'arche unique de ce pont, et nous
nous trouvâmes devant une autre merveille: c'était le
cimetière des Indiens de la mission, ou les Bocages de la
10 mort. Le père Aubry avait permis à ses néophytes d'ensevelir leurs morts à leur manière et de conserver au lieu
de leurs sépultures son nom sauvage; il avait seulement
sanctifié ce lieu par une croix. Le sol en était divisé
comme le champ commun des moissons, en autant de lots
15 qu'il y avait de familles . . .

En sortant de ce lieu, nous découvrîmes le village de
la mission, situé au bord d'un lac, au milieu d'une savane
semée de fleurs. On y arrivait par une avenue de
magnolias et de chênes-verts, qui bordaient une de ces an-
20 ciennes routes que l'on trouve vers les montagnes qui divisent le Kentucky des Florides. Aussitôt que les Indiens
aperçurent leur pasteur dans la plaine, ils abandonnèrent
leurs travaux et accoururent au-devant de lui. Les uns
baisaient sa robe, les autres aidaient ses pas; les mères
25 élevaient leurs petits enfants pour leur faire voir l'homme
de Jésus-Christ qui répandait des larmes. Il s'informait en
marchant de ce qui se passait au village; il donnait un
conseil à celui-ci, réprimandait doucement celui-là; il parlait des moissons à recueillir, des enfants à instruire, des
30 peines à consoler, et il mêlait Dieu à tous ses discours.

« Ainsi escortés, nous arrivâmes au pied d'une grande
croix qui se trouvait sur le chemin. C'était là que le serviteur de Dieu avait accoutumé de célébrer les mystères

de sa religion: « Mes chers néophytes, dit-il en se tour-
« nant vers la foule, il vous est arrivé un frère et une sœur,
« et, pour surcroît de bonheur, je vois que la divine Provi-
« dence a épargné hier vos moissons; voilà deux grandes
« raisons de la remercier. Offrons donc le saint sacrifice, 5
« et que chacun y apporte un recueillement profond, une
« foi vive, une reconnaissance infinie et un cœur humilié. »

« Aussitôt, le prêtre divin revêt une tunique blanche
d'écorce de mûrier, les vases sacrés sont tirés d'un ta-
bernacle au pied de la croix, l'autel se prépare sur un 10
quartier de roche, l'eau se puise dans le torrent voisin, et
une grappe de raisin sauvage fournit le vin du sacrifice.
Nous nous mettons tous à genoux dans les hautes herbes;
le mystère commence.

« L'aurore, paraissant derrière les montagnes, enflam- 15
mait l'orient. Tout était d'or ou de rose dans la solitude.
L'astre annoncé par tant de splendeur sortit enfin d'un
abîme de lumière, et son premier rayon rencontra l'hostie
consacrée, que le prêtre en ce moment élevait dans les
airs. O charme de la religion! O magnificence du culte 20
chrétien! Pour sacrificateur un vieil ermite, pour autel un
rocher, pour église le désert, pour assistance d'innocents
sauvages! Non, je ne doute point qu'au moment où nous
nous prosternâmes le grand mystère ne s'accomplît et
que Dieu ne descendît sur la terre, car je le sentis des- 25
cendre dans mon cœur.

« Après le sacrifice, nous nous rendîmes au village. Là,
régnait le mélange le plus touchant de la vie sociale et de
la vie de la nature: au coin d'une cyprière de l'antique
désert on découvrait une culture naissante; les épis rou- 30
laient à flots d'or sur le tronc du chêne abattu, et la gerbe
d'un été remplaçait l'arbre de trois siècles.

Partout on voyait les forêts livrées aux flammes pous-

ser de grosses fumées dans les airs, et la charrue se promener lentement entre les débris de leurs racines. Des
arpenteurs avec de longues chaînes allaient mesurant le
terrain; des arbitres établissaient les premières proprié-
5 tés; l'oiseau cédait son nid; le repaire de la bête féroce
se changeait en une cabane; on entendait gronder des
forges, et les coups de la cognée faisaient pour la dernière fois mugir des échos, expirant eux-mêmes avec les
arbres qui leur servaient d'asile.

10 J'errais avec ravissement au milieu de ces tableaux.
J'admirais le triomphe du christianisme sur la vie sauvage;
je voyais l'Indien se civilisant à la voix de la religion;
j'assistais aux noces primitives de l'homme et de la terre:
l'homme, par ce grand contrat, abandonnant à la terre
15 l'héritage de ses sueurs, et la terre s'engageant en retour à
porter fidèlement les moissons, les fils et les cendres de
l'homme.

Cependant on présenta un enfant au missionnaire, qui
le baptisa parmi des jasmins en fleurs, au bord d'une
20 source, tandis qu'un cercueil, au milieu des jeux et des
travaux, se rendait aux Bocages de la mort. Deux époux
reçurent la bénédiction nuptiale sous un chêne, et nous
allâmes ensuite les établir dans un coin du désert. Le
pasteur marchait devant nous, bénissant çà et là, et le
25 rocher, et l'arbre, et la fontaine, comme autrefois, selon
le livre des chrétiens, Dieu bénit la terre inculte en la donnant en héritage à Adam. Cette procession, qui pêle-
mêle avec ses troupeaux suivait de rocher en rocher son
chef vénérable, représentait à mon cœur attendri ces mi-
30 grations des premières familles, alors que Sem [1] avec ses
enfants, s'avançait à travers le monde inconnu, en suivant
le soleil qui marchait devant lui.

[1] Fils aîné de Noé (*Genèse X*).

Je voulus savoir du saint ermite comment il gouvernait ses enfants; il me répondit avec une grande complaisance: « Je ne leur ai donné aucune loi; je leur ai seulement
« enseigné à s'aimer, à prier Dieu et à espérer une meil-
« leure vie: toutes les lois du monde sont là-dedans. 5
« Vous voyez au milieu du village une cabane plus grande
« que les autres: elle sert de chapelle dans la saison des
« pluies. On s'y assemble soir et matin pour louer le Sei-
« gneur, et quand je suis absent, c'est un vieillard qui fait
« la prière, car la vieillesse est une espèce de sacerdoce. En- 10
« suite, on va travailler dans les champs, et, si les proprié-
« tés sont divisées, afin que chacun puisse apprendre
« l'économie sociale, les moissons sont déposées dans des
« greniers communs, pour maintenir la charité fraternelle.
« Quatre vieillards distribuent avec égalité le produit du 15
« labeur. Ajoutez à cela des cérémonies religieuses, beau-
« coup de cantiques, la croix où j'ai célébré les mystères,
« l'ormeau sous lequel je prêche dans les bons jours, nos
« tombeaux tout près de nos champs de blé, nos fleuves où
« je plonge les petits enfants et les Saint-Jean de cette 20
« nouvelle Béthanie,[1] vous aurez une idée complète de
ce « royaume de Jésus-Christ. »

Les paroles du solitaire me ravirent, et je sentis la supériorité de cette vie stable et occupée sur la vie errante et oisive du sauvage. 25

### Les Funérailles d'Atala

La scène des funérailles d'Atala ne le cède pas en beauté poétique à celle de l'Indienne remettant à la grande nature l'âme et le corps de son enfant; mais le Christianisme n'en reste pas à « cette infirmité de la mort »; il ouvre l'espérance des félicités éternelles.

[1] Sur la route de Jérusalem à Jéricho, près du Jourdain où Jean baptisa Jésus.

[On pourra comparer cette scène à celle des funérailles de Laurence, dans le poème de *Jocelyn*, par Lamartine, qui sera cité plus bas.]

« Nous convînmes que nous partirions le lendemain au lever du soleil pour enterrer Atala sous l'arche du pont naturel, à l'entrée des ‹ Bocages de la mort ›. Il fut aussi résolu que nous passerions la nuit en prière auprès du corps
5 de cette sainte ...

Atala était couchée sur un gazon de sensitives des montagnes; ses pieds, sa tête, les épaules et une partie de son sein étaient découverts. Ses lèvres, comme un bouton de rose cueilli depuis deux matins, semblaient languir et sou-
10 rire. Dans ses joues, d'une blancheur éclatante, on distinguait quelques veines bleues. Ses beaux yeux étaient fermés, ses pieds modestes étaient joints, et ses mains d'albâtre pressaient sur son cœur un crucifix d'ébène. Elle paraissait enchantée par l'Ange de la mélancolie et par le
15 double sommeil de l'innocence et de la tombe ...

Le religieux ne cessa de prier toute la nuit. J'étais assis en silence au chevet du lit funèbre de mon Atala.

Que de fois, durant son sommeil, j'avais supporté sur mes genoux cette tête charmante ! Que de fois je m'étais
20 penché sur elle pour entendre et respirer son souffle ! Mais à présent aucun bruit ne sortait de ce sein immobile, et c'était en vain que j'attendais le réveil de la beauté !

La lune prêta son flambeau à cette veillée funèbre. Elle se leva au milieu de la nuit comme une blanche vestale
25 qui vient pleurer sur le cercueil d'une compagne. Bientôt elle répandit dans les bois ce grand secret de mélancolie qu'elle aime à raconter aux vieux chênes et aux rivages antiques des mers. De temps en temps, le religieux plongeait un rameau fleuri dans une eau consacrée, puis, se-
30 couant la branche humide, il parfumait la nuit des baumes

du ciel. Parfois il répétait sur un air antique quelques
vers d'un poète nommé Job [1]; il disait:

« J'ai passé comme une fleur; j'ai séché comme l'herbe
« des champs.

« Pourquoi la lumière a-t-elle été donnée à un miséra-
« ble et la vie à ceux qui sont dans l'amertume du cœur ? »

Ainsi chantait l'ancien des hommes. Sa voix grave et
peu cadencée allait roulant dans le silence des déserts.
Le nom de Dieu et du tombeau sortait de tous les échos,
de tous les torrents, de toutes les forêts. Les roucoule-
ments de la colombe de Virginie, la chute d'un torrent
dans la montagne, les tintements de la cloche qui appelait les voyageurs, se mêlaient à ces chants funèbres, et
l'on croyait entendre dans les Bocages de la nuit le chœur
lointain des décédés, qui répondait à la voix du solitiare.

« Cependant une barre d'or se forma dans l'orient. Les
éperviers criaient sur les rochers et les martres rentraient
dans le creux des ormes: c'était le signal du convoi d'A-
tala. Je chargeai le corps sur mes épaules; l'ermite
marchait devant moi, une bêche à la main. Nous com-
mençâmes à descendre de rocher en rocher; la vieillesse
et la mort ralentissaient également nos pas. A la vue du
chien qui nous avait trouvés dans la forêt, et qui, maintenant, bondissant de joie, nous traçait une autre route,
je me mis à fondre en larmes. Souvent la longue chevelure d'Atala, jouet des brises matinales, étendait son voile
d'or sur mes yeux; souvent, pliant sous le fardeau, j'étais
obligé de le déposer sur la mousse et de m'asseoir auprès, pour reprendre des forces. Enfin, nous arrivâmes
au lieu marqué par ma douleur; nous descendîmes sous
l'arche du pont. O mon fils ! il eût fallu voir un jeune

[1] Livre de *Job*, III, 20 (le premier verset cité ne paraît pas s'y
trouver).

sauvage et un vieil ermite à genoux l'un vis-à-vis de l'autre dans un désert, creusant avec leurs mains un tombeau
pour une pauvre fille dont le corps était étendu près de là,
dans la ravine desséchée d'un torrent.

5    « Quand notre ouvrage fut achevé, nous transportâmes
la beauté dans son lit d'argile.  Hélas ! j'avais espéré de
préparer une autre couche pour elle !  Prenant alors un peu
de poussière dans ma main et gardant un silence effroyable, j'attachai pour la dernière fois mes yeux sur le visage
10 d'Atala.  Ensuite je répandis la terre du sommeil sur un
front de dix-huit printemps.

### La mort du Père Aubry

Dans l'Épilogue d'*Atala*, Chateaubriand revient au contraste entre
la moralité cruelle des mœurs sauvages et celle de l'amour et du pardon du chrétien.  Il y raconte entre autres choses, la mort du Père
Aubry :

« Les Chéroquois, ennemis des Français, pénétrèrent à sa
« Mission; ils y furent conduits par le son de la cloche
« qu'on sonnait pour secourir les voyageurs.  Le père Aubry
15 « se pouvait sauver, mais il ne voulut pas abandonner ses
« enfants, et il demeura pour les encourager à mourir par
« son exemple.  Il fut brûlé avec de grandes tortures; ja-
« mais on ne put tirer de lui un cri qui tournât à la honte de
« son Dieu ou au déshonneur de sa patrie.  Il ne cessa, du-
20 « rant le supplice, de prier pour ses bourreaux et de compatir
« au sort des victimes.  Pour lui arracher une marque de
« faiblesse, les Chéroquois amenèrent à ses pieds un sau-
« vage chrétien qu'ils avaient horriblement mutilé.  Mais
« ils furent bien surpris quand ils virent le jeune homme
25 « se jeter à genoux et baiser les plaies du vieil ermite, qui
« lui criait: « Mon enfant, nous avons été mis en specta-
« cle aux anges et aux hommes. »  Les Indiens furieux lui

« plongèrent un fer rouge dans la gorge pour l'empêcher
« de parler.   Alors, ne pouvant plus consoler les hommes,
« il expira.

Pour l'immense succès d'*Atala* qui fut aussitôt répandu en Europe
par quatorze traductions, voir Souriau, *Histoire du Romantisme*, Vol.
I, pp. 176 et ss.   Comme le dit Chateaubriand dans les *Mémoires
d'Outre-Tombe:* « Le vieux siècle la repoussa, le nouveau l'accueillit ».
Une cause qui contribua à ce succès, sans compter le mérite de
l'œuvre même, est indiquée par Chateaubriand lui-même dans la
Préface d'*Atala;* c'est qu'on reparlait à cette époque des anciennes
possessions françaises perdues de l'Amérique du nord: « Si, par un
dessein de la plus haute politique, le gouvernement français songeait
un jour à redemander le Canada à l'Angleterre, une description de
*la Nouvelle France* prendrait un nouvel intérêt ».   On sait comment
Napoléon, au lieu de réclamer le Canada, devait encore, dès l'année
suivante (1803), vendre la Louisiane.

**3. De la supériorité du Christianisme sur le
Rationalisme déiste ou l'Athéisme du
XVIII° siècle.**

## René

Dans le *Génie du Christianisme* il y a un autre épisode qui fut aussi
publié à part — mais plus tard, en 1807 — l'histoire de *René*.   Il s'a-
git d'un homme privé de sa foi par les philosophes du XVIII° siècle,
et, qui lorsqu'il ne se sent plus guidé par l'Église, ne sait que faire
de sa vie; il cherche un but dans le monde; il ne trouve rien; il essaie
de tout, des voyages, l'étude, la vie à la campagne, etc.; rien ne peut
le satisfaire, et il est saisi d'une profonde mélancolie qu'on appellera
« le mal du siècle ».   Tout un Livre du *Génie du Christianisme* y est
consacré (II° Partie, *La poésie dans ses rapports avec les hommes;*
Livre III, *Passions*): Les passions humaines n'ont jamais suffi à
remplir le cœur de l'homme, comme le prouve l'expérience des plus
grands poètes.   Chateaubriand le montre particulièrement chez
Virgile (*Énée et Didon*), Racine (*Phèdre*), Rousseau (*Julie et Saint-
Preux*), Bernardin de Saint-Pierre, (*Paul et Virginie*); il en arrive
finalement (Chap. viii) à « *la Religion considérée elle-même comme
passion* », chez Corneille, dans la tragédie de *Polyeucte*.   Et qu'en
est-il, maintenant que l'homme a voulu rejeter cette religion de Polyeucte, qui satisfaisait l'âme tout entière ?   Il est désemparé; il est
en proie à ce vague des passions qui s'abîme dans le désespoir.

## Du Vague des Passions

(Extrait du *Génie du Christianisme*, II, iii, Ch. IX.)

Il reste à parler de l'état de l'âme qui, ce nous semble, n'a pas encore été bien observé: c'est celui qui précède le développement des passions, lorsque nos facultés, jeunes, actives, entières, mais renfermées, ne se sont exercées que 5 sur elles-mêmes, sans but et sans objet. Plus les peuples avancent en civilisation, plus cet état du *vague* des passions augmente; car il arrive alors une chose fort triste: le grand nombre d'exemples qu'on a sous les yeux, la multitude de livres qui traitent de l'homme et de ses sentiments, 10 rendent habile sans expérience. On est détrompé sans avoir joui; il reste encore des désirs, et l'on n'a plus d'illusions. L'imagination est riche, abondante et merveilleuse; l'existence pauvre, sèche et désenchantée. On habite, avec un cœur plein, un monde vide; et sans avoir 15 usé de rien, on est désabusé de tout.

L'amertume que cet état de l'âme répand sur la vie est incroyable; le cœur se retourne et se replie en cent manières, pour employer des forces qu'il sent lui être inutiles. Les anciens ont peu connu cette inquiétude secrète, cette 20 aigreur des passions étouffées qui fermentent toutes ensemble; une grande existence politique, les jeux du gymnase et du Champ de Mars, les affaires du Forum et de la place publique, remplissaient leurs moments, et ne laissaient aucune place aux ennuis du cœur.

25 D'une autre part . . . les Grecs et les Romains, n'étendant guère leurs regards au delà de la vie, et ne soupçonnant point des plaisirs plus parfaits que ceux de ce monde, n'étaient point portés, comme nous, aux méditations et aux désirs par le caractère de leur culte. Formée pour nos

misères et pour nos besoins, la religion chrétienne nous
offre sans cesse le double tableau des chagrins de la terre
et des joies célestes; et, par ce moyen, elle fait dans le cœur
une source de maux présents et d'espérances lointaines,
d'où découlent d'inépuisables rêveries. Le chrétien se 5
regarde toujours comme un voyageur qui passe ici-bas
dans une vallée de larmes, et qui ne se repose qu'au tombeau. Le monde n'est point l'objet de ses vœux, car il sait
que l'*homme vit peu de jours*, et que cet objet lui échap-
perait vite. 10

Les persécutions qu'éprouvèrent les premiers fidèles aug-
mentèrent en eux ce dégoût des choses de la vie. L'invasion des barbares y mit le comble, et l'esprit humain
en reçut une impression de tristesse, et peut-être même une
teinte de misanthropie qui ne s'est jamais bien effacée. 15
De toutes parts s'élevèrent des couvents, où se retirèrent
des malheureux trompés par le monde, et des âmes qui
aimaient mieux ignorer certains sentiments de la vie que
de s'exposer à les voir cruellement trahis. Mais, de nos
jours, quand les monastères ou la vertu qui y conduit ont 20
manqué à ces âmes ardentes, elles se sont trouvées étrangères au milieu des hommes. Dégoûtées par leur siècle,
effrayées par leur religion, elles sont restées dans le monde
sans se livrer au monde: alors elles sont devenues la proie
de mille chimères; alors on a vu naître cette coupable 25
mélancolie qui s'engendre au milieu des passions, lorsque
ces passions, sans objet, se consument d'elles-mêmes dans
un cœur solitaire. . . . Il est étonnant que les écrivains
modernes n'aient pas encore songé à peindre cette singulière
disposition de l'âme. Puisque nous manquons d'exemples, 30
nous serait-il permis de donner aux lecteurs un épisode,
extrait comme *Atala*, de nos anciens *Natchez*? C'est la vie
de ce jeune René, à qui Chactas a raconté son histoire.

## Le Cas de René

[Quand le Romantisme aura bien triomphé — grâce à Chateaubriand — les peintures de cet état d'âme se multiplieront, chez Lamartine, chez Musset, chez Vigny, etc.; et Chateaubriand s'en
inquiétera; il écrira dans les *Mémoires d'Outre-Tombe:* « Si René n'e-
xistait pas, je ne l'écrirais plus; je le détruirais. Une famille de René,
prosateurs et poètes, a pullulé. Il n'y a pas un grimaud sortant du collège qui n'ait rêvé d'être le plus malheureux des hommes ». D'autre
part, dans une page frappante de son livre *Chateaubriand et son groupe*
(Vol. I, pp. 344–347) Sainte-Beuve rappelle que le « mal de René »
avait déjà fait son apparition à d'autres époques de l'histoire, par
exemple avec Virgile, St. Augustin, Albert Dürer, Faust, etc.]

Il y a une grande part d'autobiographie dans ce récit; on y trouve
les échos de la profonde affection entre Chateaubriand (*René*) et sa
sœur Lucile (*Amélie*), affection qui les console un peu de leur triste
enfance dans un endroit qui rappelle beaucoup Combourg.[1] Après la
mort du père, quand il fallut quitter le toit paternel, ils allèrent chez
des parents à Paris, mais la vie est sans sens pour eux. Amélie finira
par entrer dans un couvent où elle trouvera l'oubli et la paix de Dieu.
René, lui, a essayé de voyager, d'abord chez les « peuples morts »
(en Grèce et à Rome); puis il a voulu visiter les « cités vivantes »,
mais il n'a point de goût pour Paris. Il « partit alors pour s'ensevelir
dans une chaumière, comme il était parti autrefois pour faire le tour
du monde »:

Je partis précipitamment pour m'ensevelir dans une
chaumière, comme j'étais parti autrefois pour faire le tour
du monde.

« On m'accuse d'avoir des goûts inconstants, de ne pou-
5 voir jouir longtemps de la même chimère, d'être la proie
d'une imagination qui se hâte d'arriver au fond de mes
plaisirs, comme si elle était accablée de leur durée; on
m'accuse de passer toujours le but que je puis atteindre.
Hélas ! je cherche seulement un bien inconnu dont l'ins-

[1] Sainte-Beuve déjà affirmait cet élément autobiographique
(*Chateaubriand et son groupe*, Vol. I, pp. 334–7). M. Souriau le nie
(Vol. I, p. 222.). Voir une discussion de Pierre Louys dans le *Bulletin
de la Société Chateaubriand*, Vol. I, Fascicule I (1930).

tinct me poursuit.  Est-ce ma faute si je trouve partout
des bornes, si ce qui est fini n'a pour moi aucune valeur ? . . .

« La solitude absolue, le spectacle de la nature, me plongèrent bientôt dans un état presque impossible à décrire.
Sans parents, sans amis, pour ainsi dire, sur la terre, n'ayant
point encore aimé, j'étais accablé d'une surabondance de
vie.  Quelquefois je rougissais subitement, et je sentais
couler dans mon cœur comme des ruisseaux d'une lave
ardente; quelquefois je poussais des cris involontaires,
et la nuit était également troublée de mes songes et de mes
veilles.  Il me manquait quelque chose pour remplir l'abîme
de mon existence: je descendais dans la vallée, je m'élevais
sur la montagne, appelant de toute la force de mes désirs
l'idéal objet d'une flamme future; je l'embrassais dans les
vents, je croyais l'entendre dans les gémissements du
fleuve; tout était ce fantôme imaginaire, et les astres dans
les cieux, et le principe même de la vie dans l'univers.

« Toutefois, cet état de calme et de trouble, d'indigence
et de richesse n'était pas sans quelques charmes: un jour,
je m'étais amusé à effeuiller une branche de saule sur un
ruisseau et à attacher une idée à chaque feuille que le courant entraînait.  Un roi qui craint de perdre sa couronne par
une révolution subite ne ressent pas des angoisses plus
vives que les miennes à chaque accident qui menaçait les
débris de mon rameau.  O faiblesse des mortels ! ô enfance
du cœur humain qui ne vieillit jamais ! voilà donc à quel
degré de puérilité notre superbe raison peut descendre !
Et encore est-il vrai que bien des hommes attachent leur
destinée à des choses d'aussi peu de valeur que mes feuilles
de saule.

« Mais comment exprimer cette foule de sensations fu-
gitives que j'éprouvais dans mes promenades ?  Les sons
que rendent les passions dans le vide d'un cœur solitaire

ressemblent au murmure que les vents et les eaux font entendre dans le silence d'un désert; on en jouit, mais on ne peut les peindre.

« L'automne me surprit au milieu de ces incertitudes; 5 j'entrai avec ravissement dans les mois des tempêtes. Tantôt j'aurais voulu être un de ces guerriers errant au milieu des vents, des nuages et des fantômes; tantôt j'enviais jusqu'au sort du pâtre que je voyais réchauffer ses mains à l'humble feu de broussailles qu'il avait allumé au 10 coin d'un bois. J'écoutais ses chants mélancoliques qui me rappelaient que dans tout pays le chant naturel de l'homme est triste, lors même qu'il exprime le bonheur. Notre cœur est un instrument incomplet, une lyre où il manque des cordes et où nous sommes forcés de rendre 15 les accents de la joie sur le ton consacré aux soupirs.

« Le jour, je m'égarais sur de grandes bruyères terminées par des forêts. Qu'il fallait peu de choses à ma rêverie ! une feuille sèche que le vent chassait devant moi, une cabane dont la fumée s'élevait dans la cime dépouil- 20 lée des arbres, la mousse qui tremblait au souffle du nord sur le tronc d'un chêne, une roche écartée, un étang désert où le jonc flétri murmurait ! Le clocher solitaire s'élevant au loin dans la vallée a souvent attiré mes regards; souvent j'ai suivi des yeux les oiseaux de passage qui volaient 25 au-dessus de ma tête. Je me figurais les bords ignorés, les climats lointains où ils se rendent; j'aurais voulu être sur leurs ailes. Un secret instinct me tourmentait; je sentais que je n'étais moi-même qu'un voyageur, mais une voix du ciel semblait me dire: « Homme, la saison 30 « de ta migration n'est pas encore venue; attends que le « vent de la mort se lève, alors tu déploieras ton vol vers « ces régions inconnues que ton cœur demande. »

« Levez-vous vite, orages désirés qui devez emporter

René dans les espaces d'une autre vie ! Ainsi disant, je marchais à grands pas, le visage enflammé, le vent sifflant dans ma chevelure, ne sentant ni pluie, ni frimas, enchanté, tourmenté et comme possédé par le démon de mon cœur . . .

« Hélas ! j'étais seul, seul sur la terre ! Une langueur 5 secrète s'emparait de mon corps. Ce dégoût de la vie que j'avais ressenti dès mon enfance revenait avec une force nouvelle. Bientôt mon cœur ne fournit plus d'aliment à ma pensée, et je ne m'apercevais de mon existence que par un profond sentiment d'ennui. 10

« Je luttai quelque temps contre mon mal, mais avec in-différence et sans avoir la ferme résolution de le vaincre. Enfin, ne pouvant trouver de remède à cette étrange bles-sure de mon cœur, qui n'était nulle part et qui était par-tout, je résolus de quitter la vie. 15

René cependant, ne se tue pas ; il va demander aux solitudes du Nouveau monde l'apaisement de son mal. Il y avait auprès de René, le conteur, et de Chactas, le Natchez, un troisième personnage qui entendit tout ce récit. C'était le Père Souël, qui, comme le Père Aubry d'*Atala*, faisait œuvre d'évangélisation chez les sauvages. Et voici le discours qu'il adressa à René, alors que Chactas pressait celui-ci dans ses bras avec compassion :

« Rien, dit-il au frère d'Amélie,[1] rien ne mérite dans cette histoire la pitié qu'on vous montre ici. Je vois un jeune homme entêté de chimères, à qui tout déplaît, et qui s'est soustrait aux charges de la société pour se livrer à d'inu-tiles rêveries. On n'est point, monsieur, un homme supé- 20 rieur parce qu'on aperçoit le monde sous un jour odieux. On ne hait les hommes et la vie que faute de voir assez loin. Étendez un peu plus votre regard, et vous serez

---

[1] C'étaient les importunités de René qui avaient forcé sa sœur, à s'ensevelir dans un couvent. Amélie elle-même n'avait pas assez résisté à sa tendresse pour son frère et l'avait poussé plus avant dans l'égoïste solitude.

bientôt convaincu que tous ces maux dont vous vous plaignez sont de purs néants. Mais quelle honte de ne pouvoir songer au seul malheur réel de votre vie sans être forcé de rougir ! Toute la pureté, toute la religion, toutes les couronnes d'une sainte rendent à peine tolérable la seule idée de vos chagrins. Votre sœur a expié sa faute; mais, s'il faut ici dire ma pensée, je crains que, par une épouvantable justice, un aveu sorti du sein de la tombe n'ait troublé votre âme à son tour. Que faites-vous seul au fond des forêts où vous consumez vos jours, négligeant tous vos devoirs ? Des saints, me direz-vous, se sont ensevelis dans les déserts. Ils y étaient avec leurs armes, et employaient à éteindre leurs passions le temps que vous perdez peut-être à allumer les vôtres. Jeune présomptueux, qui avez cru que l'homme se peut suffire à lui-même, la solitude est mauvaise à celui qui n'y vit pas avec Dieu; elle redouble les puissances de l'âme en même temps qu'elle leur ôte tout sujet de s'exercer. Quiconque a reçu des forces doit les consacrer au service de ses semblables: s'il les laisse inutiles, il en est puni par une secrète misère, et tôt ou tard le ciel lui envoie un châtiment effroyable. »

Troublé par ces paroles, René releva du sein de Chactas sa tête humiliée ... Les trois amis reprirent la route de leurs cabanes: René marchait en silence entre le missionnaire qui priait Dieu, et le sachem aveugle qui cherchait sa route ... Il périt peu de temps après avec Chactas et le Père Souël dans le massacre des Français et des Natchez à la Louisiane.

[Si l'étudiant veut faire plus ample connaissance avec l'œuvre capitale de Chateaubriand, voici quelques uns des chapitres les plus importants du *Génie du Christianisme*, en dehors de ceux qui ont été cités: II° Partie, Livre V, « La Bible et Homère », surtout chap. iv, où est refait supérieurement le chapitre de Perrault, *Parallèle des Anciens et des Modernes*, cité dans *Seventeenth Century French Readings*

(Holt and Co.). Dans la III° Partie, « Beaux-Arts et Littérature », chapitre viii, ( Des Églises gothiques ), admirable préparation au roman de Victor Hugo, *Notre Dame de Paris* (1830). Au Livre IV°, où il est question des ruines, des églises, des ordres religieux, des chevaliers, des moines, des hôpitaux, etc., lire le chap. v, « Que l'Incrédulité est la principale cause de la décadence du goût et du génie ». Dans la IV° Partie, « Culte », se trouve, Livre I, le célèbre chapitre i, ( Des Cloches ). Dans la *Conclusion*, lire le Chapitre xiii et dernier, ( Que serait aujourd'hui l'état de la société si le Christianisme n'eût point paru sur la terre ? ) — surtout le passage qui commence : ( Le peuple romain fut toujours un peuple horrible ... ) La thèse générale est exprimée dans cette phrase : ( Par les principes, la philosophie ne peut faire aucun bien que la religion ne le fasse encore mieux; et la religion en fait beaucoup, que la philosophie ne saurait faire ).]

## *Les Martyrs* (*1809*)

Le point d'aboutissement de la pensée de Chateaubriand en ce qui concerne le Christianisme se trouve dans *Les Martyrs* (1809), qui est la contre-partie des *Natchez:* Là, il avait voulu, à l'aube de sa vie, écrire l'épopée des sauvages; il répudie celle-ci en quelque sorte pour écrire une épopée du Christianisme. Le sujet se présenta à son esprit dès 1802, mais il voulut chercher des couleurs pour ses tableaux, et il fit un grand voyage en orient en 1806; l'ouvrage fut terminé en 1809 [1]; il est écrit en « prose poétique » comme *Atala* et comme *René*.[2]

L'auteur expose ainsi ce qu'il désirait faire :

---

[1] Ce voyage inspira à Chateaubriand un autre livre, où il décrit les lieux qui rappellent les temps antiques avec autant de magnificence qu'il avait décrit l'Amérique des Indiens; il visita « Sparte, Athènes, les champs où fut Troie, Jérusalem désolée et recueillie, la Mer Morte muette et sinistre, et l'Égypte et Carthage, et la mer, toujours adorée, mille fois peinte, ... » (Faguet, *XIX° siècle*, p. 51). C'est un des plus beaux livres de Chateaubriand, *L'Itinéraire de Paris à Jérusalem* (1811).

[2] Il discute à la fin de sa Préface la question de la légitimité des « poèmes en prose », et il se réclame du *Télémaque* de Fénelon (voir *Seventeenth Century French Readings*, (Holt & Co.) chap. IX, sans compter l'autorité d'Aristote et de Denys d'Halicarnasse.

« *Préface de la Première Édition des Martyrs* »

J'ai avancé, dans un premier ouvrage, que la religion chrétienne me paraissait plus favorable que le paganisme au développement des caractères et au jeu des passions dans l'épopée.  J'ai dit encore que le *merveilleux* de cette
5 religion pouvait peut-être lutter contre le *merveilleux* emprunté de la mythologie.  Ce sont ces opinions, plus ou moins combattues, que je cherche à appuyer par un exemple.

Pour rendre le lecteur juge impartial de ce grand procès
10 littéraire, il m'a semblé qu'il fallait chercher un sujet qui renfermât dans un même cadre le tableau des deux religions, la morale, les sacrifices, les pompes des deux cultes; un sujet où le langage de la *Genèse* pût se faire entendre auprès de celui de l'*Odyssée;* où le *Jupiter* d'Homère vînt se
15 placer à côté du *Jehovah* de Milton, sans blesser la piété, le goût et la vraisemblance des mœurs.

Cette idée conçue, j'ai trouvé facilement l'époque historique de l'alliance des deux religions.

La scène s'ouvre au moment de la persécution excitée
20 par Dioclétien, vers la fin du III° siècle.  Le Christianisme n'était point encore la religion dominante de l'empire romain, mais ses autels s'élevaient auprès des autels des idoles.

Les personnages sont pris dans les deux religions: je
25 fais d'abord connaître ces personnages;  le récit montre ensuite l'état du Christianisme dans le monde connu, à l'époque de l'action;  le reste de l'ouvrage développe cette action, qui se rattache par la catastrophe au massacre général des chrétiens.

Les héros sont Eudore et Cymodocée.
Eudore, d'une ancienne famille grecque qui résista aux Romains

lorsque ceux-ci envahirent la Grèce et la subjuguèrent, doit se rendre à
Rome, tout jeune, comme otage.  C'est là qu'il entend parler du
Christ et qu'il se convertit.  On le verra enrôlé dans les rangs de
l'armée romaine qui va combattre la tribu des Francs.  Les Francs
occupaient la rive droite du Rhin, ayant comme frontière la Batavie
(Hollande) à l'ouest, la Scandinavie au nord, et la Germanie à l'est.
Fait prisonnier, Eudore voit le christianisme se développer chez
'es Francs.  Il marchera avec eux à la conquête de la Gaule, le pays
des Druides.  Ici se place l'épisode de la prêtresse Velléda (Livres IX
et X);  Eudore est séduit par ses charmes;  mais le remords précisé-
nent d'avoir succombé, le ramène définitivement au christianisme.
l finit par rentrer en Grèce, où il rencontre enfin Cymodocée.  Elle
st la fille de Démodocus, un lointain descendant d'Homère, le poète
païen par excellence;  Démodocus est le dernier descendant des Homé-
rides, ou prêtres d'Homère, au temple consacré à celui-ci en Messénie.
Cymodocée a été consacrée par son père au culte des Muses.  Elle
sera cependant — après l'amour qu'elle éprouve pour Eudore —
attirée au christianisme.  Eudore raconte longuement ses aventures
(« Récit d'Eudore ») et un amour très pur naît entre les deux jeunes
gens.  Mais déjà le ciel est menaçant.  Dioclétien inquiet des progrès
de la religion nouvelle décrète les persécutions, et alors commence
le drame.  Eudore est arrêté;  mais finalement, après une longue succession de tortures, il sera réuni à Cymodocée, laquelle entre temps
avait été baptisée dans les eaux du Jourdain.  Ils seront réunis dans
le Colysée de Rome, où, ensemble, ils vont être livrés aux bêtes,
au milieu des huées de la foule hostile: c'est le courage émouvant des
martyrs qui gagne la cause du Christianisme.  En outre, la mort
d'Eudore et de Cymodocée est à peine consommée qu'on apprend la
marche sur Rome (alors aux mains de Galérien) de l'empereur Constantin qui vient de se convertir et décrète que le Christianisme sera
la religion de l'empire.

« Les époux martyrs avaient à peine reçu la palme, que l'on aperçut
« au milieu des airs une croix de lumière semblable à ce Labarum [1]
« qui fit triompher Constantin: la foudre gronda sur le Vatican, colline
« alors déserte, mais souvent visitée par un esprit inconnu; toutes les
« statues des idoles tombèrent et l'on entendit, comme autrefois à
« Jérusalem, une voix qui disait: LES DIEUX S'EN VONT ! »

Chateaubriand conduit le lecteur dans tout le monde connu d'alors,

---

[1] Chat. p. 24: *Labarum*.  La tradition veut qu'avant la bataille
où il vainquit son rival Maxence, en Picardie (312), Constantin, empereur d'Orient vit dans le ciel une croix lumineuse avec cette inscription en lettres de feu *In hoc signo vinces*.  La vision se dessinait
s ur un « labarum » ou étendard romain.

à Rome, à Athènes, en Égypte, en Messénie, à Jérusalem et à Jéricho, en Franconie et en Gaule.

On ne considère pas en général que les descriptions en prose du ciel et de l'enfer chrétiens sont aussi réussies chez Chateaubriand que chez Dante ou Milton (dont il s'est sûrement inspiré souvent); — en cela le disciple de Chateaubriand, Victor Hugo, réussira bien mieux en vers. Mais les descriptions des lieux et l'évocation des temps de la grande lutte du christianisme contre le paganisme sont absolument supérieures.

## Bataille des Francs

(Extrait des *Martyrs*, « Récit d'Eudore », Livre VI.)

Les Barbares de la tribu des Francs ont envahi la Gaule et ont donné à celle-ci son nom (France) et une dynastie de rois (les Mérovingiens); mais ils ont tôt adopté la civilisation des vaincus et se sont fondus dans la population gallo-romaine. Ces Francs, qui viennent d'« une contrée sauvage et couverte de forêts » sont, au moment où ils vont envahir la Gaule, « les plus féroces des Barbares: ils ne se nour- « rissent que de la chair des bêtes sauvages; ils ont toujours le « fer à la main; ils regardent la paix comme la servitude la plus dure « dont on puisse leur imposer le joug . . . »

« Les Francs — raconte Eudore — avaient été surpris par Con- « stance: ils évitèrent d'abord le combat; mais aussitôt qu'ils eurent « rassemblé leurs guerriers, ils vinrent audacieusement au-devant de « nous, et nous offrirent la bataille sur le rivage de la mer. On passa « la nuit à se préparer de part et d'autre, et le lendemain, au lever « du jour, les armées se trouvèrent en présence ».

Suit la description de l'armée romaine de Constance, celle dont faisait partie Eudore: La légion de Fer et la Foudroyante occupaient le centre de l'armée; en avant de la première ligne, les Vexillaires,[1] ou Porte-enseignes, ( distingués par une peau de lion qui leur couvrait la tête et les épaules ); les Hastati, ( chargés de lances et de boucliers ), les Princes, armés de l'épée, et les Triarii avec leur pilum; des machines de guerre étaient placées à intervalles dans la ligne des légions. A l'aile gauche, ( sur des coursiers tachetés comme des tigres et prompts comme des aigles ), les cavaliers de Numance. A l'aile opposée, la troupe superbe de ces chevaliers romains, ( au casque d'argent, aux mains couvertes de gantelets qui tenaient les rênes de

---

[1] De *Vexillum*, étendard.

soie servant à guider de hautes cavales plus noires que la nuit ». Les
archers crétois, les vélites [1] romains, et les différents corps des Gaulois étaient répandus sur le front de l'armée ...

Cependant, l'œil était frappé d'un mouvement universel:
on voyait les signaux du porte-étendard qui plantait le
jalon des lignes, la course impétueuse du cavalier, les
ondulations des soldats qui se nivelaient sous le cep du cen-
turion. On entendait de toutes parts les grêles hennisse-    5
ments des coursiers, le cliquetis des chaînes, les sourds
roulements des balistes et des catapultes, les pas réguliers
de l'infanterie, la voix des chefs qui répétaient l'ordre, le
bruit des piques qui s'élevaient et s'abaissaient au commandement des tribuns ...    10

Parés de la dépouille des ours, des veaux marins, des
urochs [2] et des sangliers, les Francs se montraient de loin
comme un troupeau de bêtes féroces. Une tunique courte
et serrée laissait voir toute la hauteur de leur taille, et ne
leur cachait pas le genou. Les yeux de ces barbares ont la    15
couleur d'une mer orageuse; leur chevelure blonde rame-
née en avant sur leur poitrine, et teinte d'une liqueur
rouge, est semblable à du sang et à du feu. La plupart
ne laissent croître leur barbe qu'au-dessus de la bouche
afin de donner à leurs lèvres plus de ressemblance avec le    20
mufle des dogues et des loups. Les uns chargent leur main
droite d'une longue framée, [3] et leur main gauche d'un
bouclier qu'ils tournent comme une roue rapide: d'autres,
au lieu de ce bouclier, tiennent une espèce de javelot nommé
angon, où s'enfoncent deux fers recourbés; mais tous ont    25
à la ceinture la redoutable francisque, espèce de hache à
deux tranchants dont le manche est recouvert d'un dur

[1] Soldats légèrement armés (de *velox*, rapide).
[2] Ou *aurochs*, bœuf sauvage.
[3] Sorte de lance.

acier: arme funeste que le Franc jette en poussant un cri
de mort, et qui manque rarement de frapper le but qu'un
œil intrépide a marqué.

Ces barbares, fidèles aux usages des anciens Germains,
5 s'étaient formés en coin, leur ordre accoutumé de bataille.
Le formidable triangle où l'on ne distinguait qu'une forêt
de framées, des peaux de bêtes et des corps demi-nus,
s'avançait avec impétuosité, mais d'un mouvement égal,
pour percer la ligne romaine. A la pointe de ce triangle
10 étaient placés des braves qui conservaient une barbe
longue et hérissée, et qui portaient au bras un anneau de
fer. Ils avaient juré de ne quitter ces marques de servitude qu'après avoir sacrifié un Romain. Chaque chef
dans ce vaste corps était environné des guerriers de sa
15 famille, afin que, plus ferme dans le choc, il remportât la
victoire, ou mourût avec ses amis. Chaque tribu se ralliait
sous un symbole: la plus noble d'entre elles se distinguait
par des abeilles, ou trois fers de lance. Le vieux roi des
Sicambres, Pharamond, conduisait l'armée entière, et lais-
20 sait une partie du commandement à son petit-fils Mérovée.
Les cavaliers francs, en face de la cavalerie romaine, couvraient les deux côtés de leur infanterie; à leurs casques en
forme de gueule ouverte, ombragés de deux ailes de vautour, à leurs corselets de fer, à leurs boucliers blancs, on
25 les eût pris pour des fantômes, ou pour ces figures bizarres
que l'on aperçoit au milieu des nuages pendant une tempête. Clodion, fils de Pharamond, et père de Mérovée,
brillait à la tête de ces cavaliers menaçants.

Sur une grève, derrière cet essaim d'ennemis, on aper-
30 cevait leur camp, semblable à un marché de laboureurs
et de pêcheurs; il était rempli de femmes et d'enfants, et
retranché avec des bateaux de cuir et des chariots attelés
de grands bœufs. Non loin de ce camp champêtre, trois

sorcières en lambeaux faisaient sortir de jeunes poulains
d'un bois sacré, afin de découvrir par leur course à quel
parti Tuiston [1] promettait la victoire.   La mer d'un côté,
des forêts de l'autre formaient le cadre de ce grand tableau.

Le soleil du matin s'échappant des replis d'un nuage d'or   5
verse tout à coup sa lumière sur les bois, l'océan et les armées.   La terre paraît embrasée du feu des casques et des
lances, les instruments guerriers sonnent l'air antique de
Jules César partant pour les Gaules.   La rage s'empare de
tous les cœurs, les yeux roulent du sang, la main frémit   10
sur l'épée.   Les chevaux se cabrent, creusent l'arène, secouent leurs crinières, frappent de leur bouche écumante
leur poitrine enflammée, ou lèvent vers le ciel leurs na-
seaux brûlants, pour respirer les sons belliqueux.   Les Romains commencent le chant de Probus [2] :                   15

« Quand nous aurons vaincu mille guerriers francs, combien ne vaincrons-nous pas de millions de Perses ? »

Les Grecs répètent en chœur le pæan,[3] et les Gaulois
l'hymne des druides.   Les Francs répondent à ces cantiques
de mort; ils serrent leurs boucliers contre leur bouche et   20
font entendre un mugissement semblable au bruit de la
mer que le vent brise contre un rocher; puis tout à coup
poussant un cri aigu, ils entonnent le bardit [4] à la louange
de leurs héros:

« Pharamond ! Pharamond ! nous avons combattu avec   25
l'épée.

« Nous avons lancé la francisque à deux tranchants; la
sueur tombait du front des guerriers et ruisselait le long
de leurs bras.   Les aigles et les oiseaux aux pieds jaunes

---

[1] Nom d'une des divinités des Francs.

[2] Empereur de 276 à 282 après J.-C., et remporta plusieurs victoires
sur les Germains.

[3] Chant sacré et guerrier en l'honneur d'Apollon.

[4] Chant de barde: ici, *chant de guerre.*

poussaient des cris de joie; les corbeaux nageaient dans le sang des morts; tout l'océan n'était qu'une plaie: les vierges ont pleuré longtemps !

« Pharamond ! Pharamond ! nous avons combattu avec l'épée.

« Nos pères sont morts dans les batailles: tous les vautours en ont gémi: nos pères les rassasiaient de carnage. Choisissons des épouses dont le lait soit du sang, et qui remplissent de valeur le cœur de nos fils. Pharamond, le bardit est achevé; les heures de la vie s'écoulent; nous sourirons quand il faudra mourir. »

Ainsi chantaient quarante mille barbares. Leurs cavaliers haussaient et baissaient leurs boucliers blancs en cadence; et, à chaque refrain, ils frappaient du fer d'un javelot leur poitrine couverte de fer.

... Mérovée, rassasié de meurtres contemplait immobile, du haut de son char de victoire, les cadavres dont il avait jonché la plaine. Ainsi se repose un lion de Numidie, après avoir déchiré un troupeau de brebis; sa faim est apaisée, sa poitrine exhale l'odeur du carnage; il ouvre et ferme tour à tour sa gueule fatiguée qu'embarrassent les flocons de laine; enfin il se couche au milieu des agneaux égorgés; sa crinière humectée d'une rosée de sang retombe des deux côtés de son cou; il croise ses griffes puissantes; il allonge la tête sur ses ongles; et les yeux à demi fermés, il lèche encore les molles toisons étendues autour de lui.

[Augustin Thierry (1795–1856), l'historien admirable de *La Conquête d'Angleterre*, dit dans la « Préface » à ses *Récits Mérovingiens*, que ce sont ces pages grandioses de Chateaubriand qui lui ont révélé sa vocation d'historien.]

## L'Épisode de Velléda

(« Récit d'Eudore », Livre X.)

Cette femme était extraordinaire.  Elle avait, ainsi que toutes les Gauloises, quelque chose de capricieux et d'attirant.  Son regard était prompt, sa bouche un peu dédaigneuse et son sourire singulièrement doux et spirituel. Ses manières étaient tantôt hautaines, tantôt voluptueuses; 5 il y avait dans toute sa personne de l'abandon et de la dignité, de l'innocence et de l'art.  J'aurais été étonné de trouver dans une espèce de sauvage une connaissance approfondie des lettres grecques et de l'histoire de son pays, si je n'avais su que Velléda descendait de la famille de 10 l'archidruide et qu'elle avait été élevée par un sénani,[1] pour être attachée à l'ordre savant des prêtres gaulois. L'orgueil dominait chez cette barbare, et l'exaltation de ses sentiments allait souvent jusqu'au désordre.

Une nuit, je veillais seul dans une salle d'armes où l'on 15 ne découvrait le ciel que par d'étroites et longues ouvertures pratiquées dans l'épaisseur des pierres. Quelques rayons des étoiles, descendant à travers ces ouvertures, faisaient briller les lances et les aigles rangées en ordre le long des murailles.  Je n'avais point allumé de flambeau, 20 et je me promenais au milieu des ténèbres.

Tout à coup, à l'une des extrémités de la galerie, un pâle crépuscule blanchit les ombres.  La clarté augmente par degrés et bientôt je vois paraître Velléda.  Elle tenait à la main une de ces lampes romaines qui pendent au bout 25 d'une chaîne d'or.  Ses cheveux blonds, relevés à la grecque sur le sommet de sa tête, étaient ornés d'une couronne de verveine, plante sacrée parmi les druides.  Elle portait

[1] Détenteur de la sagesse druidique.

pour tout vêtement une tunique blanche: fille de roi a moins de beauté, de noblesse et de grandeur.

Elle suspendit sa lampe aux courroies d'un bouclier, et venant à moi elle me dit:

5    « Mon père dort; assieds-toi, écoute. »

Je détachai du mur un trophée de piques et de javelots que je couchai par terre, et nous nous assîmes sur cette pile d'armes en face de la lampe.

« Sais-tu, me dit alors la jeune barbare, que je suis fée ? »

10   Je lui demandai l'explication de ce mot.

« Les fées gauloises, répondit-elle, ont le pouvoir d'exciter les tempêtes, de les conjurer, de se rendre invisibles, de prendre la forme de différents animaux. »

« Je ne reconnais pas ce pouvoir, répondis-je avec gra-
15  vité.  Comment pourriez-vous croire raisonnablement posséder une puissance que vous n'avez jamais exercée ?  Ma religion s'offense de ces superstitions.  Les orages n'obéissent qu'à Dieu. »

« Je ne te parle pas de ton Dieu, reprit-elle avec impa-
20  tience.  Dis-moi, as-tu entendu la dernière nuit le gémissement d'une fontaine dans les bois, et la plainte de la brise dans l'herbe qui croît sous ta fenêtre ?  Eh bien, c'était moi qui soupirais dans cette fontaine et dans cette brise ! Je me suis aperçue que tu aimais le murmure des eaux et
25  des vents. »

J'eus pitié de cette insensée: elle lut ce sentiment sur mon visage.

« Je te fais pitié, me dit-elle.  Mais si tu me crois atteinte de folie, ne t'en prends qu'à toi.  Pourquoi as-tu sauvé mon
30  père avec tant de bonté ?  Pourquoi m'as-tu traitée avec tant de douceur ?  Je suis vierge, vierge de l'île de Sayne: que je garde ou que je viole mes vœux, j'en mourrai.  Tu en seras la cause.  Voilà ce que je voulais te dire.  Adieu ! »

Eudore finira par succomber, mais fera publiquement pénitence chrétienne. Quant à Velléda, elle mourra de sa propre main pour se punir d'avoir violé ses vœux de prêtresse druidique.

Le public attendait ce grand livre, dit M. Souriau (*Hist. du Romantisme*, I, 259 ss.); dès le 14 mars 1809, 17 000 exemplaires étaient déjà retenus: « Ceux qui avaient vu la déesse Raison installer son « culte dans les églises, aimaient cette lutte du Christianisme naissant « contre le Paganisme aux abois. Ceux qui se rappelaient la vie des « prêtres insermentés et des fidèles pourchassés, trouvaient profondé- « ment touchante la vie des premiers chrétiens persécutés ».

### Le dernier des Abencérages (1826)

Il faudrait ajouter ici une œuvre encore. Chateaubriand n'a pas comparé seulement la civilisation chrétienne à celle du paganisme, à celle des druides gaulois, à la poésie des sauvages d'Amérique, il la compare encore à la civilisation mahométane avec laquelle elle avait été en conflit au Moyen-âge (en Espagne surtout; qu'on se souvienne de la *Chanson de Roland* et du *Cid*); — et toujours pour en montrer la supériorité. Il transporte le lecteur à Grenade où les Maures ont laissé l'admirable Alhambra. L'amour d'un descendant d'une grande famille de la tribu des Abencérages qui est revenu (au XVIᵉ siècle) visiter la patrie de ses ancêtres, pour une chrétienne de sang noble, est le sujet du récit; la religion les sépare; l'esprit chevaleresque chez le jeune Maure et chez son rival chrétien est égal; cependant le chrétien finit par l'emporter en générosité mettant le pardon au-dessus de l'honneur qui dicte la vengeance. Bianca, la touchante héroïne, a été dessinée, dit-on, d'après Madame Récamier, la grande amie de Chateaubriand. Ce petit roman, ce que Chateaubriand a écrit de plus parfait, de plus exquis, de plus achevé comme art, doit être lu en entier; on ne saurait en choisir une page ou deux.

### La Carrière politique de Chateaubriand [1]

Chateaubriand, quoique ayant renié de très bonne heure la Révolution, et royaliste par tradition de famille et par conviction, avait cru un moment à la mission providentielle de Bonaparte: « On sait ce « qu'est devenue la France, jusqu'au moment où la Providence a fait « paraître un de ces hommes qu'elle envoie en signe de réconciliation,

---

[1] Voir Émile Beau de Loménie, *Carrière politique de Chateaubriand*, Hachette, 2 vol., 1928.

« lorsqu'elle est lassée de punir » (Préface d'*Atala*). Il avait même répondu aux avances du nouveau maître, et accepté un poste de chargé d'affaires en Suisse; mais l'exécution du Duc D'Enghien (15 mars, 1804) le révolta et il donna sa démission. Napoléon se fit couronner empereur le 2 décembre suivant.

Chateaubriand voyagea en orient (1806), revint en France, attendit. En 1811 il est nommé à l'Académie Française, mais il ne put prononcer son discours de réception qui était une attaque contre l'empereur et qu'il refusa de modifier. En 1814, Napoléon tombe et l'heure de la Restauration des rois a sonné. Chateaubriand écrivit son pamphlet magnifique *De Buonaparte et des Bourbons*, qui, disait le roi Louis XVIII, valait pour lui autant qu'une armée de 100 000 soldats. Il fut récompensé par des postes diplomatiques, à Berlin et à Londres. En 1823, il devint ministre et ce fut lui qui fit déclarer la guerre à l'Espagne en révolte contre la royauté. L'intervention de la France fut couronnée de succès; mais au lieu de récompenser Chateaubriand, on l'écarta du pouvoir pour des raisons restées obscures. Il se retira alors des affaires pour toujours.[1]

Il eut une vieillesse glorieuse, demeurant fidèle à ses opinions royalistes, mais pas aveugle aux besoins de la démocratie. Il fréquentait beaucoup le salon de Madame Récamier, à l'Abbaye-aux-Bois (un ancien couvent de la Rue de Sèvres, désaffecté depuis 1792) où elle s'était retirée.[2]

Il mourut le 4 juillet 1848, quelques jours après la Révolution de juin (22–26 juin). Il fut enterré — sur son désir — dans l'îlot du Grand Bé, en face de Saint-Malo, qui est devenu un lieu de pèlerinage littéraire.

\* \* \*

Jugement de Faguet: « Chateaubriand est la plus grande date de « l'histoire littéraire de la France depuis la Pléiade. Il met fin à une

---

[1] Chateaubriand ne fut point indifférent à la cause de l'indépendance de la Grèce (Philhellénisme) soulevée en 1820; mais il ne put y prendre qu'un intérêt littéraire en quelque sorte. Il se fit sur le continent européen le champion de la cause hellénique comme Byron l'était en Angleterre. Pendant que Chateaubriand était lui-même un membre du gouvernement, Metternich — l'homme d'État autrichien, et, depuis le traité de Vienne, en 1815, l'arbitre politique de l'Europe — s'opposa à l'intervention. En 1827, quand l'opinion publique força l'intervention, Chateaubriand avait été déjà relégué dans l'ombre.

[2] Voir Ed. Herriot, *op. cit.*

« évolution littéraire de près de trois siècles, et de lui en naît une
« nouvelle qui dure encore, et se continuera longtemps.  Ses idées ont
« affranchi sa génération;  son exemple en a fait lever une autre;  son
« génie anime encore celles qui l'ont suivi.   Tout Lamartine, tout
« Vigny, la première manière de Victor Hugo, la première manière de
« George Sand, une partie de Musset, la plus grande partie de Flaubert
« dérivent de lui . . . »   (*Études litt. sur le XIXᵉ siècle*, p. 70.)

# CHAPITRE TROIS

# MADAME DE STAËL ET BENJAMIN CONSTANT

## MADAME DE STAËL

**Consulter:** Albert Sorel, *Madame de Staël* (Coll. Grands écr. fr., Hachette, 1890; 4° ed., 1907); Marie-Louise Pailleron, *Madame de Staël* (Coll. « Les Romantiques », Hachette, 1931); M. Souriau, *L'histoire du Romantisme* (Ed. Spes, 1927, les chapitres concernant Mme de Staël).

Œuvres de longue haleine: Lady [Charlotte] Blennerhasset, *Mme de Staël et son temps* (Berlin 1887–89, 3 vol. Trad. fr. par A. Dietrich, Paris, Westhausser, 3 vol., 1890). David Glass Larg, *Mme de Staël*, 3 vol., I. *La vie dans l'œuvre, 1766–1800* (Champion, 1924). II. *La seconde vie, 1800–1807* (*ibid*, 1928). III. (pas paru).

Sujets Spéciaux: Paul Gautier, *Mme de Staël et Napoléon*, (Plon, 1903; 4me éd. 1933). Pierre Kohler, *Mme de Staël et la Suisse* (Lausanne, Payot, 1916); et *Mme de Staël au Château de Coppet* (Lausanne, Spes, 1929). R. L. Hawkins, *Mme de Staël and the United States* (Harvard Press, 1930).

Il faut citer ici l'ouvrage d'Éd. Herriot, *Madame Récamier et ses amis*, (2 vol. Plon, 1904; republié, un vol., Payot, 1924).

Il existe une « Société d'Études Staëliennes », fondée à Paris, 1928. (Siège: 10 Rue d'Anjou, Paris viii.)

Germaine Necker, naquit à Paris, la fille d'un banquier genevois et d'une mère (Curchod) vaudoise, descendante de Huguenots. Son père devint Premier ministre de Louis XVI en 1777. Dans le salon de ses parents elle voyait des hommes célèbres, Raynal, La Harpe, Buffon, Morellet, Marmontel, etc. Les représentants de la « philosophie » du XVIII° siècle, ceux qui comptaient sur la raison humaine pour réaliser un progrès infini, y côtoyaient les disciples du sentimentalisme, ceux qu'on rattachait au nom de Rousseau, du protestant Rousseau. La première œuvre qui ait attiré l'attention sur Germaine Necker est intitulée *Lettres sur le caractère et les écrits de Rousseau* (1788). Elle avait commencé de très bonne heure à tenir la plume (produisant des

84

nouvelles, des essais, des pièces de théâtre); son père l'appelait
« Monsieur de Saint Écritoire ». En 1786, elle avait épousé le baron
de Staël-Holstein, ambassadeur de Suède en France, d'avec qui elle
divorça en 1798. Lorsque la Révolution éclata — elle avait alors son
propre salon, à la Rue du Bac — elle la salua avec enthousiasme.
Mais son père était royaliste; elle quitta Paris en même temps que
lui, en 1792 (année de la mort du roi), et à la veille de la Terreur.
La terre de Coppet, où ils se rendirent, au bord du Lac de Genève, sera,
sera, jusqu'à ses dernières années son plus certain pied à terre dans
une vie pleine de péripéties et de pérégrinations. En 1795, elle retourna à Paris, rouvrit son salon; mais son attitude vis à vis du
Directoire l'obligea à repartir, — pour revenir encore en 1797.

On peut dire que la vie de Mme de Staël a été complètement
bouleversée par l'arrivée de Napoléon sur la scène du monde. Elle
commença par se passionner pour le héros d'Italie, lui écrivit des
lettres brûlantes; sa première entrevue avec son idole — lors d'une
grande réception chez Talleyrand — est ainsi racontée par Arnault
(*Souvenirs d'un sexagénaire*, Dufey, 1833[1]): « Il n'y eut pas moyen
« de la détourner de son envie [de parler à Bonaparte]. S'emparant
« de moi, elle me mène droit au général, à travers le cercle qui l'environ-
« nait, et qui s'écarte, ou plutôt qu'elle écarte ... Le cercle se resserre
« alors autour de nous; chacun était curieux d'entendre la conversation
« qui allait s'engager entre deux pareils interlocuteurs ... Mme
« de Staël accabla d'abord de compliments assez emphatiques Bona-
« parte qui y répondit par des propos assez froids, mais très polis:
« une autre personne n'eût pas été plus avant. Sans faire attention à
« la contrariété qui se manifestait dans ses traits et dans son accent,
« Mme de Staël, déterminée à engager une discussion en règle, le
« poursuit cependant de questions, et tout en lui faisant entendre qu'il
« est pour elle le premier des hommes: « Général, lui dit-elle, quelle
« est la femme que vous aimeriez le plus ? — La mienne. — C'est
« tout simple, mais quelle est celle que vous estimeriez le plus ? — Celle
« qui sait le mieux s'occuper de son ménage. — Je le conçois encore.
« Mais enfin quelle serait pour vous la première des femmes ? —
« Celle qui fait le plus d'enfants, Madame ». Et il se retira en la lais-
« sant au milieu d'un cercle plus égayé qu'elle de cette boutade ».
Elle ne se découragea point; continua ses flatteries, mais inutilement.

Le mot qu'on lui prête: « Je veux le forcer à s'occuper de moi »
résume toute cette histoire: Ce sera une lutte de 15 ans entre cette
femme qui veut vaincre à tout prix l'indifférence de son héros, et
l'homme du destin qui refuse et qui est forcé, parfois bien malgré lui,
d'employer la brutalité pour l'écarter de son chemin.

---

[1] Publié seulement en 1906, Paris, Fischbacher.

Elle est, du reste, aussi maladroite qu'éprise, et ce sera la cause de ses malheurs. Pendant que Bonaparte se couvrait de gloire en Egypte (1799), elle écrit un petit ouvrage, *Des circonstances actuelles qui peuvent terminer la Révolution et des principes qui doivent fonder la République en France*. Elle y désigne Bonaparte comme « l'intrépide guerrier, le plus réfléchi penseur, le plus extraordinaire génie que l'histoire ait produit ». Mais, outre la république, elle demandait, en fille de Rousseau, que le protestantisme devînt la religion nationale de la France — ce à quoi Bonaparte ne pouvait jamais songer; elle s'abandonnait au rêve que son salon deviendrait le siège du gouvernement et qu'elle ferait du héros d'Égypte le réalisateur de ses utopies.

Elle avait trouvé un allié à sa cause en Benjamin Constant, qu'elle avait connu depuis 1793 ou 94, et qui était son amant. C'était un membre du Tribunat (une des chambres parlementaires sous le Directoire), et qui fut le premier porte-parole de ceux qui voyaient poindre l'autocrate sous Bonaparte. En 1800, après un discours fort audacieux de Benjamin Constant, Madame de Staël avait voulu offrir un grand dîner; mais Bonaparte était déjà si fort qu'elle reçut coup sur coup dix refus; elle-même dut, par ordre de la police, se retirer pour quelque temps à 40 lieues de Paris (sur sa terre de Saint-Ouen). Mais aucun avertissement ne servira; elle continuera jusqu'à la fin cette politique absurde de montrer de toute manière son désir de gagner Bonaparte, descendant même aux gestes les plus obséquieux et à des requêtes humiliantes, tout en laissant sa colère de femme ignorée s'exprimer par des critiques de plus en plus ouvertes contre ce même Bonaparte. En 1800, elle publie *De la Littérature considérée dans ses rapports avec les institutions sociales*. Elle s'y inspirait de Montesquieu et des idées libérales du XVIII° siècle. Napoléon ne voulut y faire aucune attention; mais en 1802 il élimine 20 membres du Tribunat, parmi lesquels Benjamin Constant (il venait de se faire nommer consul à vie). Quant à Mme de Staël il disait: « Je ne lui ferai jamais de mal inutilement ». Elle fut forcée, cependant, par ordre de la police, de passer l'hiver en Suisse; mais, voulant profiter de ces dispositions du Premier Consul, et se croyant en sûreté, elle se prête à des intrigues ayant nettement en vue de renverser Bonaparte.[1] Avec cela, elle ne cessait de chercher à rentrer à Paris, et à demander des grâces en échange de ses coups de griffe.

En 1802 elle publia son roman de *Delphine* où tout, une fois de plus, était contraire aux vues de Bonaparte: l'individu compte plus que l'État, plaidoirie pour l'indépendance de la femme et en faveur du divorce, attaque de la religion catholique qui venait d'être restaurée

---

[1] Avec Bernadotte, maréchal de France, mais qui se tourna ensuite contre Napoléon.

en France par le Premier consul; enfin, elle professe son admiration pour l'Angleterre, la bête noire de Napoléon. Sachant tout cela, elle se risqua à quitter la Suisse pour aller à Mafliers, à 10 lieues de Paris, d'où elle demanda humblement l'autorisation de retourner à Paris.

Sa requête ayant été refusée, elle va en Allemagne où, comme fille du ministre royaliste Necker et comme l'ennemie de Napoléon, elle est fêtée de tous. En 1804 elle rentre à Coppet à l'occasion de la mort de son père adoré; puis elle reprend ses démarches pour rentrer en France; Napoléon, ayant plus d'ennemis que jamais après son couronnement, la laisse où elle est. Elle insulte le gouvernement impérial de toutes manières, mais n'en accepte pas moins très bien la protection des consuls de France pendant son séjour en Italie de 1804-5. Après son retour à Coppet, elle essaie de se consoler de l'exil en composant un nouveau roman, *Corinne ou l'Italie*, publié en 1807; elle donne expression une fois de plus à son admiration pour l'Angleterre aux dépens de la France. Elle agaça Napoléon qui l'appela « une méchante intrigante ». En 1807, elle repart pour l'Allemagne; de nouveau on fête en elle l'ennemie du « tyran », — et naturellement à son retour, en 1808, ses supplications pour revenir à Paris demeurent vaines.

En 1810 enfin, elle reçoit l'autorisation de quitter Coppet et de s'établir à 40 lieues de Paris. Au lieu de s'y tenir tranquille, elle veut publier son livre *De l'Allemagne*, insiste pour voir l'Empereur en personne, n'y réussit pas; alors le livre est imprimé, mais tous les exemplaires sont détruits par la police. Elle retourne à Coppet, et s'entoure d'ennemis de Napoléon. La chute de Napoléon se préparait; le château fut surveillé. On lui refusa un passeport pour l'Amérique,[1] et un pour l'Italie. Alors, en 1812, elle réussit une fuite assez dramatique (racontée dans son livre *Dix années d'exil*); elle part pour l'Autriche, d'où elle voulait passer en Russie. Elle fit cause commune avec l'empereur Alexandre, à ce moment le plus grand ennemi de Napoléon. De Russie elle alla en Suède, où elle revit Bernadotte, autre ennemi de l'Empereur; de là enfin en Angleterre. Elle y publia son livre *De l'Allemagne* (1813).

Quand enfin Napoléon (« l'homme que nous détestons ») tombe, en 1814, elle change son fusil d'épaule et se tourne contre ses amis de tout à l'heure, les Alliés, — disant qu'elle aimait avant tout la France

---

[1] On lui refusa son passeport seulement parce qu'on croyait avoir des preuves que son but était de prendre un vaisseau à destination de l'Amérique, puis de débarquer en Angleterre, d'y rester et continuer ses intrigues politiques.

et qu'elle souffrait de voir des armées étrangères dans son pays.[1]

Elle vint s'établir à Paris, ouvrit son salon; les ennemis de Napoléon y affluèrent. Mais elle ne paraît pas en avoir été plus heureuse; au contraire; quelqu'un semblait lui manquer ... peut-être Napoléon.[2] Elle mourut le 13 juillet, 1817.

Elle avait contracté un second mariage, en 1811, à Coppet, avec un officier suisse, de vingt ans plus jeune qu'elle, Albert de Rocca.

## Les Romans

### Delphine (1802), Corinne (1807)

L'un des traits de la littérature romantique — qu'on fait remonter aux *Confessions* de Jean-Jacques Rousseau — c'est de mettre le *moi* dans les écrits. Chateaubriand l'a fait dans *René*, et Mme de Staël l'a fait sans aucune retenue dans deux romans, *Delphine* (1802) et *Corinne ou l'Italie* (1807).

*Delphine* est un roman par lettres, comme la *Nouvelle Héloïse* de Rousseau. Delphine, c'est la femme idéale pour Mme de Staël, comme Julie était la femme idéale pour Rousseau. MAIS ç'en est la contrepartie; car Rousseau après avoir montré Julie cédant avec passion à la voix du cœur, allant même jusqu'à la chute, nous la montrait ensuite comme un modèle de sagesse, asservissant son cœur à sa raison. Delphine, au contraire, reste romantique ou romanesque jusqu'au bout; — elle n'en est du reste que plus malheureuse puisqu'elle finit par le suicide.

Léonce de Mondeville, fiancé de Mathilde de Vernon, tombe amoureux de Delphine d'Albernon; celle-ci répond à cette passion. Il y a cependant entre les deux amoureux cette différence profonde que, lui, est très attaché aux conventions mondaines, tandis qu'elle « dédaigne les maximes reçues » et ne veut écouter que son cœur (voir

---

[1] Cet incident, c'est à dire cette manière de pactiser avec Napoléon après tant d'années d'hostilité, n'est pas tout à fait facile à expliquer. P. Gautier l'essaie (*livre cité*, pp. 384 ss.) Voir aussi R. L. Hawkins, (*livre cité*, p. 56.) Cet auteur donne un compte-rendu détaillé sur Mme de Staël et l'Amérique — où elle possédait des terres.

[2] L'histoire de ce qu'on appelle le duel entre Napoléon et Mme de Staël a été racontée par celle-ci — et de son point de vue — dans *Dix années d'exil*, écrit de 1810 à 1813, publié en 1821 par son fils, le baron de Staël (édition plus récente, Plon, 1933); de même, avec beaucoup de sympathie pour elle, par Paul Gautier (*livre cité*) et plus objectivement par M. Souriau, *Histoire du Romantisme*, Vol. I.

I⁰ part. lettre 19).¹ Léonce sacrifie Delphine pour épouser Mathilde, mais il continue à aimer Delphine; et les deux amoureux échangent des lettres brûlantes (à la manière de Julie et de Saint-Preux dans la Première partie du roman de Rousseau); ils ont des rendez-vous, toujours innocents, mais qui causent du scandale. Delphine, exclue de la société, se réfugie dans un couvent, en Suisse. A quelque temps de là, un grand malheur semble menacer un M. de Valorbe — qui l'aime désespérément; Delphine, encore une fois, n'écoute que son cœur, et quitte le couvent pour porter secours à l'ami. Les apparences permettent de croire à une rencontre coupable; elle est compromise de nouveau, et cette fois elle décide de fuir le monde en prononçant des vœux à perpétuité. Cependant Mathilde meurt à Paris. Léonce, libre, accourt au couvent. Delphine se croit le droit de violer ses vœux pour se donner à Léonce, — qui, cependant toujours effrayé des « maximes reçues », n'a pas le courage de l'épouser; il la quitte. Elle le suit, mais ne le retrouve que quand, arrêté comme émigré, il va être mis à mort. [Nous sommes au temps de la Révolution, et Léonce est noble.] Elle s'enferme avec lui dans sa prison, et l'accompagne au supplice après avoir pris du poison pour mourir sur son cadavre.²

Les contemporains ont vu dans Delphine un roman à clef. L'héroïne, naturellement, aurait été Mme de Staël elle-même; mais on s'est plu aussi à reconnaître en Talleyrand l'original de Mme de Vernon, mère de Mathilde, intrigante et adroite — ce qui aurait inspiré cette remarque au grand homme d'État: « On dit que, dans son roman, Mme de Staël nous peint, elle et moi, déguisés en femme ».

Mme de Staël avait composé une autre fin. Alors, c'était Delphine elle-même, qui, comprenant que les conventions sociales ne pouvaient être violées sans amener des souffrances morales intenses, renonçait à Léonce; mais le sacrifice est trop grand; elle dépérit de chagrin et meurt. Léonce, désespéré, s'engage à l'armée et se fait tuer dans la première bataille à laquelle il prend part, en Vendée.

*Corinne ou l'Italie* (1807) est le plus célèbre des romans de Mme de Staël. Elle y a dépeint la femme idéale — la femme « de génie » — qui existait en elle à côté de la femme d'un sentimentalisme purement humain et assoiffée d'amour.

Fille d'un père anglais et d'une mère italienne, Corinne a voulu tout sacrifier au culte des muses; peinture, musique, danse, poésie, elle

¹ Ce qui ne l'empêche pas de parler toujours de « devoir » et de « vertu », qui satisfont sa sentimentalité. Mme de Staël ne paraît pas embarrassée par cette difficulté.

² Mme de Staël a, à maintes reprises, prêché le droit au suicide. En 1810 elle a écrit des *Réflexions sur le suicide;* et elle s'est efforcée de prouver que son maître admiré, Rousseau, s'était suicidé.

n'est étrangère à aucun des arts des hommes; elle est surtout impro-
visatrice extraordinaire.   En pleine jeunesse et gloire, elle est conduite
dans un char de triomphe au Capitole, à Rome, pour y être couronnée.
Là, ses regards se croisent avec ceux d'un jeune Écossais, Lord Oswald Nevil.   Une grande passion naît entre eux.   Corinne entraîne
Lord Nevil dans sa vie d'enthousiasme éthéré, sous le beau ciel d'Italie.   Le jeune homme, alors, rentre en Écosse pour arranger son mariage avec Corinne; mais, une fois de retour dans son pays, il sent
qu'il ne peut vivre toujours dans cette atmosphère enivrée; il a besoin
de calme et de paix; et c'est auprès de la belle Lucile Edgermont
qu'il cherchera le bonheur domestique. Abandonnée, Corinne mourra.

   Le couronnement de Corinne au Capitole se rattache à une ancienne
tradition.   Suétone dit que Néron (54–68) fut couronné au Capitole
(voir aussi Horace, *Ode* 1).   Puis, Domitien (81–96) avait établi,
à Rome, des concours de musique et de poésie; les vainqueurs étaient
récompensés par des couronnes de chêne en métal doré (Merivale,
*History of the Romans under the Empire*, VII, p. 391, 392).   Au moyen-
âge la coutume de consacrer la célébrité des poètes locaux par des
cérémonies publiques   semblait   établie   dans   différentes   villes
d'Italie dès le milieu du XIII° siècle.   Dante fait allusion à un couronnement de Bonatino, à Padoue; et, en 1319, il fut invité à recevoir
lui-même la couronne de laurier à Bologne; mais il refusa, soit qu'il
craignît de se rendre dans la cité guelfe, soit parcequ'il espérait être
rappelé par une cérémonie pareille à Florence.   (Voir à ce sujet
*Le Paradis*, chant 25, v. 1–12).   L'honneur du couronnement auquel
fut convié Pétrarque — qui était alors en résidence à Vaucluse — par le
Sénat de Rome, en 1341, était plus éclatant, puisqu'il s'agissait d'un
honneur conféré pour toute l'Italie.   Le contenu du discours prononcé
à cette occasion par le poète nous a été conservé (voir *livre cité*, pp. 141
ss.); il avait choisi comme texte ces vers de Virgile (*3ᵐᵉ Géorgique*):

   *Sed me Parnassi deserta per ardua dulcis*
   *Raptat amor.*

   (Un doux enthousiasme me saisit et
   m'emporte vers les régions désertes du
   Parnasse.)

   On voulut, deux siècles plus tard, répéter la scène du couronnement
au Capitole en l'honneur du Tasse, l'auteur de la *Jérusalem délivrée;*
mais le grand poète, malade déjà, mourut avant que la cérémonie pût
avoir lieu (1595).

   Chacun connaît par la reproduction, le tableau du peintre F. Gérard, représentant Corinne qui chante, au Cap Misène, pour Oswald
au moment où celui-ci va la quitter pour s'en retourner en Écosse.

## Improvisation de Corinne au Capitole

(Extrait de *Corinne*.)

Lord Nevil, qui vient d'arriver à Rome, la veille même du jour où l'on doit couronner Corinne, assiste à cette solennité, dont le plus beau moment est retracé dans les pages qui suivent:

Le prince Castel-Forte [qui présidait la cérémonie] prit la parole, et ce qu'il dit sur Corinne attira l'attention de toute l'assemblée. Corinne se leva lorsque le prince Castel-Forte eut cessé de parler; elle le remercia par une inclination de tête si noble et si douce, qu'on y sentait tout 5 à la fois et la modestie et la joie bien naturelle d'avoir été louée selon son cœur. Il était d'usage que le poète couronné au Capitole improvisât ou récitât une pièce de vers, avant que l'on posât sur sa tête les lauriers qui lui étaient destinés. Corinne se fit apporter sa lyre, instrument de 10 son choix, qui ressemblait beaucoup à la harpe, mais était cependant plus antique par la forme, et plus simple dans les sons. En l'accordant, elle éprouva d'abord un grand sentiment de timidité; et ce fut avec une voix tremblante qu'elle demanda le sujet qui lui était imposé. « *La gloire* 15 *et le bonheur de l'Italie!* s'écria-t-on autour d'elle, d'une voix unanime. — Eh bien, oui, reprit-elle, déjà saisie, déjà soutenue par son talent, *la gloire et le bonheur de l'Italie!* » Et, se sentant animée par l'amour de son pays, elle se fit entendre dans des vers pleins de charme, dont la prose 20 ne peut donner qu'une idée bien imparfaite.

« Italie, empire du Soleil; Italie, maîtresse du monde; Italie, berceau des lettres, je te salue. Combien de fois la race humaine te fut soumise, tributaire de tes armes, de tes beaux-arts et de ton ciel ! 25

« Un dieu quitta l'Olympe pour se réfugier en Ausonie [1];
l'aspect de ce pays fit rêver les vertus de l'âge d'or, et
l'homme y parut trop heureux pour l'y supposer coupable.

5      « Rome conquit l'univers par son génie, et fut reine par
la liberté.   Le caractère romain s'imprima sur le monde;
et l'invasion des barbares, en détruisant l'Italie, obscurcit
l'univers entier.

« L'Italie reparut, avec les divins trésors que les Grecs
10 fugitifs rapportèrent dans son sein [2];  le ciel lui révéla ses
lois [3];  l'audace de ses enfants découvrit un nouvel hémi-
sphère [4];  elle fut reine encore par le sceptre de la pensée,
mais ce sceptre de lauriers ne fit que des ingrats. [5]

« L'imagination lui rendit l'univers qu'elle avait perdu. [6]
15 Les peintres, les poètes enfantèrent pour elle une terre,

---

[1] Allusion à la légende de Saturne, chassé de l'Olympe par son
propre fils Jupiter, et qui quitte la Grèce et arrive en Ausonie (terme
poétique pour Italie).   Là il fut accueilli par le roi Janus, auquel, en
retour pour son hospitalité, il enseigne des arts divers, entre autres
l'agriculture et la navigation, établissant ainsi « l'âge d'or » du Latium
chanté par les poètes du siècle d'Auguste, Ovide, Tibulle, Sénèque,
Martial, Juvénal.

[2] Prise de Constantinople par les Turcs, en 1453, généralement considérée comme le point de départ du mouvement de la Renaissance;
les « Grecs fugitifs » emportant avec eux en Italie les trésors littéraires
et artistiques de l'antiquité grecque.

[3] Les sciences exactes, se développèrent parallèlement avec les arts,
entre autres l'astronomie (Galilée, 1564–1642).

[4] Christophe Colomb, natif de Gênes, 1451.

[5] Allusion à Dante, le grand patriote, exilé de Florence de 1301 à
1321; à Pétrarque, qui souffrit des mêmes dissensions politiques de
Florence et passa également une grande partie de sa vie hors d'Italie;
de son temps connu surtout par ses écrits d'érudition et d'histoire, de
la postérité surtout par ses sonnets en l'honneur de Laure;  au Tasse,
d'abord favori et puis disgrâcié auprès du Cardinal d'Este, de Ferrare,
et fameux pour ses malheurs, qui le conduisirent à la folie, presque
autant que par ses écrits.

[6] Le grand Empire des Césars de la Rome antique.

un Olympe, des enfers et des cieux [1] ; et le feu qui l'anime, mieux gardé par son génie que par le Dieu des païens, ne trouva point dans l'Europe un Prométhée qui le ravit.

« Pourquoi suis-je au Capitole ? pourquoi mon humble front va-t-il recevoir la couronne que Pétrarque a portée, 5 et qui reste suspendue au cyprès funèbre du Tasse ? [2] pourquoi . . . si vous n'aimiez assez la gloire, ô mes concitoyens, pour récompenser son culte autant que ses succès.

« Eh bien, si vous l'aimez cette gloire, qui choisit trop souvent ses victimes parmi les vainqueurs qu'elle a cou- 10 ronnés, pensez avec orgueil à ces siècles qui virent la renaissance des arts. Le Dante, l'Homère des temps modernes, poète sacré de nos mystères religieux, héros de la pensée, plongea son génie dans le Styx, pour aborder à l'enfer ; et son âme fut profonde comme les abîmes qu'il 15 a décrits.

« L'Italie, au temps de sa puissance, revit tout entière dans le Dante. Animé par l'esprit des républiques, guerrier aussi bien que poète, il souffle la flamme des actions parmi les morts, et ses ombres ont une vie plus forte 20 que les vivants d'aujourd'hui.

« Les souvenirs de la terre les poursuivent encore [3] ; leurs passions sans but s'acharnent à leurs cœurs ; elles s'agitent sur le passé, qui leur semble encore moins irrévocable que leur éternel avenir. 25

« On dirait que le Dante, banni de son pays, a transporté dans les régions imaginaires les peines qui le dévoraient. Ses ombres demandent sans cesse des nouvelles de l'existence, comme le poète lui-même s'informe de sa patrie ; et l'enfer s'offre à lui sous les couleurs de l'exil. 30

[1] Corinne va rappeler elle-même les principaux de ces poètes et peintres.

[2] Voir note d'introduction à ce morceau, et note 5 de page 92.

[3] Poursuivent encore « les morts » et « les ombres ».

« Tout à ses yeux se revêt du costume de Florence.
Les morts antiques qu'il évoque semblent renaître aussi
Toscans que lui; ce ne sont point les bornes de son esprit,
c'est la force de son âme qui fait entrer l'univers dans le
5 cercle de sa pensée.

« Un enchaînement mystique de cercles et de sphères
le conduit de l'enfer au purgatoire, du purgatoire au paradis [1]; historien fidèle de sa vision, il inonde de clarté
les régions les plus obscures, et le monde qu'il crée dans
10 son triple poème est complet, animé, brillant comme une
planète nouvelle, aperçue dans le firmament.

« A sa voix, tout sur la terre se change en poésie; les
objets, les idées, les lois, les phénomènes, semblent un
nouvel Olympe de nouvelles divinités; mais cette my-
15 thologie de l'imagination s'anéantit, comme le paganisme,
à l'aspect du paradis, de cet océan de lumières, étincelant de rayons et d'étoiles, de vertus et d'amour.

« Les magiques paroles de notre plus grand poète
sont le prisme de l'univers; toutes ses merveilles s'y
20 réfléchissent, s'y divisent, s'y recomposent; les sons
imitent les couleurs, les couleurs se fondent en harmonie;
la rime, sonore ou bizarre, rapide ou prolongée, est inspirée
par cette divination poétique, beauté suprême de l'art,
triomphe du génie, qui découvre dans la nature tous les
25 secrets en relation avec le cœur de l'homme.

« Le Dante espérait de son poëme la fin de son exil, il
comptait sur la renommée pour médiateur; mais il mourut
trop tôt pour recueillir les palmes de la patrie. Souvent
la vie passagère de l'homme s'use dans les revers; et si

[1] Allusion aux neuf cercles concentriques par lesquels on descend
toujours plus bas dans l'Enfer, et aux neuf sphères qui entourent
l'univers dantesque, les sphères des sept planètes, puis la huitième
sphère, de l'Empyrée, et enfin la neuvième où le poète peut contempler
extatiquement l'essence divine elle-même.

la gloire triomphe, si l'on aborde enfin sur une plage plus heureuse, la tombe s'ouvre derrière le port, et le destin à mille formes annonce souvent la fin de la vie par le retour du bonheur.

« Ainsi le Tasse infortuné, que vos hommages, Romains, 5 devaient consoler de tant d'injustices, beau, sensible, chevaleresque, rêvant les exploits, éprouvant l'amour qu'il chantait, s'approcha de ces murs, comme ses héros de Jérusalem, avec respect et reconnaissance. Mais la veille du jour choisi pour le couronner, la mort l'a réclamé pour sa 10 terrible fête. Le ciel est jaloux de la terre, et rappelle ses favoris des rives trompeuses du temps.

« Dans un siècle plus fier et plus libre que celui du Tasse, Pétrarque fut aussi, comme le Dante, le poète valeureux de l'indépendance italienne. Ailleurs on ne connaît de lui 15 que ses amours; ici des souvenirs plus sévères honorent à jamais son nom, et la patrie l'inspira mieux que Laure elle-même.[1]

« Il ranima l'antiquité par ses veilles, et, loin que son imagination mît obstacle aux études les plus profondes, 20 cette puissance créatrice, en lui soumettant l'avenir, lui révéla les secrets des siècles passés. . . .

« Notre air serein, notre climat riant ont inspiré l'Arioste.[2] C'est l'arc-en-ciel qui parut après nos longues

[1] Après son retour de Vaucluse en Italie, en 1341, Pétrarque fut appelé à des honneurs politiques, et travailla avec acharnement à la prospérité de l'Italie, et au retour de la cour pontificale d'Avignon à Rome; en 1354, il négocia une paix entre Venise et Gênes; etc. Par ordre chronologique ces poètes se suivent ainsi: Dante, 1265-1321; Pétrarque, 1304-1374; Le Tasse, 1544-1595.

[2] Arioste (1474-1533) l'auteur semi-sérieux et semi-burlesque du *Roland furieux*, de « rime » et de satires. Il vécut après et pendant les guerres entre les Visconti et les Sforza, à Milan; les rivalités entre Venise et Gênes; les luttes incessantes à Florence jusqu'à l'avènement des Médicis; les conflits entre les papes et l'Empire d'Allemagne, puis

guerres: brillant et varié comme ce messager du beau
temps, il semble se jouer familièrement avec la vie, et
sa gaîté légère et douce est le sourire de la nature, et non
pas l'ironie de l'homme.

5      « Michel-Ange, Raphaël, Pergolèse, Galilée, et vous,
intrépides voyageurs,[1] avides de nouvelles contrées, bien
que la nature ne pût vous offrir rien de plus beau que la
vôtre, joignez aussi votre gloire à celle des poètes ! Artistes, savants, philosophes, vous êtes comme eux enfants
10 de ce soleil qui tour à tour développe l'imagination, anime
la pensée, excite le courage, endort dans le bonheur, et
semble tout promettre ou tout faire oublier.

      « Connaissez-vous cette terre où les orangers fleuris-
sent,[2] que les rayons des cieux fécondent avec amour ?
15 Avez-vous entendu les sons mélodieux qui célèbrent la
douceur des nuits ? avez-vous respiré ces parfums, luxe
de l'air déjà si pur et si doux ?  Répondez, étrangers, la
nature est-elle chez vous belle et bienfaisante ?

      « Ailleurs, quand les calamités sociales affligent un pays,
20 les peuples doivent s'y croire abandonnés par la Divinité;
mais ici nous sentons toujours la protection du ciel, nous
voyons qu'il s'intéresse à l'homme, et qu'il a daigné le
traiter comme une noble créature.

      « Ce n'est pas seulement de pampres et d'épis que notre
25 nature est parée;  mais elle prodigue sous les pas de

---

entre Boniface VIII et Philippe de France;  les invasions continuelles
des royaumes de Naples et de Sicile par les maisons d'Anjou et
d'Aragon.
      [1] Marco Polo (1254-1323);  Christophe Colomb (1451-1506);
Améric Vespuce (1451-1512).
      [2] Allusion aux vers célèbres de Goethe commençant ainsi:

      *Kennst du das Land wo die Zitronen blühen,*
      *Im dunklen Laub die gold Orangen glühen . . . ?*
                    (Chant de Mignon, dans *Wilhelm Meister*).

l'homme, comme à la fête d'un souverain, une abondance
de fleurs et de plantes inutiles qui, destinées à plaire, ne
s'abaissent point à servir. . . .

« Ici, les sensations se confondent avec les idées, la vie se
puise tout entière à la même source, et l'âme, comme l'air,  5
occupe les confins de la terre et du ciel.  Ici, le génie se sent
à l'aise, parce que la rêverie y est douce; s'il agite, elle
calme; s'il regrette un but, elle lui fait don de mille
chimères; si les hommes l'oppriment, la nature est là
pour l'accueillir.                                            10

« Ainsi toujours elle répare, et sa main secourable guérit
toutes les blessures.  Ici, l'on se console des peines mêmes
du cœur, en admirant un Dieu de bonté, en pénétrant le
secret de son amour: les revers passagers de notre vie
éphémère se perdent dans le sein fécond et majestueux de 15
l'immortel univers. »

Corinne fut interrompue pendant quelques moments
par les applaudissements les plus impétueux.  Le seul
Oswald ne se mêla point aux transports bruyants qui
l'entouraient.  Il avait penché sa tête sur sa main, lorsque 20
Corinne avait dit: *Ici, l'on se console des peines mêmes du
cœur*; et depuis lors il ne l'avait point relevée.  Corinne
le remarqua, et bientôt, à ses traits, à la couleur de ses
cheveux, à son costume, à sa taille élevée, à toutes ses
manières enfin, elle le reconnut pour un Anglais.[1]         25

---

[1] « Lord Oswald Nevil — dit Mme de Staël au commencement du
roman — Pair d'Écosse » était parti d'Edimbourg pour l'Italie dans
l'hiver de 1794 à 1795.  Il avait « un caractère mobile, sensible et
passionné . . . À 25 ans, il était découragé de la vie . . . Sa santé était
altérée par un profond sentiment de peine . . . La plus intime de
toutes les douleurs, la perte d'un père, était la cause de sa maladie . . . »
Mme de Staël venait de perdre son père auquel elle était passionnément attachée.

## La Critique Littéraire

On considère Mme de Staël comme ayant contribué à sa façon — et avec Chateaubriand surtout — à la formation de ce qu'on appelle l'esprit romantique en France. Elle ne manquait pas d'idées, mais elle ne savait y mettre de l'ordre et de la cohérence. Ainsi, parmi les doctrines qu'elle prêchait, on retrouve tout à la fois: d'une part, l'évangile du « progrès indéfini de l'esprit humain » des « philosophes » du XVIII° siècle[1] — évangile se fondant sur la foi en la raison humaine et qu'on appelle souvent la ‹ doctrine de la perfectibilité › ; et, d'autre part, l'évangile de la morale du sentiment, qu'on rattache à Rousseau, selon lequel l'homme n'a qu'à écouter la voix de son cœur, quand bien même cette voix ne parlerait pas le même langage que la raison — et même surtout quand elle parle un langage différent; c'est l'évangile que Mme de Staël appelle volontiers la ‹ doctrine de l'enthousiasme › (voir son dernier chapitre du livre *De l'Allemagne*).

L'apport important — et différent de Chateaubriand qui avait surtout contribué à la renaissance du médiévalisme — c'est d'avoir essayé d'introduire en France l'intérêt pour les littératures étrangères (anglaise, italienne, et pour Mme de Staël, surtout allemande), ce qu'on appelle souvent « le cosmopolitisme littéraire ». Le fait qu'elle avait été amenée par accident — par ses exils réitérés — à ce rôle d'intermédiaire avec l'étranger, n'en amoindrit pas l'importance réelle. C'est dans son livre *De l'Allemagne* (1810) qu'elle a formulé le plus vigoureusement une théorie déjà exposée dans son ouvrage antérieur *De la Littérature considérée dans ses rapports avec les Institutions sociales* (1800). Elle distingue deux familles de littératures, les littératures du Midi et les littératures du Nord. Les littératures du Midi correspondent à ce qu'on appelle généralement les littératures classiques (de la Grèce et de Rome), les littératures du Nord seraient les littératures romantiques; les premières sont anciennes, les secondes modernes; les premières étaient païennes d'inspiration, les secondes sont nées après l'avènement du Christianisme et inspirées par lui. Tandis que les littératures du Midi ont triomphé de nouveau en Europe depuis la Renaissance, aujourd'hui ce doit être le tour des littératures du Nord, religieuses et chrétiennes.[2]

---

[1] La forme la plus achevée de cette doctrine a été donnée par Condorcet (1743-1794) qui rédigea dans sa prison, où il attendait la mort, aux jours de la Révolution: *Esquisse d'un Tableau historique des Progrès de l'esprit humain*, publié en 1795.

[2] Mme de Staël en se déclarant pour les littératures du Nord devrait donc récuser sa théorie de la perfectibilité reposant sur les acquisitions de la raison remise en honneur par la Renaissance et développée au cours du XVIII° siècle.

[Il faut bien noter que Mme de Staël ne peut développer son système qu'en faisant de sérieuses distinctions: les peuples du Midi —
Grèce, Italie, Espagne — sont païens en effet avant le Christianisme;
mais c'est pourtant de là même que partit le Christianisme; au point
de vue de l'histoire, la Rome des papes a bien l'importance de la
Rome des Césars; donc, si on applique le critère ( chrétien ) et ( non
chrétien ), l'Italie et l'Espagne devraient être regardées comme des
« peuples du Nord »; à la Renaissance et jusqu'au XVIII° siècle, c'est
à dire depuis la Renaissance, ils peuvent être considérés de nouveau
comme peuples du Midi; mais de nouveau depuis Goldoni, et avec
Manzoni et Leopardi, ils sont des premiers romantiques, donc de nouveau se rallient à l'esprit des peuples du Nord. Ajoutons encore — ce
qui est fort important — que le XVIII° siècle français est, sous certains aspects, déjà bien avant l'entrée en scène de Mme de Staël, romantique, sentimental et chrétien. Rappelons *Manon Lescaut* de
l'abbé Prévost, la *Nouvelle Héloïse* de Rousseau, *Paul et Virginie* de Bernardin de St. Pierre; rappelons la ( comédie larmoyante ) et le ( drame
bourgeois ) (où Diderot se révèle précurseur de Lessing); rappelons la
religion sentimentale de Rousseau reposant sur la conscience morale individuelle.]

## De la Littérature du Nord

### (Extraits de *De la Littérature*, 1800.)

Il existe, ce me semble, deux littératures tout à fait distinctes, celle qui vient du Midi et celle qui descend du
Nord; celle dont Homère est la première source, celle dont
Ossian est l'origine. Les Grecs, les Latins, les Italiens, les
Espagnols et les Français du siècle de Louis XIV appartien-   5
nent au genre de littérature que j'appellerai la littérature
du Midi. Les ouvrages anglais, les ouvrages allemands,
et quelques écrits des Danois et des Suédois, doivent être
classés dans la littérature du Nord, dans celle qui a commencé par les bardes écossais, les fables islandaises [1] et les   10
poésies scandinaves. Avant de caractériser les écrivains
anglais et les écrivains allemands, il me paraît nécessaire

[1] Les ( Sagas ) ou légendes de l'*Edda* XI°–XII° siècle).

de considérer d'une manière générale les principales différences des deux hémisphères de la littérature.

Les Anglais et les Allemands ont sans doute souvent
imité les anciens.  Ils ont retiré d'utiles leçons de cette
5 étude féconde;  mais leurs beautés originales portant
l'empreinte de la mythologie du Nord ont une sorte de
ressemblance, une certaine grandeur poétique dont Ossian
est le premier type.  Les poètes anglais, pourra-t-on dire,
sont remarquables par leur esprit philosophique; il se peint
10 dans tous leurs ouvrages;  mais Ossian n'a presque jamais
d'idées réfléchies; il raconte une suite d'événements et
d'impressions.  Je réponds à cette objection que les images
et les pensées les plus habituelles dans Ossian sont celles qui
rappellent la brièveté de la vie, le respect pour les morts,
15 l'illustration de leur mémoire, le culte de ceux qui restent
envers ceux qui ne sont plus.

Si le poète n'a réuni à ces sentiments ni des maximes de
morale ni des réflexions philosophiques, c'est qu'à cette
époque l'esprit humain n'était point encore susceptible de
20 l'abstraction nécessaire pour concevoir beaucoup de résultats.  Mais l'ébranlement que les chants ossianiques
causent à l'imagination dispose la pensée aux méditations
les plus profondes.

La poésie mélancolique est la poésie la plus d'accord avec
25 la philosophie.  La tristesse fait pénétrer bien plus avant
dans le caractère et la destinée de l'homme que toute autre
disposition de l'âme.

Les poètes anglais qui ont succédé aux bardes écossais ont
ajouté à leurs tableaux les réflexions et les idées que ces
30 tableaux mêmes devaient faire naître; mais ils ont conservé l'imagination du Nord, celle qui plaît sur le bord de
la mer, au bruit des vents, dans les bruyères sauvages, celle
enfin qui porte vers l'avenir, vers un autre monde, l'âme

fatiguée de sa destinée. L'imagination des hommes du Nord s'élance au-delà de cette terre dont ils habitent les confins; elle s'élance à travers les nuages qui bordent leur horizon et semblent représenter l'obscur passage de la vie à l'éternité.                                                                         5

L'on ne peut décider d'une manière générale entre les deux genres de poésie dont Homère et Ossian sont comme les premiers modèles. Toutes mes impressions, toutes mes idées me portent de préférence vers la littérature du Nord.

### De la Poésie classique et de la Poésie romantique

(Extrait de *De l'Allemagne*, 1810; II° Partie, chap. XI.)

On observe que l'étymologie même de « romantique » fait remonter l'origine de cette poésie à la poésie chevaleresque française, c'est à dire à ces troubadours qui écrivaient en langue « romane ». On se rappelle d'ailleurs aussi que, dix ans auparavant, dans le livre *De la Littérature*, l'auteur considérait Ossian comme le plus caractéristique des poètes du Nord — Ossian qui n'est ni roman, ni chrétien.

Le nom de *romantique* a été introduit nouvellement en 10 Allemagne pour désigner la poésie dont les chants des troubadours ont été l'origine, celle qui est née de la chevalerie et du christianisme. Si l'on n'admet pas que le paganisme et le christianisme, le Nord et le Midi, l'antiquité et le moyen âge, la chevalerie et les institutions grecques et romaines, 15 se sont partagé l'empire de la littérature, l'on ne parviendra jamais à juger sous un point de vue philosophique le goût antique et le goût moderne.

On prend quelquefois le mot *classique* comme synonyme de perfection. Je m'en sers ici dans une autre acception, en 20 considérant la poésie classique comme celle des anciens, et la poésie romantique comme celle qui tient de quelque manière aux traditions chevaleresques. Cette division se rapporte également aux deux ères du monde: celle qui a

précédé l'établissement du christianisme et celle qui l'a
suivi . . .

La nation française, la plus cultivée des nations latines,
penche vers la poésie classique, imitée des Grecs et des
5 Romains. La nation anglaise, la plus illustre des nations
germaniques, aime la poésie romantique et chevaleresque,
et se glorifie des chefs-d'œuvre qu'elle possède en ce genre.
Je n'examinerai point ici lequel de ces deux genres de poésie
mérite la préférence: il suffit de montrer que la diversité
10 des goûts, à cet égard, dérive non seulement de causes
accidentelles, mais aussi des sources primitives de l'imagination et de la pensée.

Il y a dans les poëmes épiques et dans les tragédies des
anciens un genre de simplicité qui tient à ce que les hommes
15 étaient identifiés à cette époque avec la nature, et croyaient dépendre du destin, comme elle dépend de la nécessité. L'homme, réfléchissant peu, portait toujours l'action
de son âme au dehors; la conscience elle-même était
figurée par des objets extérieurs, et les flambeaux des
20 Furies secouaient les remords sur la tête des coupables.
L'événement était tout dans l'antiquité; le caractère
tient plus de place dans les temps modernes; et cette
réflexion inquiète, qui nous dévore souvent comme le
vautour de Prométhée, n'eût semblé que de la folie au
25 milieu des rapports clairs et prononcés qui existaient dans
l'état civil et social des anciens.

On ne faisait en Grèce, dans le commencement de l'art,
que des statues isolées; les groupes ont été composés plus
tard. On pourrait dire de même, avec vérité, que dans tous
30 les arts il n'y avait point de groupes: les objets représentés
se succédaient comme dans les bas-reliefs, sans combinaison, sans complication d'aucun genre. L'homme person-
nifiait la nature; des nymphes habitaient les eaux, des

hamadryades les forêts; mais la nature, à son tour, s'emparait de l'homme, et l'on eût dit qu'il ressemblait au torrent, à la foudre, au volcan, tant il agissait par une impulsion involontaire, et sans que la réflexion pût en rien altérer les motifs ni les suites de ses actions. Les anciens avaient, pour ainsi dire, une âme corporelle, dont tous les mouvements étaient forts, directs et conséquents: il n'en est pas de même du cœur humain développé par le christianisme: les modernes ont puisé dans le repentir chrétien l'habitude de se replier continuellement sur eux-mêmes.

Mais, pour manifester cette existence tout intérieure, il faut qu'une grande variété dans les faits présente sous toutes les formes les nuances infinies de ce qui se passe dans l'âme. Si de nos jours les beaux-arts étaient astreints à la simplicité des anciens, nous n'atteindrions pas à la force primitive qui les distingue, et nous perdrions les émotions intimes et multipliées dont notre âme est susceptible. La simplicité de l'art, chez les modernes, tournerait facilement à la froideur et à l'abstraction, tandis que celle des anciens était pleine de vie. L'honneur et l'amour, la bravoure et la pitié sont les sentiments qui signalent le christianisme chevaleresque; et ces dispositions de l'âme ne peuvent se faire voir que par les dangers, les exploits, les amours, les malheurs, l'intérêt romantique enfin, qui varie sans cesse les tableaux. Les sources des effets de l'art sont donc différentes, à beaucoup d'égards, dans la poésie romantique: dans l'une, c'est le sort[1] qui règne; dans l'autre, c'est la Providence; le sort ne compte pour rien les sentiments des hommes, la Providence ne juge les actions que d'après les sentiments. Comment la poésie ne créerait-elle pas un monde d'une tout autre nature, quand il faut peindre l'œuvre d'un destin aveugle et sourd, toujours en lutte

[1] La fatalité.

avec les mortels, ou cet ordre intelligent auquel préside
un Être suprême que notre cœur interroge et qui répond à
notre cœur ?

La poésie païenne doit être simple et saillante [1] comme
5 les objets extérieurs; la poésie chrétienne a besoin des
mille couleurs de l'arc-en-ciel pour ne pas se perdre dans
les nuages. La poésie des anciens est plus pure comme art,
celle des modernes fait verser plus de larmes. Mais la
question pour nous n'est pas entre la poésie classique et la
10 poésie romantique, mais entre l'imitation de l'une et
l'inspiration de l'autre. La littérature des anciens est chez
les modernes une littérature transplantée; la littérature
romantique ou chevaleresque est chez nous indigène, et
c'est notre religion et nos institutions qui l'ont fait éclore.
15 Les écrivains imitateurs des anciens se sont soumis aux
règles du goût les plus sévères; car, ne pouvant consulter
ni leur propre nature, ni leurs propres souvenirs, il a fallu
qu'ils se conformassent aux lois d'après lesquelles les chefs-
d'œuvre des anciens peuvent être adaptés à notre goût,
20 bien que toutes les circonstances politiques et religieuses
qui ont donné le jour à ces chefs-d'œuvre soient changées.
Mais ces poésies d'après l'antique, quelque parfaites qu'elles
soient, sont rarement populaires, parce qu'elles ne tiennent,
dans le temps actuel, à rien de national.

25 La poésie française, étant la plus classique de toutes les
poésies modernes, est la seule qui ne soit pas répandue
parmi le peuple. Les stances du Tasse [2] sont chantées par
les gondoliers de Venise; les Espagnols et les Portugais de
toutes les classes savent par cœur les vers de Calderon [3] et

---

[1] en relief.
[2] Le Tasse (1544–1595) auteur de la *Jérusalem délivrée* (1581).
[3] Calderon, dramaturge espagnol (1600–1681).

de Camoëns [1]; Shakespeare est autant admiré par le peuple en Angleterre que par la classe supérieure. Des poèmes de Goethe et de Bürger [2] sont mis en musique, et vous les entendez répéter des bords du Rhin jusqu'à la Baltique. Nos poètes français sont admirés par tout ce qu'il y a d'esprits cultivés chez nous et dans le reste de l'Europe; mais ils sont tout à fait inconnus aux gens du peuple et aux bourgeois même des villes, parce que les arts en France ne sont pas, comme ailleurs, natifs du pays même où leurs beautés se développent.

Quelques critiques français ont prétendu que la littérature des peuples germaniques était encore dans l'enfance de l'art. Cette opinion est tout à fait fausse; les hommes les plus instruits dans la connaissance des langues et des ouvrages des anciens n'ignorent certainement pas les inconvénients et les avantages du genre qu'ils adoptent, ou de celui qu'ils rejettent; mais leur caractère, leurs habitudes et leurs raisonnements les ont conduits à préférer la littérature fondée sur les souvenirs de la chevalerie, sur le merveilleux du moyen âge, à celle dont la mythologie des Grecs est la base. La littérature romantique est la seule qui soit susceptible encore d'être perfectionnée, parce qu'ayant ses racines dans notre propre sol, elle est la seule qui puisse croître et se vivifier de nouveau; elle exprime notre religion; elle rappelle notre histoire; son origine est ancienne, mais non antique.

La poésie classique doit passer par les souvenirs du paganisme pour arriver jusqu'à nous; la poésie des Germains

---

[1] Camoëns, Portugais (1525–1580) auteur des *Lusiades* (1572) poème héroïque chantant la découverte de la route, par mer, des Indes Orientales, par Vasco de Gama.

[2] Bürger (1747–1794), poète allemand, connu surtout par sa ballade *Lénore*.

est l'ère chrétienne des beaux-arts; elle se sert de nos impressions personnelles pour nous émouvoir; le génie qui
l'inspire s'adresse immédiatement à notre cœur, et semble
évoquer notre vie elle-même comme un fantôme, le plus
puissant et le plus terrible de tous.

## La Religion de l'Enthousiasme

### (Extrait de *De l'Allemagne*, IV° Partie, Chap. I.)

[Ce passage, où Mme de Staël oppose le sentiment religieux —
qui suscite « l'enthousiasme » — à la raison qui n'élève jamais l'homme
au-dessus de lui-même, montre en elle le disciple de la religion sentimentale de Rousseau, et, par-dessus Rousseau, de la religion de Pascal
avec le mot célèbre de celui-ci:  « Le cœur a ses raisons que la raison
ne connaît pas ».]

5   C'est au sentiment de l'infini que la plupart des écrivains
allemands rapportent toutes les idées religieuses.  L'on
demande s'il est possible de concevoir l'infini; cependant,
ne le conçoit-on pas au moins d'une manière négative,
lorsque, dans les mathématiques, on ne peut supposer
10 aucun terme à la durée ni à l'étendue ?  Cet infini consiste
dans l'absence des bornes; mais le sentiment de l'infini,
tel que l'imagination et le cœur l'éprouvent, est positif
et créateur.

L'enthousiasme que le beau idéal nous fait éprouver,
15 cette émotion pleine de trouble et de pureté tout ensemble,
c'est le sentiment de l'infini qui l'excite.  Nous nous sentons comme dégagés, par l'admiration, des entraves de la
destinée humaine, et il nous semble qu'on révèle des secrets
merveilleux pour affranchir l'âme à jamais de la langueur et
20 du déclin.  Quand nous contemplons le ciel étoilé, où des
étincelles de lumière sont des univers comme le nôtre, où la
poussière brillante de la voie lactée trace avec des mondes
une route dans le firmament, notre pensée se perd dans

l'infini, notre cœur bat pour l'inconnu, pour l'immense,[1] et nous sentons que ce n'est qu'au delà des expériences terrestres que notre véritable vie doit commencer. Enfin, les émotions religieuses, plus que toutes les autres encore, réveillent en nous le sentiment de l'infini; mais, en le réveillant, elles le satisfont. 5

En effet, quand nous nous livrons en entier aux réflexions, aux images, aux désirs qui dépassent les limites de l'expérience, c'est alors seulement que nous respirons. Quand on peut s'en tenir aux intérêts, aux convenances, aux lois de ce monde, le génie, la sensibilité, l'enthousiasme, 10 agitent péniblement notre âme; mais ils l'inondent de délices quand on les consacre à ce souvenir, à cette attente de l'infini qui se présente, dans la métaphysique, sous la forme des dispositions innées, dans la vertu, sous celle du dévouement, dans les arts, sous celle de l'idéal, et dans la 15 religion elle-même, sous celle de l'amour divin.

Le sentiment de l'infini est le véritable attribut de l'âme; tout ce qui est beau dans tous les genres excite en nous l'espoir et le désir d'un avenir éternel et d'une existence sublime; on ne peut entendre ni le vent dans la forêt, ni les 20 accords délicieux des voix humaines, on ne peut éprouver l'enchantement de l'éloquence ou de la poésie, enfin, surtout, on ne peut aimer avec innocence, avec profondeur, sans être pénétré de religion et d'immortalité.

Tous les sacrifices de l'intérêt personnel viennent du 25 besoin de se mettre en harmonie avec ce sentiment de l'infini dont on éprouve tout le charme, quoiqu'on ne puisse l'exprimer. Si la puissance du devoir était renfermée dans le court espace de cette vie, comment aurait-elle plus d'empire que les passions sur notre âme ? qui sacrifierait 30 des bornes à des bornes ? *Tout ce qui finit est si court !* dit

[1] Dans le sens étymologique: ce qui est sans mesure.

saint Augustin; les instants de jouissance que peuvent
valoir les penchants terrestres et les jours de paix qu'assure
une conduite morale différeraient de bien peu, si des émotions sans limite et sans terme ne s'élevaient pas au fond du
cœur de l'homme qui se dévoue à la vertu.

Beaucoup de gens nieront ce sentiment de l'infini; et,
5 certes, ils sont sur un excellent terrain pour le nier, car il
est impossible de le leur expliquer; ce n'est pas quelques
mots de plus qui réussiront à leur faire comprendre ce que
l'univers ne leur a pas dit. La nature a revêtu l'infini des
divers symboles qui peuvent le faire arriver jusqu'à nous:
10 la lumière et les ténèbres, l'orage et le silence, le plaisir et
la douleur, tout inspire à l'homme cette religion universelle
dont son cœur est le sanctuaire . . .

Il est difficile d'être religieux à la manière introduite par
les esprits secs, ou par les hommes de bonne volonté qui
15 voudraient faire arriver la religion aux honneurs de la
démonstration scientifique. Ce qui touche si intimement
au mystère de l'existence ne peut être exprimé par les
formes régulières de la parole. Le raisonnement dans de
tels sujets sert à montrer où finit le raisonnement, et là où
20 il finit commence la véritable certitude; car les vérités de
sentiment ont une force d'intensité qui appelle tout notre
être à leur appui. L'infini agit sur l'âme pour l'élever et la
dégager du temps. L'œuvre de la vie, c'est de sacrifier les
intérêts de notre existence passagère à cette immortalité
25 qui commence pour nous dès à présent, si nous en sommes
déjà dignes; et non seulement la plupart des religions ont
ce même but, mais les beaux-arts, la poésie, la gloire et
l'amour sont des religions dans lesquelles il entre plus ou
moins d'alliage.

## BENJAMIN CONSTANT

### 1767–1830

**Consulter:** Paul-Léon, *Benjamin Constant* (Coll. ‹ Maîtres des
littératures ›, 1930); L. Dumont-Wilden, *Vie de Benj. Constant:*
I *L'amour dans la politique*, II *La politique dans l'amour* (Coll. ‹ Vie
des hommes illustres ›, 1930); G. Rudler, *La jeunesse de Benj.
Constant* (Colin, 1909); Georges de Laurin, *Benj. Constant et les idées
libérales* (Plon, 1904). En anglais: E. W. Schermerhorn, *Benjamin
Constant*, with Preface by F. Baldensperger (New York and London,
Houghton Mifflin, 1929).

Le plus grand événement sentimental dans la vie de Mme de Staël
— divorcée en 1798 — fut sa liaison avec Benjamin Constant de Rebecque, né à Lausanne d'une famille aristocratique française (le père
était officier au service de la Hollande). Il fut nerveux et difficile
dès son enfance.[1] Il fit un temps d'étude à Paris; voyagea beaucoup
en Suisse, en Angleterre, en Allemagne. Il eut une amitié amoureuse
avec Mme de Charrière, Hollandaise établie à Lausanne et femme de
lettres assez célèbre de son temps. En 1788-9, il était à la cour de
Brunswick (centre d'opposition à la Révolution française), où il se
maria, pour divorcer tôt après.

Il était épris de choses politiques; on l'a appelé « l'inventeur du libé-
ralisme politique »; c'est à dire qu'il veut protester contre tout abus
de pouvoir, peu importe sa source: contre les abus de pouvoir monarchique (d'un roi ou d'un empereur), et contre les abus du pouvoir de la
multitude (de la ‹ Révolution ›, alors en cours); et comme la politique
semble osciller toujours de l'un à l'autre, Benjamin Constant sera
toute sa vie dans l'opposition:

« Par liberté j'entends le triomphe de l'individualité, tant sur l'au-
« torité qui voudrait gouverner par le despotisme, que sur les masses
« qui réclament le droit d'asservir la minorité à la majorité ».
Chez les Allemands, ennemis de la Révolution, il passe pour un
jacobin; quand il rentre en France sous le Directoire (révolutionnaire)
il appuie le gouvernement fort qui aboutira à Bonaparte et au Coup
d'État du 18 Brumaire; mais, nommé au Tribunat — conseil institué
par Bonaparte en 1800 avec la fonction de modérer les autres pouvoirs,
— il est le plus éloquent à dévoiler les dangers de la dictature du
Premier Consul. C'est alors qu'il fréquente le salon de Mme de Staël
— qu'il a connue dès 1793 ou 4 —, dont il est l'amant en titre, ce qu'il
restera pendant bien des années malgré des orages extraordinaires.

---

[1] Voir ses souvenirs d'enfance dans le *Cahier rouge*, publié en 1907.

Ils se compromettent ensemble dans leur opposition au Premier Consul. Il la suit, plutôt malgré lui, en exil, et en Allemagne.

En 1814, il se rallie aux Bourbons « restaurés », et qui représentent, eux maintenant, la liberté, c'est à dire l'affranchissement de la tyrannie de Napoléon. On le trouve dans le salon de Mme Récamier, dont il devient amoureux — sans succès, comme tant d'autres; c'est pour lui plaire qu'il écrivit dans le *Journal des Débats*, le 19 mars, un article fulgurant contre Napoléon revenant de l'Île d'Elbe et marchant sur Paris, « l'homme teint de sang » qui impose à la France « un gouvernement de Mamelouks ». Quand Napoléon triomphe, Benjamin Constant s'enfuit, se ravise, . . . et se rallie à Napoléon. Celui-ci le fait appeler, et le grand pamphlétaire consent à travailler à une constitution de l'Empire qui accorderait quelques libertés. (Ces revirements et cette volte-face, qui ont naturellement surpris, sont expliqués dans ses *Mémoires des Cent jours*).[1] Comme Mme de Staël, il dit: La France avant tout: « On m'a reproché de ne pas m'être fait tuer auprès du trône que, le 19 mars, j'avais défendu; c'est que le 20, j'ai levé les yeux, j'ai vu que le trône avait disparu, et que la France restait encore ».

En 1815, quand Napoléon est à Saint-Hélène, Constant revient au gouvernement du roi avec cette idée qu'il faut s'attacher au pouvoir établi et que rien n'est pire que l'anarchie. Mais quand la Charte qui avait été donnée par le roi et qui garantissait d'importantes libertés fut menacée, Benjamin se retourna encore contre la tyrannie royale et défendit la Charte.[2] Il mourut (1830) misérable, mais célèbre. On lui fit de belles funérailles. Son principal titre en littérature — outre ses *Discours* (2 vol. publ. 1828), son *Cours de politique constitutionnelle* (4 vol. 1817–1820), et un ouvrage *De la Religion considérée dans sa source, ses formes et ses développements* (4 vol. 1824–31) — est son roman *Adolphe*, où il expose les désenchantements de l'amour et du monde. C'est, après *Delphine* et *Corinne*, un enfant de *René*, (de ce René que Chateaubriand avait, lui, dépeint pour en combattre l'esprit), et le plus important avant l'Octave des *Confes-*

---

[1] Il avait écrit dans son article: « Je n'irai pas, misérable transfuge, me traîner d'un pouvoir à l'autre, couvrir l'infamie par le sophisme, et balbutier des mots profanés pour racheter une vie honteuse . . . »

[2] Cette fois on a pu reprocher à Benjamin Constant d'avoir accepté 300 000 francs de Louis XVIII pour payer ses dettes, et puis d'avoir pris le parti de l'opposition: « Il s'est vendu, mais il ne s'est pas livré ». Ce mot terrible n'est juste cependant que si on oublie que Louis XVIII avait le premier violé le contrat en n'observant pas fidèlement la Charte.

*sions d'un Enfant du siècle,* par Alfred de Musset (1836, voir plus bas).[1]

C'est le cas d'un homme qui n'aime plus la femme d'hier, et qui n'ose rompre avec elle — par scrupule, car il sait qu'elle l'aime toujours. Tous les deux sont très clairvoyants, et la tragédie de cette situation fausse, à laquelle ni l'un ni l'autre des intéressés ne veut mettre fin, n'en est que plus désespérée. Écrit en 1806, le roman ne fut publié qu'en 1816.

[Longtemps on avait considéré *Adolphe* comme l'histoire littéraire de la liaison de Benjamin Constant et de Mme de Staël. Aujourd'hui il semble établi qu'il s'agit non de Mme de Staël, mais d'une dame Lindsay.[1] Voir l'article d'Émile Henriot, dans *Le Temps*, 9 déc. 1930: « la vraie Ellénore ». On n'ignorait pas le nom de Mme Lindsay; mais on prétendait qu'il avait été avancé en cette affaire pour couvrir Mme de Staël.]

## La mort d'Ellénore

Voici le récit de la mort d'Ellénore: Elle a appris, par une lettre qu'elle n'aurait pas dû voir, qu'Adolphe avait décidé de l'abandonner et de rompre. Sa santé ne résiste pas à ce coup. Adolphe la revoit, et, dans son désespoir et sa pitié, veut jurer de ne jamais la quitter. Mais elle lui dit: « Ne vous reprochez rien, quoi qu'il arrive. Vous avez été bon pour moi. J'ai voulu ce qui n'était pas possible. L'amour était toute ma vie; il ne pouvait être la vôtre. Soignez-moi maintenant quelques jours encore ».

C'était une de ces journées d'hiver où le soleil semble éclairer tristement la campagne grisâtre, comme s'il regardait en pitié la terre qu'il a cessé de réchauffer. Ellénore me proposa de sortir. — Il fait bien froid, lui dis-je. — N'importe, je voudrais me promener avec vous. Elle    5

[1] Parmi ces romans de la famille des René, il en est un dont il faut au moins rappeler le titre, *Oberman* (1804) de Senancour (1770–1846). Oberman promène sa mélancolie, ou ‹ mal du siècle ›, en Suisse; il n'y a pas d'action proprement dite; c'est plutôt un long soliloque qu'un roman. On observera le nom d'Oberman qui signifie « surhomme »: « On n'est point, Monsieur, — disait le Père Souël, de Chateaubriand — un homme supérieur parce qu'on aperçoit le monde sous un jour odieux . . . »

[2] Voir *Correspondance de B. Constant et d'Anna Lindsay*, pub. par la baronne Constant de Rebecque (Paris, 1933).

prit mon bras; nous marchâmes longtemps sans rien dire;
elle avançait avec peine, et se penchait sur moi presque
tout entière. — Arrêtons-nous un instant. — Non, me
répondit-elle, j'ai du plaisir à me sentir encore soutenue par
5 vous. Nous retombâmes dans le silence. Le ciel était serein; mais les arbres étaient sans feuilles; aucun souffle
n'agitait l'air, aucun oiseau ne le traversait: tout était
immobile, et le seul bruit qui se fît entendre était celui de
l'herbe glacée qui se brisait sous nos pas. — Comme tout
10 est calme! me dit Ellénore; comme la nature se résigne!
le cœur aussi ne doit-il pas apprendre à se résigner? Elle
s'assit sur une pierre; tout à coup elle se mit à genoux, et
baissant la tête, elle l'appuya sur ses deux mains. J'entendis quelques mots prononcés à voix basse. Je m'aperçus
15 qu'elle priait. Se relevant enfin: — Rentrons, dit-elle,
le froid m'a saisie. J'ai peur de me trouver mal. Ne me
dites rien; je ne suis pas en état de vous entendre.

A dater de ce jour, je vis Ellénore s'affaiblir et dépérir.
Je rassemblai de toutes parts des médecins autour d'elle:
20 les uns m'annoncèrent un mal sans remède, d'autres me
bercèrent d'espérances vaines; mais la nature, sombre et
silencieuse, poursuivait d'un bras invisible son travail
impitoyable . . .

Un seul sentiment ne varia jamais dans le cœur d'Ellé-
25 nore: ce fut sa tendresse pour moi.

Sa faiblesse lui permettait rarement de me parler; mais
elle fixait sur moi ses yeux en silence, et il me semblait alors
que ses regards me demandaient la vie que je ne pouvais
plus lui donner. Je craignais de lui causer une émotion
30 violente; j'inventais des prétextes pour sortir: je parcourais au hasard tous les lieux où je m'étais trouvé avec
elle; j'arrosais de mes pleurs les pierres, le pied des arbres,
tous les objets qui me retraçaient son souvenir.

Ce n'étaient pas les regrets de l'amour, c'était un sentiment plus sombre et plus triste; l'amour s'identifie tellement à l'objet aimé, que dans son désespoir même il y a quelque charme. Il lutte contre la réalité, contre la destinée; l'ardeur de son désir le trompe sur ses forces, et ₅ l'exalte au milieu de sa douleur. La mienne était morne et solitaire; je n'espérais point mourir avec Ellénore; j'allais vivre sans elle dans ce désert du monde, que j'avais souhaité tant de fois de traverser indépendant. J'avais brisé l'être qui m'aimait; j'avais brisé ce cœur, compagnon du ₁₀ mien, qui avait persisté à se dévouer à moi, dans sa tendresse infatigable; déjà l'isolement m'atteignait. Ellénore respirait encore, mais je ne pouvais plus lui confier mes pensées; j'étais déjà seul sur la terre; je ne vivais plus dans cette atmosphère d'amour qu'elle répandait autour de ₁₅ moi; l'air que je respirais me paraissait plus rude, les visages des hommes que je rencontrais plus indifférents; toute la nature semblait me dire que j'allais à jamais cesser d'être aimé.

Le danger d'Ellénore devint tout à coup plus imminent; ₂₀ des symptômes qu'on ne pouvait méconnaître annoncèrent sa fin prochaine: un prêtre de sa religion [1] l'en avertit. Elle me pria de lui apporter une cassette qui contenait beaucoup de papiers; elle en fit brûler plusieurs devant elle, mais elle paraissait en chercher un qu'elle ne trouvait ₂₅ point, et son inquiétude était extrême. Je la suppliai de cesser cette recherche qui l'agitait, et pendant laquelle, deux fois, elle s'était évanouie. — J'y consens, me répondit-elle; mais, cher Adolphe, ne me refusez pas une prière. Vous trouverez parmi mes papiers, je ne sais où, une lettre, ₃₀ qui vous est adressée; brûlez-la sans la lire, je vous en conjure au nom de notre amour, au nom de ces derniers mo-

[1] catholique.

ments que vous avez adoucis. Je le lui promis; elle fut
tranquille. — Laissez-moi me livrer à présent, me dit-elle,
aux devoirs de ma religion; j'ai bien des fautes à expier:
mon amour pour vous fut peut-être une faute; je ne le
5 croirais pourtant pas, si cet amour avait pu vous rendre
heureux.

Je la quittai: je ne rentrai qu'avec tous ses gens pour
assister aux dernières et solennelles prières; à genoux dans
un coin de sa chambre, tantôt je m'abîmais dans mes pen-
10 sées, tantôt je contemplais, par une curiosité involontaire,
tous ces hommes réunis, la terreur des uns, la distraction
des autres, et cet effet singulier de l'habitude qui introduit
l'indifférence dans toutes les pratiques prescrites, et qui
fait regarder les cérémonies les plus augustes et les plus
15 terribles comme des choses convenues et de pure forme;
j'entendais ces hommes répéter machinalement les paroles
funèbres, comme si eux aussi n'eussent pas dû mourir un
jour. J'étais loin cependant de dédaigner ces pratiques; en
est-il une seule dont l'homme, dans son ignorance, ose
20 prononcer l'inutilité ? Elles rendaient du calme à Ellénore;
elles l'aidaient à franchir ce pas terrible vers lequel nous
avançons tous, sans qu'aucun de nous puisse prévoir ce qu'il
doit éprouver alors. Ma surprise n'est pas que l'homme ait
besoin d'une religion; ce qui m'étonne, c'est qu'il se croie
25 jamais assez fort, assez à l'abri du malheur pour oser en
rejeter une: il devrait, ce me semble, être porté, dans sa
faiblesse, à les invoquer toutes; dans la nuit épaisse qui
nous entoure, est-il une lueur que nous puissions repousser ? au milieu du torrent qui nous entraîne, est-il une
30 branche à laquelle nous osions refuser de nous retenir ?

L'impression produite sur Ellénore par une solennité
si lugubre parut l'avoir fatiguée. Elle s'assoupit d'un
sommeil assez paisible; elle se réveilla moins souffrante;

j'étais seul dans sa chambre, nous nous parlions de temps en temps à de longs intervalles. Le médecin qui s'était montré le plus habile dans ses conjectures m'avait prédit qu'elle ne vivrait pas vingt-quatre heures; je regardais tour à tour une pendule qui marquait les heures et le 5 visage d'Ellénore, sur lequel je n'apercevais nul changement nouveau. Chaque minute qui s'écoulait ranimait mon espérance, et je révoquais en doute les présages d'un art mensonger. Tout à coup Ellénore s'élança par un mouvement subit; je la retins dans mes bras: un tremblement 10 convulsif agitait tout son corps; ses yeux me cherchaient, mais dans ses yeux se peignait un effroi vague, comme si elle eût demandé grâce à quelque objet menaçant qui se dérobait à mes regards; elle se relevait, elle retombait, on voyait qu'elle s'efforçait de fuir; on eût dit qu'elle luttait 15 contre une puissance physique invisible, qui, lassée d'attendre le moment funeste, l'avait saisie et la retenait pour l'achever sur ce lit de mort. Elle céda enfin à l'acharnement de la nature ennemie; ses membres s'affaissèrent, elle sembla reprendre quelque connaissance: elle me serra 20 la main; elle voulut pleurer, il n'y avait plus de larmes; elle voulut parler, il n'y avait plus de voix: elle laissa tomber, comme résignée, sa tête sur le bras qui l'appuyait; sa respiration devint plus lente: quelques instants après, elle n'était plus. 25

Je demeurai longtemps immobile près d'Ellénore sans vie. La conviction de sa mort n'avait pas encore pénétré dans mon âme; mes yeux contemplaient avec un étonnement stupide ce corps inanimé. Une de ses femmes étant entrée, répandit dans la maison la sinistre nouvelle. Le 30 bruit qui se fit autour de moi me tira de la léthargie où j'étais plongé; je me levai: ce fut alors que j'éprouvai la douleur déchirante et toute l'horreur de l'adieu sans retour.

Tant de mouvement, cette activité de la vie vulgaire, tant de
soins et d'agitations qui ne la regardaient plus, dissipèrent
cette illusion que je prolongeais, cette illusion par laquelle
je croyais encore exister avec Ellénore.   Je sentis le dernier
5 lien se rompre, et l'affreuse réalité se placer à jamais entre
elle et moi.   Combien elle me pesait, cette liberté que
j'avais tant regrettée !   Combien elle manquait à mon
cœur, cette dépendance qui m'avait révolté souvent !
Naguère, toutes mes actions avaient un but; j'étais sûr,
10 par chacune d'elles, d'épargner une peine ou de causer un
plaisir: je m'en plaignais alors: j'étais impatienté qu'un
œil ami observât mes démarches, que le bonheur d'un autre
y fût attaché.   Personne maintenant ne les observait;
elles n'intéressaient personne; nul ne me disputait mon
15 temps ni mes heures;  aucune voix ne me rappelait quand
je sortais: j'étais libre en effet; je n'étais plus aimé:
j'étais étranger pour tout le monde.

L'on m'apporta tous les papiers d'Ellénore, comme elle
l'avait ordonné; à chaque ligne, j'y rencontrai de nouvelles
20 preuves de son amour, de nouveaux sacrifices qu'elle m'a-
vait faits et qu'elle m'avait cachés.   Je trouvai enfin cette
lettre que j'avais promis de brûler; je ne la reconnus pas
d'abord, elle était sans adresse, elle était ouverte: quelques
mots frappèrent mes regards malgré moi;  je tentai vaine-
25 ment de les en détourner, je ne pus résister au besoin de la
lire tout entière.   Je n'ai pas la force de la transcrire:
Ellénore l'avait écrite après une des scènes violentes qui
avaient précédé sa maladie. — Adolphe, me disait-elle,
pourquoi vous acharnez-vous sur moi ? quel est mon crime ?
30 de vous aimer, de ne pouvoir exister sans vous.   Par quelle
pitié bizarre n'osez-vous rompre un lien qui vous pèse, et
déchirez-vous l'être malheureux près de qui votre pitié vous
retient ?   Pourquoi me refusez-vous le triste plaisir de vous

croire au moins généreux ? Pourquoi vous montrez-vous
furieux et faible ? L'idée de ma douleur vous poursuit, et
le spectacle de cette douleur ne peut vous arrêter ! Qu'exi-
gez-vous ? que je vous quitte ? ne voyez-vous pas que je
n'en ai pas la force ? Ah ! c'est à vous, qui n'aimez pas, 5
c'est à vous à la trouver, cette force dans ce cœur lassé de
moi, que tant d'amour ne saurait désarmer. Vous ne me
la donnerez pas, vous me ferez languir dans les larmes,
vous me ferez mourir à vos pieds. — Dites un mot, écri-
vait-elle ailleurs. Est-il un pays où je ne vous suive ? 10
est-il une retraite où je ne me cache pour vivre auprès de
vous, sans être un fardeau dans votre vie ? Mais non, vous
ne le voulez pas. Tous les projets que je propose, timide et
tremblante, car vous m'avez glacée d'effroi, vous les
repoussez avec impatience. Ce que j'obtiens de mieux, 15
c'est votre silence. Tant de dureté ne convient pas à votre
caractère. Vous êtes bon ; vos actions sont nobles et dé-
vouées ; mais quelles actions effaceraient vos paroles ?
Ces paroles acérées retentissent autour de moi : je les
entends la nuit ; elles me suivent, elles me dévorent, elles 20
flétrissent tout ce que vous faites. Faut-il donc que je
meure, Adolphe ? Eh bien, vous serez content ; elle
mourra, cette pauvre créature que vous avez protégée, mais
que vous frappez à coups redoublés. Elle mourra, cette
importune Ellénore que vous ne pouvez supporter autour 25
de vous, que vous regardez comme un obstacle, pour qui
vous ne trouvez pas sur la terre une place qui ne vous
fatigue ; elle mourra : vous marcherez seul au milieu de
cette foule à laquelle vous êtes impatient de vous mêler !
Vous les connaîtrez, ces hommes que vous remerciez au- 30
jourd'hui d'être indifférents ; et peut-être un jour, froissé
par ces cœurs arides, vous regretterez ce cœur dont vous
disposiez, qui vivait de votre affection, qui eût bravé mille
périls pour votre défense, et que vous ne daignez plus récompenser d'un regard.                                    35

# LA GRANDE GÉNÉRATION ROMANTIQUE

# CHAPITRE QUATRE

## LAMARTINE

### 1790–1869

**Consulter:** La bibliographie est considérable. Voici quelques titres seulement: R. Doumic, *Lamartine* (Coll. Grands écrivains fr., Hachette, 1912); E. Rod, *Lamartine* (Coll. Classiques populaires, Lecène et Oudin, 1893); P. Hazard, *Lamartine* (Plon, 1925); E. Faguet, *Études sur le XIXᵒ siècle*, déjà cité, chap. sur « Lamartine»; E. Deschanel, *Lamartine* (Calmann-Lévy, 2 vol., 1893); E. de Reissié, *La jeunesse de Lamartine* (Hachette, 1892); L. Barthou, *Lamartine orateur* (Hachette, 1892); E. Zyromski, *Lamartine, poète lyrique* (A. Colin, 1897; — il y est question de l'influence sur Lamartine de Chateaubriand, Ossian, la Bible, etc.); G. Fréjaville, *Les Méditations* (Coll. Grands événements litt., Malfrère, 1931). Notons aussi pour les renseignements précis, l'édition des *Méditations*, par G. Lanson (Coll. Grands écr. de la France, 2 vol., Hachette, 1915). Une grande abondance d'extraits, d'explications et de notes dans R. Canat, *Lamartine: Morceaux choisis* (Coll. Litt. fr. illustrée, Didier, 1926).

Alphonse de Lamartine est né près de Mâcon, à Milly (Saône et Loire, à mi-chemin à peu près entre Dijon et Lyon) où son père — qui avait failli être victime de la Révolution — s'était retiré avec sa mère et ses cinq sœurs. Le futur poète fut ainsi élevé en pleine campagne. Son instruction fut confiée à un prêtre des environs d'abord; puis, il alla à Lyon, 1803–8. Si la discipline et les programmes d'études étaient bien peu de son goût, il lisait, d'autre part, avidement (la Bible, Le Tasse, Bernardin de Saint-Pierre, Chateaubriand),[1] ... et il faisait des vers.

---

[1] Il ne connut Rousseau qu'un peu plus tard; sa mère, qui, elle, admirait Rousseau, ne le permit pas à son fils. Quand il put enfin lire *Émile*, il en fit son guide; les *Confessions*, qu'il blâma beaucoup dans sa vieillesse, il les dévorait alors. Quant à *La Nouvelle Héloïse*, c'est lui qui écrivit cette phrase célèbre (à son ami Virieu, sept. 1810): « Grands Dieux, quel livre ! Je suis étonné que le feu n'y prenne pas ».

En 1811 on lui fit faire un voyage en Italie; il alla à Naples avec son ami Virieu, et il y connut sa première aventure sentimentale (avec Graziella; voir plus bas).  En 1814, au retour des Bourbons, il fit du service dans les Gardes du roi; mais il n'y demeura guère, et s'en revint vivre sa vie de poète à Milly.  Il fit quelques voyages, surtout le fameux séjour à Aix-les-Bains, en Savoie, au bord du Lac du Bourget, où il eut sa seconde et grande aventure de cœur, celle qui lui inspira son plus célèbre poème, « Le Lac » (1817).  Il avait écrit d'autres poésies, et les publia en 1820 sous le titre de *Méditations* (abandonnant le théâtre où il avait voulu se lancer).  Le succès fut immense; la France comprit qu'un grand poète était né.[1]

Lamartine avait lu certains de ses poèmes dans des salons de Paris, entre autres dans le salon de Mme de Récamier, à l'Abbaye-aux-bois; mais il n'avait pas plu à Chateaubriand: « Je n'ai que Chateaubriand contre moi — écrivait-il à Virieu, en 1820 —; c'est fâcheux; il dit que c'est un succès d'engouement, que je n'ai point de génie poétique, mais seulement quelque talent pour les vers ».  Chose curieuse, Talleyrand, le diplomate, l'avait mieux deviné que l'écrivain.  (Cf. Lanson, *Méditations*, p. lxxx.)

Comme il savait l'italien et qu'il appartenait à une famille très royaliste, Lamartine fut nommé comme secrétaire d'Ambassade à Naples, 1820-1.  En 1820 il se maria avec une Anglaise, Mlle Birch, et alla vivre au château de Saint-Point (près de Milly), acquis en 1821.  La littérature romantique anglaise lui était devenue familière: Young, Gray, Byron, et surtout Ossian.  En 1823 il publia les *Nouvelles Méditations*.  De 1825 à 28 il occupa de nouveau un poste diplomatique en Italie, cette fois à Florence, où il composa un poème de circonstance, *Dernier Chant du Pèlerinage de Childe Harold;* il y raconte les dernières années du grand barde anglais en Italie et puis sa mort en Grèce en servant la cause du Philhellénisme.[2]

En 1830 paraissent les *Harmonies poétiques;* et, la même année, Lamartine entra à l'Académie française.  En 1832, il voulut voir l'Orient comme l'avait fait Chateaubriand; il publia un récit de ce voyage en 1835; mais sa visite avait été écourtée par la mort de sa fille Julia.

De son œuvre en vers, il reste à mentionner: deux longs poèmes,

---

[1] La voie était quelque peu préparée par la publication en 1819 des poésies d'André Chénier (voir *Eighteenth Century French Readings*, Holt and Co., pp. 610 ss.) qui avaient été déjà une révélation d'une poésie d'un genre différent de la poésie philosophique du XVIII° siècle.

[2] À cause d'un vers qui parut insultant aux Italiens, Lamartine eut un duel (voir Faguet, *loc. cit.* p. 79-80).

*Jocelyn* (1836), *La Chute d'un ange* (1838); et en 1838, les *Recueillements poétiques* contenant encore d'admirables morceaux.

Lamartine a laissé deux volumes de souvenirs, *Confidences* (1849) et *Nouvelles confidences* (1851), — un genre en honneur depuis les *Confessions* de Rousseau, *les Dix années d'exil* de Mme de Staël, les *Mémoires d'Outre-Tombe* de Chateaubriand. Il a, de plus, relaté sous forme de romans ses souvenirs de *Graziella* (1849) et, la même année, ceux de l'Elvire du *Lac*, dans *Raphaël* (Raphaël, c'est ici Lamartine, qui, en effet, était très beau).

## Milly

Aucun des poètes romantiques n'a senti la nature comme Lamartine. Souvent il évoque les arbres et la maison du village natal. Il écrit dans les *Confidences:* « Bâtie dans le creux d'un large pli du vallon, adossée à une assez haute montagne, cette maison basse, mais massive, surgit, comme une grosse borne de pierre noirâtre, à l'extrémité d'un étroit jardin. Elle est carrée, elle n'a qu'un étage et trois larges fenêtres sur chaque face. Les murs n'en sont point crépis; la pluie et la mousse ont donné aux pierres la teinte sombre et sédentaire des vieux cloîtres d'abbaye . . . »

En 1861, Lamartine fut obligé, à cause de ses dettes, de vendre la vieille maison. Le célèbre morceau *La vigne et la maison* avait été écrit quelques années avant (1857): « Dans les derniers jours de « l'automne, j'allai assister seul aux vendanges d'octobre, dans le « petit village du Mâconnais où je suis né. Pendant que les bandes « de joyeux vendangeurs se répondaient d'une colline à l'autre par « ces cris de joie prolongés qui sont les actions de grâce de l'homme « au sillon qui le nourrit ou qui l'abreuve, pendant que les sentiers « rocailleux du village retentissaient sous le gémissement des roues « qui rapportaient, au pas lent des bœufs couronnés de sarments en « feuilles, les grappes rouges aux pressoirs, je me couchai sur l'herbe, « à l'ombre de la maison de mon père, en regardant les fenêtres fermées, « et je pensai aux jours d'autrefois. Ce fut ainsi que ce chant me « monta du cœur aux lèvres, et que j'en écrivis les strophes . . . »

### La Vigne et la Maison

*Psalmodie de l'Âme — Dialogue entre mon âme et moi.*

(Extrait)

#### MOI

Viens, reconnais la place où ta vie était neuve !
N'as-tu point de douceur, dis-moi, pauvre âme veuve,
À remuer ici la cendre des jours morts ?
À revoir ton arbuste et ta demeure vide,
5    Comme l'insecte ailé revoit sa chrysalide,
      Balayure qui fut son corps ?

    Moi, le triste instant m'y ramène:
    Rien n'a changé que le temps;
    Des lieux où notre œil se promène,
10    Rien n'a fui que les habitants.

    Suis-moi du cœur pour voir encore,
    Sur la pente douce au midi,
    La vigne qui nous vit éclore
    Ramper sur le roc attiédi.

15    Contemple la maison de pierre,
    Dont nos pas usèrent le seuil:
    Vois-la se vêtir de son lierre
    Comme d'un vêtement de deuil.

    Écoute le cri des vendanges
20    Qui monte du pressoir voisin,
    Vois les sentiers rocheux des granges
    Rougis par le sang du raisin.

    Regarde au pied du toit qui croule:
    Voilà près du figuier séché,

Le cep vivace qui s'enroule
À l'angle du mur ébréché !

L'hiver noircit sa rude écorce;
Autour du banc rongé du ver
Il contourne sa branche torse                    5
Comme un serpent frappé du fer.

Autrefois ses pampres sans nombre
S'entrelaçaient autour du puits;
Père et mère goûtaient son ombre,
Enfants, oiseaux, rongeaient ses fruits.          10

Il grimpait jusqu'à la fenêtre,
Il s'arrondissait en arceau;
Il semble encor nous reconnaître
Comme un chien gardien d'un berceau.

Sur cette mousse des allées                       15
Où rougit son pampre vermeil,
Un bouquet de feuilles gelées
Nous abrite encor du soleil.

Vives glaneuses de novembre,
Les grives, sur la grappe en deuil,               20
Ont oublié des beaux grains d'ambre
Qu'enfants nous convoitions de l'œil.

Le rayon du soir la transperce
Comme un albâtre oriental,
Et le sucre d'or qu'elle verse                    25
Y pend en larmes de cristal.

Sous ce cep de vigne qui t'aime,
O mon âme ! ne crois-tu pas

Te retrouver enfin toi-même,
Malgré l'absence et le trépas ?

N'a-t-il pas pour toi le délice
Du brasier tiède et réchauffant
5    Qu'allume une vieille nourrice
Au foyer qui nous vit enfant ?

Ou l'impression qui console
L'agneau tondu hors de saison,
Quand il sent sur sa laine folle
10   Repousser la chaude toison ?


## L'ÂME

Que me fait le coteau, le toit, la vigne aride ?
Que me ferait le ciel, si le ciel était vide ? [1]
Je ne vois en ces lieux que ceux qui n'y sont pas.
Pourquoi ramènes-tu mes regrets sur leur trace ?
15 Des bonheurs disparus se rappeler la place,
C'est rouvrir des cercueils pour y voir des trépas !

\*   \*   \*

Efface ce séjour, ô Dieu ! de ma paupière,
Ou rends-le-moi semblable à celui d'autrefois,
Quand la maison vibrait comme un grand cœur de pierre
20 De tous les cœurs joyeux qui battaient sous ses toits !

À l'heure où la rosée au soleil s'évapore
Tous ces volets fermés s'ouvraient à sa chaleur,
Pour y laisser entrer avec la tiède aurore,
Les nocturnes parfums de nos vignes en fleur.

[1] Voir plus bas, le poème *L'Isolement*.

On eût dit que ces murs respiraient comme un être
Des pampres réjouis la jeune exhalaison;
La vie apparaissait rose, à chaque fenêtre,
Sous les beaux traits d'enfants nichés dans la maison.

Leurs blonds cheveux, épars au vent de la montagne,          5
Les filles,[1] se passant leurs deux mains sur les yeux,
Jetaient des cris de joie à l'écho des montagnes,
Ou sur leurs seins naissants croisaient leurs doigts pieux.

La mère, de sa couche à ces doux bruits levée,
Sur ces fronts inégaux se penchait tour à tour,          10
Comme la poule heureuse assemble sa couvée,
Leur apprenant les mots qui bénissent le jour.[2]

Moins de balbutiements sortent du nid sonore,
Quand au rayon d'été qui vient la réveiller,
L'hirondelle au plafond qui les abrite encore,          15
À ses petits sans plume apprend à gazouiller.

Et les bruits du foyer que l'aube fait renaître,
Les pas des serviteurs sur les degrés de bois,
Les aboiements du chien qui voit sortir son maître,
Le mendiant plaintif qui fait pleurer sa voix,          20

Montaient avec le jour; et, dans les intervalles,
Sous les doigts de quinze ans répétant leur leçon,
Les claviers résonnaient ainsi que des cigales
Qui font tinter l'oreille au temps de la moisson !

\*      \*      \*

Puis ces bruits d'année en année          25
Baissèrent d'une vie, hélas ! et d'une voix;

[1] Lamartine avait cinq sœurs.
[2] Prière du matin.

Une fenêtre de deuil, à l'ombre condamnée,
    Se ferma sous le bord des toits.

Printemps après printemps, de belles fiancées
    Suivirent de chers ravisseurs,
5    Et, par la mère en pleurs sur le seuil embrassées,
    Partirent en baisant leurs sœurs.

Puis sortit un matin pour le champ où l'on pleure
    Le cercueil tardif de l'aïeul,
Puis un autre, et puis deux [1]; et puis dans la demeure
10    Un vieillard morne resta seul ! [2]

Puis la maison glissa sur la pente rapide
    Où le temps entasse les jours;
Puis la porte à jamais se ferma sur le vide,
    Et l'ortie envahit les cours ! . . .

### Graziella

Cet épisode se rattache au voyage d'Italie, en 1811. Il est difficile de distinguer avec précision la vérité de la fiction poétique que Lamartine a prêtée plus tard à ce souvenir.[3] Voici ce qu'on peut dire: Graziella était une plieuse de cigarettes, employée dans une manufacture de tabac de Naples, fille d'un pêcheur de Procida (île du golfe de Naples). Dans le roman qu'il écrivit beaucoup plus tard (1849) il la poétisa de toute manière; elle devint une corailleuse, et vivait avec sa famille à Procida, une fille de la nature et très sensible à la poésie. Le poème *À Elvire* (3º *Méditation*) se rapporte à Graziella; le thème en est presque le même que celui du poème beaucoup plus célèbre, *Le Lac*, donné plus bas. Voici donc, plutôt qu'une page du ‹ roman › de Graziella, une page où l'auteur raconte comment il lut un jour *Paul et Virginie* à ses hôtes de Procida (il était là avec son ami

---

[1] On ne sait qui il veut dire; ni la mère, ni les sœurs ne moururent à Milly.

[2] Le père du poète qui mourut en 1840.

[3] Pour ce problème, voir G. Charlier, Introduction à son édition de *Graziella*, Bossard, 1926.

Virieu). Cette lecture a-t-elle vraiment eu lieu ? — Sinon, elle montre au moins la profonde impression que le roman de Bernardin de Saint-Pierre a produite sur Lamartine lui-même : « J'aimais Bernardin de Saint-Pierre, dit-il dans la Préface aux *Recueillements poétiques* [1839], ma mère l'avait connu; elle m'avait nourri de ses *Études de la nature* et de ses poèmes».

[Pour le roman de *Paul et Virginie*, voir *Eighteenth Century French Readings*, Holt and Co., p. 222 et ss.]

## Lecture de « *Paul et Virginie* »

(Extrait des *Confidences*, VIII, xii–xvii.)

Nous essayâmes, un soir, de leur lire *Paul et Virginie*. Ce fut moi qui le traduisis en lisant, parce que j'avais tant l'habitude de le lire que je le savais pour ainsi dire par cœur . . .

À peine cette lecture eut-elle commencé, que les physio- 5 nomies de notre petit auditoire changèrent et prirent une expression d'attention et de recueillement, indice certain de l'émotion du cœur . . .

Je n'avais encore lu que quelques pages, et déjà vieillards, jeune fille, enfant, tout avait changé d'attitude. Le 10 pêcheur, le coude sur le genou et l'oreille penchée de mon côté, oubliait d'aspirer la fumée de sa pipe. La vieille grand'mère, assise en face de moi, tenait ses deux mains jointes sous son menton, avec le geste des pauvres femmes qui écoutent la parole de Dieu, accroupies sur le pavé des 15 temples. Beppo [1] était descendu du mur de la terrasse, où il était assis tout à l'heure. Il avait placé, sans bruit, sa guitare sur le plancher. Il posait sa main à plat sur le manche, de peur que le vent ne fît résonner ses cordes. Graziella, qui se tenait ordinairement un peu loin, se 20 rapprochait insensiblement de moi, comme si elle eût été

---

[1] Frère de Graziella.

fascinée par une puissance d'attraction cachée dans le livre.

Adossée au mur de la terrasse, au pied duquel j'étais étendu moi-même, elle se rapprochait de plus en plus de
5 mon côté, appuyée sur sa main gauche qui portait à terre, dans l'attitude du gladiateur blessé. [2] Elle regardait avec de grands yeux bien ouverts tantôt le livre, tantôt mes lèvres d'où coulait le récit, tantôt le vide entre mes lèvres et le livre, comme si elle eût cherché du regard l'invisible
10 esprit qui me l'interprétait. J'entendais son souffle inégal s'interrompre ou se précipiter, suivant les palpitations du drame, comme l'haleine essoufflée de quelqu'un qui gravit une montagne et qui se repose pour respirer de temps en temps. Avant que je fusse arrivée au milieu de l'histoire,
15 la pauvre enfant avait oublié sa réserve un peu sauvage avec moi. Je sentais la chaleur de sa respiration sur mes mains. Ses cheveux frissonnaient sur mon front. Deux ou trois larmes brûlantes, tombées de ses joues, tachaient les pages tout près de mes doigts.
20 Excepté ma voix lente et monotone, qui traduisait littéralement à cette famille de pêcheurs, ce poème du cœur, on n'entendait aucun bruit que les coups sourds et éloignés de la mer qui battait la côte sous nos pieds. Ce bruit même était en harmonie avec la lecture. C'était
25 comme le dénouement pressenti de l'histoire, qui grondait d'avance dans l'air au commencement et pendant le cours du récit. Plus ce récit se déroulait, plus il semblait attacher nos simples auditeurs. Quand j'hésitais, par hasard, à trouver l'expression juste pour rendre le mot français,
30 Graziella, qui depuis quelque temps tenait la lampe abritée contre le vent de son tablier, l'approchait tout près des pages, et brûlait presque le livre dans son impatience,

[1] Une fameuse statue de l'antiquité, au Capitole, à Rome.

comme si elle eût pensé que la lumière du feu allait faire
jaillir le sens intellectuel à mes yeux et éclore plus vite les
paroles sur mes lèvres.  Je repoussais en souriant la lampe
de la main sans détourner mon regard de la page, et je
sentais mes doigts tout chauds de ses pleurs.                        5

Quand je fus arrivé au moment où Virginie, rappelée en
France par sa tante, sent, pour ainsi dire, le déchirement de
son être en deux, et s'efforce de consoler Paul sous les
bananiers, en lui parlant de retour et en lui montrant la
mer qui va l'emporter, je fermai le volume et je remis la  10
lecture au lendemain.

Ce fut un coup au cœur de ces pauvres gens.  Graziella
se mit à genoux devant moi, puis devant mon ami, pour
nous supplier d'achever l'histoire.  Mais ce fut en vain.
Nous voulions prolonger l'intérêt pour elle, le charme de  15
l'épreuve pour nous.  Elle arracha alors le livre de mes
mains.  Elle l'ouvrit comme si elle eût pu, à force de
volonté, en comprendre les caractères.  Elle lui parla, elle
l'embrassa; elle le remit respectueusement sur mes genoux,
en joignant les mains et en me regardant en suppliante.  20
Sa physionomie si sereine et si souriante dans le calme,
mais un peu austère, avait pris tout à coup dans la passion
et dans l'attendrissement sympathique de ce récit quelque
chose de l'animation, du désordre et du pathétique du
drame.  On eût dit qu'une révolution subite avait changé  25
ce beau marbre en chair et en larmes.  La jeune fille sentait
son âme jusque là dormante se révéler à elle dans l'âme de
Virginie . . .

Tout le jour [du lendemain] la maison fut triste comme
s'il était arrivé un événement douloureux dans l'humble  30
famille . . . On voyait que Graziella n'avait point le cœur
à ce qu'elle faisait en s'occupant dans le jardin ou sur le
toit.  Elle regardait souvent si le soleil baissait, et, de cette
journée, il était visible qu'elle n'attendit que le soir.

Quand le soir fut venu, et que nous eûmes repris tous nos places ordinaires sur le *lastrico*,[1] je rouvris le livre et j'achevai la lecture au milieu des sanglots. Père, mère, enfants, mon ami, moi-même, tous participaient à l'émotion géné-
5 rale. Le son morne et grave de ma voix se pliait, à mon insu, à la tristesse des aventures et à la gravité des paroles ! Elles semblaient, à la fin du récit, venir de loin et tomber de haut dans l'âme avec l'accent creux d'une poitrine vide où le cœur ne bat plus et ne participe plus aux choses de la
10 terre que par la tristesse, la religion et le souvenir.

## Elvire

Elvire, c'est le nom sous lequel on connaît généralement la femme chantée dans *Le Lac*, (*Méditation* X, dans la première édition, XIV dans les éditions courantes) quand même ce nom n'est pas employé dans le poème. *Le Lac* se rattache au deuxième grand amour de Lamartine, beaucoup plus connu et moins déformé par la légende que le premier.

En automne 1816, Lamartine, malade du foie, partit pour Aix-les-Bains, près du lac du Bourget, en Savoie, rejoindre un ami, Vignet, et prendre les bains. Il y rencontra une malade, née Julie Bouchaud des Hérettes, fille d'un planteur de Saint-Domingue, venue à Paris après les révoltes des noirs; elle épousa (1804) un savant physicien, M. Charles, membre de l'Institut; elle avait 20 ans; il en avait 58. Quand elle partit pour Aix-les-Bains, seule, elle en avait 32; Lamartine 26. Ils logeaient dans la même auberge pittoresque (aujourd'hui transformée en musée Lamartine). Quand elle arriva Lamartine était seul ... et le roman se précipita. À fin de saison, ils se séparèrent; mais Lamartine alla, au cours de l'hiver, visiter Mme Charles dans son salon de Paris. Ils devaient se retrouver au printemps à Aix. Lamartine y revint seul; la maladie empêcha Mme Charles de le rejoindre; les nouvelles de la femme aimée étaient de plus en plus mauvaises. C'est à ce moment que se rapporte le poème; Mme Charles n'était pas morte encore.

Le thème de la méditation en face de la nature, en prenant celle-ci comme témoin de profondes émotions était fréquent déjà; sans parler des poètes anglais, il y avait eu surtout Rousseau qui en avait fait usage dans *La Nouvelle Héloïse* (Livre IV, lettre 17), et dans la Vme

[1] Terrasse pavée.

*Rêverie*,[1] et il sera repris avec un éclat presque pareil à celui de Lamartine dans *La Tristesse d'Olympio* par Victor Hugo (1837), et dans le *Souvenir* par Alfred de Musset (1841).[2]

Lamartine a écrit beaucoup plus tard, en prose, le roman de son amour pour Mme Charles, dans *Raphaël*, (1849), comme il l'avait fait pour Graziella. Mais, « il n'y a rien à tirer de *Raphaël*, pour expliquer *Le Lac* » dit M. Lanson.

[Il y a toute une littérature sur *Le Lac*. En voir le résumé dans Souriau, *Hist. du Romantisme*, II, pp. 33, 59 ss. On peut citer encore A. France, *L'Elvire de Lamartine* (Champion, 1893); L. Séché, *Lamartine de 1816 à 1830* (Mercure de France, 1906).]


## Le Lac


Ainsi toujours poussés vers de nouveaux rivages,
Dans la nuit éternelle emportés sans retour,
Ne pourrons-nous jamais sur l'océan des âges
      Jeter l'ancre un seul jour ?

O lac ! l'année à peine a fini sa carrière,         5
Et près des flots chéris qu'elle devait revoir,
Regarde ! je viens seul m'asseoir sur cette pierre
      Où tu la vis s'asseoir !

Tu mugissais ainsi sous ces roches profondes;
Ainsi tu te brisais sur leurs flancs déchirés;      10
Ainsi le vent jetait l'écume de tes ondes
      Sur ses pieds adorés.

Un soir, t'en souvient-il ? nous voguions en silence;
On n'entendait au loin, sur l'onde et sous les cieux,
Que le bruit des rameurs qui frappaient en cadence    15
      Tes flots harmonieux.

---

[1] Voir *Eighteenth Century French Readings*, Holt and Co. Chap. Rousseau, pp. 539–548.
[2] Pour ce thème chez Ossian, voir Souriau, *Hist. du Romantisme*, II, 39–40.

Tout à coup des accents inconnus à la terre
Du rivage charmé frappèrent les échos;
Le flot fut attentif, et la voix qui m'est chère
    Laissa tomber ces mots:

5 « O temps, suspends ton vol! et vous, heures propices,
    Suspendez votre cours!
Laissez-nous savourer les rapides délices
    Des plus beaux de nos jours!

« Assez de malheureux ici-bas vous implorent:
10     Coulez, coulez pour eux;
Prenez avec leurs jours les soins qui les dévorent;
    Oubliez les heureux.

« Mais je demande en vain quelques moments encore,
    Le temps m'échappe et fuit;
15 Je dis à cette nuit: « Sois plus lente »; et l'aurore
    Va dissiper la nuit.

« Aimons donc, aimons donc! de l'heure fugitive,
    Hâtons-nous, jouissons!
L'homme n'a point de port, le temps n'a point de rive;
20     Il coule, et nous passons! » [1]

Temps jaloux, se peut-il que ces moments d'ivresse,
Où l'amour à longs flots nous verse le bonheur,
S'envolent loin de nous de la même vitesse
    Que les jours de malheur?

25 Eh quoi! n'en pourrons-nous fixer au moins la trace?
Quoi! passés pour jamais? quoi! tout entiers perdus?

---

[1] Ici deux strophes du poème sous sa forme originale ont été supprimées par le poète; on les trouvera dans l'édition des *Méditations*
de M. Lanson, I, p. 37; ou dans Souriau, *Hist. du Romantisme*, II,
p. 65.

Ce temps qui les donna, ce temps qui les efface,
      Ne nous les rendra plus ?

Éternité, néant, passé, sombres abîmes,
Que faites-vous des jours que vous engloutissez ?
Parlez: nous rendrez-vous ces extases sublimes        5
      Que vous nous ravissez ?

O lac ! rochers muets ! grottes ! forêt obscure !
Vous que le temps épargne ou qu'il peut rajeunir,
Gardez de cette nuit, gardez, belle nature,
      Au moins le souvenir !        10

Qu'il soit dans ton repos, qu'il soit dans tes orages,
Beau lac, et dans l'aspect de tes riants coteaux,
Et dans ces noirs sapins, et dans ces rocs sauvages
      Qui pendent sur tes eaux !

Qu'il soit dans le zéphir qui frémit et qui passe,        15
Dans les bruits de tes bords par tes bords répétés,
Dans l'astre au front d'argent qui blanchit ta surface
      De ses molles clartés !

Que le vent qui gémit, le roseau qui soupire,
Que les parfums légers de ton air embaumé,        20
Que tout ce qu'on entend, l'on voit ou l'on respire,
      Tout dise: « Ils ont aimé ! » [1]

*Le Lac* fut composé août-septembre, 1817. Lamartine était retourné à Milly. Les nouvelles de Madame Charles étaient de plus en plus désespérantes. Elle mourut le 18 décembre ayant reçu les

---

[1] L'attitude de Lamartine vis-à-vis de la nature a changé. Il la considère comme une amie dans *Le Lac* (1817); elle lui apparaîtra déjà moins sympathique en 1825, dans *Le dernier Pèlerinage de Childe Harold;* et indifférente aux souffrances humaines, sinon dure, en 1836, dans *Jocelyn.*

sacrements (voir plus loin, le poème *Le Crucifix*). Le coup fut écrasant pour Lamartine. En 1818, il visitera sa tombe.[1]

\*     \*     \*

Après quelques mois consacrés à sa douleur, Lamartine allait reprendre goût à la vie, et c'est en 1820 qu'il se marie (à Genève) avec Mlle Birch qui lui fut dévouée le reste de sa vie et à laquelle il fut dévoué. Il continuait, cependant, à chanter l'amour sous le nom d'Elvire qui devint dès lors une vraie *création* du poète. On dit ( l'Elvire de Lamartine ), comme on dit ( la Béatrice de Dante ), ( la Laure de Pétrarque ), ( la Julie de Rousseau ). De sa femme aussi il emprunta des traits pour cette ( création ). Si Graziella fut surtout l'inspiratrice d'un premier poème portant le nom d'Elvire, Mme Charles fut surtout celle des *Premières Méditations*, et Madame de Lamartine fut surtout celle des *Nouvelles Méditations* (1823).

## L'Isolement

C'est après la grande exaltation du *Lac* que Lamartine retombe dans le monde de la réalité, et comme Chateaubriand, connaît la mélancolie romantique: le monde n'offre que désenchantement ou désespoir. Deux poèmes des *Méditations*, expriment admirablement cet état d'âme, *Le Vallon* (1819), et, encore mieux, *L'Isolement*. « Cette pièce fameuse est l'expression et comme la synthèse des moments les plus désenchantés, les plus accablés — sans révolte toutefois ni doute amer — qu'il ait vécus depuis le 18 décembre 1817 » (Lanson). Il vivait dans une solitude aussi complète que possible à Milly, d'où la pièce est datée (août, 1818).[2]

Souvent sur la montagne, à l'ombre du vieux chêne,
Au coucher du soleil, tristement je m'assieds;
Je promène au hasard mes regards sur la plaine,
Dont le tableau changeant se déroule à mes pieds.[3]

[1] Il raconte cette visite dans *Souvenirs et Portraits*, p. 128 ss.

[2] Un poème de Lamartine est plus sombre encore, *Le Désespoir*, mais il ne paraît pas se rapporter à un événement spécial de la vie du poète; il trahit l'influence générale de Byron.

[3] Paysage de fantaisie où Lamartine a voulu grouper les éléments du paysage romantique suggérés par Ossian, collines et montagnes, forêt, lac et torrents. En même temps, il pense certainement à la montagne du Craz dans le Mâconnais, au Rhône mugissant, et au Lac du Bourget en Savoie.

Ici gronde le fleuve aux vagues écumantes,
Il serpente, et s'enfonce en un lointain obscur:
Là, le lac immobile étend ses eaux dormantes
Où l'étoile du soir se lève dans l'azur.

Au sommet de ces monts couronnés de bois sombres,          5
Le crépuscule encor jette un dernier rayon;
Et le char vaporeux de la reine des ombres [1]
Monte, et blanchit déjà les bords de l'horizon.

Cependant, s'élançant de la flèche gothique,[2]
Un son religieux se répand dans les airs:                  10
Le voyageur s'arrête, et la cloche rustique
Aux derniers bruits du jour mêle de saints concerts.

Mais à ces doux tableaux mon âme indifférente
N'éprouve devant eux ni charme ni transports;
Je contemple la terre ainsi qu'une âme errante;           15
Le soleil des vivants n'échauffe plus les morts.

De colline en colline en vain portant ma vue,
Du sud à l'aquilon,[3] de l'aurore au couchant,
Je parcours tous les points de l'immense étendue,
Et je dis: Nulle part le bonheur ne m'attend . . .         20

Que me font ces vallons, ces palais, ces chaumières ?
Vains objets dont pour moi le charme est envolé;
Fleuves, rochers, forêts, solitudes si chères,
Un seul être vous manque, et tout est dépeuplé.

---

[1] *La reine des nuits*, ainsi Chateaubriand avait désigné la lune
(*Génie du Christianisme*, I Partie, Livre V, ch. 12 ).
[2] Église de Soligny, vue de la montagne du Craz; elle n'a, cependant, pas de flèche gothique.
[3] Au nord — d'où vient l'aquilon.

Que le tour du soleil ou commence ou s'achève,
D'un œil indifférent je le suis dans son cours;
En un ciel sombre ou pur qu'il se couche ou se lève,
Qu'importe le soleil ? je n'attends rien des jours.

5 Quand je pourrais le suivre en sa vaste carrière,
Mes yeux verraient partout le vide et les déserts:
Je ne désire rien de tout ce qu'il éclaire;
Je ne demande rien à l'immense univers.

Mais peut-être au delà des bornes de sa sphère,
10 Lieux où le vrai soleil [1] éclaire d'autres cieux,
Si je pouvais laisser ma dépouille à la terre,
Ce que j'ai tant rêvé [2] paraîtrait à mes yeux.

Là, je m'enivrerais à la source où j'aspire:
Là, je retrouverais et l'espoir et l'amour,
15 Et ce bien idéal que toute âme désire,
Et qui n'a pas de nom au terrestre séjour.

Que ne puis-je, porté sur le char de l'aurore,
Vague objet de mes vœux m'élancer jusqu'à toi !
Sur la terre d'exil pourquoi resté-je encore ?
20 Il n'est rien de commun entre la terre et moi.

Quand la feuille des bois tombe dans la prairie,
Le vent du soir s'élève et l'arrache aux vallons;
Et moi, je suis semblable à la feuille flétrie:
Emportez-moi comme elle, orageux aquilons !

[1] Le *vrai soleil*, en langage d'hymne pieux = Dieu.
[2] Le poète avait d'abord écrit « pleuré », en pensant à Mme
Charles.

## Le Crucifix

Lamartine, comme Chateaubriand [1] — mais plus profondément semble-t-il — aspire à la consolation de la religion: peut-être,

> *Si je pouvais laisser ma dépouille à la terre,*
> *Ce que j'ai tant rêvé paraîtrait à mes yeux.*

Et il cherchait ce rêve, comme Chateaubriand, à l'opposé du monde rapetissé par le rationalisme des « philosophes » du XVIII° siècle. Si on refuse de limiter le monde aux bornes de la raison humaine, si on reconnaît qu'il y a des choses *vagues* à notre compréhension, il demeure quelque espoir. Non seulement Mme de Staël avait dit: « Le bonheur est dans le vague »; et Chateaubriand: « Le vague de la prière en fait le charme »; mais le philosophe Cousin lui-même dans son ouvrage célèbre *Du vrai, du beau, du bien*, en 1817, avait déclaré que: « les fantômes de l'imagination ont un vague, une indécision qui émeut mille fois davantage que la netteté et la distinction des formes actuelles ». Lamartine donc les suivra quand il dira:

> *Que ne puis-je, porté sur le char de l'aurore,*
> *Vague objet de mes vœux, m'élancer jusqu'à toi?*

Lamartine fut ramené au souvenir d'Elvire, et en même temps à ses idées chrétiennes, quand son ami Virieu — ou un ami commun — lui apporta le crucifix que Mme Charles avait tenu pendant son agonie. (Ce sera donc une liberté de poète que prendra Lamartine quand il dira dans son poème que cette croix lui fut remise par le prêtre même). Mme Charles était plutôt voltairienne quand elle avait rencontré Lamartine; celui-ci lui en avait fait des reproches, et en effet elle avait cédé et reçu les sacrements de l'Église. Une des dernières lettres qu'elle écrivit à Lamartine fait allusion à ces discussions: « Ah ! mon ami je vous pardonne tout, mais que je souffre, et quel noir horizon couvre à mes yeux l'avenir !... *Enfin je sais mourir* ».

Ajoutons que ce crucifix, Lamartine voulut le tenir dans ses mains à son tour, sur son lit de mort — comme il le dit dans les dernières strophes.[2]

[Le poème fut publié dans les *Nouvelles Méditations*.]

---

[1] « J'ai pleuré et j'ai cru »; voir plus haut p. 39.

[2] Il est possible que l'idée du poème soit antérieure à 1823, et que Lamartine ait à cette date fait seulement la rédaction définitive.

Toi que j'ai recueilli sur sa bouche expirante
Avec son dernier souffle et son dernier adieu,
Symbole deux fois saint, don d'une main mourante,
      Image de mon Dieu !

5 Que de pleurs ont coulé sur tes pieds que j'adore,
Depuis l'heure sacrée où, du sein d'un martyr [1]
Dans mes tremblantes mains tu passas, tiède encore
      De son dernier soupir !

Les saints flambeaux jetaient une dernière flamme;
10 Le prêtre murmurait ces doux chants de la mort,
Pareils aux chants plaintifs que murmure une femme
      A l'enfant qui s'endort.

De son pieux espoir son front gardait la trace,
Et sur ses traits, frappés d'une auguste beauté,
15 La douleur fugitive avait empreint sa grâce,
      La mort sa majesté.

Le vent qui caressait sa tête échevelée
Me montrait tour à tour ou me voilait ses traits,
Comme l'on voit flotter sur un blanc mausolée
20       L'ombre des noirs cyprès.

Un de ses bras pendait de la funèbre couche;
L'autre, languissamment replié sur son cœur,
Semblait chercher encore et presser sur sa bouche
      L'image du Sauveur.

25 Ses lèvres s'entr'ouvraient pour l'embrasser encore;
Mais son âme avait fui dans ce divin baiser,

---

[1] Quoique « martyr » soit masculin, le mot ainsi employé peut s'appliquer à Elvire ayant beaucoup souffert.

Comme un léger parfum que la flamme dévore
     Avant de l'embraser.

Maintenant tout dormait sur sa bouche glacée.
Le souffle se taisait dans son sein endormi,
Et sur l'œil sans regard la paupière affaissée      5
     Retombait à demi.

Et moi, debout, saisi d'une terreur secrète,
Je n'osais m'approcher de ce reste adoré,
Comme si du trépas la majesté muette
     L'eût déjà consacré.      10

Je n'osais !... Mais le prêtre entendit mon silence,
Et, de ses doigts glacés prenant le crucifix:
« Voilà le souvenir et voilà l'espérance;
     Emportez-les, mon fils ! »

Oui, tu me resteras, ô funèbre héritage !      15
Sept fois,[1] depuis ce jour, l'arbre que j'ai planté
Sur sa tombe sans nom [2] a changé de feuillage:
     Tu ne m'as pas quitté.

Placé près de ce cœur, hélas ! où tout s'efface,
Tu l'as contre le temps défendu de l'oubli,      20
Et mes yeux goutte à goutte ont imprimé leur trace
     Sur l'ivoire amolli.

O dernier confident de l'âme qui s'envole,
Viens, reste sur mon cœur ! parle encore, et dis-moi
Ce qu'elle te disait quand sa faible parole      25
     N'arrivait plus qu'à toi !

[1] Mort d'Elvire, 1817; poème écrit en 1823.
[2] On ignore encore aujourd'hui où est enterrée Elvire (cf. L. Séché, *Lamartine, 1816–1830;* p. 145–6.)

À cette heure douteuse où l'âme recueillie,
Se cachant sous le voile épaissi sur nos yeux,
Hors de nos sens glacés pas à pas se replie,
    Sourde aux derniers adieux;

5 Alors qu'entre la vie et la mort incertaine,
Comme un fruit par son poids détaché du rameau,
Notre âme est suspendue et tremble à chaque haleine
    Sur la nuit du tombeau;

Quand des chants, des sanglots la confuse harmonie
10 N'éveille déjà plus notre esprit endormi,
Aux lèvres du mourant collé dans l'agonie,
    Comme un dernier ami;

Pour éclaircir l'horreur de cet étroit passage,
Pour relever vers Dieu son regard abattu,
15 Divin consolateur dont nous baisons l'image,
    Réponds, que lui dis-tu?

Tu sais, tu sais mourir![1] et tes larmes divines,
Dans cette nuit terrible où tu prias en vain,
De l'olivier sacré baignèrent les racines
20     Du soir jusqu'au matin.

De la croix, où ton œil sonda ce grand mystère,
Tu vis ta mère en pleurs et la nature en deuil;
Tu laissas comme nous tes amis sur la terre,
    Et ton corps au cercueil!

25 Au nom de cette mort, que ma faiblesse obtienne
De rendre sur ton sein ce douloureux soupir:
Quand mon heure viendra, souviens-toi de la tienne,
    O toi qui sais mourir!

[1] Voir notice d'introduction au poème.

Je chercherai la place où sa bouche expirante
Exhala sur tes pieds l'irréparable adieu,
Et son âme viendra guider mon âme errante
      Au sein du même Dieu.

Ah ! puisse, puisse alors sur ma funèbre couche,        5
Triste et calme à la fois, comme un ange éploré,
Une figure en deuil [1] recueillir sur ma bouche
      L'héritage sacré !

Soutiens [2] ses derniers pas, charme sa dernière heure;
Et gage consacré d'espérance et d'amour,        10
De celui qui s'éloigne à celui qui demeure
      Passe ainsi tour à tour.

Jusqu'au jour où des morts perçant la voûte sombre,
Une voix dans le ciel les appelant sept fois,
Ensemble éveillera ceux qui dorment dans l'ombre      15
      De l'éternelle croix !

## Poèmes de longue haleine

### Jocelyn (1836), La Chute d'un ange (1838)

    Le vrai Lamartine, celui qui demeure surtout connu, est le Lamar-
tine d'Elvire.  Mais il s'est efforcé aussi de s'élever au-dessus de cette
poésie personnelle et chrétienne, jusqu'à montrer parfois des dispositions au panthéisme, dans La mort de Socrate (1824) et dans Le dernier Pèlerinage de Childe Harold (1825).  Enfin, il avait un jour rêvé
une grande épopée philosophique :
    « A partir de 1830 Lamartine élargit son horizon et commence à s'in-
« téresser au mystère de la destinée humaine.  Le long voyage des
« fils d'Adam, d'un point de départ obscur vers un but inconnu, à
« travers tant de misères et de fatigues, de luttes et d'invincibles
« espoirs, l'histoire de l'âme humaine en un mot lui apparaît comme le

---

[1] Un prêtre.
[2] Se rapporte à « l'héritage sacré », cette croix qui doit passer d'un
chrétien à l'autre.

« plus grand et le plus beau poème qui puisse être écrit... Cette
« immense épopée s'impose à son imagination, et il en dresse le plan qui
« est très original et très séduisant.

« Il avait écrit en conformité avec les idées chrétiennes, dans les
« *Premières Méditations*, ces deux vers restés fameux:

> *Borné dans sa nature, infini dans ses vœux,*
> *L'homme est un Dieu tombé qui se souvient des cieux.*

« Voilà le point de départ du poème de l'humanité.  Sup-
« posez qu'un être céleste, par amour pour une mortelle, se fasse
« mortel lui-même, vienne vivre parmi les hommes.  En punition de
« sa chute volontaire, il souffrira de toutes les misères terrestres et sera
« condamné à mourir et à revivre plusieurs fois au cours des siècles
« humains, jusqu'à ce que dans cette lente expiation, purifié par la
« souffrance acceptée, remontant peu à peu par son propre effort à
« l'état de pureté primitive, il recouvre enfin toute sa conscience,
« longtemps obscurcie, d'être supérieur, et retrouve le ciel parce qu'il
« l'aura refait dans son cœur.

« On voit le symbole.  Cet ange déchu c'est l'homme lui-même,
« l'humanité considérée comme un seul homme qui marche et s'épure
« sans cesse, et ses morts et ses existences successives sont les phases
« par où passe le genre humain.  Le poème doit commencer aux siècles
« primitifs et s'arrêter au nôtre, *sans être fini*, ce qui ajoutera encore au
« sens mystérieux de l'œuvre et à l'effet de grandeur.

« De cette épopée Lamartine a écrit le premier chant qui est *La
« Chute d'un ange*, et le dernier qui est *Jocelyn.* »

(Faguet, Études sur le XIX<sup>e</sup> siècle, p. 103–4).

Ce que la postérité admire surtout dans ce qui est resté de ce grand
projet, c'est *Jocelyn* dont la beauté est toute dans le récit, indépendamment de toute philosophie.

Le titre est *Jocelyn, Journal trouvé chez un curé de village* (1836).
L'histoire commence en 1786 et finit en 1802, l'époque tourmentée de
la Révolution.  Il y a un Prologue, et le poème lui-même est divisé en
neuf Époques, suivies d'un Épilogue.  Une note de Lamartine indique
comme prototype de son héros, l'abbé Dumont, curé de Bessières,
dans le Dauphiné.  (Signalons ici l'excellente édition de *Jocelyn* donnée
par Émile Legouis, Oxford, Clarendon Press, 1927.)

Jocelyn a renoncé généreusement à sa part d'héritage pour assurer
une dot suffisante à sa sœur qui peut ainsi épouser celui qu'elle aime.
Il se retire dans un séminaire pour se vouer à la prêtrise.  La Révolution survient;  les prêtres sont traqués, et il cherche un refuge dans
un lieu très sauvage, à la Grotte des *Aigles*, au sommet des Alpes du
Dauphiné.  Un jour il recueille deux fugitifs, un vieillard et un enfant
de seize ans;  le vieillard est blessé dans un combat contre les soldats

qui les poursuivent, et il meurt confiant l'enfant à Jocelyn. Au cours des deux années qui suivent naît entre les deux réfugiés un sentiment de la plus exquise tendresse. Un accident révèle un jour à Jocelyn que Laurence est une femme [1]; ce qu'ils éprouvaient l'un pour l'autre était donc de l'amour sans qu'il s'en fût douté. Leur idylle continue; comme Jocelyn n'a pas prononcé ses vœux de prêtre, il est libre et quand la paix sera revenue, ils s'épouseront. Mais, un matin il est appelé à se rendre en secret dans la prison de son évêque qui, saisi par les révolutionnaires, est condamné à mourir. Courageux devant la mort, l'évêque fait venir Jocelyn dans sa prison; il veut le consacrer prêtre; ainsi Jocelyn aura le droit de lui donner, à lui l'évêque, les sacrements de l'église avant la mort. Jocelyn, se souvenant de celle qui l'attend sur la montagne, essaie de refuser; mais devant les menaces et malédictions de l'évêque il croit devoir se soumettre ... C'est alors le désespoir, la vie brisée pour Jocelyn et Laurence. Tous deux traînent une existence lamentable. A la fin, le hasard — ou la Providence — veut que ce soit Jocelyn qui soit appelé au chevet de Laurence mourante et qui l'accompagne à sa dernière demeure.... Lui continue à vivre, et meurt dans le souvenir.

On connaît, d'après *Le Lac*, la façon dont Lamartine sait chanter l'amour le plus pur et le plus noble. Il est difficile de choisir parmi tant de pages touchantes. Le récit de la sépulture de Laurence, qui veut reposer sur cette montagne où, seulement, elle a *vécu*, a rappelé parfois la belle scène des funérailles d'Atala:

## Les Funérailles de Laurence

### (Extrait de *Jocelyn,* 9° époque.)

Quatre hommes des chalets, sur des branches de saules,
Étaient venus chercher le corps sur leurs épaules;
Nous partîmes la nuit, eux, un vieux guide et moi.
Je marchais le dernier, un peu loin du convoi,
De peur que le sanglot, que j'étouffais à peine,    5
Ne trahît dans le prêtre une douleur humaine,
Et que sur mon visage en pleurs on ne pût voir
Lutter la foi divine avec le désespoir.
C'était une des nuits sauvages de novembre,

[1] Laurence est à la fois un nom de garçon et un nom de fille, comme Camille ou Claude.

Dont la rigueur saisit l'homme par chaque membre,
Où sur le sol, qui meurt d'âpres sensations,
Tout frissonne ou gémit dans des convulsions.
Les sentiers creux,[1] glissants sous une fine pluie,
5 Buvaient les brouillards froids que la montagne essuie;
Les nuages rasaient les arbres dans leur vol;
La feuille en tourbillon ondoyait sur le sol;
Les vents lourds de l'hiver, qui soufflaient par rafales,
Échappés des ravins, hurlaient par intervalles,
10 Secouaient le cercueil dans les bras des porteurs;
Et, détachant du drap la couronne de fleurs
Qu'avaient mise au linceul les femmes du village,
M'en jetaient en sifflant les feuilles au visage:
Symbole affreux du sort, qui jette avec mépris
15 Au front de l'homme heureux son bonheur en débris!...
Et cependant, mon Dieu, faut-il que je l'avoue?
Un éclair quelquefois souriait sur ma joue:
Une amère douceur venait me soulager.
Comme un homme qui sent son fardeau plus léger,
20 Je me disais de l'âme [2], en m'excitant moi-même:
« Allons, je n'ai donc plus qu'à suivre ce que j'aime!
Plus rien derrière moi sur ce bord du tombeau!
Plus rien dans cet exil à regretter de beau!
Tout ce qu'aima mon œil a déserté la terre;
25 J'y suis encor, Seigneur, mais j'y suis solitaire,
Et je n'ai plus ici qu'à m'asseoir un instant
Et qu'à tendre les mains vers ces mains qu'on me tend »...
De temps en temps, lassés de leur funèbre charge,
Les porteurs s'arrêtaient, et, sur la verte marge [3]
30 Des sentiers parcourus déposant leur fardeau,

---

[1] Creusés entre deux talus.
[2] Mon âme me disait.
[3] Bord.

S'éloignaient altérés, pour chercher un peu d'eau.
Seul alors un moment je restais en prière ...

\*     \*     \*

Enfin, près du sépulcre à son père creusé,[1]
Pour la dernière fois le corps fut déposé.
Le front dans mes deux mains, je m'assis près de l'onde,[2]     5
Pendant que l'on ouvrait dans la terre profonde
Le lit de son sommeil où j'allais la coucher;
Chaque coup dans le sol que j'entendais bêcher
Faisait évanouir une de ces images
Qui me montaient au cœur à l'aspect de ces plages,     10
Les brisait tour à tour comme un flot sur l'écueil,
Et toutes les menait s'abîmer au cercueil.
Quand tout fut préparé, dans le sillon suprême
Je voulus sur mes bras le recevoir moi-même,
Afin que ce beau corps, sous ma main endormi,     15
S'appuyât, même là, contre ce cœur ami.
La pressant sur mon cœur comme une pauvre mère
Qui pose en son berceau son fruit dormant à terre,
Sur le sol aplani, muet, je l'étendis ...

[Les hommes couvrent de terre le corps descendu dans *la fosse*.]

Alors, pour passer seul tout ce jour de mystère,[3]     20
Feignant d'avoir encor quelque saint ministère,[4]
Je dis négligemment aux hommes du convoi
De descendre à pas lents la montagne sans moi;
Et je demeurai seul pour pleurer en silence
L'heure, l'heure sans fin de l'éternelle absence.     25

[1] Le père de Laurence avait été enterré près de la Grotte des Aigles.
[2] Un torrent descendant de la montagne.
[3] Le cortège funèbre était parti de nuit, et on était aux premières heures du matin.
[4] Quelque service religieux.

Oh ! ce qui se passa dans ces veilles de deuil
Entre cette âme et moi couché sur ce cercueil,
Ce qui se souleva d'amour et d'espérance
Du fond de cette fosse où m'appelait Laurence,
5 Si ma main le pouvait, je ne l'écrirais pas !
Il est des entretiens de la vie au trépas,
Il est des mots sacrés que l'âme peut entendre,
Que nulle langue humaine en accents ne peut rendre,
Qui brûleraient la main qui les aurait écrits,
10 Et qu'il faut, même à soi, mourir sans avoir dits !...

Quand j'eus seul devant Dieu pleuré toutes mes larmes,
Je voulus sur ces lieux si pleins de tristes charmes
Attacher un regard avant que de mourir.
Et je passai le soir à les tous parcourir.
15 Oh ! qu'en peu de saisons les étés et les glaces
Avaient fait du vallon évanouir nos traces !
Et que, sur ces sentiers si connus de mes pieds,
La terre en peu de jours nous avait oubliés !
La végétation, comme une mer de plantes,
20 Avait tout recouvert de ses vagues grimpantes;
La liane et la ronce entravaient chaque pas.
La lac, déjà souillé par les feuilles tombées,
Les rejetait partout de ses vagues plombées;
Rien ne se reflétait dans son miroir terni,
25 Et son écume morte aux bords avait jauni.
Des chênes qui couvraient l'antre [1] de leurs racines,
Deux, hélas ! n'étaient plus que de mornes ruines,
Leurs troncs couchés à terre étaient noirs et pourris.
Les lézards de leurs cœurs s'étaient déjà nourris;
30 Un seul encor debout, mais tronqué par l'orage,

[1] La grotte où avaient vécu Jocelyn et Laurence aux temps de leur grand amour.

Étendait vers la grotte un long bras sans feuillage ...
O temple d'un bonheur sur la terre inconnu,
Hélas ! en peu de temps qu'étiez-vous devenu ? ...
Dans ce séjour de paix, d'amour, d'affection,
Tout n'était que ruine et profanation:                    5
À la place où Laurence avait dormi naguère
Ses doux sommeils d'enfant, sur son lit de fougère,
La bête fauve avait dans l'ombre amoncelé
Son repaire d'épine aux broussailles mêlé;
Et des os décharnés, des carcasses livides,                10
Débris demi-rongés par ses petits avides,
Avec des poils sanglants répandus à l'entour,
Souillaient ce seuil sacré d'innocence et d'amour.
Je reculai d'horreur.  O vil monceau de boue,
O terre qui produis tes fleurs et qui t'en joue,[1]        15
Oh ! voilà donc aussi ce que tu fais de nous !
Nos pas sur tes vallons, tu les laboures tous:
Tu ne nous permets pas d'imprimer sur ta face
Même de nos regrets la fugitive trace;
Nous retrouvons la joie où nous avons pleuré;             20
La brute souille l'antre où l'ange a demeuré !
L'ombre de nos amours, au ciel évanouie,
Ne plane pas deux jours sur notre point de vie;
Nos cercueils, dans ton sein, ne gardent même pas
Ce peu de cendre aimée où nous traînent nos pas.         25
Nos pleurs, cette eau du ciel que versent nos paupières,
En lavant les tombeaux se trompent de poussières;
Le sol boit au hasard la moëlle de nos yeux.[2]
Va, terre, tu n'es rien ! ne pensons plus aux cieux ! ...

[1] *Joue*, grammaticalement il faudrait la seconde personne *joues;*
pour le besoin de la rime (avec *boue*) le poète a supprimé *s*.

[2] Les larmes.

## Les Laboureurs

### (Épisode de *Jocelyn*.)

Le passage lyrique le plus souvent cité de *Jocelyn*, c'est l'Épisode
de la *Neuvième Époque*, « Les Laboureurs », où sont célébrés les
travaux des champs, et qui rappelle beaucoup Virgile.

Cela se passe au Hameau de Valneige, où Jocelyn exerce tristement
son ministère de curé de campagne.

Quelquefois, dès l'aurore, après le sacrifice,[1]
Ma bible sous mon bras, quand le ciel est propice,
Je quitte mon église et mes murs jusqu'au soir,
Et je vais par les champs m'égarer ou m'asseoir,
5 Sans guide, sans chemin, marchant à l'aventure,
Comme un livre au hasard feuilletant la nature;
Mais partout recueilli; car j'y trouve en tout lieu
Quelque fragment écrit du vaste nom de Dieu.
Oh ! qui peut lire ainsi les pages du grand livre,
10 Ne doit ni se lasser ni se plaindre de vivre !

La tiède attraction des rayons d'un ciel chaud
Sur les monts ce matin m'avait mené plus haut;
J'atteignis le sommet d'une rude colline
Qu'un lac baigne à sa base et qu'un glacier domine,
15 Et dont les flancs boisés aux penchants adoucis
Sont tachés de sapins par des prés éclaircis . . .

[De là, le prêtre observe une famille de laboureurs qui arrivent le
matin pour se livrer aux travaux des champs et s'en retourner le soir
à leur chaumière.]

Laissant souffler ses bœufs, le jeune homme s'appuie
Debout au tronc d'un chêne, et de sa main essuie
La sueur du sentier sur son front mâle et doux;
20 La femme et les enfants tout petits, à genoux

---

[1] La messe.

Devant les bœufs privés [1] baissant leur corne à terre,
Leur cassent des rejets de frêne et de fougère,
Et jettent devant eux en verdoyants monceaux
Les feuilles que leurs mains émondent des rameaux.
Ils ruminent en paix pendant que l'ombre obscure,     5
Sous le soleil montant, se replie à mesure,[2]
Et, laissant de la glèbe attiédir la froideur,
Vient mourir et border les pieds du laboureur.
Il rattache le joug, sous la forte courroie,
Aux cornes qu'en pesant sa main robuste ploie;     10
Les enfants vont cueillir des rameaux découpés,
Des gouttes de rosée encore tout trempés,
Au joug avec la feuille en verts festons les nouent,
Que sur leurs fronts voilés les fiers taureaux secouent,
Pour que leur flanc qui bat et leur poitrail poudreux     15
Portent sous le soleil un peu d'ombre avec eux;
Au joug de bois poli le timon s'équilibre,
Sous l'essieu gémissant le soc se dresse et vibre,
L'homme saisit le manche, et sous le coin tranchant
Pour ouvrir le sillon le guide au bout du champ.     20

> O travail, sainte loi du monde,
> Ton mystère va s'accomplir;
> Pour rendre la glèbe féconde,
> De sueur il faut l'amollir !
> L'homme, enfant et fruit de la terre,     25
> Ouvre les flancs de cette mère
> Où germent les fruits et les fleurs;
> Comme l'enfant mord la mamelle
> Pour que le lait monte et ruisselle
> Du sein de sa nourrice en pleurs !     30

[1] Apprivoisés, domestiqués.
[2] L'ombre se retire à mesure que le soleil monte à l'horizon.

La terre, qui se fend sous le soc qu'elle aiguise,
En tronçons palpitants s'amoncelle et se brise,
Et, tout en s'entr'ouvrant, fume comme une chair
Qui se fend et palpite et fume sous le fer.
5 En deux monceaux poudreux les ailes [1] la renversent;
Ses racines à nu, ses herbes se dispersent;
Ses reptiles, ses vers par le soc déterrés,
Se tordent sur son sein en tronçons torturés;
L'homme les foule aux pieds, et, secouant le manche,
10 Enfonce plus avant le glaive [2] qui les tranche;
Le timon plonge et tremble, et déchire ses doigts;
La femme parle aux bœufs du geste et de la voix;
Les animaux courbés sur leur jarret qui plie,
Pèsent de tout leur front sur le joug qui les lie;
15 Comme un cœur généreux leurs flancs battent d'ardeur;
Ils font bondir le sol jusqu'en sa profondeur.
L'homme presse le pas, la femme suit à [3] peine;
Tous au bout du sillon arrivent hors d'haleine,
Ils s'arrêtent; le bœuf rumine, et les enfants
20 Chassent avec la main les mouches de leurs flancs.

Il est ouvert, il fume encore
Sur le sol, ce profond dessin ! [4]
O terre ! tu vis tout éclore
Du premier sillon de ton sein !
25 Il fut un Éden sans culture [5];
Mais il semble que la nature,
Cherchant à l'homme un aiguillon,
Ait enfoui pour lui sous terre

[1] Les ailes du versoir, une des parties de la charrue.
[2] Le coutre, ou couteau de la charrue.
[3] *Avec* peine.
[4] La ligne dessinée par le sillon.
[5] L'Éden où l'homme vivait sans avoir encore travaillé.

Sa destinée et son mystère
Cachés dans son premier sillon ![1]

Oh ! le premier jour où la plaine,
S'entr'ouvrant sous sa forte main,
But la sainte sueur humaine                    5
Et reçut en dépôt le grain !
Pour voir la noble créature
Aider Dieu, servir la nature
Le ciel ouvert roula son pli,[2]
Les fibres du sol palpitèrent,                 10
Et les anges surpris chantèrent
Le second prodige accompli !

Et les hommes ravis lièrent
Au timon les bœufs accouplés,
Et les coteaux multiplièrent                   15
Les grands peuples comme les blés,
Et les villes, ruches trop pleines,
Débordèrent au sein des plaines,
Et les vaisseaux, grands alcyons,
Comme à leurs nids les hirondelles,            20
Portèrent sur leurs larges ailes
Leur nourriture aux nations !

*        *        *

Et la famille, enracinée
Sur le coteau qu'elle a planté,
Refleurit d'année en année                     25
Collective immortalité !
Et sous sa tutelle chérie

---

[1] Voir la fable de La Fontaine, *Le laboureur et ses enfants.*
[2] Roula de côté les nuages pour briller de toute sa clarté.

Naquit l'amour de la patrie,
Gland de peuple au soleil germé !
Semence de force et de gloire
Qui n'est que la sainte mémoire
5      Du champ par ses pères semé ! . . .

Un moment suspendu, les voilà qui reprennent
Un sillon parallèle, et sans fin vont et viennent
D'un bout du champ à l'autre, ainsi qu'un tisserand,
Dont la main tout le jour sur son métier courant,
10 Jette et retire à soi le lin qui se dévide
Et joint le fil au fil sur sa trame rapide.
La sonore vallée est pleine de leurs voix;
Le merle bleu s'enfuit en sifflant dans les bois,
Et du chêne à ce bruit les feuilles ébranlées
15 Laissent tomber sur eux les gouttes distillées. . . .

*     *     *

Mais le milieu du jour au repas les rappelle:
Ils couchent sur le sol le fer,[1] l'homme dételle
Du joug tiède et fumant les bœufs, qui vont en paix
Se coucher loin du soc sous un feuillage épais;
20 La mère et les enfants, qu'un peu d'ombre rassemble,
Sur l'herbe, autour du père, assis, rompent ensemble
Et se passent entre eux de la main à la main
Les fruits, les œufs durcis, le laitage et le pain;
Et le chien, regardant le visage du père,
25 Suit d'un œil confiant les miettes qu'il espère.
Le repas achevé, la mère, du berceau
Qui repose couché dans un sillon nouveau,
Tire un bel enfant nu qui tend ses mains vers elle,
L'enlève et, suspendu, l'emporte à sa mamelle,

[1] Le soc de la charrue.

L'endort en le berçant du sein sur ses genoux,
Et s'endort elle-même, un bras sur son époux,
Et sous le poids du jour la famille sommeille
Sur la couche de terre, et le chien seul les veille:
Et les anges de Dieu d'en haut peuvent les voir,          5
Et les songes du ciel sur leurs têtes pleuvoir !

    Oh ! dormez sous le vert nuage
    De feuilles qui couvrent ce nid,
    Homme, femme, enfants leur image,
    Que la loi d'amour réunit !                          10
    O famille, abrégé du monde,
    Instinct qui charme et qui féconde
    Les fils de l'homme en ce bas lieu,
    N'est-ce pas toi qui nous rappelle
    Cette parenté fraternelle                            15
    Des enfants dont le père est Dieu !

         *    *    *

Ils ont quitté leur arbre et repris leur journée;
Du matin au couchant l'ombre déjà tournée
S'allonge au pied du chêne et sur eux va pleuvoir;
Le lac moins éclatant, se ride au vent du soir;          20
De l'autre bord du champ le sillon se rapproche;
Mais quel son a vibré dans les feuilles ?  La cloche,
Comme un soupir des eaux qui s'élève du bord,[1]
Répand dans l'air ému l'imperceptible accord,
Et par des mains d'enfants au hameau balancée          25
Vient donner de si loin son coup à la pensée;
C'est l'Angélus qui tinte et rappelle en tout lieu
Que le matin des jours et le soir sont à Dieu.[2]

[1] Du lac.
[2] Millet a-t-il tiré de ce passage l'inspiration pour son célèbre
tableau *L'Angélus?*

À ce pieux appel le laboureur s'arrête,
Il se tourne au [1] clocher, il découvre sa tête,
Joint ses robustes mains d'où tombe l'aiguillon,
Élève un peu son âme au-dessus du sillon,
5 Tandis que les enfants, à genoux sur la terre,
Joignent leurs petits doigts dans les mains de leur mère.[2]

        Prière ! ô voix surnaturelle
        Qui nous précipite à genoux,
        Instinct du ciel qui nous rappelle
10        Que la patrie est loin de nous,
        Vent qui souffle sur l'âme humaine
        Et de la paupière trop pleine
        Fait déborder l'eau de ses pleurs,
        Comme un vent qui par intervalles
15        Fait pleuvoir les eaux virginales [3]
        Du calice incliné des fleurs !

        Sans toi que serait cette fange ?
        Un monceau d'un impur limon
        Où l'homme après la brute mange
20        Les herbes qu'il tond du sillon !...

## La carrière politique

Lamartine avait semblé vouloir renoncer à la politique après la Révolution de Juillet, 1830. En 1833, cependant, il se laissa élire député; il prononça de temps en temps de grands discours — sur la peine de mort, sur l'abolition de l'esclavage dans les colonies, sur la liberté de la presse —; mais il renonça à se rattacher à aucun parti

---

[1] Licence poétique, pour *vers le clocher*.
[2] Dans les *Recueillements poétiques*, Lamartine a donné un poème qui rappelle ces vers « La cloche du village », (1840).
[3] Les eaux pures de la rosée.

et répondit à ceux qui lui demandaient où il allait siéger à la chambre, avec les avancés à gauche, ou avec les conservateurs à droite: « Je siègerai au plafond ».

Il joua, pourtant, un certain rôle en 1840, à l'occasion du transfert des restes de Napoléon, de Sainte-Hélène à Paris. Cet événement avait créé un profond malaise politique en Europe; on était en pleine crise; les intérêts de la France et de l'Angleterre se heurtaient en Égypte et en Syrie; les autres puissances, par le Traité de Londres s'étaient prononcées contre la France. Maintenant le retour de Napoléon dans sa capitale fut considéré par beaucoup comme une menace de nouvelles guerres de conquête pour rétablir les frontières du Rhin abandonnées après les guerres napoléoniennes. Or, au moment le plus critique, fut publié, en Allemagne, un chant provocateur, *Hymne au Rhin*, du poète Nikolaus Becker, et commençant par ces mots: « *Sie sollen ihn nicht haben, den freien deutschen Rhein* » (Ils ne l'auront pas, le libre Rhin allemand). Alors, Lamartine — qui avait déjà, le 30 mai, 1840, prononcé un discours contre la translation des cendres de Napoléon à Paris [1] — répondit par « La Marseillaise de la Paix », qu'on peut comparer, pour l'esprit qui l'anime, à la chanson de Béranger, *La Sainte alliance des peuples*, écrite en 1815 à la fin des guerres napoléoniennes (voir plus bas). En voici le refrain avec la première strophe:

> *Roule libre et superbe entre tes larges rives,*
> *Rhin, Nil de l'Occident, coupe des nations!*
> *Et des peuples assis qui boivent tes eaux vives*
> *Emporte les défis et les ambitions!*

> *Il ne tachera plus le cristal de ton onde,*
> *Le sang rouge du Franc, le sang bleu du Germain;*
> *Ils ne crouleront plus sous le caisson qui gronde*
> *Ces ponts qu'un peuple à l'autre étend comme une main!*
> *Les bombes et l'obus, arc-en-ciel des batailles,*
> *Ne viendront plus s'éteindre en sifflant sur tes bords;*
> *L'enfant ne verra plus du haut de tes murailles,*
> *Flotter ces poitrails blonds qui perdent les entrailles,*
> *Ni sortir des flots ces bras morts!*

---

[1] Lamartine avait cependant été séduit lui aussi un instant — comme Chateaubriand — par la grande figure de Napoléon. Il lui consacra une ode en 1821, (voir *Nouvelles Méditations*) au sujet de laquelle il écrit à son ami Virieux: « Je viens de faire une Ode sur Bonaparte ... Je la trouve très bonne » (Cf. Souriau, *livre cité*, II, p. 48).

> *Roule libre et limpide, en reflétant l'image*
> *De tes vieux forts verdis sous leurs lierres épais,*
> *Qui froncent tes rochers, comme un dernier nuage*
> *Fronce encor les sourcils sur un visage en paix . . .*

Dieu, dit plus bas le poète, n'a pas placé là le Rhin « *pour diviser ses fils, mais pour les réunir* ».[1]

Lamartine ne devient vraiment actif en politique que plusieurs années plus tard. À la veille de la Révolution de 1848 il publia un ouvrage, commencé dès 1843 et qui réfléchit bien clairement ses idées, l'*Histoire des Girondins*. Le récit va de la mort de Mirabeau, 1791, à la mort de Robespierre, 1794; il est animé d'un magnifique souffle de liberté; ses héros sont idéalisés à tel point qu'Alexandre Dumas, l'auteur des *Trois Mousquetaires*, a pu dire: « Il a élevé l'histoire à la hauteur du roman ».

## La Mort du Roi

(Extrait de l'*Histoire des Girondins*, Livre XXXV, ch. 21, 22.)

Les Girondins formaient un parti politique pendant la Révolution, dont la plupart des membres venaient du midi, d'où leur appellation de « Girondins »; les plus célèbres étaient Brissot, Pétion, Vergniaud. Ils étaient favorables aux principes révolutionnaires jusqu'au jour où l'on décapita le roi. Alors, ils passèrent à la droite (conservateurs), s'élevant avec force contre les « terroristes » qu'on appelait les « Montagnards », — car dans l'Assemblée, ils siégeaient aux bancs supérieurs de la gauche[2]; les principaux montagnards étaient Robespierre, Danton et Marat . . . Un mot célèbre de Vergniaud résume les idées des Girondins: « On a cherché à consommer la Révolution par la terreur; j'aurais voulu la consommer par l'amour. » Les Montagnards firent décapiter les Girondins le 31 octobre 1793. Mais moins d'un an après, le 27 juillet, 1794, ils furent renversés; Robespierre lui-même fut guillotiné, et ce fut la fin de la Terreur. Déjà, d'ailleurs, les Girondins avaient été en partie vengés, car Charlotte Corday, petite-nièce de Corneille, avait assassiné dans son bain Marat pour le mal qu'il avait fait aux Girondins, les ennemis de la violence. Elle fut

---

[1] Alfred de Musset écrira à son tour une réponse au poème de Becker, mais dans un ton d'âpre ironie, « Le Rhin allemand », qui commence ainsi:

*Nous l'avons eu votre Rhin allemand . . .*

[2] Ceux du centre étaient appelés les membres de la plaine ou du marais.

décapitée le 18 juillet 1793. André Chénier a chanté son courage (voir *Eighteenth Century French Readings*, Holt and Co. p. 631–33).[1]

Le 17 janvier 1793 la mort du roi avait été votée par la Convention nationale (qui avait déjà proclamé la République) par 387 voix contre 334. Cet arrêt fut communiqué à Louis XVI le 20 janvier; il demanda trois jours pour se préparer à la mort, et la permission pour la reine et ses enfants de sortir de France. Ces demandes furent refusées, et l'exécution fixée au lendemain matin, 21 janvier. On accorda seulement au condamné « d'appeler tel ministre du culte qu'il désignerait » et « de voir sa famille sans témoins ». Il demanda l'assistance de M. de Firmont, un prêtre non assermenté, c'est à dire n'ayant pas juré fidélité à la Révolution. M. de Firmont accepta cette dangereuse mission et sortit pour cela de sa cachette. Voici les pages de Lamartine relatant la dernière entrevue de Louis XVI avec les siens.

… Il devait avoir, à sept heures, la dernière entrevue avec sa famille.[2] L'approche de ce moment à la fois si

---

[1] La thèse de Lamartine — que les Girondins furent à tort mis à mort, par simple fanatisme révolutionnaire de la part de la Montagne, a pour adversaires ceux qui considèrent que la Révolution ne pouvait pas arriver à ses fins sans violences, et que la générosité des Girondins était préjudiciable au triomphe de la liberté. Un avocat de cette manière de voir fut Albert Mathiez, professeur d'histoire à la Sorbonne: *Girondins et Montagnards*, Paris, Firmin-Didot, 1930.

[2] Les membres de la famille royale enfermés à la Prison du Temple sont: 1, le roi Louis XVI, alors âgé de 39 ans. 2, La reine, Marie-Antoinette, fille de l'empereur d'Autriche François Iᵒ, et de Marie-Thérèse. Elle était née en 1755, avait donc 38 ans; elle monta sur l'échafaud le 16 oct. de cette même année 1793. 3, La sœur du roi, Madame Elizabeth, de dix ans plus jeune que Louis XVI, donc âgée de 29 ans; elle était absolument dévouée à son frère, et refusa deux mariages royaux pour demeurer auprès de lui; elle mourra à son tour sur l'échafaud, le 10 mai 1794. 4, La fille du roi et de la reine, la princesse royale, Marie-Thérèse Charlotte, âgée de 15 ans, qui fut la seule du groupe à quitter vivante la prison du Temple (19 déc. 1795); elle épousa en 1799, à l'étranger, son cousin le duc d'Angoulème; en 1814 elle rentra en France, avec la Restauration, joua un rôle important pendant quelques années; mourut en 1851. On lui attribue les *Mémoires particuliers, formant avec l'ouvrage de M. Hue, et le journal de Cléry* [valet de Louis XVI] *l'histoire complète de la captivité de la famille royale au Temple* (1817). Enfin 5, le dauphin, âgé de 8 ans, connu sous le nom de Louis XVII, et qui mourut de maladie, en prison, le 9 juin, 1795, « l'enfant martyr ».

désiré et si redoutable l'agitait mille fois plus que la pensée
de l'échafaud. Il ne voulait pas que ces suprêmes déchire-
ments de sa vie vinssent troubler le calme de sa préparation
à la mort, ni que ces larmes se mêlassent avec son sang dans
5 le sacrifice de lui-même qu'il allait offrir un moment plus
tard aux hommes et à Dieu.

Cependant la reine et les princesses, l'oreille toujours
collée aux fenêtres, avaient appris, dans la journée, le
refus de sursis et l'exécution dans les vingt-quatre heures,
10 par la voix des crieurs publics qui hurlaient la sentence
dans tous les quartiers de Paris. Toute espérance désor-
mais éteinte dans leur âme, leur anxiété ne portait plus que
sur un doute: le roi mourrait-il sans qu'il les eût revues,
embrassées, bénies ? Un dernier et suprême épanchement
15 de tendresse à ses pieds, un dernier serrement sur son cœur,
une dernière parole à entendre et à retenir, un dernier regard à garder dans leur âme, tout leur espoir, tout leur
désir, toutes leurs supplications se bornaient là. Groupées
depuis le matin en silence, en prières, en larmes dans la
20 chambre de la reine, interprétant du cœur tous les bruits,
interrogeant de l'œil tous les visages, elles n'apprirent
que tard qu'un décret de la Convention leur permettait de
revoir le roi. Ce fut une joie dans l'agonie. Elles s'y pré-
parèrent longtemps avant le moment. Debout, pressées
25 contre la porte, s'adressant en suppliantes aux commissaires
et aux geôliers, qu'elles ne cessaient d'interroger, il leur
semblait que leur impatience pressait les heures et que les
battements de leurs cœurs forceraient ces portes à s'ouvrir
plus tôt.

30 De son côté, le roi, extérieurement plus calme, n'était
pas intérieurement moins troublé. Il n'avait jamais eu
qu'un amour, sa femme; qu'une amitié, sa sœur; qu'une
joie dans la vie, sa fille et son fils. Ces tendresses de

l'homme, distraites et refroidies, quoique jamais éteintes, sur le trône, s'étaient recueillies, réchauffées et comme incrustées dans son âme depuis les atteintes de l'adversité, et bien plus encore dans la solitude de la prison. Il y avait si longtemps que le monde n'existait plus pour lui, si ce 5 n'est dans ce petit nombre de personnes dans lesquelles ses appréhensions, ses joies, ses douleurs, se multipliaient. De plus, avoir tant craint, tant espéré, tant souffert ensemble, c'est avoir mis plus de pensées et plus de vie en commun. Les larmes versées ensemble et les uns sur les 10 autres sont le ciment des cœurs. Ces cinq âmes n'étaient qu'une seule sensibilité. Une seule chose troublait d'avance cet entretien: c'était l'idée que cette dernière entrevue, où la nature devait éclater avec la liberté du désespoir et l'abandon de la tendresse aurait pour spectateurs des 15 geôliers; que les plus secrètes palpitations du cœur de l'époux, de l'épouse, du frère, de la sœur, du père, de la fille seraient comptées, savourées et peut-être incriminées par l'œil de leurs ennemis! Le roi se fonda sur les termes du décret de la Convention pour demander que l'en- 20 trevue eût lieu sans témoin. Les commissaires, responsables envers la Commune, et qui cependant n'osaient pas ouvertement désobéir à la Convention, délibérèrent pour concilier les intentions du décret avec les rigueurs de la loi. Il fut convenu que l'entretien aurait lieu dans la salle 25 à manger, cette salle ouvrait par une porte vitrée sur la chambre où se tenaient les commissaires; la porte devait rester fermée sur le roi et sa famille, mais les commissaires auraient les yeux sur les prisonniers à travers les vitrages de la porte. Ainsi, si les attitudes, les gestes, les larmes 30 étaient profanés par des regards étrangers, les paroles du moins seraient inviolables. Le roi, un peu avant le moment où les princesses devaient descendre, laissa son confesseur

dans la tourelle; il lui recommanda de ne pas se montrer,
de peur que l'aspect d'un ministre de Dieu ne rendît la
mort trop présente à l'œil de la reine. Il passa dans la salle
à manger pour préparer les sièges et l'espace nécessaires au
5 dernier entretien. « Apportez un peu d'eau et un verre »,
dit-il à son serviteur. Il y avait sur la table une carafe
d'eau glacée. Cléry [1] la lui montra. « Apportez de l'eau
« qui ne soit pas à la glace, dit le roi; car, si la reine buvait
« de celle-là, elle pourrait lui faire du mal. » La porte
10 s'ouvrit enfin. La reine, tenant son fils par la main, s'é-
lança la première dans les bras du roi et fit un mouvement
rapide comme pour l'entraîner dans sa chambre, hors de la
vue des spectateurs. « Non, non, » dit le roi d'une voix
sourde en soutenant sa femme sur son cœur et en la diri-
15 geant vers la salle, « je ne puis vous voir que là ! »

   Madame Élisabeth suivait avec la princesse royale.
Cléry referma la porte sur eux. Le roi força tendrement la
reine à s'asseoir sur un siège à sa droite, sa sœur sur un
autre à sa gauche; il s'assit entre elles. Les sièges étaient
20 si rapprochés que les deux princesses, en se penchant, entouraient les épaules du roi de leurs bras et collaient leurs
têtes sur son sein. La princesse royale, le front penché et
les cheveux répandus sur les genoux de son père, était
comme prosternée sur son corps. Le Dauphin était assis
25 sur un des genoux du roi, un de ses bras passé autour de son
cou. Ces cinq personnes ainsi groupées par l'instinct de
leur tendresse et convulsivement pressées dans les bras les
unes des autres, les visages cachés contre la poitrine du roi,
ne formaient aux regards qu'un seul faisceau de têtes, de
30 bras, de membres palpitants, qu'agitait le frémissement de
la douleur et des caresses, et d'où s'échappait, en balbutiements comprimés, en murmure sourd ou en éclats déchi-

---

[1] Le valet de Louis XVI.

rants, le désespoir de ces cinq âmes confondues en une,
pour étouffer, pour éclater et pour mourir dans un seul
embrassement.

Pendant plus d'une demi-heure, aucune parole ne put
sortir de leurs lèvres. Ce n'était qu'une lamentation où 5
toutes ces voix de père, de femmes, d'enfants, se perdaient
dans le gémissement commun, tombaient, s'appelaient, se
répondaient, se provoquaient les unes les autres par des
sanglots qui renouvelaient les sanglots, et s'aiguisaient par
intervalles en cris si aigus et si déchirants que ces cris per- 10
çaient les portes, les fenêtres, les murs de la tour, et qu'ils
étaient entendus des quartiers voisins. Enfin l'épuisement
des forces abattit jusqu'à ces symptômes de la douleur.
Les larmes se desséchèrent sur les paupières; les têtes se
rapprochèrent de la tête du roi comme pour suspendre les 15
âmes à ses lèvres; et un entretien à voix basse, interrompu
de temps en temps par des baisers et par des serrements de
bras, se prolongea pendant deux heures, qui ne furent qu'un
long embrassement. Nul n'entendit du dehors ces confidences du mourant aux survivants. La tombe ou les 20
cachots les étouffèrent en peu de mois avec les cœurs.
La princesse royale seule en garda les traces dans sa mémoire et en révéla plus tard ce que la confidence,[1] la politique et la mort peuvent laisser échapper des tendresses
d'un père, de la conscience d'un mourant et des secrètes 25
instructions d'un roi. Récit mutuel de leurs pensées depuis leur séparation, recommandations répétées de sacrifier à Dieu toute vengeance, si jamais l'inconstance des
peuples, qui est la fortune des rois, remettait ses ennemis
dans leurs mains; résignation de tout entre les mains de 30
Dieu; vœu sublime pour que sa vie ne coutât pas une
goutte de sang à son peuple; leçons plus chrétiennes encore

[1] Voir Note 2, p. 159.

que royales données et répétées à son fils; tout cela entre-
coupé de baisers, de larmes, d'étreintes, de prières en commun, d'adieux plus tendres et plus secrets versés à voix
basse dans l'oreille de la reine seule, remplit les deux heures
5 que dura ce funèbre entretien.  On n'entendait plus du
dehors qu'un tendre et confus chuchotement de voix.  Les
commissaires jetaient de temps en temps un regard furtif
à travers le vitrage comme pour avertir le roi que le temps
s'écoulait.

10   Quand les cœurs furent épuisés de tendresse, les yeux de
larmes, les lèvres de voix, le roi se leva et serra sa famille
à la fois dans une longue étreinte.  La reine se jeta à ses
pieds et le conjura de permettre qu'ils demeurassent cette
nuit suprême auprès de lui.  Il s'y refusa par tendresse pour
15 eux, dont cet attendrissement usait la vie.  Il prit pour
prétexte le besoin qu'il avait lui-même de quelques heures
de tranquillité pour se préparer au lendemain avec
toutes ses forces.  Mais il promit à sa famille de la faire
appeler le jour suivant à huit heures.  « Pourquoi pas à
20 « sept heures ? dit la reine. — Eh bien, oui à sept heures,
« répondit le roi. — Vous nous le promettez ? s'écrièrent-ils
« tous. — Je vous le promets », répéta le roi.  La reine, en
traversant l'antichambre, se suspendait de ses deux mains
au cou de son mari; la princesse royale enlaçait le roi de ses
25 deux bras;  madame Élisabeth embrassait du même côté
le corps de son frère; le Dauphin, suspendu d'une main
par la reine, de l'autre par le roi, trébuchait entre les jambes
de son père, le visage et les yeux levés vers lui.  A mesure
qu'ils avançaient vers la porte de l'escalier, leurs gémisse-
30 ments redoublaient.  Ils s'arrachaient des bras les uns des
autres, ils y retombaient de tout le poids de leur amour et
de leur douleur.  Enfin le roi s'élança à quelques pas en
arrière, et tendant de là les bras à la reine: « Adieu !...

« adieu ! . . . » lui cria-t-il avec un geste, un regard, un son de voix, où retentissaient à la fois tout un passé de tendresse, tout un présent d'angoisses, tout un avenir d'éternelle séparation, mais dans lequel on distinguait cependant un accent de sérénité, d'espérance et de joie religieuse qui semblait assigner à leur réunion le rendez-vous vague mais confiant d'une éternelle vie.

À cet adieu, la jeune princesse glissa évanouie des bras de madame Élisabeth et vint tomber sans mouvement aux pieds du roi. Cléry, sa tante, la reine, se précipitèrent pour la relever et la soutinrent en l'entraînant vers l'escalier. Pendant ce mouvement le roi s'évada, les mains sur les yeux, et se retournant du seuil de la porte de sa chambre entr'ouverte, « Adieu ! » lui cria-t-il une dernière fois. Sa voix se brisa sous les sanglots de son cœur. La porte se referma. Il se précipita dans la tourelle, où son consolateur l'attendait. L'agonie de la royauté était passée.

[Le roi prit quelque nourriture, et s'entretint avec le prêtre; puis s'endormit paisiblement. Réveillé à cinq heures, il assista à la messe que le prêtre célébra dans la prison. Ce ne fut, ensuite, qu'après une longue attente, à neuf heures, que l'on vint enfin prendre l'illustre prisonnier pour le conduire au supplice.]

Le roi sortit. Il tenait à la main un papier plié, c'était son testament. Il s'adresse à l'homme de garde qui se trouve en face de lui: « Je vous prie, lui dit-il, de remettre ce papier à la reine ! » Un mouvement d'étonnement à ce mot sur les visages républicains lui fait comprendre qu'il s'est trompé de terme. « À ma femme, » dit-il en se reprenant. Le garde recule: « Cela ne me regarde point, répond-il rudement, je suis ici pour vous conduire à « l'échafaud. » « C'est juste, » dit tout bas le roi visiblement contristé. Puis regardant les visages et se tournant vers celui dont l'expression plus douce lui révélait un cœur

moins impitoyable, il s'approcha d'un garde nommé
Gobeau: « Remettez, je vous prie, ce papier à ma femme;
vous pouvez en prendre lecture, il y a des dispositions que
la commune doit connaître. » Le garde, avec l'assentiment
5 de ses collègues, reçut le testament . . .

[Ceci fait, le roi se tourna vers Santerre, l'officier, et d'un ton de
commandement, il dit: « *Marchons* ». Il descendit d'un pas ferme
l'escalier de la tour.]

En traversant la première cour, le roi se retourna deux
fois du côté de la tour et leva vers les fenêtres de la reine un
regard où son âme tout entière semblait porter son muet
adieu à tout ce qu'il laissait de lui dans la prison.
10     Une voiture l'attendait à l'entrée de la seconde tour, deux
gendarmes se tenaient à la portière; l'un d'eux monta le
premier et s'assit sur le devant; le roi monta ensuite, il fit
placer son confesseur à sa gauche; le second gendarme
monta le dernier et ferma la portière. La voiture roula . . .
15    À l'embouchure de la Rue Royale sur la Place de la
Révolution, un rayon de soleil d'hiver qui perçait la brume
laissait voir la place couverte de cent mille têtes, les régiments de la garnison de Paris formant le carré autour de
l'échafaud, les exécuteurs attendant la victime, et
20 l'instrument du supplice dressant au-dessus de la foule ses
madriers et ses poteaux peints en couleur de sang.

La guillotine était dressée ce jour-là au milieu de la place,
devant la grande allée du jardin des Tuileries, en face et
comme en dérision du palais des rois . . .
25    Depuis l'aube du jour, les abords de l'échafaud, le pont
Louis XVI,[1] les terrasses des Tuileries,[2] les parapets du

[1] Aujourd'hui Pont de la Concorde, qui aboutissait à la Place de la
Révolution, aujourd'hui Place de la Concorde, où se dressait l'échafaud.

[2] Résidence des rois de France à Paris, détruite en 1871 par les
Communards.

fleuve, les toits des maisons de la rue Royale, les branches
mêmes, dépouillées, des arbres des Champs-Élysées [1]
étaient chargés d'une innombrable multitude qui attendait
l'événement dans l'agitation, dans le tumulte, et dans le
bruit d'une ruche d'hommes, comme si cette foule n'eût 5
pu croire au supplice d'un roi avant de l'avoir vu de ses
yeux ...

À l'approche de la voiture du roi, une immobilité solen-
nelle surprit cependant tout à coup cette foule et ces
hommes eux-mêmes. La voiture s'arrêta à quelques pas 10
de l'échafaud. Le trajet avait duré deux heures.[2]

Le roi, en s'apercevant que la voiture avait cessé de
rouler, leva les yeux, se pencha à l'oreille de son confesseur
et lui dit à voix basse et d'un ton d'interrogation: « Nous
voilà arrivés, je crois ? » Le prêtre ne lui répondit que par 15
un signe silencieux. Un des trois frères Samson, bourreaux
de Paris, ouvrit la portière. Les gendarmes descendirent.
Mais le roi refermant la portière et plaçant sa main droite
sur le genou de son confesseur d'un geste de protection:
« Messieurs », dit-il avec autorité aux bourreaux, aux gen- 20
darmes et aux officiers qui se pressaient autour des roues
« je vous recommande monsieur que voilà ! Ayez soin
« qu'après ma mort il ne lui soit fait aucune insulte. Je
« vous charge d'y veiller. » Personne ne répondit. Le roi
voulut répéter avec plus de force cette recommandation 25
aux exécuteurs. L'un d'eux lui coupa la parole. « Oui,
« oui, » lui dit-il avec un accent sinistre, « sois tranquille,
« nous en aurons soin, laisse-nous faire ». Louis descendit.
Trois valets du bourreau l'entourèrent et voulurent le
déshabiller au pied de l'échafaud. Il les repoussa avec 30

[1] Promenade parisienne, entre la Place (actuelle) de la Concorde
et l'Arc de Triomphe de l'Étoile (construit par Napoléon).
[2] Le trajet était d'environ deux milles et demi.

majesté, ôta lui-même son habit, sa cravate, et dépouilla sa
chemise jusqu'à la ceinture.  Les exécuteurs se jetèrent
alors de nouveau sur lui.  « Que voulez-vous faire ? »
murmura-t-il avec indignation.  « Vous lier », lui répon-
5 dirent-ils, et ils lui tenaient déjà les mains pour les nouer
avec leurs cordes.  « Me lier ! » répliqua le roi avec un
accent où toute la gloire de son sang se révoltait contre
l'ignominie: « Non ! non ! je n'y consentirai jamais !
« Faites votre métier, mais vous ne me lierez pas;  renon-
10 « cez-y ! » Les exécuteurs insistaient, élevaient la voix,
appelaient à leur aide, levaient la main, préparaient la violence.  Une lutte corps à corps allait souiller la victime au
pied de l'échafaud.  Le roi, par respect pour la dignité de
sa mort et pour le calme de sa dernière pensée, regarda le
15 prêtre comme pour lui demander un conseil.  « Sire, dit le
conseiller divin, subissez sans résistance ce nouvel outrage
« comme un dernier trait de ressemblance entre vous et le
« Dieu qui va être votre récompense. »  Le roi leva les yeux
au ciel avec une expression du regard qui semblait reprocher
20 et accepter à la fois.  « Assurément, dit-il, il ne faut rien
« moins que l'exemple d'un Dieu pour que je me soumette
« à un pareil affront ! »  Puis se tournant en tendant lui-
même les mains aux exécuteurs: « Faites ce que vous
« voudrez, leur dit-il, je boirai le calice jusqu'à la lie. »
25    Il monta, soutenu par le bras du prêtre, les marches
hautes et glissantes de l'échafaud.  Le poids de son corps
semblait indiquer un affaissement de son âme; mais,
parvenu à la dernière marche, il s'élança des mains de son
confesseur, traversa d'un pas ferme toute la largeur de
30 l'échafaud, regarda en passant l'instrument et la hache,
et se tournant tout à coup à gauche, en face de son palais,
et du côté où la plus grande masse de peuple pouvait le voir
et l'entendre, il fit aux tambours le geste du silence.  Les

tambours obéirent machinalement. « Peuple ! » dit Louis
XVI d'une voix qui retentit dans le silence et qui fut entendue distinctement de l'autre extrémité de la place,
« peuple ! je meurs innocent de tous les crimes qu'on
« m'impute ! Je pardonne aux auteurs de ma mort, et je 5
« prie Dieu que le sang que vous allez répandre ne retombe
« jamais sur la France ! . . . » Il allait continuer, un frémissement parcourait la foule. Le chef d'état-major des
troupes du camp à Paris, Beaufranchet, comte d'Oyat,
ordonna aux tambours de battre. Un roulement immense 10
et prolongé couvrit la voix du roi et le murmure de la multitude. Le condamné revint de lui-même à pas lents vers la
guillotine et se livra aux exécuteurs. Au moment où on
l'attachait à la planche il jeta encore un regard sur le prêtre
qui priait à genoux au bord de l'échafaud. Il vécut, il 15
posséda son âme tout entière jusqu'au moment où il la
remit à son Créateur par les mains du bourreau. La planche
chavira, la hache glissa, la tête tomba.

Un des exécuteurs, prenant la tête du supplicié par les
cheveux, la montra au peuple et aspergea de sang les abords 20
de l'échafaud. Des fédérés [1] et des républicains fanatiques
montèrent sur les planches, trempèrent les pointes de leurs
sabres et les lances de leurs piques dans le sang, et les bran-
dirent vers le ciel en poussant le cri de « Vive la République ! » L'horreur de cet acte étouffa le même cri sur les 25
lèvres du peuple. L'acclamation ressembla plutôt à un
immense sanglot. Les salves d'artillerie allèrent apprendre
aux faubourgs les plus lointains que la royauté était sup-
pliciée avec le roi.

La foule s'écoula en silence. On emporta les restes de 30

---

[1] On appelait ainsi les hommes qui avaient été délégués en 1790 à la
‹ Fête de la Fédération ›, — cinq par canton — célébrant l'anniversaire de la prise de la Bastille, le 14 juillet 1789.

Louis XVI dans un tombereau couvert au cimetière de la
Madeleine [1] et on jeta de la chaux dans la fosse pour que les
ossements consumés de la victime de la Révolution ne
devinssent pas un jour les reliques du royalisme.  Les rues
5 se vidèrent.  Des bandes de fédérés armés parcoururent les
quartiers de Paris en annonçant la mort du tyran et en
chantant le sanguinaire refrain de la *Marseillaise*.  Aucun
enthousiasme ne leur répondit, la ville resta muette.  Le
peuple ne confondait pas un supplice avec une victoire.
10 La consternation était rentrée avec la liberté dans la demeure des citoyens.  Le corps du roi n'était pas encore
refroidi sur l'échafaud que le peuple doutait de l'acte qu'il
venait d'accomplir et se demandait avec une anxiété
voisine du remords, si le sang qu'il venait de répandre était
15 une tache sur la gloire de la France ou le sceau de la
liberté?  La conscience des républicains eux-mêmes se
troubla devant cet échafaud.  La mort du roi laissait un
problème à débattre à la nation.

## Le drapeau rouge

La Révolution de 1789 avait profité à la bourgeoisie, et le peuple,
quoiqu'ayant pris part au renversement de l'ancien régime, n'avait
rien gagné.  La Révolution de 1848 sera faite contre la bourgeoisie
détestée maintenant plus que la noblesse ne l'avait jamais été
par ce peuple dont la misère était grande alors.  On demandait, entre
autres choses, la réforme du droit de vote qui n'était dévolu jusque là
qu'à ceux qui avaient la richesse.  En janvier 1848 le discours du
trône ne laisse espérer aucune satisfaction.  La révolution éclate.  Le
24 février le roi bourgeois, Louis-Philippe abdique en faveur de son

---

[1] L'église de la Madeleine est à peu de distance, au nord de la place
d'exécution.  En 1815 le roi Louis XVIII fit transporter ce que l'on
croyait être les restes de Louis XVI et de la reine, dans les voûtes
royales de la basilique de St. Denis.

fils, le comte de Paris. Le peuple refuse d'accepter le prétendant.
La reine se rend devant la Chambre avec le comte de Paris; mais la
foule a envahi la salle et les députés conservateurs s'enfuient. Les
députés restant se donnent à eux-mêmes leur mandat, déclarent la
Chambre dissoute, décrètent l'adoption du suffrage universel et
l'élection d'une Assemblée nationale. Un Gouvernement provisoire
est élu, dont Lamartine est acclamé chef et ministre des affaires étrangères. Le peuple est dans une agitation extrême; le 25 février, il
envahit l'Hôtel de Ville, et parce que la République n'a pas encore
été proclamée, il se croit trahi par le Gouvernement provisoire.
Lamartine fait face aux menaces: « Comment, dit-il, nous venons de
faire en trois jours ce qu'on pensait devoir prendre trois siècles. Eh
bien ! Laissez-nous organiser les choses... Encore deux ou trois
jours et votre victoire sera écrite, acceptée, assurée... Et vous nous
refuseriez ces jours, ces heures, ce calme, ces minutes ! Et vous étouf-
feriez dans son berceau, la république née de votre sang ! ... »

Un autre incident donna la seconde occasion à Lamartine de parler
et d'apaiser l'émeute. C'est le peuple affamé qui vient non seulement demander la république (puisque la république peut être purement bourgeoise) mais le communisme, et qu'on arbore le drapeau
rouge. « Nous demandons l'extermination de la propriété et des
capitalistes, l'installation immédiate du prolétariat dans la com-
munauté des biens, la proscription des banquiers, des riches, des
marchands, des bourgeois de toute condition au dessus de celle des
ouvriers salariés... [Nous demandons qu'on arbore] le *drapeau
rouge* qui signifie à la société sa défaite, au peuple sa victoire, à Paris
la terreur, à tous les gouvernements étrangers l'invasion. » L'histoire
de l'éloquence a rarement enregistré un plus beau triomphe que celui
de Lamartine calmant cette furie [1]:

Je vous ai parlé en citoyen tout à l'heure. Eh bien !
maintenant écoutez en moi votre ministre des affaires
étrangères. Si vous m'enlevez le drapeau tricolore,
sachez-le bien, vous m'enlèverez la moitié de la force

---

[1] Voir le récit de Lamartine dans *Histoire de la Révolution de 1848*,
publiée en 1849. Il y a plusieurs variantes de ce discours. L'auteur
en a publié une version plus longue et des explications dans les
*Lectures pour tous*. Ce texte-ci est tiré de Ulbach, *Œuvres oratoires et
parlementaires de Lamartine*, Paris, 1865, cinq volumes. Un texte
assez différent se trouve dans Mornet, *Chefs-d'œuvre*, Larousse, pp.
143-4.

extérieure de la France [1]: Car l'Europe ne connaît que le
drapeau de ses défaites et de nos victoires dans le drapeau
de la République et de l'Empire.[2]   En voyant le drapeau
rouge, elle ne croira voir que le drapeau d'un parti ! C'est
5 le drapeau de la France, c'est le drapeau de nos armes
victorieuses, c'est le drapeau de nos triomphes qu'il faut
relever devant l'Europe.[3]   La France et le drapeau tricolore, c'est une même pensée, un même prestige, une
même terreur, au besoin, pour nos ennemis !

10   Songez combien de sang il vous faudrait pour faire la
renommée d'un autre drapeau !

Citoyens, pour ma part, le drapeau rouge, je ne l'adop-
terai jamais, et je vais vous dire pourquoi je m'y oppose
de toute la force de mon patriotisme.  C'est que le dra-
15 peau tricolore a fait le tour du monde avec la République
et l'Empire, avec vos libertés et vos gloires, et que le dra-

---

[1] *Le drapeau tricolore:* bleu, blanc, rouge, adopté en remplacement
du drapeau blanc à fleur de lys, date de 1789; le bleu et le rouge sont
les couleurs de la ville de Paris; après la prise de la Bastille, La
Fayette avait placé la cocarde blanche des Bourbons au milieu des
couleurs de Paris, en signe de réconciliation avec la royauté. *Vous
m'enlèverez la moitié de la force extérieure de la France* — pourquoi ?
Car tous les traités avec les autres nations avaient été faits au
nom du drapeau tricolore; le renier, c'est autoriser les autres
pays à ignorer leurs obligations envers la France et à prendre les armes
pour attaquer la République; de nouveau les rois se ligueraient pour
remettre sur le trône le roi de France.

[2] *drapeau de la République et de l'Empire:* c'était le drapeau des
armées de la République à Valmy et à Jemmapes (1792), celui de
Marengo (1800), celui de l'Empire, qui — parcourant l'Europe avec
Napoléon — faisait connaître partout l'idée de la Révolution: à
Austerlitz, (1805), Iena (1806), Eylau (1807), Friedland (1807),
Wagram (1809), Lutzen (1813).

[3] *relever devant l'Europe:* le drapeau de la France avait été abaissé
à la suite de l'affaire de la succession au trône d'Espagne (1846) qui
brouilla la France et l'Angleterre; la France seule en Europe avait
fait alliance avec l'Autriche engagée dans une politique réactionnaire.

peau rouge n'a fait que le tour du Champ de Mars, traîné dans le sang du peuple.[1]

*   *   *

L'avènement de Louis Bonaparte, en 1851, après le Coup d'État du 2 décembre, 1851, mit fin à l'activité politique de Lamartine.

*   *   *

Grâce à sa générosité envers tous les malheureux et à sa prodigalité de grand seigneur, il connut presque la misère à la fin de ses jours. Il dut accepter d'écrire pour le seul besoin de gagner de l'argent, et la qualité de ses livres s'en ressentit. En 1867 le gouvernement vota une somme de 500 000 francs pour tirer de peine le vieux poète.

Il mourut en 1869, à l'âge de 80 ans, et repose dans la vieille terre de Milly.

---

[1] *tour du Champ de Mars:* sous Louis XVI on avait transformé une partie de la plaine maraîchère de Grenelle en place destinée aux exercices militaires, et on l'avait nommée Champ de Mars. Depuis on y célébrait volontiers les grandes fêtes populaires. Le 14 juillet 1790 on y avait fêté le premier anniversaire de la Prise de la Bastille, et à cette occasion on y avait élevé un grand monument provisoire, l'Autel de la Patrie. Le 17 juillet 1791, après la fuite du roi et son arrestation à Varennes, on proposa une grande pétition populaire pour réclamer sa déchéance. On déposa les feuilles pour signer cette pétition sur l'Autel de la Patrie; il se produisit alors une échauffourée, probablement organisée par les royalistes pour faire manquer l'affaire; un déplorable malentendu donna lieu aux fameux « massacres du Champ de Mars ». La Fayette, chargé de défendre les attroupements, fit marcher la garde nationale; celle-ci croyant coupable le peuple innocent au pied de l'autel, chargea la foule au lieu de s'en prendre aux quelques meneurs royalistes.

Le drapeau rouge n'est devenu qu'indirectement celui du socialisme révolutionnaire. En 1789, l'Assemblée constituante avait décrété une loi martiale contre les attroupements; l'autorité municipale devait en cas de résistance aux sommations, déployer un drapeau rouge pour avertir que la troupe allait être mise en action. C'est ainsi que le drapeau rouge fut hissé par le gouvernement à l'Hôtel de Ville lors de la journée des Massacres du Champ de Mars. Un an plus tard, en juillet 1792, le peuple insurgé contre la royauté emprunta ce symbole du drapeau rouge pour dire qu'il allait employer la force; le drapeau rouge portait cette inscription: *Loi martiale du peuple contre la rébellion du pouvoir exécutif.* Et depuis lors, le drapeau rouge est devenu celui de la révolution sociale. (Gabriel Perreux, *L'Origine du drapeau rouge en France,* et *la propagande républicaine du début de la Monarchie de juillet,* Paris, 1931.)

# CHAPITRE CINQ

# VICTOR HUGO

1802–1885

**Consulter:** E. Dupuy, *Victor Hugo, l'homme et le poète* (Lecène Oudin, 1887; 2º éd. augmentée, 1890). Paul Berret, *Victor Hugo*, (Garnier, 1927). Maurice Levaillant, *L'œuvre de Victor Hugo, Poésie, Prose, Théâtre* (Delagrave, 1931). [C'est une anthologie.] Pour une œuvre détaillée: E. Biré, *Victor Hugo avant 1830* (Perrin, 1883), *Victor Hugo après 1830* (2 vol., 1891), *Victor Hugo après 1852* (1894). [Il faut dire que cette œuvre, généralement fort exacte quant aux faits, trahit une forte prévention contre V. Hugo.] Raymond Escholier, *La vie glorieuse de Victor Hugo* (Plon, 1928). Gustave Simon, *L'enfance de Victor Hugo* (Hachette, 1904). E. Benoit-Lévy, *La jeunesse de Victor Hugo* (A. Michel, 1928). Michel Salomon, *Nodier et le groupe, romantique* (Perrin, 1908). Léon Séché, *Le Cénacle de Joseph Delorme, 1827–1830*, Iº vol. *V. Hugo et les poètes*. IIº vol. *V. Hugo et les artistes* (Mercure, 1912). Louis Barthou, *Les amours d'un poète* (Conard, 1919). Pierre de Lacretelle, *La vie politique de Victor Hugo* (Hachette, 1928). [Cet ouvrage est malveillant, mais les renseignements qu'il donne sont fort importants. Pour une appréciation moins sévère des mêmes événements, voir A. Schinz, *Rev. Hist. Litt.*, 1932.] André Bellessort, *Victor Hugo, Essai sur son œuvre* (Perrin, 1930).

Il va de soi que l'on ne trouve dans cette liste qu'un choix dans la très grande bibliographie sur V. Hugo. Il faudrait peut-être ajouter que les volumes de l'Édition Nationale (Ollendorff 1904 ss.) — en cours de publication — donnent des renseignements précieux à la fin de chaque volume sur les œuvres diverses. Il en est de même des grandes éditions des *Contemplations* (3 vol. in 12, 1922), par J. Vianney, de la *Légende des Siècles* (6 vol., 1922–5), et des *Châtiments* (2 vol., 1932), par P. Berret, dans « Les grands écrivains de la France. » (Paris, Hachette).

Il existe une *Bibliographie de V. Hugo*, par Max. Rudwin (Paris, Belles-Lettres, 42 pages) qui va jusqu'à l'année de publication (1926).

Victor Hugo est le plus grand nom littéraire du XIXº siècle. Sa carrière d'écrivain a été exceptionnellement longue; elle se divise en plusieurs périodes bien tranchées.

## Période Romantique

Celle-ci se subdivise elle-même en deux: période chateaubrianes-que et période romantique proprement dite.

### PÉRIODE CHATEAUBRIANESQUE

Elle fut ainsi appelée parce que Victor Hugo y subit d'une façon profonde l'influence de Chateaubriand.

Il était fils d'un père lorrain et d'une mère vendéenne. Le commandant Hugo était attaché à l'armée de Napoléon et cantonné à Besançon (Franche-Comté) quand naquit, en 1802, Victor, son troisième fils. Les hasards de la guerre menèrent la petite famille en Corse, et à l'Île d'Elbe [où Napoléon sera exilé en 1814]; puis, après un séjour à Paris (1804–7), en Italie, où le colonel Hugo commandait la Province d'Avellino. De 1808 à 1811 la mère et les enfants sont installés à Paris, puis repartent, cette fois pour l'Espagne; mais en 1812 la situation militaire y devient critique, et la mère retourne à Paris avec ses deux fils cadets. Pendant trois ans ils demeurent aux Feuillantines, un vieux couvent transformé après la Révolution en maison d'habitation avec un grand jardin. De 1815 à 1818 les fils Hugo sont placés à la pension Cordier, comme internes; Victor devait se préparer à la carrière d'ingénieur; mais il y renonça pour celle des lettres. Agissant en ceci contre la volonté de son père, il eut une période de vie très dure (on en trouve des réminiscences dans le roman *Les Misérables* — personnage de Marius). La volonté du jeune homme triompha. Ses vers furent, dès 1817, remarqués par l'Académie française; l'année suivante il publia son premier recueil d'*Odes*, et, avec des camarades, une petite revue éphémère, *Le conservateur littéraire* (qui s'inspirait des mêmes idées que le *Conservateur*, le journal politique de Chateaubriand). Son premier volume de vers fut republié en 1826 sous le titre de *Odes et Ballades*. Il publia aussi des récits en prose (*Bug-Jargal*, écrit 1819, publié 1826; et *Han d'Islande*, 1823). En 1823, il deviendra le principal collaborateur de *La Muse Française*, organe de la nouvelle génération qui réclamera bientôt le nom de ‹romantique›; il fait partie aussi de ce que l'on appelle le premier ‹cénacle› [ou ‹salon›] romantique dont les réunions avaient lieu chez Charles Nodier, — le ‹ frère aîné des Romantiques › — alors le bibliothécaire du roi à l'Arsenal.[1] Victor Hugo n'allait pas tarder à devenir le chef reconnu des Romantiques.

---

[1] Ainsi appelée car la bibliothèque était située en face de l'arsenal, qui est aujourd'hui remplacé par la caserne de la Garde Républicaine.

## Mon  Enfance

Les voyages de ses jeunes années laissèrent une profonde empreinte
sur l'âme de l'enfant, surtout le séjour en Espagne, quand il avait neuf
à dix ans.   Une grande partie de ces souvenirs sont consignés d'une
façon charmante dans *Victor Hugo raconté par un témoin de sa vie*,
Vol. I, chap. XVII et XVIII; — le ( témoin ) c'est Madame Victor
Hugo.   Ils lui inspirèrent également une des plus célèbres de ses Odes
de jeunesse, *Mon Enfance*.

> *Voilà que tout cela est passé...*
> *Mon enfance n'est plus; elle est*
> *morte, pour ainsi dire, quoique je*
> *vive encore.*
>
> (Saint Augustin, *Confessions*).

### I

J'ai des rêves de guerre en mon âme inquiète;
J'aurais été soldat, si je n'étais poète.
Ne vous étonnez point que j'aime les guerriers.
Souvent, pleurant sur eux, dans ma douleur muette,
5  J'ai trouvé leurs cyprès plus beaux que nos lauriers.

Enfant, sur un tambour ma crèche fut posée.[1]
Dans un casque pour moi l'eau sainte fut puisée.
Un soldat, m'ombrageant d'un belliqueux faisceau,
De quelque vieux lambeau d'une bannière usée
10        Fit les langes de mon berceau.

Parmi les chars poudreux, les armes éclatantes,
Une muse des camps m'emporta sous les tentes;
Je dormis sur l'affût des canons meurtriers,
J'aimai les fiers coursiers, aux crinières flottantes,
15  Et l'éperon froissant les rauques [2] étriers.

---

[1] Il est né à Besançon, en 1802, où son père, le commandant Hugo,
de la grande armée de Napoléon, était alors cantonné.

[2] *rauques étriers*, adjectif difficile à interpréter.

J'aimai les forts tonnants, aux abords difficiles;
Le glaive nu des chefs guidant les rangs dociles;
La vedette, perdue en un bois isolé,
Et les vieux bataillons qui passaient dans les villes,
   Avec un drapeau mutilé.     5

Mon envie admirait et le hussard rapide,
Parant de gerbes d'or [1] sa poitrine intrépide,
Et le panache blanc des agiles lanciers,
Et les dragons, mêlant sur leur casque gépide [2]
Le poil taché du tigre aux crins noirs des coursiers.  10

 .  .  .  .  .  .  .

J'entendais le son clair des tremblantes cymbales,
Le roulement des chars, le sifflement des balles;
Et, de monceaux de morts semant leurs pas sanglants,
Je voyais se heurter au loin, par intervalles,
   Les escadrons étincelants !    15

## II

Avec nos camps vainqueurs, dans l'Europe asservie
J'errai, je parcourus la terre avant la vie;
Et tout enfant encor, les vieillards recueillis
M'écoutaient racontant, d'une bouche ravie,
Mes jours si peu nombreux et déjà si remplis !  20

Chez dix peuples vaincus je passai sans défense,
Et leur respect craintif étonnait mon enfance;
Dans l'âge où l'on est plaint, je semblais protéger.

[1] L'uniforme des hussards était orné de guimpes d'or qui suggé-
raient assez bien une gerbe de blé.
[2] Les Gépides étaient un peuple de l'Europe centrale ayant joué
un rôle à l'époque de l'invasion des Barbares; ils portaient un casque
semblable à celui des dragons d'aujourd'hui.

Quand je balbutiais le nom chéri de France
    Je faisais pâlir l'étranger.

Je visitai cette île, en noirs débris féconde,[1]
Plus tard, premier degré d'une chute profonde,
5 Le haut Cenis,[2] dont l'aigle aime les rocs lointains,
Entendit, de son antre où l'avalanche gronde,
Ses vieux glaçons crier sous mes pas enfantins.

Vers l'Adige et l'Arno je vins des bords du Rhône.
Je vis de l'Occident l'auguste Babylone,
10 Rome, toujours vivante au fond de ses tombeaux,
Reine du monde encor sur un débris de trône,
    Avec une pourpre en lambeaux.

Puis Turin, puis Florence aux plaisirs toujours prête,
Naple, aux bords embaumés, où le printemps s'arrête
15 Et que Vésuve en feu couvre d'un dais brûlant,
Comme un guerrier jaloux qui, témoin d'une fête,
Jette au milieu des fleurs son panache sanglant.

L'Espagne m'accueillit, livrée à la conquête,
Je franchis le Bergare,[3] où mugit la tempête;
20 De loin, pour un tombeau je pris l'Escurial [4];

[1] L'île d'Elbe, entre l'Italie et la Corse, est volcanique; ce fut là que fut exilé Napoléon une première fois, en 1814, avant d'être relégué en 1815, à Sainte-Hélène.

[2] Le col du Mont-Cenis, passage des Alpes, sur la route de Lyon à Turin. V. Hugo y passa en 1808, en allant rejoindre avec sa mère, le commandant Hugo alors en Italie.

[3] Bergare, ou Vergare: c'est à dire le col qui domine la localité de Bergare ou Vergare, dans les Pyrénées.

[4] Palais de rois d'Espagne, à 25 milles au N. O. de Madrid, qui, avec ses grands murs de pierre grise, suggère en effet, de loin un formidable tombeau. Il sert du reste de mausolée aux rois d'Espagne.

Et le triple aqueduc [1] vit s'incliner ma tête
    Devant son front impérial.

Là, je voyais les feux des haltes militaires
Noircir les murs croulants des villes solitaires;
La tente de l'église envahissait le seuil;             5
Les rires des soldats, dans les saints monastères,
Par l'écho répétés, semblaient des cris de deuil.[2]

### III

Je revins, rapportant de mes courses lointaines
Comme un vague faisceau de lueurs incertaines.
Je rêvais, comme si j'avais, durant mes jours,       10
Rencontré sur mes pas les magiques fontaines
    Dont l'onde enivre pour toujours.

L'Espagne me montrait ses couvents, ses bastilles [3];
Burgos, sa cathédrale aux gothiques aiguilles;
Irun, ses toits de bois; Vittoria, ses tours;       15
Et toi, Valladolid,[4] tes palais de familles
Fiers de laisser rouiller des chaînes dans leurs cours.[5]

---

   1 « le célèbre aqueduc romain de Ségovie, où l'on admire trois
rangs superposés d'arcades de granit » (*Note de V. Hugo*).

   2 Cette guerre d'Espagne fut menée avec furie des deux côtés.

   3 *Bastilles* = forteresses.

   4 Valladolid, un peu plus au sud. On lit dans les *Mémoires du
Général Hugo* — que son fils venait de lire quand il écrivit ce poème:
« Quand les rois catholiques voyageaient en Espagne, ce qui n'était
pas commun, et qu'ils ne logeaient pas dans les édifices publics, la
maison particulière qui avait l'honneur de les recevoir obtenait, par
cela seul, de nombreux privilèges et la plus singulière distinction: le
propriétaire faisait tapisser de grosses chaînes de fer le mur de son
principal escalier » (Vol. II, pp. 12–13). La même coutume existe
dans d'autres provinces, p. ex. en Andalousie.

   5 Pour cette strophe particulièrement, voir *Victor Hugo raconté*,
Vol. I, ch, 17 et 18.

Mes souvenirs germaient dans mon âme échauffée;
J'allais, chantant des vers d'une voix étouffée;
Et ma mère, en secret observant tous mes pas,
Pleurait et souriait, disant: « C'est une fée
5          Qui lui parle et qu'on ne voit pas. »

### Fragment

    Une autre pièce relative à l'enfance du poète, et qui est aussi fort célèbre, est celle écrite en 1839 et publiée dans le recueil *Les Rayons et les Ombres* (1840), sous ce titre « Ce qui se passait aux Feuillantines en 1813 ». Les Feuillantines était le nom de la maison où habitaient alors Mme Hugo et ses fils [il y avait eu là autrefois un couvent de l'ordre des Feuillants]. Un grand jardin, délice des enfants, allait avec l'immeuble.

J'eus dans ma blonde enfance, hélas ! trop éphémère,
Trois maîtres: — un jardin, un vieux prêtre et ma mère.
Le jardin était grand, profond, mystérieux,
Semé de fleurs s'ouvrant ainsi que des paupières,
10 Et d'insectes vermeils qui couraient sur les pierres,
Plein de bourdonnements et de confuses voix;
Au milieu presque un champ, dans le fond presque un bois.
Le prêtre tout nourri de Tacite et d'Homère,
Était un doux vieillard.  Ma mère — était ma mère !
15 Ainsi je grandissais sous ce triple rayon.

    Un jour, un maître de lycée vint offrir à la mère d'élever les enfants dans un collège régulier.  Quelle décision prendre ?  La mère hésite. Comme elle se tourmente, un soir, « à l'heure où la lune se lève »:

Tous ces vieux murs croulants, toutes ces jeunes roses,
Tous ces objets pensifs, toutes ces douces choses,
Parlèrent à ma mère avec l'onde et le vent,
Et lui dirent tout bas: — « Laisse-nous cet enfant !...
20 Nous ne lui donnerons que de bonnes pensées;
Nous changerons en jour ses lueurs commencées;

Dieu deviendra visible à ses yeux enchantés;
Car nous sommes les fleurs, les rameaux, les clartés,
Nous sommes la nature et la source éternelle
Où toute soif s'étanche, où se lave toute aile;
Et les bois et les champs, du sage seul compris,                    5
Font l'éducation de tous les grands esprits ! . . .
Nous te le rendrons simple et des cieux ébloui;
Et nous ferons germer de toutes parts en lui
Pour l'homme, triste effet perdu sous tant de causes,
Cette pitié qui naît du spectacle des choses !                      10

C'est deux ans plus tard que V. Hugo et ses frères furent placés dans
la pension Cordier, où V. Hugo, selon le désir de son père, devait se
préparer à devenir ingénieur.

## Louis XVII

V. Hugo avait subi de très bonne heure l'influence de Chateaubriand. Il avait écrit sur un cahier d'écolier ces mots: « Je veux être
Chateaubriand ou rien ». Son premier recueil de poésies est tout entier inspiré par les idées royalistes et catholiques de celui-ci: « L'histoire
des hommes ne présente de poésie que jugée des idées monarchiques
et des croyances religieuses » (Préface des *Odes*, 1822). Il faut dire
ici que les déplacements fréquents du commandant Hugo, soldat dans
l'armée de Napoléon, et ses absences du foyer conjugal avaient amené
des dissentiments entre les parents; les enfants sentirent fortement
l'influence de la mère qui était, elle, opposée à Napoléon, donc royaliste.

Les plus célèbres de ses odes royalistes et catholiques sont *Les
Vierges de Verdun* (trois jeunes filles condamnées à mort pour avoir
donné des secours à des émigrés royalistes), *Quiberon* (localité de la
Bretagne: des prisonniers royalistes à qui on avait promis la vie
sauve s'ils se rendaient et qui furent massacrés cependant), *Louis
XVII* (le martyre du dauphin enfermé dans la prison du Temple et
sa mort en 1795), *Le rétablissement de la statue de Henri IV* (statue
qui avait été renversée par la Révolution), *La mort du Duc de Berry*
(l'héritier du trône, assassiné le 13 février 1820), *La mort de Mademoiselle de Sombreuil* (qui, selon la légende, aurait racheté la vie de
son père en consentant à boire un verre de sang).

Louis XVI étant mort sur l'échafaud (21 janv. 1793) son fils fut reconnu héritier du trône sous le nom de Louis XVII. Mais l'enfant mourut à l'âge de 10 ans (8 juin, 1795) dans la prison du Temple où il avait été enfermé avec sa famille depuis août 1792. Il avait été séparé de sa mère même à cause des complots royalistes pour délivrer les prisonniers (sa mère Marie-Antoinette fut guillotinée le 16 oct. 1793). La légende veut que l'enfant ait été soumis à des traitements indignes; et le cordonnier Simon, son geôlier, se serait plu à lui refuser son titre de roi, lui criant le matin: *Capet, éveille-toi !* (Capet étant le nom de la famille royale qui donna la dynastie des Capétiens). V. Hugo fit de ce mot un cri de victoire: *Éveille-toi du mauvais rêve de la prison pour monter au ciel !*

*Remarque sur la forme du poème.* Une des grandes innovations de Chateaubriand avait été de remplacer le langage poétique emprunté à la mythologie païenne par le langage emprunté aux prophètes bibliques et aux auteurs du Nouveau Testament, surtout de l'Apocalypse. V. Hugo adopte entièrement cette innovation. Sa vision du ciel où monte le jeune « roi martyr » est celle consacrée par l'art chrétien. Quant au vers du poète, il est encore, alors, le vers classique: prédominance du vers de 12 syllabes, avec césure après la sixième syllabe. L'assouplissement de ce vers — ce qu'on appelle le « vers romantique », où la césure cesse d'être exigée après la sixième syllabe — ne viendra que quelques années plus tard. Il y a cependant un grand sens du rythme poétique, plus varié qu'aux XVII° et XVIII° siècles. Par exemple, outre que V. Hugo accepte le vers libre, il a voulu une strophe différemment constituée pour chacun des trois interlocuteurs de son récit: les anges: aabccb avec 5me un octosyllabe; le petit roi martyr: ababcdcd avec 8me un octosyllabe; l'éternelle voix: aabccb avec 3me et 6me octosyllabes.

*Capet, éveille-toi!*

# I

En ce temps-là, du ciel les portes d'or s'ouvrirent;
Du Saint des Saints ému les feux [1] se découvrirent;
Tous les cieux un moment brillèrent dévoilés;
Et les élus voyaient, lumineuses phalanges,
5 Venir une jeune âme entre de jeunes anges
      Sous les portiques étoilés.

[1] *Feux* = lumières.

C'était un bel enfant qui fuyait de la terre; —
Son œil bleu du malheur portait le signe austère;
Ses blonds cheveux flottaient sur ses traits pâlissants;
Et les vierges du ciel, avec des chants de fête,
Aux palmes du martyre unissaient sur sa tête                    5
    La couronne des innocents.


## II


On entendit des voix qui disaient dans la nue:
— « Jeune ange, Dieu sourit à ta gloire ingénue;
Viens, rentre dans ses bras pour ne plus en sortir;
Et vous, qui du Très-Haut racontez les louanges,          10
    Séraphins, prophètes, archanges,
Courbez-vous, c'est un roi; chantez, c'est un martyr ! »

— « Où donc ai-je régné ? demandait la jeune ombre.
Je suis un prisonnier, je ne suis point un roi.
Hier je m'endormis au fond d'une tour sombre.                15
Où donc ai-je régné ?  Seigneur, dites-le-moi.
Hélas ! mon père est mort d'une mort bien amère;
Ses bourreaux, ô mon Dieu ! m'ont abreuvé de fiel;
Je suis un orphelin; je viens chercher ma mère,
    Qu'en mes rêves j'ai vue au ciel. »                    20

Les anges répondaient: — « Ton sauveur te réclame.
Ton Dieu d'un monde impie a rappelé ton âme.
Fuis la terre insensée où l'on brise la croix,[1]
Où jusque dans la mort descend le régicide,

[1] La Révolution avait associé dans ses rancunes l'autel et le trône,
l'église et la royauté.

Où le meurtre, d'horreurs avide,
Fouille dans les tombeaux pour y chercher des rois ! » [1]

— « Quoi ! de ma longue vie ai-je achevé le reste ?
Disait-il; tous mes maux, les ai-je enfin soufferts ?
5 Est-il vrai qu'un geôlier, de ce rêve céleste,
Ne viendra pas demain m'éveiller dans mes fers ?
Captif, de mes tourments cherchant la fin prochaine,
J'ai prié; Dieu veut-il enfin me secourir ?
Oh ! n'est-ce pas un songe ? a-t-il brisé ma chaîne ?
10        Ai-je eu le bonheur de mourir ?

« Car vous ne savez point quelle était ma misère !
Chaque jour dans ma vie amenait des malheurs;
Et, lorsque je pleurais, je n'avais pas de mère
Pour chanter à mes cris, pour sourire à mes pleurs.
15 D'un châtiment sans fin languissante victime,
De ma tige arraché comme un tendre arbrisseau,
J'étais proscrit bien jeune, et j'ignorais quel crime
        J'avais commis dans mon berceau.

« Et pourtant, écoutez, bien loin dans ma mémoire,
20 J'ai d'heureux souvenirs avant ces temps d'effroi [2];
J'entendais en dormant des bruits confus de gloire,
Et des peuples joyeux veillaient autour de moi.
Un jour tout disparut dans un sombre mystère;
Je vis fuir l'avenir à mes destins promis;
25 Je n'étais qu'un enfant, faible et seul sur la terre,
        Hélas ! et j'eus des ennemis !

[1] En 1793, par décret de la Convention, on avait décidé de faire disparaître jusqu'aux restes mortels de rois de France, et les tombes royales de l'Abbaye de Saint-Denis (tout près de Paris) furent violées et les ossements jetés au vent.

[2] Les jours brillants de la cour de Louis XVI et de Marie-Antoinette, à Versailles. L'enfant avait 7 ans en 1792.

« Ils m'ont jeté vivant sous des murs funéraires;
Mes yeux voués aux pleurs n'ont plus vu le soleil;
Mais vous que je retrouve, anges du ciel, mes frères,
Vous m'avez visité souvent dans mon sommeil.
Mes jours se sont flétris dans leurs mains meurtrières,     5
Seigneur, mais les méchants sont toujours malheureux;
Oh ! ne soyez pas sourd comme eux à mes prières,
    Car je viens vous prier pour eux. »

Et les anges chantaient: — « L'arche à toi se dévoile,[1]
Suis-nous; sur ton beau front nous mettrons une étoile;    10
Prends les ailes d'azur des chérubins vermeils;
Tu viendras avec nous bercer l'enfant qui pleure,
    Ou, dans leur brûlante demeure,
D'un souffle lumineux rajeunir les soleils ! »

### III

Soudain le chœur cessa, les élus écoutèrent;    15
Il[2] baissa son regard par les larmes terni;
Au fond des cieux muets les mondes s'arrêtèrent;
Et l'éternelle voix parla dans l'infini:

« O roi ! je t'ai gardé loin des grandeurs humaines;
Tu t'es réfugié du trône dans les chaînes;    20
    Va, mon fils, bénis tes revers;
Tu n'as point su des rois l'esclavage suprême,
Ton front du moins n'est pas meurtri du diadème,
    Si tes bras sont meurtris de fers.

[1] Vision empruntée à l'*Apocalypse*, XI, 15–19. Le septième ange
a sonné la trompette du jugement, et: « Alors le temple de Dieu
s'ouvrit dans le ciel, et l'arche de son alliance fut vue dans son temple;
et il y eut des éclairs, et des voix, et des tonnerres, et un tremblement
de terre, et une grosse grêle ».
[2] Il = le dauphin.

« Enfant, tu t'es courbé sous le poids de la vie;
Et la terre, pourtant, d'espérance et d'envie
    Avait entouré ton berceau !
Viens, ton Seigneur lui-même eut ses douleurs divines,
5 Et mon Fils, comme toi, roi couronné d'épines,
    Porta le sceptre de roseau ! »

### PÉRIODE ROMANTIQUE PROPREMENT DITE

#### A. POÉSIE LYRIQUE

Les jeunes écrivains étaient souvent accusés d'être des ico-
noclastes et de vouloir fonder les pensers nouveaux sur des ruines
du passé. Cette accusation était mal fondée puisqu'ils étaient
disciples de Chateaubriand, qui justement avait voulu détrôner les
Grecs et les Romains du siècle classique pour restaurer le culte de la
France traditionnelle, catholique et monarchique. Les poètes
romantiques s'efforcèrent en outre de prouver à leurs adversaires que
pour la forme aussi, loin de mépriser le passé, ils désiraient plutôt
l'imiter. [Chateaubriand, on s'en souvient, écrivit en prose presque
exclusivement.] Ce fut Sainte-Beuve, alors tout jeune, qui se chargea
de cette démonstration. Dans son *Tableau historique de la poésie au
XVIᵉ siècle* (1827–8) il souligna les charmes de la poésie de la Renaissance que l'on avait délaissée pour suivre Malherbe et Boileau; il
montre en Ronsard, Du Bellay, et les poètes de la Pléiade des maîtres
du rythme poétique. Victor Hugo s'inspira de ce *Tableau* dans plusieurs de ses dernières *Ballades* (1826–8), et dans certaines *Orientales*
(1829).[1]

Il faut noter cependant que la ballade dont il s'agit ici n'est pas la
ballade, poème à forme fixe qu'illustra Villon (trois huitains avec
refrain, plus un demi-huitain comme envoi) mais de la ballade au sens
anglais ou allemand du mot, un petit poème sentimental, sur quelque
épisode d'amour ou autre, — telle la ballade des bardes d'Ossian —
et souvent avec un élément de surnaturel médiéval.[2]

---

[1] Il en est qui pensent que V. Hugo n'a pas attendu Sainte-Beuve
pour justifier ses audaces poétiques. Voir Guimbaud. *Les Orientales*.
Paris 1928.
[2] Ajoutons que Victor Hugo n'a écrit que très peu de sonnets, le
sonnet étant une forme de poésie à forme fixe adoptée par les classiques; il voulait remonter au-delà, à l'inspiration médiévale et
romanesque.

Les titres de certaines des ballades de V. Hugo sont révélateurs déjà, comme *La légende de la nonne, La ronde du sabbat*. En voici une des plus connues *Les deux archers*, qui évoque bien l'atmosphère mystique médiévale, avec les lueurs fantastiques de la nuit, les voix mystérieuses dans les endroits abandonnés, les maléfices de Satan au pied fourchu et riant sardoniquement quand il peut voler des âmes au paradis.

## Les Deux Archers [1]

*Dames, oyez [2] un conte lamentable.*
(Baïf).

C'était l'instant funèbre où la nuit est si sombre,
Qu'on tremble à chaque pas de réveiller dans l'ombre
Un démon, ivre encor du banquet des sabbats [3];
Le moment où, liant à peine sa prière,
Le voyageur se hâte à travers la clairière;                5
    C'était l'heure où l'on parle bas.

Deux francs archers passaient au fond de la vallée,
Là-bas ! où vous voyez une tour isolée,
Qui, lorsqu'en Palestine allaient mourir nos rois,[4]
Fut bâtie en trois nuits, au dire de nos pères,          10
Par un ermite saint qui remuait les pierres
    Avec le signe de la croix.

[1] Corps de troupes fort importants avant l'invention de la poudre à canon; les francs archers étaient « francs d'impôts », c'est à dire des sortes de mercenaires, et qui étaient « francs » aussi des conventions sociales et des croyances communes, c. à. d. cyniques et blasphéma-teurs.

[2] Vieux français = *écoutez*.

[3] Les sabbats des sorciers et des sorcières, se tenant le samedi (jour du sabbat) sous la direction de Satan, à l'heure fatidique de minuit.

[4] L'époque des Croisades où les rois et les nobles se rendaient en Palestine pour arracher le Saint Sépulcre aux infidèles.  Le roi Louis IX, ou Saint Louis mourut au cours de la 8º Croisade (quoique pas en Palestine, mais à Tunis, 1270).

Tous deux, sans craindre l'heure, en ce lieu taciturne,
Allumèrent un feu pour leur repas nocturne;
Puis ils vinrent s'asseoir, en déposant leur cor,
Sur un saint de granit, dont l'image grossière,
5 Les mains jointes, le front couché dans la poussière,
            Avait l'air de prier encor.

Cependant sur la tour, les monts, les bois antiques,
L'ardent foyer jetait des clartés fantastiques;
Les hiboux s'effrayaient au fond des vieux manoirs;
10 Et les chauves-souris, que tout sabbat réclame,
Volaient, et par moments épouvantaient la flamme
            De leur grande aile aux ongles noirs.

Le plus vieux des archers alors dit au plus jeune:
— Portes-tu le cilice ? — Observes-tu le jeûne ? [1]
15 Reprit l'autre; et leur rire accompagna leur voix.
D'autres rires de loin tout à coup s'entendirent.
Le val était désert, l'ombre épaisse; ils se dirent:
            — C'est l'écho qui rit dans les bois.

Soudain à leurs regards une lueur rampante
20 En bleuâtres sillons sur la hauteur serpente;
Les deux blasphémateurs, hélas ! sans s'effrayer,
Jetèrent au brasier d'autres branches de chênes,
Disant: — C'est, au miroir des cascades prochaines,
            Le reflet de notre foyer.

25 Or cet écho (d'effroi qu'ici chacun s'incline)
C'était Satan riant tout haut sur la colline !
Ce reflet, émané du corps de Lucifer,
C'était le pâle jour qu'il traîne en nos ténèbres,

---

[1] *Porter  le  cilice ... observer  le  jeûne* — pratiques  naïves  des
croyants.

Le rayon sulfureux qu'en des songes funèbres
  Il nous apporte de l'enfer !

Aux profanes éclats de leur coupable joie,
Il était accouru comme un loup vers sa proie;
Sur les archers dans l'ombre erraient des yeux ardents.   5
« Riez et blasphémez dans vos heures oisives.
Moi, je ferai passer vos bouches convulsives
  Du rire au grincement des dents ! »

    *  *  *

À l'aube du matin, un peu de cendre éteinte
D'un pied large et fourchu portait l'étrange empreinte.   10
Le val fut tout le jour désert, silencieux.
Mais, au lieu du foyer, à minuit même, un pâtre
Vit soudain apparaître une flamme bleuâtre
  Qui ne montait pas vers les cieux.

Dès qu'au sol attachée elle rampa livide,   15
De longs rires, soudain éclatant dans le vide,
Glacèrent le berger d'un grand effroi saisi.
Il ne vit point Satan et ceux de l'autre monde,
Et ne put concevoir, dans sa terreur profonde,
  Ce qu'ils souffraient pour rire ainsi.   20

Dès lors, toutes les nuits, aux monts, aux bois antiques,
L'ardent foyer jeta des clartés fantastiques;
Des rires effrayaient les hiboux des manoirs;
Et les chauves-souris, que tout sabbat réclame,
Volaient, et par moments épouvantaient la flamme   25
  De leur grande aile aux ongles noirs.

Rien, avant le rayon de l'aube matinale,
Enfants,[1] rien n'éteignait cette flamme infernale.

 [1] V. Hugo aime à présenter ses poèmes sous forme de récits faits à
des enfants.

Si l'orage, à grands flots tombant, grondait dans l'air,
Les rires éclataient aussi haut que la foudre,
La flamme en tournoyant s'élançait de la poudre,
            Comme pour s'unir à l'éclair.

5 Mais enfin une nuit, vêtu du scapulaire,
Se leva du vieux saint le marbre séculaire,
Il fit trois pas, armé de son rameau bénit;
De l'effrayant prodige effrayant exorciste,
De ses lèvres de pierre il dit: Que Dieu m'assiste !
10          En ouvrant ses bras de granit !

Alors tout s'éteignit, flammes, rires, phosphore,
Tout ! et le lendemain, on trouva dès l'aurore
Les deux gens d'armes morts sur la statue assis;
On les ensevelit; et, suivant sa promesse,
15 Le seigneur du hameau, pour fonder une messe,
            Légua trois deniers parisis.[1]

                *      *      *

Si quelque enseignement se cache en cette histoire,
Qu'importe ! il ne faut pas la juger, mais la croire !
La croire !  Qu'ai-je dit ? ces temps sont loin de nous !
20 Ce n'est plus qu'à demi qu'on se livre aux croyances.
Nul, dans notre âge aveugle et vain de ses sciences,
            Ne sait plier les deux genoux !

---

[1] *denier parisis* = denier de Paris, qui valait un peu plus que le
denier tournoi (i.e., de Tours).  15 deniers parisis = un sou d'or.

## Le Pas d'Armes du Roi Jean

Dans le poème précédent la versification ne présente rien de particulier; dans celui-ci c'est l'habileté de versifier et rimer qui sollicite surtout l'attention. *Le pas d'armes du roi Jean* conte l'histoire d'un petit page qui tombe à une fête d'armes et que pleure en secret Isabeau, la femme du roi Jean. [Un (pas d'armes) est un tournoi où les chevaliers, au lieu de combattre individuellement dans des joutes successives, entrent dans l'arène tous ensemble, simulant un véritable combat].

> *Plus de six cents lances y furent brisées; on se battit à pied et à cheval, à la barrière, à coups d'épée et de pique, où partout les tenants et les assaillants ne firent rien qui ne répondît à la haute estime qu'ils s'étaient déjà acquise; ce qui fit éclater ces tournois doublement. Enfin au dernier, un gentilhomme nommé de Fontaines, beau-frère de Chandion, grand prévôt des maréchaux, fut blessé à mort; et au second encore, Saint-Aubin, gentil-homme, fut tué d'un coup de lance.*

(Ancienne chronique).

Ça, qu'on selle,
Écuyer,
Mon fidèle
Destrier.
Mon cœur ploie                                    5
Sous la joie,
Quand je broie
L'étrier.

Par saint Gille,[1]
Viens-vous-en[2];                                 10

[1] Patron des chasseurs, avec St. Hubert. Le roi Childebert (VI<sup>e</sup> siècle) l'avait, un jour de chasse, rencontré dans la forêt; il vivait nourri par le lait d'une biche qui venait coucher dans sa grotte. Le roi fit bâtir un monastère pour le Saint.

[2] Pour *Venez-vous-en* — qui ferait quatre syllabes alors qu'il n'en faut que trois.

Mon agile
Alezan,
Viens, écoute,
Par la route,
5      Voir la joute
Du roi Jean.

Qu'un gros carme [1]
Chartrier,[2]
Ait pour arme
10      L'encrier;
Qu'une fille,
Sous la grille,
S'égosille
À prier,

15      Nous qui sommes,
De par Dieu,
Gentilshommes
De haut lieu,
Il faut faire
20      Bruit sur terre,
Et la guerre
N'est qu'un jeu.

Ma vieille âme
Enrageait;
25      Car ma lame,
Que rongeait
Cette rouille
Qui la souille,

[1] De l'ordre du Mont Carmel.
[2] Celui qui est chargé dans un couvent d'écrire ou de préparer des documents ou chartes.

En quenouille
Se changeait.

Cette ville
Aux longs cris,
Qui profile
Son front gris,
Des toits frêles,
Cent tourelles,
Clochers frêles,
C'est Paris !... 10

[Ici une longue description de Paris et de la foule qui se presse pour voir le pas d'armes.]

On commence.
Le beffroi !
Coups de lance,
Cris d'effroi !
On se forge, 15
On s'égorge,
Par saint George !
Par le roi !

La cohue,
Flot de fer, 20
Frappe, hue,
Remplit l'air,
Et profonde,
Tourne et gronde,
Comme une onde 25
Sur la mer.

Dans la plaine
Un éclair
Sa promène

Vaste et clair;
Quels mélanges !
Sang et franges !
Plaisirs d'anges !
5   Bruit d'enfer !

       *    *    *

Dans l'orage,
Lys courbé,
Un beau page
Est tombé.
10  Il se pâme,
Il rend l'âme;
Il réclame
Un abbé.

Moines vierges,
15  Porteront
De grands cierges
Sur son front;
Et, dans l'ombre
Du lieu sombre,
20  Deux yeux d'ombre
Pleureront.

Car madame
Isabeau
Suit son âme
25  Au tombeau.
Que d'alarmes !
Que de larmes ! . . .
Un pas d'armes,
C'est très beau !

## Les Djinns

Le morceau le plus célèbre de Victor Hugo, qui combine le sujet du pittoresque, sentimental et même mystique, avec la forme à vaincre, la difficulté de la versification, se trouve dans le recueil qui suit celui des *Odes et Ballades*, dans *Les Orientales*. Il y a dans *Les Djinns* [djinns = ( esprits de la nuit ); mot apparenté au français ( génies )] une harmonie imitative frappante entre les vers d'abord très doux, devenant graduellement plus sonores pour diminuer de nouveau et s'éteindre, et l'approche d'une armée de démons qui arrivent dans un fracas d'orage sur la ville endormie et puis passent dans le silence renouvelé.

> *E come i gru van cantando lor lai,*
> *Facendo in aer di se lunga riga;*
> *Cosè vid'io venir, traendo guai,*
> *Ombre portate dalla detta briga.*
>                    (Dante).
>        Et comme les grues qui font dans
>        l'air de longues files vont chantant
>        leur plainte, ainsi je vis venir trai-
>        nant des gémissements les ombres
>        emportées par cette tempête.


Murs, ville
Et port,
Asile
De mort,
Mer grise                                    5
Où brise
La brise,—
Tout dort.

Dans la plaine
Naît un bruit:                               10
C'est l'haleine
De la nuit.
Elle brame
Comme une âme

Qu'une flamme
Toujours suit.

La voix plus haute
Semble un grelot.
5      D'un nain qui saute
C'est le galop:
Il fuit, s'élance,
Puis en cadence
Sur un pied danse
10     Au bout d'un flot.

La rumeur approche:
L'écho la redit,
C'est comme la cloche
D'un couvent maudit,
15     Comme un bruit de foule
Qui tonne et qui roule,
Et tantôt s'écroule
Et tantôt grandit.

Dieu ! la voix sépulcrale
20     Des Djinns ! — Quel bruit ils font !
Fuyons sous la spirale
De l'escalier profond !
Déjà s'éteint ma lampe,
Et l'ombre de la rampe
25     Qui le long du mur rampe
Monte jusqu'au plafond.

C'est l'essaim des Djinns qui passe,
Et tourbillonne en sifflant.
Les ifs, que leur vol fracasse,
30     Craquent comme un pin brûlant.
Leur troupeau lourd et rapide,

Volant dans l'espace vide,
Semble un nuage livide
Qui porte un éclair au flanc.

Ils sont tout près ! — Tenons fermée
Cette salle où nous les narguons.                    5
Quel bruit dehors !  Hideuse armée
De vampires et de dragons !
La poutre du toit descellée
Ploie ainsi qu'une herbe mouillée,
Et la vieille porte rouillée                        10
Tremble à déraciner ses gonds.

Cris de l'enfer ! voix qui hurle et qui pleure !
L'horrible essaim, poussé par l'aquilon,
Sans doute, ô ciel ! s'abat sur ma demeure.
Le mur fléchit sous le noir bataillon.              15
La maison crie et chancelle penchée,
Et l'on dirait que, du sol arrachée,
Ainsi qu'il chasse une feuille séchée,
Le vent la roule avec leur tourbillon !

Prophète ![1] si ta main me sauve                   20
De ces impurs démons des soirs,
J'irai prosterner mon front chauve
Devant tes sacrés encensoirs !
Fais que sur ces portes fidèles
Meure leur souffle d'étincelles,                    25
Et qu'en vain l'ongle de leurs ailes
Grince et crie à ces vitraux noirs !

Ils sont passés ! — Leur cohorte
S'envole et fuit, et leurs pieds

_____
[1] Mahomet.

Cessent de battre ma porte
De leurs coups multipliés.
L'air est plein d'un bruit de chaînes,
Et dans les forêts prochaines
5      Frissonnent tous les grands chênes,
Sous leur vol de feu pliés !

De leurs ailes lointaines
Le battement décroît,
Si confus dans les plaines,
10     Si faible, que l'on croit
Ouïr la sauterelle
Crier d'une voix grêle,
Ou pétiller la grêle
Sur le plomb d'un vieux toit.

15     D'étranges syllabes
Nous viennent encor:
Ainsi, des Arabes
Quand sonne le cor,
Un chant sur la grève
20     Par instants s'élève,
Et l'enfant qui rêve
Fait des rêves d'or.

Les Djinns funèbres,
Fils du trépas,
25     Dans les ténèbres
Pressent leurs pas;
Leur essaim gronde:
Ainsi, profonde,
Murmure une onde
30     Qu'on ne voit pas.

Ce bruit vague
Qui s'endort,
C'est la vague
Sur le bord;
C'est la plainte                                5
Presque éteinte
D'une sainte
Pour un mort.

On doute
La nuit ...                                    10
J'écoute: —
Tout fuit,
Tout passe;
L'espace
Efface                                          15
Le bruit.

\*   \*   \*

*Les Orientales* appartiennent encore en majorité à l'époque romantique de Victor Hugo.  Elles sont de 1827-9.  Les sujets en sont em-
pruntés souvent au monde oriental — parfois au monde mauresque
d'Espagne; un bon nombre aussi se rattachent au mouvement du
philhellénisme, c'est à dire à la guerre d'indépendance de la Grèce
contre les Turcs oppresseurs.  Byron, Chateaubriand et maint autre
homme de lettres se sont enthousiasmés pour cette guerre; Victor
Hugo avec eux.  Les deux premiers poèmes ci-dessous se rapportent à
l'orientalisme proprement dit, le troisième au philhellénisme.  On re-
marquera que, dans tous les trois, la clef du poème se trouve dans la
toute dernière strophe, ou ligne; V. Hugo aimait ces effets frappants.

## Le voile

[On connaît la coutume orientale que les femmes n'osent se montrer sans voile à des étrangers sous peine de punition sévère].

*Avez-vous prié Dieu, ce soir, Des-
demona ?*

(Shakespeare).

LA SŒUR

Qu'avez-vous, qu'avez-vous mes frères ?
Vous baissez des fronts soucieux.
Comme des lampes funéraires,
Vos regards brillent dans vos yeux.
5 Vos ceintures sont déchirées.
Déjà trois fois, hors de l'étui,
Sous vos doigts, à demi tirées,
Les lames des poignards ont lui.

LE FRÈRE AÎNÉ

N'avez-vous pas levé votre voile aujourd'hui ?

LA SŒUR

10 Je revenais du bain, mes frères ;
Seigneurs, du bain je revenais,
Cachée aux regards téméraires
Des giaours et des Albanais.[1]
En passant près de la mosquée
15 Dans mon palanquin découvert,
L'air de midi m'a suffoquée.
Mon voile un instant s'est ouvert.

LE SECOND FRÈRE

Un homme alors passait ? Un homme en caftan vert ?

LA SŒUR

Oui . . . peut-être . . . mais son audace
20 N'a point vu mes traits dévoilés . . .
Mais vous vous parlez à voix basse,
À voix basse vous vous parlez.

---

[1] *Giaour* — nom de mépris des Musulmans pour les chrétiens ;
*Albanais* — pour désigner en général les étrangers.

Vous faut-il du sang ?   Sur votre âme,
Mes frères, il n'a pu me voir.
Grâce ! tuerez-vous une femme,
Faible et nue en votre pouvoir ?

### LE TROISIÈME FRÈRE

Le soleil était rouge à son coucher ce soir !          5

### LA SŒUR

Qu'ai-je fait ?   Grâce ! grâce !
Dieu ! quatre poignards dans mon flanc !
Ah ! par vos genoux que j'embrasse ...
O mon voile ! ô mon voile blanc !
Ne fuyez pas mes mains qui saignent,          10
Mes frères, soutenez mes pas !
Car sur mes regards qui s'éteignent
S'étend un voile de trépas.

### LE QUATRIÈME FRÈRE

C'en est un que du moins tu ne lèveras pas !

### *Lazzara*

Un « klephte » est un Grec qui vit hors la loi, de pillage ou de ra-
pine; mais souvent il est l'ami du peuple et l'ennemi du gouvernement
oppresseur.   Le sujet de ce poème rappelle celui du drame d'*Hernani*
(voir plus bas).

*Et cette femme était fort belle.*
(*Livre des Rois*, XI, 2).

Comme elle court !   Voyez ! — Par les poudreux sentiers,   15
Par les gazons tout pleins de touffes d'églantiers,
          Par les blés où le pavot brille,
Par les chemins perdus, par les chemins frayés,
Par les monts, par les bois, par les plaines, voyez
          Comme elle court, la jeune fille !          20

Elle est grande, elle est svelte, et quand, d'un pas joyeux,
Sa corbeille de fleurs sur la tête, à nos yeux
   Elle apparaît vive et folâtre,
À voir sur son beau front s'arrondir ses bras blancs,
5 On croirait voir de loin, dans nos temples croulants,
   Une amphore aux anses d'albâtre.

Elle est jeune et rieuse, et chante sa chanson.
Et, pieds nus, près du lac, de buisson en buisson,
   Poursuit les vertes demoiselles.[1]
10 Elle lève sa robe et passe les ruisseaux,
Elle va, court, s'arrête, et vole, et les oiseaux
   Pour ses pieds donneraient leurs ailes.

Quand le soir, pour la danse on va se réunir,
À l'heure où l'on entend lentement revenir
15    Les grelots du troupeau qui bêle,
Sans chercher quels atours à ses traits conviendront,
Elle arrive, et la fleur qu'elle attache à son front
   Nous semble toujours la plus belle.

Certes, le vieux Omer, pacha de Négrepont,
20 Pour elle eût tout donné, vaisseaux à triple pont,
   Foudroyantes artilleries,
Harnois de ses chevaux, toisons de ses brebis,
Et son rouge turban de soie, et ses habits
   Tout ruisselants de pierreries;

25 Et ses lourds pistolets, ses tromblons évasés,
Et leurs pommeaux d'argent par sa main rude usés,
   Et ses sonores espingoles,[2]
Et son courbe damas, et, don plus riche encor,

---

[1] Ici les libellules (*dragon-fly*).
[2] Gros fusil très court, à canon évasé.

La grande peau de tigre où pend son carquois d'or,
        Hérissé de flèches mongoles.

Il eût donné sa housse et son large étrier;
Donné tous ses trésors avec le trésorier;
        Donné ses trois cents concubines;       5
Donné ses chiens de chasse aux colliers de vermeil;
Donné ses Albanais, brûlés par le soleil,
        Avec leurs longues carabines . . .

Tout jusqu'au cheval blanc qu'il élève au sérail,
Dont la sueur à flots argente le poitrail;       10
        Jusqu'au frein que l'or damasquine;
Jusqu'à cette Espagnole, envoi du bey d'Alger,
Qui soulève, en dansant son fandango léger,
        Les plis brodés de sa basquine !

     \*    \*    \*

Ce n'est point un pacha, c'est un klephte à l'œil noir  15
Qui l'a prise, et qui n'a rien donné pour l'avoir,
        Car la pauvreté l'accompagne;
Un klephte a pour tous biens l'air du ciel, l'eau des puits
Un bon fusil bronzé par la fumée, et puis
        La liberté sur la montagne !       20

### *L'enfant grec*

Morceau évidemment inspiré par un tableau célèbre du peintre
Delacroix, au salon de 1824, et qui représentait la désolation de l'île
de Chio — dans l'Archipel, près de l'Asie Mineure et célèbre par ses
vins — après le massacre de 20 000 Grecs par les Turcs, en 1821.

Les Turcs ont passé là: tout est ruine et deuil.
Chio, l'île des vins, n'est plus qu'un sombre écueil.
        Chio, qu'ombrageaient les charmilles,

Chio, qui dans les flots reflétait ses grands bois,
Ses coteaux, ses palais, et le soir quelquefois
       Un chœur dansant de jeunes filles.

Tout est désert: mais non, seul près des murs noircis,
5 Un enfant aux yeux bleus, un enfant grec, assis,
       Courbait sa tête humiliée.
Il avait pour asile, il avait pour appui
Une blanche aubépine, une fleur, comme lui
       Dans le grand ravage oubliée.

10 « Ah ! pauvre enfant, pieds nus sur les rocs anguleux !
Hélas ! pour essuyer les pleurs de tes yeux bleus
       Comme le ciel et comme l'onde,
Pour que dans leur azur, de larmes orageux,
Passe le vif éclair de la joie et des jeux,
15        Pour relever ta tête blonde,

« Que veux-tu ? bel enfant, que te faut-il donner
Pour rattacher gaîment et gaîment ramener
       En boucles sur ta blanche épaule,
Ces cheveux qui du fer n'ont pas subi l'affront,
20 Et qui pleurent épars autour de ton beau front,
       Comme les feuilles sur le saule ?

« Qui pourrait dissiper tes chagrins nébuleux ?
Est-ce d'avoir ce lis, bleu comme tes yeux bleus,
       Qui d'Iran borde le puits sombre ? [1]
25 Ou le fruit du tuba,[2] de cet arbre si grand,
Qu'un cheval au galop met toujours en courant
       Cent ans à sortir de son ombre ?

[1] Un puits immense, de trois cents pas de circonférence, près du lac d'Ourmiak, dans l'Iran ou la Perse.
[2] « Voyez le Koran pour l'arbre tuba ... le paradis des Turcs comme leur enfer, a son arbre. »   (Note de V. Hugo).

« Veux-tu, pour me sourire, un bel oiseau des bois,
Qui chante avec un chant plus doux que les hautbois,
          Plus éclatant que les cymbales ?
Que veux-tu ? fleur, beau fruit, ou l'oiseau merveilleux ?
— Ami, dit l'enfant grec, dit l'enfant aux yeux bleus,          5
          Je veux de la poudre et des balles. »

### B.  LE ROMAN

Ici aussi la réaction contre le rationalisme et le réalisme du XVIII⁰ siècle s'affirme par une imagination souvent débridée, un besoin de fantaisie, par ce qu'on a appelé « frénétisme ».  Un précurseur dans ce domaine avait été Charles Nodier, auteur, en 1818, du roman *Sbogar*, (un hors-la-loi mystérieux, au cœur excellent, mais qui passait pour un dangereux bandit — rappelant assez le Robin Hood médiéval), et de récits plus courts, comme *Trilby ou le lutin d'Argail*, *Smarra*, (le cauchemar), *Jean-François les-bas-bleus* (un visionnaire), etc. Victor Hugo avait cédé ce courant dans *Bug Jargal*, décrivant l'amour sublime d'un nègre de Saint-Domingue pour une jeune blanche (écrit en 1819, publié en 1826), et dans *Han d'Islande* (1823). Cependant l'œuvre principale de V. Hugo, et où s'affirme en même temps que la fascination du pittoresque moyen-âge, l'idée du roman historique où brillait alors Walter Scott, c'est *Notre-Dame de Paris* qui évoque le Paris du XV⁰ siècle, sous Louis XI.  Au centre de la cité, autour de la grande cathédrale, se déroulent une succession de scènes animées: fêtes populaires, scènes militaires, scènes de tribunaux, procès de sorcellerie, scènes de supplices et de pendaison . . . La trame qui sert de fil pour relier tout cela est l'histoire d'une charmante bohémienne, La Esmeralda, qui, dans les rues, chante, danse et fait faire à une petite chèvre des tours savants.  Elle est l'objet des convoitises de Claude Frollo, prêtre de Notre Dame; elle éprouve devant lui une frayeur instinctive;  mais admire le beau capitaine, Phoebus, lequel l'avait délivrée un jour que Frollo avait voulu la faire enlever.  Frollo essayera d'assassiner Phoebus quand il le surprendra avec la Esmeralda.  La figure la plus frappante dans ce drame, cependant, c'est le nain sourd et difforme, Quasimodo.  Il a été l'objet de la pitié de la Esmeralda un jour, lui, le pauvre souffre-douleur, et maintenant il brûle d'une passion touchante, respectueuse, et désespérée.  Il la protège, et à plusieurs reprises, grâce à sa force prodigieuse, il la sauve de grands dangers.  Un jour la Esmeralda, qui était auprès de Phoebus quand celui-ci fut poignardé par Frollo, est accusée du crime;  elle est convaincue en même temps de sorcellerie sous prétexte que sa chèvre accomplit des tours qui prouvent l'intervention diabolique.    Elle doit être pendue.    Mais Quasimodo l'arrache aux gardes et la transporte dans la cathédrale qui est lieu d'asile pour les criminels; il la nourrit et la soigne avec une tendresse extrême; cependant, Frollo pour se venger de son indifférence et par jalousie du capitaine, la livre de nouveau aux soldats pendant l'absence de Quasimodo, et le supplice a lieu.    Fou de douleur, Quasimodo précipite du haut des tours de Notre Dame le prêtre Frollo qui contemplait de là le terrible spectacle.

## Quasimodo

Toute sa personne était une grimace.    Une grosse tête hérissée de cheveux roux;  entre les deux épaules une bosse énorme dont le contre-coup se faisait sentir par devant; un système de cuisses et de jambes si étrangement four
5 voyées qu'elles ne pouvaient se toucher que par les genoux, et, vues de face, ressemblaient à deux croissants de faucilles qui se rejoignent par la poignée;  de larges pieds, des mains monstrueuses;  et, avec toute cette difformité, je ne sais quelle allure redoutable de vigueur, d'agilité et de courage;
10 étrange exception à la règle éternelle qui veut que la force, comme la beauté, résulte de l'harmonie.

[Quant au visage:]

Nous n'essayerons pas de donner au lecteur une idée de ce nez tétraèdre, de cette bouche en fer à cheval;  de ce petit œil gauche obstrué d'un sourcil roux en broussailles,
15 tandis que l'œil droit disparaissait entièrement sous une énorme verrue;  de ces dents désordonnées, ébréchées çà et là, comme les créneaux d'une forteresse;  de cette lèvre calleuse sur laquelle une de ces dents empiétait comme la défense d'un éléphant;  de ce menton fourchu;  et surtout
20 de la physionomie répandue sur tout cela;  de ce mélange de malice, d'étonnement et de tristesse.    Qu'on rêve, si l'on peut, cet ensemble.

[Quasimodo était un enfant trouvé, abandonné dans l'église de Notre Dame, et recueilli par le prêtre Claude Frollo qui en avait fait le sonneur de cloches de la grande cathédrale (Livre IV, ii). Le prêtre l'avait baptisé *Quasimodo* « soit qu'il voulût marquer par là le jour où « il l'avait trouvé, soit qu'il voulût caractériser par ce nom à quel « point la pauvre petite créature était incomplète et à peine ébauchée. « En effet, Quasimodo, borgne, cagneux, bossu, n'était guère qu'un « *à peu près.* »]

Que pouvait être l'âme de Quasimodo ?

Il est certain que l'esprit s'atrophie dans un corps manqué. Quasimodo sentait à peine se mouvoir aveuglément au-dedans de lui une âme faite à son image. Les impressions des objets subissaient une réfraction considérable avant 5 d'arriver à sa pensée. Son cerveau était un milieu particulier: les idées qui le traversaient en sortaient toutes tordues. La réflexion qui provenait de cette réfraction était nécessairement divergente et déviée.

De là mille illusions d'optique, mille aberrations de juge- 10 ment, mille écarts où divaguait sa pensée, tantôt folle, tantôt idiote.

Le premier effet de cette fatale organisation, c'était de troubler le regard qu'il jetait sur les choses. Il n'en recevait presque aucune perception immédiate. Le monde 15 extérieur lui semblait beaucoup plus loin qu'à nous.

Le second effet de son malheur, c'était de le rendre méchant.

Il était méchant en effet, parce qu'il était sauvage; il était sauvage, parce qu'il était laid. Il y avait une logique 20 dans sa nature comme dans la nôtre.

Sa force, si extraordinairement développée, était une cause de plus de méchanceté: *Malus puer robustus*, dit Hobbes.

D'ailleurs, il faut lui rendre cette justice: la méchanceté 25 n'était peut-être pas innée en lui. Dès ses premiers pas

... 

parmi les hommes, il s'était senti, puis il s'était vu cons-
pué, flétri, repoussé. La parole humaine pour lui, c'était
toujours une raillerie ou une malédiction. En grandissant,
il n'avait trouvé que la haine autour de lui. Il l'avait prise.
5 Il avait gagné la méchanceté générale. Il avait ramassé
l'arme dont on l'avait blessé.

### *Une larme pour une goutte d'eau, ou Le pilori*

Claude Frollo avait essayé de faire enlever la Esmeralda. Il s'était
servi pour cela de Quasimodo qui avait obéi passivement, sans savoir
à quoi il se prêtait. Maintenant celui-ci avait été arrêté, condamné au
supplice du pilori; il devint un objet de moquerie pour le peuple,
mais de commisération pour l'Égyptienne. Quasimodo est la contre-
partie de Frollo. V. Hugo aime ces oppositions violentes (comme il
l'expliquera lui-même tout à l'heure dans la *Préface de Cromwell*):
Frollo, le prêtre à l'âme noire, et Quasimodo le monstre avec une
étincelle de bonté rédemptrice, le sublime dans le grotesque.

La populace, amassée sur la place de Grève, disciplinée
à l'attente des exécutions publiques, ne manifestait pas
trop d'impatience. Elle se divertissait à regarder le pilori,
10 espèce de monument fort simple composé d'un cube de
maçonnerie de quelque dix pieds de haut, creux à l'intérieur.
Un degré fort raide, en pierre brute, qu'on appelait par
excellence *l'échelle*, conduisait à la plate-forme supérieure,
sur laquelle on apercevait une roue horizontale en bois de
15 chêne plein. On liait le patient sur cette roue, à genoux et
les bras derrière le dos. Une tige en charpente, que mettait
en mouvement un cabestan caché dans l'intérieur du petit
édifice, imprimait une rotation à la roue, toujours main-
tenue dans le plan horizontal, et présentait de cette façon
20 la face du condamné successivement à tous les points de
la place. C'est ce que l'on appelait *tourner* un criminel.
Le patient arriva enfin lié au cul d'une charrette, et
quand il eut été hissé sur la plate-forme, quand on put le

voir de tous les points de la place ficelé à cordes et à
courroies sur la roue du pilori, une huée prodigieuse, mêlée
de rires et d'acclamations, éclata dans la place. On avait
reconnu Quasimodo . . .

Bientôt Michel Noiret, trompette-juré du roi notre sire, 5
fit faire silence aux manants, et cria l'arrêt, suivant l'or-
donnance et commandement de M. le prévôt. Puis il se
replia derrière la charrette avec ses gens en hoquetons de
livrée.

Quasimodo, impassible, ne sourcillait pas. Toute résis- 10
tance lui était impossible par ce qu'on appelait alors, en
style de chancellerie criminelle, *la véhémence et la fermeté
des attaches*, ce qui veut dire que les lanières et les chaî-
nettes lui entraient probablement dans la chair . . .

Il s'était laissé mener, pousser, porter, jucher, lier et 15
relier. On ne pouvait rien deviner sur sa physionomie
qu'un étonnement de sauvage ou d'idiot. On le savait
sourd, on l'eût dit aveugle.

On le mit à genoux sur la planche circulaire: il s'y laissa
mettre. On le dépouilla de chemise et de pourpoint jusqu'à 20
la ceinture: il se laissa faire. On l'enchevêtra sous un
nouveau système de courroies et d'ardillons: il se laissa
boucler et ficeler. Seulement de temps à autre il soufflait
bruyamment, comme un veau dont la tête pend et ballotte
au rebord de la charrette du boucher . . . 25

Alors un homme à la livrée de la ville, de courte taille et
de robuste mine, monta sur la plate-forme et vint se placer
près du patient. Son nom circula bien vite dans l'assistance. C'était maître Pierrat Torterue, tourmenteur-juré
du Châtelet.[1] 30

---

[1] Le Grand Châtelet était le siège de la juridiction criminelle de la
prévôté de Paris, et le Petit Châtelet situé un peu plus loin, sur la
rive gauche, servait de prison. Les Châtelets furent démolis en 1802.

Il commença par déposer sur un angle du pilori un sablier noir dont la capsule supérieure était pleine de sable rouge qu'elle laissait fuir dans le récipient inférieur; puis il ôta son surtout mi-parti, et l'on vit pendre à sa main
5 droite un fouet mince et effilé de longues lanières blanches, luisantes, noueuses, tressées, armées d'ongles de métal. De la main gauche il repliait négligemment sa chemise autour de son bras droit, jusqu'à l'aisselle.

Enfin la roue se mit à tourner. Quasimodo chancela
10 sous ses liens. La stupeur qui se peignit brusquement sur son visage difforme fit redoubler à l'entour les éclats de rire.

Tout à coup, au moment où la roue dans sa révolution présenta à maître Pierrat le dos montueux de Quasimodo,
15 maître Pierrat leva le bras; les fines lanières sifflèrent aigrement dans l'air comme une poignée de couleuvres, et retombèrent avec furie sur les épaules du misérable.

Quasimodo sauta sur lui-même, comme réveillé en sursaut. Il commençait à comprendre. Il se tordit dans ses
20 liens; une violente contraction de surprise et de douleur décomposa les muscles de sa face; mais il ne jeta pas un soupir. Seulement il tourna la tête en arrière, à droite, puis à gauche, en la balançant comme fait un taureau piqué au flanc par un taon.

25 Un second coup suivit le premier, puis un troisième, et un autre, et un autre, et toujours. La roue ne cessait pas de tourner ni les coups de pleuvoir. Bientôt le sang jaillit, on le vit ruisseler par mille filets sur les noires épaules du bossu; et les grêles lanières, dans leur rotation qui dé-
30 chirait l'air, l'éparpillaient en gouttes dans la foule.

Quasimodo avait repris, en apparence du moins, son impassibilité première. Il avait essayé d'abord sourdement et sans grande secousse extérieure de rompre ses liens.

Dès lors il ne bougea plus. Rien ne put lui arracher un mouvement. Ni son sang, qui ne cessait de couler, ni les coups, qui redoublaient de furie, ni la colère du tourmenteur, qui s'excitait lui-même et s'enivrait de l'exécution, ni le bruit des horribles lanières plus acérées et plus sifflantes 5 que des pattes de bigailles.

Enfin un huissier du Châtelet vêtu de noir, monté sur un cheval noir, en station à côté de l'échelle depuis le commencement de l'exécution, étendit sa baguette d'ébène vers le sablier. Le tourmenteur s'arrêta. La roue s'arrêta. 10 L'œil de Quasimodo se rouvrit lentement.

La flagellation était finie. Deux valets du tourmenteur-juré lavèrent les épaules saignantes du patient, les frottèrent de je ne sais quel onguent qui ferma sur-le-champ toutes les plaies, et lui jetèrent sur le dos une sorte de 15 pagne jaune taillé en chasuble. Cependant Pierrat Torterue faisait dégoutter sur le pavé les lanières rouges et gorgées de sang.

Tout n'était pas fini pour Quasimodo. Il lui restait encore à subir une heure de pilori . . .                              20

On retourna donc le sablier, et on laissa le bossu attaché sur la planche, pour que justice fût faite jusqu'au bout.

Le peuple, au moyen âge surtout, est dans la société ce qu'est l'enfant dans la famille. Tant qu'il reste dans cet état d'ignorance première, de minorité morale et intellec- 25 tuelle, on peut dire de lui comme de l'enfant:

Cet âge est sans pitié.[1]

Mille injures pleuvaient, et les huées, et les imprécations, et les rires, et les pierres çà et là.

Quasimodo était sourd, mais il voyait clair, et la fureur

[1] Hémistiche célèbre de la fable de La Fontaine, *Les deux pigeons* (IX, 2).

publique n'était pas moins énergiquement peinte sur les
visages que dans les paroles.  D'ailleurs les coups de pierre
expliquaient les éclats de rire . . .

Le temps s'écoulait.  Il était là depuis une heure et
5 demie au moins, déchiré, maltraité, moqué sans relâche,
et presque lapidé.

Tout à coup il s'agita de nouveau dans ses chaînes avec
un redoublement de désespoir dont trembla toute la charpente qui le portait, et, rompant le silence qu'il avait obsti-
10 nément gardé jusqu'alors, il cria avec une voix rauque et
furieuse qui ressemblait plutôt à un aboiement qu'à un cri
humain et qui couvrit les bruits des huées: — A boire !

Cette exclamation de détresse, loin d'émouvoir les com-
passions, fut un surcroît d'amusement au bon populaire
15 parisien qui entourait l'échelle, et qui, il faut le dire, pris
en masse et comme multitude, n'était alors guère moins
cruel et moins abruti que cette horrible tribu des truands
chez laquelle nous avons déjà mené le lecteur, et qui était
tout simplement la couche la plus inférieure du peuple.

20 Au bout de quelques minutes, Quasimodo promena sur
la foule un regard désespéré, et répéta d'une voix plus
déchirante encore: À boire !

Et tous de rire.

— Bois ceci ! criait Robin Poussepain en lui jetant par
25 la face une éponge traînée dans le ruisseau.  Tiens, vilain
sourd ! je suis ton débiteur.

Une femme lui lançait une pierre à la tête: — Voilà qui
t'apprendra à nous réveiller la nuit avec ton carillon de
damné.

30 — A boire ! répéta pour la troisième fois Quasimodo
pantelant.

En ce moment, il vit s'écarter la populace.  Une jeune
fille bizarrement vêtue sortit de la foule.  Elle était accom-

pagnée d'une petite chèvre blanche à cornes dorées et portait un tambour de basque à la main.

L'œil de Quasimodo étincela. C'était la bohémienne qu'il avait essayé d'enlever la nuit précédente, algarade pour laquelle il sentait confusément qu'on le châtiait en cet 5 instant même. Il ne douta pas qu'elle ne vînt se venger aussi et lui donner son coup comme tous les autres.

Il la vit en effet monter rapidement l'échelle. Elle s'approcha, sans dire une parole, du patient qui se tordait vainement pour lui échapper, et, détachant une gourde de 10 sa ceinture, ella la porta doucement aux lèvres arides du misérable.

Alors, dans cet œil jusque-là si sec et si brûlé, on vit rouler une grosse larme, qui tomba lentement le long de ce visage difforme et longtemps contracté par le désespoir. 15 C'était la première peut-être que l'infortuné eût jamais versée.

Cependant il oubliait de boire. L'Égyptienne appuya en souriant le goulot à la bouche dentue de Quasimodo.

Il but à longs traits. Sa soif était ardente. 20

Quand il eut fini, le misérable allongea ses lèvres noires, sans doute pour baiser la belle main qui venait de l'assister. Mais la jeune fille, qui n'était pas sans défiance peut-être, et se souvenait de la violente tentative de la nuit, retira sa main avec le geste effrayé d'un enfant qui craint d'être 25 mordu par une bête.

Alors le pauvre sourd fixa sur elle un regard plein de reproche et d'une tristesse inexprimable.

C'eût été partout un spectacle touchant que cette belle fille, fraîche, pure, charmante, et si faible en même temps, 30 ainsi pieusement accourue au secours de tant de misère, de difformité et de méchanceté. Sur un pilori, ce spectacle était sublime.

Tout ce peuple lui-même en fut saisi et se mit à battre des mains en criant: Noël! Noël![1]

[Ajoutons que tous deux, le prêtre et son orphelin, étaient impopulaires; celui-ci à cause de la laideur de son corps, celui-là à cause de la laideur de son âme. Quand ils passaient ensemble sur le parvis de Notre Dame, ils étaient salués par des mots comme: « Hum! en voici « un qui a l'âme faite comme l'autre a le corps! » Ou bien c'était une « bande d'écoliers et de pousse-cailloux jouant aux mérelles qui se « levait en masse et les saluait classiquement de quelque huée en « latin: *Eia! eia! Claudius cum claudo!*[2] Mais le plus souvent « l'injure passait inaperçue du prêtre et du sonneur. Pour entendre « toutes ces gracieuses choses, Quasimodo était trop sourd et Claude « trop rêveur. »]

## *Le Droit d'Asile*[3]

C'est après cet acte de bonté que Quasimodo éprouve pour la Esmeralda une adoration aussi respectueuse qu'ardente. Il affronte les soldats et le peuple pour la délivrer quand elle est en route pour le gibet où elle doit être pendue — car elle est accusée d'avoir tenté d'assassiner le capitaine Phoebus. C'était Claude Frollo qui avait commis cet acte de violence, par jalousie, quand il avait trouvé ensemble le

---

[1] Cri que poussait autrefois le peuple en France à l'occasion de tout événement qui le réjouissait.

[2] Jeu de mot sur le latin: Claude (Frollo) avec le boiteux.

[3] V. Hugo a ces quelques mots sur le « droit d'asile » dans le roman: « Les palais du roi, les hôtels des princes, les églises surtout, avaient « droit d'asile. Quelquefois, d'une ville tout entière qu'on avait besoin « de repeupler, on faisait temporairement un lieu de refuge. Louis XI « fit Paris asile en 1467.

« Une fois le pied dans l'asile, le criminel était sacré; mais il fallait « qu'il se gardât d'en sortir; un pas hors du sanctuaire, il retombait « dans le flot.

« Il arrivait quelquefois qu'un arrêt solennel du parlement violait le « refuge et restituait le condamné au bourreau; mais la chose était « rare.

« Il y avait autour des refuges un tel respect, qu'au dire de la « tradition, il prenait parfois jusqu'aux animaux. Aymoin conte « qu'un cerf, chassé par Dagobert, s'étant réfugié près du tombeau de « saint Denis, la meute s'arrêta tout court en aboyant. »

capitaine et l'Égyptienne.  Quasimodo va enlever la jeune femme et la transporter dans la grande église qui est un « lieu d'asile » pour les criminels.

Personne n'avait encore remarqué dans la galerie des statues des rois, sculptés immédiatement au-dessus des ogives du portail, un spectateur étrange qui avait tout examiné jusqu'alors avec une telle impassibilité, avec un cou si tendu, avec un visage si difforme, que, sans son 5 accoutrement mi-parti rouge et violet, on eût pu le prendre pour un de ces monstres de pierre par la gueule desquels se dégorgent depuis six cents ans les longues gouttières de la cathédrale.  Ce spectateur n'avait rien perdu de ce qui s'était passé depuis midi devant le portail de Notre-Dame. 10 Et dès les premiers instants, sans que personne songeât à l'observer, il avait fortement attaché à l'une des colonnettes de la galerie une grosse corde à nœuds, dont le bout allait traîner en bas sur le perron.  Cela fait, il s'était mis à regarder tranquillement, et à siffler de temps en temps 15 quand un merle passait devant lui.

Tout à coup, au moment où les valets du maître des œuvres se disposaient à exécuter l'ordre flegmatique de Charmolue,[1] il enjamba la balustrade de la galerie, saisit la corde des pieds, des genoux et des mains; puis on le vit 20 couler sur la façade, comme une goutte de pluie qui glisse le long d'une vitre, courir vers les deux bourreaux avec la vitesse d'un chat tombé d'un toit, les terrasser sous deux poings énormes, enlever l'égyptienne d'une main, comme un enfant sa poupée, et d'un seul élan rebondir jusque dans 25 l'église, en élevant la jeune fille au-dessus de sa tête, et en criant d'une voix formidable: — Asile !

Cela se fit avec une telle rapidité que si c'eût été la nuit, on eût pu tout voir d'un seul éclair.

[1] Le juge qui avait condamné la Esmeralda à la pendaison.

— Asile ! asile ! répéta la foule; et dix mille battements de mains firent étinceler de joie et de fierté l'œil unique de Quasimodo.

Cette secousse fit revenir à elle la condamnée.[1]  Elle souleva sa paupière, regarda Quasimodo, puis la referma subitement, comme épouvantée de son sauveur.

Charmolue resta stupéfait, et les bourreaux, et toute l'escorte.   En effet, dans l'enceinte de Notre-Dame, la condamnée était inviolable.   La cathédrale était un lieu de refuge.   Toute justice humaine expirait sur le seuil.

Quasimodo s'était arrêté sous le grand portail; ses larges pieds semblaient aussi solides sur le pavé de l'église que les lourds piliers romans.   Sa grosse tête chevelue s'enfonçait dans ses épaules comme celle des lions qui eux aussi ont une crinière et pas de cou.   Il tenait la jeune fille toute palpitante, suspendue à ses mains calleuses, comme une draperie blanche; mais il la portait avec tant de précaution qu'il paraissait craindre de la briser ou de la faner.   On eût dit qu'il sentait que c'était une chose délicate, exquise et précieuse, faite pour d'autres mains que les siennes. Par moments, il avait l'air de n'oser la toucher, même du souffle.   Puis, tout à coup, il la serrait avec étreinte dans ses bras, sur sa poitrine anguleuse, comme son bien, comme son trésor, comme eût fait la mère de cette enfant.   Son œil de gnome, abaissé sur elle, l'inondait de tendresse, de douleur et de pitié, et se relevait subitement plein d'éclairs. Alors les femmes riaient et pleuraient, la foule trépignait d'enthousiasme, car en ce moment-là Quasimodo avait vraiment sa beauté.   Il était beau, lui, cet orphelin, cet

---

[1] Elle s'était évanouie sur le chemin de l'échafaud en apercevant, sur un balcon de la place, Phœbus qu'elle avait cru mort, et dont le regard semblait dire qu'il la considérait, elle, comme coupable de la tentative de meurtre.

enfant trouvé, ce rebut, il se sentait auguste et fort, il regardait en face cette société dont il était banni, et dans
laquelle il intervenait si puissamment, cette justice humaine à laquelle il avait arraché sa proie, tous ces tigres
forcés de mâcher à vide, ces sbires, ces juges, ces bourreaux,  5
toute cette force du roi qu'il venait de briser, lui infime,
avec la force de Dieu.

Et puis c'était une chose touchante que cette protection
tombée d'un être si difforme sur un être si malheureux,
qu'une condamnée à mort sauvée par Quasimodo.  C'é- 10
taient les deux misères extrêmes de la nature et de la société, qui se touchaient et qui s'entr'aidaient.

Cependant, après quelques minutes de triomphe, Quasimodo s'était brusquement enfoncé dans l'église avec son
fardeau.  Le peuple, amoureux de toute prouesse, le 15
cherchait des yeux, sous la sombre nef, regrettant qu'il se
fût si vite dérobé à ses acclamations.  Tout à coup on le
vit reparaître à l'une des extrémités de la galerie des rois
de France; il la traversa en courant comme un insensé, en
élevant sa conquête dans ses bras, et en criant: — Asile ! 20
La foule éclata de nouveau en applaudissements.  La
galerie parcourue, il se replongea dans l'intérieur de l'église.
Un moment après, il reparut sur la plate-forme supérieure,
toujours l'égyptienne dans ses bras, toujours courant avec
folie, toujours criant: — Asile ! et la foule applaudissait. 25
Enfin, il fit une troisième apparition sur le sommet de la
tour du bourdon; de là il sembla montrer avec orgueil à
toute la ville celle qu'il avait sauvée, et sa voix tonnante,
cette voix qu'on entendait si rarement, et qu'il n'entendait
jamais, répéta trois fois avec frénésie jusque dans les 30
nuages: — Asile ! asile ! asile !

### *La Mort de la Esmeralda vengée*

[Cependant l'Égyptienne est retombée entre les mains de la loi.
Et c'est Frollo qui l'avait livrée parce qu'elle refusait de céder à sa
passion. Quasimodo ne sait rien de cette trahison; il croit toujours
la Esmeralda dans le lieu d'asile. Quand il vit le prêtre regardant
avec intensité sur la place, du haut de la tour de Notre Dame, il comprit ce que cette âme diabolique avait fait: ]

Il suivit la direction de son rayon visuel, et de cette
façon le regard du malheureux sourd tomba sur la place de
Grève.

Il vit ainsi ce que le prêtre regardait.  L'échelle était
5 dressée près du gibet permanent.  Il y avait quelque peuple
dans la place et beaucoup de soldats.  Un homme traînait
sur le pavé une chose blanche à laquelle une chose noire
était accrochée.  Cet homme s'arrêta au pied du gibet.
Puis il se mit à monter l'échelle.  Il portait une femme
10 sur son épaule, une jeune fille vêtue de blanc; cette jeune
fille avait un nœud au cou.  Quasimodo la reconnut.

C'était elle.

L'homme parvint ainsi au haut de l'échelle.  Là il
arrangea le nœud.  Ici le prêtre, pour mieux voir, se mit
15 à genoux sur la balustrade.

Tout à coup l'homme repoussa brusquement l'échelle du
talon, et Quasimodo, qui ne respirait plus depuis quelques
instants, vit se balancer au bout de la corde, à deux toises
au-dessus du pavé, la malheureuse enfant avec l'homme
20 accroupi les pieds sur ses épaules.  La corde fit plusieurs
tours sur elle-même, et Quasimodo vit courir d'horribles
convulsions le long du corps de l'Égyptienne.  Le prêtre,
de son côté, le cou tendu, l'œil hors de la tête, contemplait
ce groupe épouvantable de l'homme et de la jeune fille, de
25 l'araignée et de la mouche.

Au moment où c'était le plus effroyable, un rire de

démon, un rire qu'on ne peut avoir que lorsqu'on n'est plus homme, éclata sur le visage livide du prêtre. Quasimodo n'entendit pas ce rire, mais il le vit.

Le sonneur recula de quelques pas derrière l'archidiacre, et tout à coup, se ruant sur lui avec fureur, de ses deux grosses mains il le poussa par le dos dans l'abîme sur lequel dom Claude était penché.

Le prêtre cria: — Damnation ! et tomba.

La gouttière au-dessus de laquelle il se trouvait l'arrêta dans sa chute. Il s'y accrocha avec des mains désespérées, et, au moment où il ouvrit la bouche pour jeter un second cri, il vit passer au rebord de la balustrade, au-dessus de sa tête, la figure formidable et vengeresse de Quasimodo.

Alors il se tut.

L'abîme était au-dessous de lui. Une chute de plus de deux cents pieds, et le pavé.

Dans cette situation terrible, l'archidiacre ne dit pas une parole, ne poussa pas un gémissement. Seulement il se tordit sur la gouttière avec des efforts inouïs pour remonter ; mais ses mains n'avaient pas de prise sur le granit, ses pieds rayaient la muraille noircie, sans y mordre. Les personnes qui ont monté sur les tours de Notre-Dame savent qu'il y a un renflement de la pierre immédiatement au-dessous de la balustrade. C'est sur cet angle rentrant que s'épuisait le misérable archidiacre. Il n'avait pas affaire à un mur à pic, mais à un mur qui fuyait sous lui.

Quasimodo n'eût eu, pour le tirer du gouffre, qu'à lui tendre la main ; mais il ne le regardait seulement pas. Il regardait la Grève. Il regardait le gibet. Il regardait l'Égyptienne.

Le sourd s'était accoudé sur la balustrade, à la place où était l'archidiacre le moment d'auparavant, et là, ne détachant pas son regard du seul objet qu'il y eût pour lui au

monde en ce moment, il était immobile et muet comme
un homme foudroyé, et un long ruisseau de pleurs coulait
en silence de cet œil qui jusqu'alors n'avait encore versé
qu'une seule larme.

5      Cependant l'archidiacre haletait.  Son front chauve ruisselait de sueur, ses ongles saignaient sur la pierre, ses
genoux s'écorchaient au mur.

Il entendait sa soutane, accrochée à la gouttière, craquer
et se découdre à chaque secousse qu'il lui donnait.  Pour
10 comble de malheur, cette gouttière était terminée par un
tuyau de plomb qui fléchissait sous le poids de son corps.
L'archidiacre sentait ce tuyau ployer lentement.  Il se
disait, le misérable, que quand ses mains seraient brisées
de fatigue, quand sa soutane serait déchirée, quand ce
15 plomb serait ployé, il faudrait tomber, et l'épouvante le
prenait aux entrailles . . .

C'était quelque chose d'effrayant que le silence de ces
deux hommes.  Tandis que l'archidiacre à quelques pieds
de lui agonisait de cette horrible façon, Quasimodo pleu-
20 rait et regardait la Grève.

L'archidiacre, voyant que tous ses soubresauts ne servaient qu'à ébranler le fragile point d'appui qui lui restait,
avait pris le parti de ne plus remuer.  Il était là, embrassant la gouttière, respirant à peine, ne bougeant plus,
25 n'ayant plus d'autres mouvements que cette convulsion
machinale du ventre qu'on éprouve dans les rêves quand on
croit se sentir tomber.  Ses yeux fixes étaient ouverts d'une
manière maladive et étonnée.  Peu à peu cependant, il
perdait du terrain, ses doigts glissaient sur la gouttière; il
30 sentait de plus en plus la faiblesse de ses bras et la pesanteur de son corps.  La courbure du plomb qui le soutenait
s'inclinait à tout moment d'un cran vers l'abîme.

Enfin, écumant de rage et d'épouvante, il comprit que

tout était inutile. Il rassembla pourtant tout ce qui lui
restait de force pour un dernier effort. Il se raidit sur la
gouttière, repoussa le mur de ses deux genoux, s'accrocha
des mains à une fente des pierres, et parvint à regrimper
d'un pied peut-être; mais cette commotion fit ployer 5
brusquement le bec de plomb sur lequel il s'appuyait.
Du même coup, la soutane s'éventra. Alors, sentant tout
manquer sous lui, n'ayant plus que ses mains raidies et
défaillantes qui tinssent à quelque chose, l'infortuné ferma
les yeux et lâcha la gouttière. Il tomba. 10

Quasimodo le regarda tomber.

Une chute de si haut est rarement perpendiculaire.
L'archidiacre, lancé dans l'espace, tomba d'abord la tête en
bas et les deux mains étendues, puis il fit plusieurs tours
sur lui-même; le vent le poussa sur le toit d'une maison où 15
le malheureux commença à se briser. Cependant, il n'était
pas mort quand il y arriva. Le sonneur le vit essayer encore de se retenir au pignon avec les ongles; mais le plan
était trop incliné, et il n'avait plus de force. Il glissa
rapidement sur le toit comme une tuile qui se détache, et 20
alla rebondir sur le pavé. Là, il ne remua plus.

### Le Mariage de Quasimodo

Quasimodo avait disparu de Notre-Dame le jour de la
mort de l'Égyptienne et de l'archidiacre. On ne le revit
plus en effet; on ne sut ce qu'il était devenu.

Dans la nuit qui suivit le supplice de la Esmeralda, les 25
gens des basses œuvres avaient détaché son corps du gibet
et l'avaient porté, selon l'usage, dans la cave de Montfaucon.[1]

---

[1] Le Mont des faucons (ou des corbeaux), où s'élevait le plus important des gibets de Paris. Il fut démoli en 1761. L'emplacement

À la fin du quinzième siècle, le formidable gibet, qui datait de 1328, était déjà fort décrépit; les poutres étaient vermoulues, les chaînes rouillées, les piliers verts de moisissure; les assises de pierre de taille étaient toutes
5 refendues à leur jointure, et l'herbe poussait sur cette plateforme où les pieds ne touchaient pas. C'était un horrible profil sur le ciel que celui de ce monument; la nuit surtout, quand il y avait un peu de lune sur ces crânes blancs ou quand la bise du soir froissait chaînes et squelettes et
10 remuait tout cela dans l'ombre. Il suffisait de ce gibet présent là pour faire de tous les environs des lieux sinistres.

Le massif de pierre qui servait de base à l'odieux édifice était creux. On y avait pratiqué une vaste cave, fermée d'une vieille grille de fer détraquée, où l'on jetait non seule-
15 ment les débris humains qui se détachaient des chaînes de Montfaucon, mais les corps de tous les malheureux exécutés aux autres gibets permanents de Paris. Dans ce profond charnier où tant de poussières humaines et tant de crimes ont pourri ensemble, bien des grands du monde,
20 bien des innocents sont venus successivement apporter leurs os, depuis Enguerrand de Marigny,[1] qui étrenna Montfaucon et qui était un juste, jusqu'à l'amiral de Coligny,[2] qui en fit la clôture et qui était un juste.

---

était celui occupé aujourd'hui par les Buttes Chaumont. Les « gens des basses œuvres », c'est à dire les aides du bourreau qui avait, lui, le titre d'« exécuteur des hautes œuvres », c'est à dire des exécutions proprement dites commandées par la « haute justice ». *Basses œuvres* = services secondaires ou inférieurs, avant et après l'exécution.

[1] Un ministre des finances sous Philippe le Bel, pendu à Montfaucon en 1315. (Ce gibet existait dès le XIIe siècle: il est donc douteux que ce fût Enguerrand de Marigny qui l'étrennât).

[2] Le fameux amiral Coligny, chef des Protestants, qui fut massacré la nuit de la Saint-Barthélemy (24 août, 1572), puis pendu à Montfaucon — qui commençait à tomber en ruine: mais fut-il vraiment la dernière victime qui pourrit à Montfaucon?

Quant à la mystérieuse disparition de Quasimodo, voici tout ce que nous avons pu découvrir.

Deux ans environ ou dix-huit mois après les événements qui terminent cette histoire, quand on vint rechercher dans la cave de Montfaucon le cadavre d'Olivier le Daim,[1] qui 5 avait été pendu deux jours auparavant, et à qui Charles VIII accordait la grâce d'être enterré à Saint-Laurent en meilleure compagnie, on trouva parmi toutes ces carcasses hideuses deux squelettes dont l'un tenait l'autre singulière-ment embrassé.   L'un de ces deux squelettes, qui était 10 celui d'une femme, avait encore quelques lambeaux de robe d'une étoffe qui avait été blanche, et on voyait autour de son cou un collier de grains d'adrézarach avec un petit sachet de soie, orné de verroterie verte, qui était ouvert et vide.[2]  Ces objets avaient si peu de valeur que le bourreau 15 sans doute n'en avait pas voulu.   L'autre, qui tenait celui-ci étroitement embrassé, était un squelette d'homme.   On remarqua qu'il avait la colonne vertébrale déviée, la tête dans les omoplates, et une jambe plus courte que l'autre. Il n'avait d'ailleurs aucune rupture de vertèbres à la nuque, 20 et il était évident qu'il n'avait pas été pendu.   L'homme auquel il avait appartenu était donc venu là, et il y était mort.   Quand on voulut le détacher du squelette qu'il embrassait, il tomba en poussière.

### C. LE THÉÂTRE

#### La Préface de « Cromwell »

C'est au théâtre surtout que fut livré le grand combat pour le renouvellement de la littérature par le romantisme, et Victor Hugo

---

[1] C'était le barbier de Louis XI, mais qui était devenu surintendant des finances, et l'un des plus dangereux conseillers du roi.   On le surnommait Olivier le Diable.

[2] Ce sachet de soie, au bout d'un collier de boules en bois d'adré-zarach (arbre des pays chauds) avait contenu une fausse émeraude que la Esmeralda portait comme amulette (Livre II, 7).

fut, là plus qu'ailleurs, acclamé comme le grand chef.  Plus discuté que
le manifeste romantique du *Tableau de la poésie française au XVI°
siècle*, fut la *Préface de « Cromwell »* (1827).

Victor Hugo avait eu un précurseur, Stendhal, qui en 1823 avait
déjà opposé le drame romantique à la tragédie classique dans son écrit
*Racine et Shakespeare;* mais c'était un écrit fragmentaire, et le public
n'était pas prêt.

Victor Hugo considère que le drame est par excellence la forme
de la littérature moderne; et il fonde son opinion sur une considéra-
tion de l'évolution générale de la littérature depuis les plus anciens
âges.

Il distingue trois grandes époques littéraires.  A l'origine, l'homme
vivait facilement des dons de la nature, c'est à dire de la Providence,
et sa poésie s'exprimait par un chant de louange au Créateur, l'**Ode;**
c'est l'**ère de la poésie lyrique,** dont les plus beaux chants se trouvent
dans **la Bible.**  Suit une nouvelle époque, après que les tribus sont
devenues des peuples et que des nations se sont constituées; on a été
guidé par des chefs qui ont accompli des exploits héroïques chantés par
les poètes.  C'est l'**ère de la poésie épique,** où le plus grand nom est
celui d'**Homère.**  Les peuples ont continué à évoluer, et les grands
conflits entre peuples ont perdu leur importance capitale; la marche
vers une vie supérieure s'est affirmée; le christianisme est venu qui a
proclamé la lutte de l'esprit contre la chair, du bien contre le mal, du
beau contre le laid, du sublime contre le grotesque de la nature
humaine.  C'est l'**ère de la poésie dramatique.**  La vie humaine en
effet, y est considérée comme une lutte, un drame (*drame,* un mot
grec signifiant *action*), et c'est cette lutte qui nous intéresse et que la
littérature doit reproduire.  Le grand représentant de cette littérature « dramatique » c'est **Shakespeare** [1]; lui surtout a montré
cette coexistence dans la société, d'éléments inférieurs ou « grotesques », et d'éléments supérieurs ou « sublimes ».  V. Hugo propose
donc un théâtre où, comme dans celui de Shakespeare, on renonce à
cantonner le tragique ou sublime d'un côté et le comique ou grotesque
de l'autre, — système suivi par Corneille et Racine d'un côté et Molière de l'autre —, mais où, au contraire, on entremêle, comme c'est le
cas dans la réalité, les éléments de la tragédie et de la comédie pour
en faire ce genre du drame.

Quant à la forme, les romantiques abandonneront la règle des trois
unités, et si les vers continuent à servir chez V. Hugo, ce seront des

---

[1] Il avait été, cependant précédé par quelques hommes de génie qui
avaient déjà su donner à l'élément grotesque une place considérable,
tels Aristophane, Dante, Cervantes, Rabelais.

vers beaucoup plus souples que ceux des classiques, c'est à dire des vers
violant souvent les règles de la césure et de l'enjambement.  V. Hugo
adoptera même la prose en 1833.

Voici quelques passages essentiels de cette *Préface de « Cromwell »*.

... Ainsi, pour résumer rapidement les faits que nous
avons observés jusqu'ici, la poésie a trois âges, dont chacun correspond à une époque de la société: l'*ode*, l'*épopée*,
le *drame*.  Les temps primitifs sont lyriques, les temps antiques sont épiques, les temps modernes sont dramatiques.  5
L'ode chante l'éternité, l'épopée solennise l'histoire, le
drame peint la vie.  Le caractère de la première poésie est
la naïveté, le caractère de la seconde est la simplicité,
le caractère de la troisième, la vérité...  L'ode vit de
l'idéal, l'épopée du grandiose, le drame du réel.  Enfin, 10
cette triple poésie découle de trois grandes sources, **la
Bible, Homère, Shakespeare** ...

[C'est Shakespeare qui exprime ce drame de la vie:]

Du jour où le christianisme a dit à l'homme: — Tu es
double, tu es composé de deux êtres, l'un périssable, l'autre
immortel, l'un charnel, l'autre éthéré, l'un enchaîné par les 15
appétits, les besoins et les passions, l'autre emporté sur les
ailes de l'enthousiasme et de la rêverie, celui-là enfin toujours courbé vers la terre, sa mère, celui-ci sans cesse
élancé vers le ciel sa patrie; — de ce jour le drame a été
créé.  Est-ce autre chose en effet que ce contraste de tous 20
les jours, que cette lutte de tous les instants entre deux
principes opposés qui sont toujours en présence dans la
vie, et qui se disputent l'homme depuis le berceau jusqu'à
la tombe.

La poésie née du christianisme, la poésie de notre temps 25
est donc **le drame;** le caractère du drame est le réel; le réel
résulte de la combinaison toute naturelle de deux types, le

sublime et le grotesque qui se croisent dans le drame comme ils se croisent dans la vie et dans la création... C'est donc une des suprêmes beautés du drame que le grotesque. Il n'en est pas seulement une convenance, il en
5 est souvent une nécessité... Il s'infiltre partout, car de même que les plus vulgaires ont mainte fois leur accès de sublime, les plus élevés paient fréquemment tribut au trivial et au ridicule... Grâce à lui, point d'impressions monotones. Tantôt il jette du rire, tantôt de l'horreur dans
10 la tragédie. Il fera rencontrer l'apothicaire à Roméo, les trois sorcières à Macbeth, les fossoyeurs à Hamlet. Parfois enfin il peut sans discordance, comme dans la scène du roi Lear et de son fou, mêler sa voix criarde aux plus sublimes, aux plus lugubres, aux plus rêveuses musiques
15 de l'âme. Voilà ce qu'a su faire entre tous, d'une manière qui lui est propre, **Shakespeare,** ce dieu du théâtre...

Dans la poésie nouvelle, tandis que le sublime représentera l'âme, telle qu'elle est, épurée par la morale chrétienne, le grotesque jouera le rôle de la bête humaine... Essay-
20 ons donc de faire voir que c'est de la féconde union du type grotesque au type sublime que naît le génie moderne, si complexe, si varié dans ses formes, si inépuisable dans ses créations, et bien opposé en cela à l'uniforme simplicité du génie antique; montrons que c'est de là qu'il faut partir
25 pour établir la différence radicale et réelle des deux littératures [romantique et classique]...

Le drame de *Cromwell* dans lequel V. Hugo avait essayé de faire voir dans son héros cette coexistence d'un homme de génie et d'un homme aux goûts vulgaires et grotesques, était trop long et peu propre à la scène.

La pièce autour de laquelle se débattit vraiment le procès du romantisme contre le classicisme, fut *Hernani*, représenté le 25 février 1830.

## Hernani

(25 février, 1830)

L'action se passe en Espagne, au commencement du XVIᵉ siècle. Doña Sol, fiancée contre son gré, au vieux Don Ruy Gomez, son oncle et gardien, aime Hernani, personnage mystérieux qui nous est présenté comme un chef de bandits au caractère fier et noble (sorte de Robin Hood). Don Carlos, le futur empereur Charles Quint, trouve aussi Doña Sol à son goût, mais l'aime plutôt en libertin; il essaie de l'enlever en devançant Hernani à un rendez-vous des deux amoureux. Un peu plus tard, Hernani est traqué par Don Carlos dans le château de Ruy Gomez; celui-ci refuse de livrer son prisonnier pour ne pas violer les lois de l'hospitalité; il préfère livrer Doña Sol elle-même. Don Carlos parti, Ruy Gomez apprend de la bouche d'Hernani que Don Carlos aime Doña Sol. Désespéré Ruy Gomez fait alliance avec Hernani contre Don Carlos pour qu'ils se vengent ensemble. Mais Hernani sait que sa vie appartient à Ruy Gomez qui vient de le sauver des mains de Don Carlos. Alors il fait ce serment après avoir détaché de sa ceinture le cor qui lui sert à rallier ses hommes:

> Écoute.  Prends ce cor. — Quoi qu'il puisse advenir,
> Quand tu voudras, seigneur, quel que soit le lieu, l'heure,
> S'il te passe à l'esprit qu'il est temps que je meure,
> Viens, sonne de ce cor, et ne prends d'autres soins.
> Tout sera fait.

Le cor fatal retentit quand, au dernier acte, Hernani — sous son vrai nom de Jean d'Aragon, qu'il avait quitté pour mieux accomplir sa vengeance — est demeuré seul avec Doña Sol, après avoir congédié les amis qui avaient assisté à la noce. Don Ruy Gomez, affreusement jaloux, venait réclamer la réalisation du serment... Doña Sol réussit à arracher à Hernani la fiole de poison; elle en boit la moitié et lui tend le reste.

Voici une scène où paraît bien l'idée « dramatique » de V. Hugo: on voit en présence le bandit à l'âme noble, et le futur grand empereur en vil débauché.

Don Carlos a précédé Hernani au rendez-vous avec Doña Sol.

## Acte II, Scène 2

DOÑA SOL, *au balcon.*
Est-ce vous, Hernani ?

    DON CARLOS, *à part.*  Diable ! ne parlons pas !

                           *Il frappe de nouveau des mains.*[1]

5    DOÑA SOL.
Je descends.

    *Elle referme la fenêtre, dont la lumière disparaît.  Un moment après, la petite porte s'ouvre, et doña Sol en sort, une lampe à la main, sa mante sur les épaules.*

10    DOÑA SOL.  Hernani !

    *Don Carlos rabat son chapeau sur son visage, et s'avance précipitamment vers elle.*

    DOÑA SOL, *laissant tomber sa lampe.*

                    Dieu ! ce n'est point son pas !

15    *Elle veut rentrer.  Don Carlos court à elle et la retient par le bras.*

    DON CARLOS.
Doña Sol !

    DOÑA SOL.

20            Ce n'est point sa voix !  Ah ! malheureuse !

    DON CARLOS.
Eh ! quelle voix veux-tu qui soit plus amoureuse ?
C'est toujours un amant, et c'est un amant roi !

    DOÑA SOL.

25 Le roi !

    DON CARLOS.
           Souhaite, ordonne, un royaume est à toi !
Car celui dont tu veux briser la douce entrave,
C'est le roi ton seigneur, c'est Carlos ton esclave !

---

[1] *Il frappe de nouveau des mains.*  Signal convenu entre Hernani et Doña Sol, et que Don Carlos avait appris par surprise.

DOÑA SOL, *cherchant à se dégager de ses bras.*

Au secours, Hernani !

DON CARLOS.          Le juste et digne effroi !

Ce n'est pas ton bandit qui te tient, c'est le roi !

DOÑA SOL.                                                    5

Non.  Le bandit, c'est vous !  N'avez-vous pas de honte ?

Ah ! pour vous à la face une rougeur me monte.

Sont-ce là les exploits dont le roi fera bruit ?

Venir ravir de force une femme la nuit !

Que mon bandit vaut mieux cent fois !  Roi, je proclame  10

Que, si l'homme naissait où le place son âme,

Si Dieu faisait le rang à la hauteur du cœur,

Certe, il serait le roi, prince, et vous le voleur !

DON CARLOS, *essayant de l'attirer.*

Madame. . . .                                                15

DOÑA SOL.  Oubliez-vous que mon père était comte ?

DON CARLOS.

Je vous ferai duchesse.

DOÑA SOL, *le repoussant.*  Allez ! c'est une honte !

*Elle recule de quelques pas.* 20

Il ne peut être rien entre nous, don Carlos.

Mon vieux père a pour vous versé son sang à flots.

Moi, je suis fille noble, et de ce sang jalouse.

Trop pour la concubine, et trop peu pour l'épouse !

DON CARLOS.                                                  25

Princesse ?

DOÑA SOL.  Roi Carlos, à des filles de rien

Portez votre amourette, ou je pourrais fort bien,

Si vous m'osez traiter d'une façon infâme,

Vous montrer que je suis dame, et que je suis femme !  30

DON CARLOS.

Eh bien, partagez donc et mon trône et mon nom.

Venez, vous serez reine, impératrice ! . . .

DOÑA SOL.                                    Non.

C'est un leurre.  Et d'ailleurs, altesse, avec franchise,
S'agît-il pas de vous, s'il faut que je le dise,
J'aime mieux avec lui, mon Hernani, mon roi,
5 Vivre errante, en dehors du monde et de la loi,
Ayant faim, ayant soif, fuyant toute l'année,
Partageant jour à jour sa pauvre destinée,
Abandon, guerre, exil, deuil, misère et terreur,
Que d'être impératrice avec un empereur !

10    DON CARLOS.

Que cet homme est heureux !

DOÑA SOL.              Quoi ! pauvre, proscrit même ! . . .

DON CARLOS.

Qu'il fait bien d'être pauvre et proscrit, puisqu'on l'aime !
15 Moi, je suis seul !  Un ange accompagne ses pas !
— Donc vous me haïssez ?

DOÑA SOL.              Je ne vous aime pas.

DON CARLOS, *la saisissant avec violence.*

Eh bien, que vous m'aimiez ou non, cela n'importe !
20 Vous viendrez, et ma main plus que la vôtre est forte.
Vous viendrez ! je vous veux !  Pardieu, nous verrons bien
Si je suis roi d'Espagne et des Indes pour rien !

*Elle se jette à ses genoux.  Il cherche à l'entraîner.*

DON CARLOS.

25 Viens !  Je n'écoute rien.  Viens !  Si tu m'accompagnes,
Je te donne, choisis, quatre de mes Espagnes.
Dis, lesquelles veux-tu ?  Choisis !

*Elle se débat dans ses bras.*

DOÑA SOL.                         Pour mon honneur,

30 Je ne veux rien de vous que ce poignard, seigneur !

*Elle lui arrache le poignard de sa ceinture.  Il la lâche et
recule.*

Avancez maintenant ! faites un pas !

DON CARLOS.                    La belle !

Je ne m'étonne plus si l'on aime un rebelle !

*Il veut faire un pas.   Elle lève le poignard.*

DOÑA SOL.

Pour un pas, je vous tue, et me tue.                    5

*Il recule encore.   Elle se détourne et crie avec force.*

Hernani !

Hernani !

DON CARLOS.

Taisez-vous !                    10

DOÑA SOL, *le poignard levé.*   Un pas ! tout est fini.

DON CARLOS.

Madame ! à cet excès ma douceur est réduite.

J'ai là pour vous forcer trois hommes de ma suite. . . .

HERNANI, *surgissant tout à coup derrière lui.*                    15

Vous en oubliez un !

*Le roi se retourne, et voit Hernani immobile derrière
lui dans l'ombre, les bras croisés sous le long manteau qui l'enveloppe, et le large bord de son chapeau
relevé.   Doña Sol pousse un cri, court à Hernani* 20
*et l'entoure de ses bras.*


### Scène 3

DON CARLOS, DOÑA SOL, HERNANI.

HERNANI, *immobile, les bras toujours croisés, et ses
yeux étincelants fixés sur le roi.*

Ah ! le ciel m'est témoin

Que volontiers je l'eusse été chercher plus loin ! [1]                    25

---

[1] Hernani est en réalité le Duc d'Aragon; son père avait été mis à
mort par le père de Don Carlos, et Don Carlos lui-même avait con-
fisqué les biens et la couronne du duc actuel, c'est à dire d'Hernani lui-
même qui donc cherchait la vengeance.

DOÑA SOL.

Hernani, sauvez-moi de lui !

HERNANI.                    Soyez tranquille,

Mon amour !

5    DON CARLOS.

                Que font donc mes amis par la ville ?

Avoir laissé passer ce chef de bohémiens !

*Appelant.*

Monterey !

10    HERNANI.   Vos amis sont au pouvoir des miens,

Et ne réclamez pas leur épée impuissante.          [ante.

Pour trois qui vous viendraient, il m'en viendrait soix-

Soixante dont un seul vous vaut tous quatre.   Ainsi

Vidons entre nous deux notre querelle ici.

15 Quoi ! vous portiez la main sur cette jeune fille !

C'était d'un imprudent, seigneur roi de Castille,

Et d'un lâche !

DON CARLOS, *souriant avec dédain.*

                Seigneur bandit, de vous à moi,

20 Pas de reproche !

HERNANI.

                Il raille ! Oh ! je ne suis pas roi;

Mais quand un roi m'insulte et par surcroît me raille,

Ma colère va haut et me monte à sa taille,

25 Et, prenez garde, on craint, quand on me fait affront,

Plus qu'un cimier de roi la rougeur de mon front !

Vous êtes insensé si quelque espoir vous leurre.

                            *Il lui saisit le bras.*

Savez-vous quelle main vous étreint à cette heure ?

30 Écoutez.   Votre père a fait mourir le mien,

Je vous hais.   Vous avez pris mon titre et mon bien,

Je vous hais.   Nous aimons tous deux la même femme,

Je vous hais, je vous hais, — oui, je te hais dans l'âme !

DON CARLOS.

C'est bien.

HERNANI.    Ce soir pourtant ma haine était bien
    loin.

Je n'avais qu'un désir, qu'une ardeur, qu'un besoin,    5
Doña Sol ! — Plein d'amour, j'accourais.... Sur mon
    âme !
Je vous trouve essayant contre elle un rapt infâme !
Quoi ! vous que j'oubliais, sur ma route placé !
Seigneur, je vous le dis, vous êtes insensé !    10
Don Carlos, te voilà pris dans ton propre piège.
Ni fuite, ni secours ! je te tiens et t'assiège !
Seul, entouré partout d'ennemis acharnés,
Que vas-tu faire ?

DON CARLOS, *fièrement.*    15

            Allons ! vous me questionnez !

HERNANI.

Va, va, je ne veux pas qu'un bras obscur te frappe.
Il ne sied pas qu'ainsi ma vengeance m'échappe.
Tu ne seras touché par un autre que moi.    20
Défends-toi donc.                    *Il tire son épée.*

DON CARLOS.    Je suis votre seigneur le roi.

Frappez.  Mais pas de duel.

HERNANI.                    Seigneur, qu'il te souvienne

Qu'hier encor ta dague a rencontré la mienne.    25

DON CARLOS.

Je le pouvais hier.  J'ignorais votre nom,
Vous ignoriez mon titre.  Aujourd'hui, compagnon,
Vous savez qui je suis et je sais qui vous êtes.

HERNANI.    30

Peut-être.

DON CARLOS.

        Pas de duel.  Assassinez-moi.  Faites !

HERNANI.

Crois-tu donc que les rois à moi me sont sacrés ?
Çà, te défendras-tu ?

DON CARLOS.            Vous m'assassinerez !

5    *Hernani recule. Don Carlos fixe des yeux d'aigle sur lui.*

Ah ! vous croyez, bandits, que vos brigades viles
Pourront impunément s'épandre dans les villes ?
Que teints de sang, chargés de meurtres, malheureux !
Vous pourrez après tout faire les généreux,
10 Et que nous daignerons, nous, victimes trompées,
Ennoblir vos poignards du choc de nos épées ?
Non le crime vous tient.  Partout vous le traînez.
Nous, des duels avec vous ! arrière ! assassinez.

    *Hernani, sombre et pensif, tourmente quelques instants*
15      *de la main la poignée de son épée, puis se retourne*
       *brusquement vers le roi, et brise la lame sur le pavé.*

HERNANI.

Va-t'en donc !

    *Le roi se tourne à demi vers lui et le regarde avec hauteur.*
20            Nous aurons des rencontres meilleures.
Va-t'en.

DON CARLOS.

        C'est bien, monsieur.  Je vais dans quelques heures
Rentrer, moi votre roi, dans le palais ducal.
25 Mon premier soin sera de mander le fiscal.[1]
A-t-on fait mettre à prix votre tête ?

HERNANI.                          Oui.

DON CARLOS.                                Mon maître,
Je vous tiens de ce jour sujet rebelle et traître,
30 Je vous en avertis, partout je vous poursuis.
Je vous fais mettre au ban du royaume.

----

    [1] *Le fiscal* — terme employé dans le sens espagnol.  En français,
l'officier qui joue à sa cour le rôle de procureur-général.

HERNANI.                               J'y suis
Déjà.

   DON CARLOS.
    Bien.

   HERNANI.                                                5
      Mais la France est auprès de l'Espagne.
C'est un port.

   DON CARLOS.   Je vais être empereur d'Allemagne.
Je vous fais mettre au ban de l'empire.[1]

   HERNANI.                               À ton gré.         10
J'ai le reste du monde ou je te braverai.
Il est plus d'un asile où ta puissance tombe.

   DON CARLOS.
Et quand j'aurai le monde ?

   HERNANI.               Alors j'aurai la tombe.         15

   DON CARLOS.
Je saurai déjouer vos complots insolents.

   HERNANI.
La vengeance est boiteuse, elle vient à pas lents,
Mais elle vient.                                                  20

   DON CARLOS, *riant à demi, avec dédain.*
      Toucher à la dame qu'adore
Ce bandit !

   HERNANI, *dont les yeux se rallument.*
      Songes-tu que je te tiens encore ?         25
Ne me rappelle pas, futur césar romain,
Que je t'ai là, chétif et petit dans ma main,
Et que si je serrais cette main trop loyale
J'écraserais dans l'œuf ton aigle impériale !

---

[1] *Je vais être empereur d'Allemagne.*  Le trône de l'Empire est
vacant, et Don Carlos cherche à se faire élire — et y réussira.  L'Acte
iv de la pièce se rapporte à cet épisode.

DON CARLOS !

Faites.

HERNANI.

Va-t'en ! va-t'en !

5 *Il ôte son manteau et le jette sur les épaules du roi.*

Fuis, et prends ce manteau.

Car dans nos rangs pour toi je crains quelque couteau.

*Le roi s'enveloppe du manteau.*

Pars tranquille à présent.  Ma vengeance altérée

10 Pour tout autre que moi fait ta tête sacrée.

DON CARLOS.

Monsieur, vous qui venez de me parler ainsi,

Ne demandez un jour ni grâce ni merci !

\*       \*       \*

Il existe un récit de la « Bataille d'*Hernani* » qui est surtout fameux.  Il a été fait par un de ceux qui y jouèrent un grand rôle, Théophile Gautier, alors jeune peintre, et un des disciples les plus enthousiastes de V. Hugo; il s'était affublé d'un gilet rouge pour choquer les classiques ennemis de toute violation des règles sociales comme littéraires.  Il évoque 37 ans plus tard le souvenir de cette soirée mémorable dans son *Histoire du Romantisme*, à l'occasion de la reprise de la pièce.

« 25 février 1830 !  Cette date reste écrite dans le fond de notre
« passé en caractères flamboyants: la date de la première représenta-
« tion d'*Hernani!*  Cette soirée décida de notre vie !  Là nous re-
« çûmes l'impulsion qui nous pousse encore après tant d'années et qui
« nous fera marcher jusqu'au bout de la carrière.  Bien du temps
« s'est écoulé depuis, et notre éblouissement est toujours le même.
« Nous ne rabattons rien de l'enthousiasme de notre jeunesse, et
« toutes les fois que retentit le son magique du cor, nous dressons les
« oreilles comme un vieux cheval de bataille prêt à recommencer les
« anciens combats. »

Il rappelle comment ceux que l'on a appelé « les brigands de la pensée » avaient envahi le théâtre bien longtemps avant l'heure de la représentation, attendant de voir Hernani « se lever comme un soleil radieux », et « prêts à donner avec ensemble sur les philistins au moindre signe d'hostilité ».  Quant au reste de la salle « l'orches-
« tre et le balcon (ils) étaient pavés de crânes académiques et classi-

« ques . . . Une rumeur d'orage grondait sourdement dans la salle,
« il était temps que la toile se levât: on en serait venu aux mains
« avant la pièce, tant l'animosité était grande de part et d'autre . . .
« Il suffisait de jeter les yeux sur ce public pour se convaincre qu'il ne
« s'agissait pas là d'une représentation ordinaire: que deux systèmes,
« deux partis, deux civilisations même — ce n'est pas trop dire —
« étaient en présence, se haïssaient cordialement, comme on se hait dans
« les haines littéraires, ne demandant que la bataille, et prêts à fondre
« l'un sur l'autre. »

## Entre deux Révolutions

### (1830 à 1848)

Victor Hugo est maintenant le chef reconnu des romantiques;
ceux-ci vont, à la vérité, se débander peu à peu, mais lui n'en de-
meurera pas moins la grande figure littéraire de l'époque.

Il avait épousé en 1822 Adèle Foucher dont il eut quatre enfants,
deux filles et deux garçons. Il recevait dans son salon, Place des Vosges,
ceux qu'on appelle parfois les membres du second cénacle (aujourd'hui
cette maison est transformée en Musée Victor Hugo). Il entra à
l'Académie en 1841. Il fut créé Pair de France en 1845.

### LE THÉÂTRE

Dans le domaine du théâtre, il continue dans la voie du romantisme
en mettant à la scène des personnages à antithèses. Les principales
pièces sont *Marion de Lorme* (1831), la courtisane rachetée par un
amour profond; *Le roi s'amuse* (1832) où paraît le grotesque fou de
cour de François Iº, Triboulet, animé d'un amour sublime pour son
enfant; *Lucrèce Borgia* (en prose, 1833) la criminelle et débauchée
qui rachète sa vie par son dévouement passionné à son fils; *Ruy-Blas*
(1838) une pièce qui rappelle *Hernani;* on y voit Don Salluste, un
grand de cour à l'âme vile, et Ruy-Blas, un valet à la grande âme.
En 1843, l'ère romantique paraît passée; *Les Burgraves*, le dernier
grand drame de V. Hugo, tombe, tandis que triomphe à la scène
une pièce de sujet et de traitement classiques, la *Lucrèce* de Ponsard.

### *Lucrèce Borgia*

#### (1833)

La légendaire Lucrèce Borgia, souillée de crimes, est rachetée par
un amour maternel sublime. Se sachant un objet de honte, de mépris
et de haine, elle ne veut pas que son fils Gennaro sache de qui il est

né. Mais elle veille de loin sur cet être qu'elle chérit plus que tout au monde; et cette sollicitude étrange pour le jeune homme n'échappe pas à son entourage. Or, un jour, dans une grande fête donnée par le duc de Ferrare, mari de Lucrèce, Gennaro insulte publiquement les Borgia. Lucrèce l'apprend, et, ne sachant pas qui est l'auteur de l'affront, elle demande une punition exemplaire et immédiate. Mais, lorsqu'elle apprend que le coupable est Gennaro, elle demande de toutes ses forces la grâce. Le duc soupçonne alors que Gennaro est l'amant de Lucrèce et il force celle-ci à verser elle-même un poison terrible au jeune homme; puis il sort laissant seuls ceux qu'il croit l'avoir trahi. Alors, la mère, qui connaît un contre-poison, veut sauver son fils, mais comme elle veut avant toute chose chercher à épargner à son Gennaro la honte de savoir qu'il est lui-même un des maudits Borgia, elle ne réussit qu'à attirer sur elle sa malédiction.

(Cette pièce est la première écrite en prose par V. Hugo.)

DONA LUCREZIA.

Gennaro ! — vous êtes empoisonné !

GENNARO.

Empoisonné, madame !

DONA LUCREZIA.

Empoisonné !

GENNARO.

J'aurais dû m'en douter, le vin étant versé par vous.

DONA LUCREZIA.

5    Oh ! ne m'accablez pas, Gennaro. Ne m'ôtez pas le peu de force qui me reste et dont j'ai besoin encore quelques instants. Ecoutez-moi. Le duc est jaloux de vous. Le duc ne m'a laissé d'autre alternative que de vous voir poignarder devant moi, ou de vous verser moi-même le
10  poison. Un poison redoutable, Gennaro, un poison dont la seule idée fait pâlir tout Italien qui sait l'histoire de ces vingt dernières années.

GENNARO.

Oui, le poison des Borgia !

DONA LUCREZIA.

Vous en avez bu.   Personne au monde ne connaît le
contrepoison à cette composition terrible, excepté le pape,
monsieur de Valentinois [1] et moi.   Tenez, voyez cette fiole
que je porte toujours cachée dans ma ceinture.   Cette
fiole, Gennaro, c'est la vie, c'est la santé, c'est le salut.
Une seule goutte sur vos lèvres et vous êtes sauvé !

(*Elle veut approcher la fiole des lèvres de Gennaro; il recule.*)

GENNARO, *la regardant fixement.*

Madame, qui est-ce qui me dit que ce n'est pas cela qui
est du poison ?

DONA LUCREZIA, *tombant anéantie sur le fauteuil.*

O mon Dieu ! mon Dieu !

GENNARO.

Ne vous appelez-vous pas Lucrèce Borgia !   Est-ce que
vous croyez que je ne me souviens pas du frère de Bajazet ? [2]
Oui, je sais un peu d'histoire.   On lui fit accroire, à lui aussi,
qu'il était empoisonné par Charles VIII, et on lui donna un
contrepoison dont il mourut.   Et la main qui lui présenta
le contrepoison, la voilà, elle tient cette fiole.   Et la bouche
qui lui dit de le boire, la voici, elle me parle !

DONA LUCREZIA.

Misérable femme que je suis !

[1] C'est un titre de son frère, César Borgia.
[2] Voir la tragédie de Racine.

### GENNARO.

Ecoutez, madame, je ne me méprends pas à vos sem-
blants d'amour.  Vous avez quelque sinistre dessein sur
moi.  Cela est visible.  Vous devez savoir qui je suis.
Tenez, dans ce moment-ci, cela se lit sur votre visage, que
5 vous le savez, et il est aisé de voir que vous avez quelque
insurmontable raison pour ne me le dire jamais.  Votre
famille doit connaître la mienne, et peut-être à cette heure
ce n'est pas de moi que vous vous vengeriez en m'empoison-
nant, mais, qui sait ? de ma mère.

### DONA LUCREZIA.

10    Votre mère, Gennaro ! vous la voyez peut-être autrement
qu'elle n'est.  Que diriez-vous si ce n'était qu'une femme
criminelle comme moi ?

### GENNARO.

Ne la calomniez pas.  Oh non ! ma mère n'est pas une
femme comme vous, madame Lucrèce !  Oh ! je la sens
15 dans mon cœur et je la rêve dans mon âme telle qu'elle est ;
j'ai son image là, née avec moi ; je ne l'aimerais pas comme
je l'aime si elle n'était pas digne de moi ; le cœur d'un fils
ne se trompe pas sur sa mère.  Je la haïrais si elle pouvait
vous ressembler.  Mais non, non.  Il y a quelque chose en
20 moi qui me dit bien haut que ma mère n'est pas un de ces
démons d'inceste, de luxure et d'empoisonnement comme
vous autres, les belles femmes d'à présent.  Oh Dieu ! j'en
suis bien sûr, s'il y a sous le ciel une femme innocente, une
femme vertueuse, une femme sainte, c'est ma mère !  Oh !
25 elle est ainsi et pas autrement !  Vous la connaissez, sans
doute, madame Lucrèce, et vous ne me démentirez point !

DONA LUCREZIA.

Non, cette femme-là, Gennaro, cette mère-là, je ne la
connais pas !

GENNARO.

Mais devant qui est-ce que je parle ainsi ?  Qu'est-ce que
cela vous fait à vous, Lucrèce Borgia, les joies ou les douleurs d'une mère ?  Vous n'avez jamais eu d'enfants, à ce  5
qu'on dit, et vous êtes bien heureuse.  Car vos enfants, si
vous en aviez, savez-vous bien qu'ils vous renieraient,
madame ?  Quel malheureux assez abandonné du ciel
voudrait d'une pareille mère ?  Être le fils de Lucrèce
Borgia ! dire: *ma mère*, à Lucrèce Borgia !  Oh !...       10

DONA LUCREZIA.

Gennaro ! vous êtes empoisonné, le duc qui vous croit
mort peut revenir à tout moment, je ne devrais songer qu'à
votre salut et à votre évasion, mais vous me dites des
choses si terribles que je ne puis faire autrement que de
rester là, pétrifiée, à les entendre.                        15

GENNARO.

Madame...

DONA LUCREZIA.

Voyons ! il faut en finir.  Accablez-moi, écrasez-moi sous
votre mépris; mais vous êtes empoisonné, buvez ceci sur-
le-champ !

GENNARO.

Que dois-je croire, madame ?  Le duc est loyal et j'ai  20
sauvé la vie à son père.  Vous, je vous ai offensée.  Vous
avez à vous venger de moi.

### DONA LUCREZIA.

Me venger de toi, Gennaro ! — Il faudrait donner toute
ma vie pour ajouter une heure à la tienne, il faudrait verser
tout mon sang pour t'empêcher de verser une larme, il faudrait m'asseoir au pilori pour te mettre sur un trône, il
5 faudrait payer d'une torture de l'enfer chacun de tes moindres plaisirs, que je n'hésiterais pas, que je ne murmurerais
pas, que je serais heureuse, que je baiserais tes pieds, mon
Gennaro ! Oh ! tu ne sauras jamais rien de mon pauvre
misérable cœur, sinon qu'il est plein de toi ! Gennaro, le
10 temps presse, le poison marche, tout à l'heure tu le sentirais,
vois-tu ! encore un peu, il ne serait plus temps. La vie
ouvre en ce moment deux espaces obscurs devant toi, mais
l'un a moins de minutes que l'autre n'a d'années. Il faut
te déterminer pour l'un des deux. Le choix est terrible.
15 Laisse-toi guider par moi. Aie pitié de toi et de moi,
Gennaro. Bois vite, au nom du ciel !

### GENNARO.

Allons, c'est bien. S'il y a un crime en ceci, qu'il retombe
sur votre tête. Après tout, que vous disiez vrai ou non, ma
vie ne vaut pas la peine d'être tant disputée. Donnez.

(*Il prend la fiole et boit.*)

### DONA LUCREZIA.

20 Sauvé ! — Maintenant il faut partir pour Venise de toute
la vitesse de ton cheval. Tu as de l'argent ?

### GENNARO.

J'en ai.

### DONA LUCREZIA.

Le duc te croit mort. Il sera aisé de lui cacher ta fuite.

Attends ! Garde cette fiole et porte-la toujours sur toi.
Dans des temps comme ceux où nous vivons, le poison est
de tous les repas. Toi surtout, tu es exposé. Maintenant,
pars vite.

(*Lui montrant la porte masquée qu'elle entr'ouvre.*) 5

Descends par cet escalier. Il donne dans une des cours
du palais Negroni. Il te sera aisé de t'évader par là.
N'attends pas jusqu'à demain matin, n'attends pas jusqu'au
coucher du soleil, n'attends pas une heure, n'attends pas
une demi-heure ! Quitte Ferrare sur-le-champ, quitte 10
Ferrare comme si c'était Sodome qui brûle, et ne regarde
pas derrière toi ! Adieu ! — Attends encore un instant.
J'ai un dernier mot à te dire, mon Gennaro !

GENNARO.

Parlez, madame.

DONA LUCREZIA.

Je te dis adieu en ce moment, Gennaro, pour ne plus te 15
revoir jamais. Il ne faut plus songer maintenant à te rencontrer quelquefois sur mon chemin. C'était le seul bonheur que j'eusse au monde. Mais ce serait risquer ta tête.
Nous voilà donc pour toujours séparés dans cette vie ;
hélas ! je ne suis que trop sûre que nous serons séparés aussi 20
dans l'autre. Gennaro ! est-ce que tu ne me diras pas quelque douce parole avant de me quitter ainsi pour l'éternité ?

GENNARO, *baissant les yeux.*

Madame...

DONA LUCREZIA.

Je viens de te sauver la vie, enfin !

GENNARO.

Vous me le dites. Tout ceci est plein de ténèbres. Je ne sais que penser. Tenez, madame, je puis tout vous pardonner, une chose exceptée.

DONA LUCREZIA.

Laquelle ?

GENNARO.

5   Jurez-moi par tout ce qui vous est cher, par ma propre tête, puisque vous m'aimez, par le salut éternel de mon âme, jurez-moi que vos crimes ne sont pour rien dans les malheurs de ma mère.

DONA LUCREZIA.

Toutes les paroles sont sérieuses avec vous, Gennaro. Je
10 ne puis vous jurer cela.

GENNARO.

O ma mère ! ma mère ! la voilà donc, l'épouvantable femme qui a fait ton malheur !

DONA LUCREZIA.

Gennaro !

GENNARO.

Vous l'avez avoué, madame ! Adieu ! Soyez maudite !

DONA LUCREZIA.

15   Et toi, Gennaro, sois béni !
                    (*Il sort. — Elle tombe évanouie sur le fauteuil.*)

## LA POÉSIE LYRIQUE

Dans cette même période, le poète lyrique publia une série de recueils dont les titres seuls suffisent à indiquer l'esprit. Il avait abandonné ses idées chateaubrianesques, — royalistes et catholiques — et salué la Révolution de 1830; mais il n'avait pas réussi tout de suite à se reconstituer une philosophie de la vie. Dans les *Feuilles d'automne* (1831) il voit avec mélancolie ses anciennes croyances qui s'envolent au vent, ... comme les feuilles à l'automne; dans les *Chants du crépuscule* (1835) il semble s'enfoncer davantage encore dans la nuit, et il connaît à son tour la mélancolie romantique; une période de méditations moins exclusivement désespérée se traduit dans *Les voix intérieures* (1837); et le courage renaît quoique encore assombri parfois dans *Les rayons et les ombres* (1840). La sérénité apparaîtra enfin plus grande dans *Les contemplations* composées en partie avant la révolution de 1848, en partie après, et publiées en deux volumes, en 1856: le poète « contemple » ses nouvelles convictions.

### Ce qu'on entend sur la Montagne [1]

Le grand problème qui paraît surtout préoccuper le poète c'est celui de la souffrance dans le monde et de tant d'injustices dans la société. Dans le poème ci-dessous, écrit dès 1831, il souligne le contraste entre la ‹ Voix de la nature › qui est glorieuse et magnifique, et la ‹ Voix de l'humanité › qui retentit comme un grand cri de désespoir. C'est une méditation sur un haut rocher qui surplombe la mer; comme Chateaubriand il sent dans la mer immense, plus qu'ailleurs dans la nature, quelque chose de puissant qui écrase l'homme par sa majesté. L'épigraphe du poème est *O altitudo*, qui est tirée de la Bible (*Ép. aux Romains*, XI, 33). Le texte complet indique l'idée du poème: *O altitudo divitiarum sapientiae et scientiae Dei! Quam incomprehensibilia sunt judicia ejus, et investigabiles viae ejus.*

Avez-vous quelquefois, calme et silencieux,
Monté sur la montagne, en présence des cieux ?
Était-ce aux bords du Sund ? [2] aux côtes de Bretagne ?
Aviez-vous l'Océan au pied de la montagne ?

[1] De *Feuilles d'automne.*

[2] Le détroit du Sund, entre la Suède et l'île de Zélande, en Danemark.

Et là, penché sur l'onde et sur l'immensité,
Calme et silencieux, avez-vous écouté ?
Voici ce qu'on entend, du moins un jour qu'en rêve
Ma pensée abattit son vol sur une grève,
5 Et, du sommet d'un mont plongeant au gouffre amer,
Vit d'un côté la terre et de l'autre la mer ;
J'écoutai, j'entendis, et jamais voix pareille
Ne sortit d'une bouche et n'émut une oreille.

Ce fut d'abord un bruit large, immense, confus,
10 Plus vague que le vent dans les arbres touffus,
Plein d'accords éclatants, de suaves murmures,
Doux comme un chant du soir, fort comme un choc d'ar-
    mures
Quand la sourde mêlée étreint les escadrons,
15 Et souffle, furieuse, aux bouches des clairons.
C'était une musique ineffable et profonde,
Qui, fluide, oscillait sans cesse autour du monde.
Comme une autre atmosphère épars et débordé
L'hymne éternel couvrait tout le globe inondé.
20 Le monde enveloppé dans cette symphonie,
Comme il vogue dans l'air, voguait dans l'harmonie.
Et pensif, j'écoutais ces harpes de l'éther,
Perdu dans cette voix comme dans une mer.

Bientôt je distinguai, confuses et voilées,
25 Deux voix dans cette voix l'une à l'autre mêlées,
De la terre et des mers s'épanchant jusqu'au ciel,
Qui chantaient à la fois le chant universel ;
Et je les distinguai dans la rumeur profonde,
Comme on voit deux courants qui se croisent sous l'onde.
30 L'une venait des mers : chant de gloire ! hymne heureux !
C'était la voix des flots qui se parlaient entre eux ;
L'autre, qui s'élevait de la terre où nous sommes,

Était triste: c'était le murmure des hommes;
Et dans ce grand concert, qui chantait jour et nuit,
Chaque onde avait sa voix et chaque homme son bruit.

Or, comme je l'ai dit, l'Océan magnifique
Épandait une voix joyeuse et pacifique,                    5
Chantait comme la harpe aux temples de Sion,
Et louait la beauté de la création.
Sa clameur, qu'emportaient la brise et la rafale,
Incessamment vers Dieu montait plus triomphale,
Et chacun de ses flots, que Dieu seul peut dompter,      10
Quand l'autre avait fini, se levait pour chanter.
Comme ce grand lion dont Daniel fut l'hôte,[1]
L'Océan par moments abaissait sa voix haute,
Et moi je croyais voir, vers le couchant en feu,
Sur sa crinière d'or passer la main de Dieu.             15

Cependant, à côté de l'auguste fanfare,
L'autre voix, comme un cri de coursier qui s'effare,
Comme le gond rouillé d'une porte d'enfer,
Comme l'archet d'airain sur la lyre de fer,
Grinçait; et pleurs, et cris, l'injure, l'anathème,      20
Refus du viatique et refus du baptême,
Et malédiction, et blasphème, et clameur,
Dans le flot tournoyant de l'humaine rumeur,
Passaient, comme le soir on voit dans les vallées
De noirs oiseaux de nuit qui s'en vont par volées.       25
Qu'était-ce que ce bruit dont mille échos vibraient ?
Hélas ! c'était la terre et l'homme qui pleuraient.

Frères ! de ces deux voix étranges, inouïes,
Sans cesse renaissant, sans cesse évanouies,

[1] Chapitre vi, de *Daniel*, le prophète biblique, jeté dans la fosse
aux lions par Darius, roi des Mèdes, et que les lions refusèrent de
dévorer car il était protégé par Jéhova.

Qu'écoute l'Éternel durant l'éternité,
L'une disait: Nature ! et l'autre: Humanité !

Alors je méditai; car mon esprit fidèle,
Hélas ! n'avait jamais déployé plus grande aile,
5 Dans mon ombre jamais n'avait lui tant de jour;
Et je rêvai longtemps, contemplant tour à tour,
Après l'abîme obscur que me cachait la lame,
L'autre abîme sans fond qui s'ouvrait dans mon âme.
Et je me demandai pourquoi l'on est ici,
10 Quel peut être après tout le but de tout ceci,
Que fait l'âme, lequel vaut mieux d'être ou de vivre,
Et pourquoi le Seigneur, qui seul lit à son livre,
Mêle éternellement dans un fatal hymen
Le chant de la nature au cri du genre humain ?

\* \* \*

L'attitude de V. Hugo vis-à-vis de la nature n'est pas toujours la
même. Parfois il y voit une amie de l'homme (« Dieu est toujours
là, » *Feuilles d'automne*, ou « Spectacle rassurant, » *Les voix intérieures*); parfois il la voit terrible et cruelle (« Oceano Nox, » *Feuilles
d'automne*). Dans le plus célèbre de ses poèmes sur la nature il la voit
cruellement indifférente:

## La Tristesse d'Olympio [1]

Ce poème a été inspiré par une douloureuse expérience personnelle.
Peu après 1830, une malheureuse passion de Sainte-Beuve pour
Madame Hugo porta un coup terrible au bonheur conjugal du poète.
Il n'y eut pas, cependant, rupture entre les époux, mais V. Hugo fut
assez affecté pour accepter la consolation de Madame Juliette Drouet,
une actrice de grande beauté qu'il avait connue quand elle avait joué
le rôle de la Princesse Negroni dans *Lucrèce Borgia* (1833). Cette
liaison dura à l'état de passion, interrompue parfois par des périodes
orageuses. C'est en 1837 que V. Hugo écrivit la *Tristesse d'Olympio*.
Même après cette date, Juliette Drouet et V. Hugo demeurèrent pro-

[1] De *Les Rayons et les Ombres*.

fondément attachés l'un à l'autre.  La mort seule les sépara; elle
mourut la première, en 1883.

Le sujet du poème est celui du *Lac* de Lamartine et du *Souvenir*
de Musset (voir plus bas): le poète allant chercher dans la nature,
qui avait été témoin des grandes effusions d'amour, le souvenir d'un
bonheur éphémère.  Les lieux revisités ici se trouvent dans la vallée de
la Bièvre, non loin de Paris.  V. Hugo n'y trouvait, du reste, pas
seulement le souvenir de Juliette Drouet mais celui de ses premières
années de bonheur avec sa fiancée et puis sa femme (1822).  Il était
allé passer là parfois la belle saison avec les siens, ainsi en 1831.

*Olympio* est le nom que V. Hugo adoptait parfois dans ses poèmes
de même que Lamartine se donnait celui de *Raphaël* quand il parlait
d'Elvire.[1]

[Les réminiscences principales auxquelles se rapporte le poème ont
été l'objet de plusieurs études.  Elles sont à peu près toutes résumées
et complétées par Maurice Levaillant, *Victor Hugo, La Tristesse
d'Olympio*, Paris, Champion, 1928; 117 pages, in 4°.]

Les champs n'étaient point noirs, les cieux n'étaient pas
    mornes;
Non, le jour rayonnait dans un azur sans bornes
       Sur la terre étendu,
L'air était plein d'encens et les prés de verdures        5
Quand il revit ces lieux où par tant de blessures
       Son cœur s'est répandu.

L'automne souriait; les coteaux vers la plaine
Penchaient leurs bois charmants qui jaunissaient à peine,
       Le ciel était doré;        10

[1] Dans les notes pour un livre que V. Hugo n'a finalement pas
publié on lit les mots suivants qui devaient paraître dans la « Préface »: « Il vient une certaine heure dans la vie où, l'horizon s'agran-
dissant sans cesse, un homme se sent trop petit pour continuer de
parler en son nom.  Il crée alors, poète, philosophe ou penseur, une
figure dans laquelle il se personnifie et s'incarne.  C'est encore
l'homme, mais ce n'est plus le moi ».  Cette figure, il l'appelait *Olympio*.  (Cité dans l'Éd. Nat., *Voix intérieures*, à propos de *Pensar,
Dudar;* p. 496-7.)

Et les oiseaux, tournés vers celui que tout nomme,
Disant peut-être à Dieu quelque chose de l'homme,
      Chantaient leur chant sacré.

Il voulut tout revoir, l'étang près de la source,
5 La masure où l'aumône avait vidé leur bourse,
      Le vieux frêne plié,
Les retraites d'amour au fond des bois perdues,
L'arbre où dans les baisers leurs âmes confondues
      Avaient tout oublié.

10 Il chercha le jardin, la maison isolée,
La grille d'où l'œil plonge en une oblique allée,
      Les vergers en talus.
Pâle, il marchait. — Au bruit de son pas grave et sombre
Il voyait à chaque arbre, hélas ! se dresser l'ombre
15       Des jours qui ne sont plus,

Il entendait frémir dans la forêt qu'il aime
Ce doux vent qui, faisant tout vibrer en nous-même,
      Y réveille l'amour,
Et, remuant le chêne ou balançant la rose,
20 Semble l'âme de tout qui va sur chaque chose
      Se poser tour à tour.

Les feuilles qui gisaient dans le bois solitaire,
S'efforçant sous ses pas de s'élever de terre,
      Couraient dans le jardin;
25 Ainsi, parfois, quand l'âme est triste, nos pensées
S'envolent un moment sur leurs ailes blessées,
      Puis retombent soudain.

Il contempla longtemps les formes magnifiques
Que la nature prend dans les champs pacifiques;
30       Il rêva jusqu'au soir;

Tout le jour il erra le long de la ravine,
Admirant tour à tour le ciel, face divine,
     Le lac, divin miroir.

Hélas ! se rappelant ses douces aventures,
Regardant, sans entrer, par-dessus les clôtures,     5
     Ainsi qu'un paria,
Il erra tout le jour.  Vers l'heure où la nuit tombe,
Il se sentit le cœur triste comme une tombe,
     Alors il s'écria:

— « O douleur ! j'ai voulu, moi dont l'âme est troublée,     10
Savoir si l'urne encor conservait la liqueur,
Et voir ce qu'avait fait cette heureuse vallée
De tout ce que j'avais laissé là de mon cœur !

« Que peu de temps suffit pour changer toutes choses !
Nature au front serein, comme vous oubliez !     15
Et comme vous brisez dans vos métamorphoses
Les fils mystérieux où nos cœurs sont liés !

« Nos chambres de feuillage en halliers sont changées;
L'arbre où fut notre chiffre est mort ou renversé;
Nos roses dans l'enclos ont été ravagées     20
Par les petits enfants qui sautent le fossé.

« Un mur clôt la fontaine où, par l'heure échauffée,
Folâtre, elle buvait en descendant des bois;
Elle prenait de l'eau dans sa main, douce fée,
Et laissait retomber des perles de ses doigts !     25

« On a pavé la route âpre et mal aplanie,
Où, dans le sable pur se dessinant si bien,
Et de sa petitesse étalant l'ironie,
Son pied charmant semblait rire à côté du mien.

« La borne du chemin, qui vit des jours sans nombre,
Où jadis pour m'entendre elle aimait à s'asseoir,
S'est usée en heurtant, lorsque la route est sombre,
Les grands chars gémissants qui reviennent le soir.

5 « La forêt ici manque et là s'est agrandie . . .
De tout ce qui fut nous presque rien n'est vivant:
Et, comme un tas de cendre éteinte et refroidie,
L'amas des souvenirs se disperse à tout vent !

« N'existons-nous donc plus ?   Avons-nous eu notre heure ?
10 Rien ne la rendra-t-il à nos cris superflus ?
L'air joue avec la branche au moment où je pleure;
Ma maison me regarde et ne me connaît plus.

« D'autres vont maintenant passer où nous passâmes.
Nous y sommes venus, d'autres vont y venir;
15 Et le songe qu'avaient ébauché nos deux âmes,
Ils le continueront sans pouvoir le finir !

« Car personne ici-bas ne termine et n'achève;
Les pires des humains sont comme les meilleurs;
Nous nous réveillons tous au même endroit du rêve.
20 Tout commence en ce monde et tout finit ailleurs.

« Oui, d'autres à leur tour viendront, couples sans tache,
Puiser dans cet asile heureux, calme, enchanté,
Tout ce que la nature à l'amour qui se cache
Mêle de rêverie et de solennité !

25 « D'autres auront nos champs, nos sentiers, nos retraites.
Ton bois, ma bien-aimée, est à des inconnus.
D'autres femmes viendront, baigneuses indiscrètes,
Troubler le flot sacré qu'ont touché tes pieds nus.

« Quoi donc ! c'est vainement qu'ici nous nous aimâmes;
Rien ne nous restera de ces coteaux fleuris
Où nous fondions notre être en y mêlant nos flammes !
L'impassible nature a déjà tout repris.

« Oh ! dites-moi, ravins, frais ruisseaux, treilles mûres,          5
Rameaux chargés de nids, grottes, forêts, buissons,
Est-ce que vous ferez pour d'autres vos murmures ?
Est-ce que vous direz à d'autres vos chansons ?

« Nous vous comprenions tant ! doux, attentifs, austères,
Tous nos échos s'ouvraient si bien à votre voix !                  10
Et nous prêtions si bien, sans troubler vos mystères,
L'oreille aux mots profonds que vous dites parfois !

« Répondez, vallon pur, répondez, solitude,
O nature abritée en ce désert si beau,
Lorsque nous dormirons tous deux dans l'attitude               15
Que donne aux morts pensifs la forme du tombeau;

« Est-ce que vous serez à ce point insensible
De nous savoir couchés, morts avec nos amours,
Et de continuer votre fête paisible,
Et de toujours sourire et de chanter toujours ?               20

.     .     .     .     .     .     .     .     .

« Eh bien ! oubliez-nous, maison, jardin, ombrages !
Herbe, use notre seuil ! ronce, cache nos pas !
Chantez, oiseaux ! ruisseaux, coulez ! croissez, feuillages !
Ceux que vous oubliez ne vous oublieront pas.

« Car vous êtes pour nous l'ombre de l'amour même !          25
Vous êtes l'oasis qu'on rencontre en chemin !
Vous êtes, ô vallon, la retraite suprême
Où nous avons pleuré nous tenant par la main ! . . .

« Quand notre âme en rêvant descend dans nos entrailles,
Comptant dans notre cœur, qu'enfin la glace atteint,
Comme on compte les morts sur un champ de batailles,
Chaque douleur tombée et chaque songe éteint,

5 « Comme quelqu'un qui cherche en tenant une lampe,
Loin des objets réels, loin du monde rieur,
Elle arrive à pas lents par une obscure rampe
Jusqu'au fond désolé du gouffre intérieur;

« Et là, dans cette nuit qu'aucun rayon n'étoile,
10 L'âme, en un repli sombre où tout semble finir,
Sent quelque chose encore palpiter sous un voile ... —
C'est toi qui dors dans l'ombre, ô sacré souvenir ! »

### Pauca Meae

Une autre expérience personnelle, la catastrophe de Villequier, où il perdit sa fille favorite, Léopoldine, a inspiré à Victor Hugo les poèmes que la critique est unanime à considérer comme les plus émouvants de son œuvre en vers. Léopoldine avait épousé, le 15 février, 1843, M. Charles Vacquerie, depuis longtemps un ami de la famille. Elle avait 19 ans lorsqu'elle mourut si tragiquement le 4 septembre de la même année.

« À Villequier, pas très loin du Havre, sur la rive droite de la « Seine, au pied d'une colline chargée d'arbres, s'élève une maison « en brique tapissée de vigne. Devant est un jardin qui descend à « la Seine par un escalier de pierre couvert de mousse. C'est dans « cette maison, la maison de sa mère, que Charles Vacquerie avait « conduit sa jeune femme. Moins de sept mois après le mariage, par « une belle matinée d'été, le 4 septembre, comme il avait à faire à « Caudebec, à une lieue de Villequier, il prit un canot où montèrent « avec lui sa femme, son oncle, M. Vacquerie, ancien marin, et un « enfant de ce dernier, âgé de dix à onze ans. Au retour, pas un « souffle d'air; pas une feuille ne tremblait aux arbres. Soudain, entre « deux collines, un coup de vent s'abat sur la voile, le canot chavire, « tout s'abîme et tout meurt, le vieux marin, son fils, et la fille du poète « ... Seul Charles Vacquerie se débat et lutte. Il reparaît sur l'eau et « crie, plonge et disparaît, puis monte et crie encore, replonge et dis-

« paraît ... Six fois !  Léopoldine s'est attachée de ses petites mains
« à la barque, sous l'eau, et rien ne peut la détacher.  Ne pouvant la
« sauver, son mari veut mourir avec elle ... »

(Biré, *V. Hugo après 1830*, II, 39–40.)

Victor Hugo, qui était en voyage, n'apprit la nouvelle que plusieurs
jours plus tard par un journal.

Les poèmes dédiés au souvenir de son enfant sont groupés sous le
titre général de *Pauca Meae*, c'est à dire *quelques vers à celle qui fut
mienne* (titre suggéré par Virgile qui dédie sa *Bucolique* X à son ami
Gallus: *Pauca meo Gallo ... carmina sunt dicenda*).

Dans quelques-uns de ces poèmes, il évoque le souvenir de Léopoldine qui lui procura les premières joies de la paternité.  Voici
quelques strophes:

> Quand nous habitions tous ensemble
> Sur nos collines d'autrefois,
> Où l'eau court, où le buisson tremble
> Dans la maison qui touche aux bois,[1]
>
> Elle avait dix ans, et moi trente;                    5
> J'étais pour elle l'univers.
> Oh ! comme l'herbe est odorante
> Sous les arbres profonds et verts !
>
> Elle faisait mon sort prospère,
> Mon travail léger, mon ciel bleu.                    10
> Lorsqu'elle me disait: Mon père,
> Tout mon cœur s'écriait: Mon Dieu !
>
> À travers mes songes sans nombre,
> J'écoutais son parler joyeux,
> Et mon front s'éclairait dans l'ombre                    15
> À la lumière de ses yeux.
>
> Elle avait l'air d'une princesse
> Quand je la tenais par la main.

[1] V. Hugo alla plusieurs fois (1831–5) passer l'été aux Roches, dans
la riante vallée de la Bièvre, à quelques lieues à l'ouest de Paris.

Elle cherchait des fleurs sans cesse
Et des pauvres dans le chemin.

Elle donnait comme on dérobe,
En se cachant aux yeux de tous.
Oh ! la belle petite robe
Qu'elle avait, vous rappelez-vous ?

Les anges se miraient en elle.
Que son bonjour était charmant !
Le ciel mettait dans sa prunelle
Ce regard qui jamais ne ment.

Oh ! je l'avais, si jeune encore,
Vue apparaître en mon destin !
C'était l'enfant de mon aurore,
Et mon étoile du matin !

Quand la lune claire et sereine
Brillait aux cieux, dans ces beaux mois,
Comme nous allions dans la plaine !
Comme nous courions dans les bois !

Nous revenions, cœurs pleins de flamme,
En parlant des splendeurs du ciel.
Je composais cette jeune âme
Comme l'abeille fait son miel.

Doux ange aux candides pensées,
Elle était gaie en arrivant ... —
Toutes ces choses sont passées
Comme l'ombre et comme le vent !

*     *     *

Elle était pâle, et pourtant rose,
Petite avec de grands cheveux.
Elle disait souvent: Je n'ose,
Et ne disait jamais: Je veux.

Le soir, elle prenait ma bible
Pour y faire épeler sa sœur,
Et, comme une lampe paisible,                    5
Elle éclairait ce jeune cœur.

Sur l'enfant, qui n'eût pas lu seule,
Elle penchait son front charmant,
Et l'on aurait dit une aïeule,
Tant elle parlait doucement !                    10

Moi, j'écoutais . . . — O joie immense
De voir la sœur près de la sœur !
Mes yeux s'enivraient en silence
De cette ineffable douceur.

Et dans la chambre humble et déserte            15
Où nous sentions, cachés tous trois,
Entrer par la fenêtre ouverte
Les souffles des nuits et des bois,

Tandis que, dans le texte auguste,
Leurs cœurs lisant avec ferveur,                 20
Puisaient le beau, le vrai, le juste,
Il me semblait, à moi rêveur,

Entendre chanter des louanges
Autour de nous, comme au saint lieu,
Et voir sous les doigts de ces anges             25
Tressaillir le livre de Dieu !

Dans d'autres poèmes, il s'abandonne au désespoir; ainsi dans celui qui commence par ces deux vers:

Oh ! Je fus comme fou dans le premier moment,
Hélas ! et je pleurai trois jours amèrement ...

Ou dans celui où il emprunte un titre à Jules César, changeant la fameuse parole, *Veni, Vidi, Vici,* en *Veni, Vidi, Vixi,* c'est à dire *j'ai fini de vivre, j'ai assez vécu:*

J'ai bien assez vécu, puisque dans mes douleurs
Je marche sans trouver de bras qui me secourent,
5 Puisque je ris à peine aux enfants qui m'entourent,
Puisque je ne suis plus réjoui par les fleurs;

Puisqu'au printemps, quand Dieu met la nature en fête,
J'assiste, esprit sans joie, à ce splendide amour;
Puisque je suis à l'heure où l'homme fuit le jour,
10 Hélas ! et sent de tout la tristesse secrète;

Puisque l'espoir serein dans mon âme est vaincu;
Puisqu'en cette saison des parfums et des roses,
O ma fille ! j'aspire à l'ombre où tu reposes,
Puisque mon cœur est mort, j'ai bien assez vécu....

Les plus beaux poèmes, cependant, sont ceux de l'acceptation à la volonté de Dieu, et surtout *À Villequier,* daté 4 septembre 1847. Chaque année, à la veille de l'anniversaire de la catastrophe V. Hugo quittait Paris pour se rendre sur la tombe de son enfant, dans le petit cimetière qui est à côté de l'église du village et qui domine la vallée de la Seine, magnifique en cet endroit; il ne renoncera à cette habitude qu'après 1851 quand il sera en exil.

## À Villequier

15 Maintenant que Paris, ses pavés et ses marbres,
Et sa brume et ses toits sont bien loin de mes yeux;
Maintenant que je suis sous les branches des arbres,
Et que je puis songer à la beauté des cieux;

Maintenant, ô mon Dieu ! que j'ai ce calme sombre
    De pouvoir désormais
Voir de mes yeux la pierre où je sais que dans l'ombre
    Elle dort pour jamais;

Maintenant qu'attendri par ces divins spectacles,     5
Plaines, forêts, rochers, vallons, fleuve argenté,
Voyant ma petitesse et voyant vos miracles,
Je reprends ma raison devant l'immensité;

Je viens à vous, Seigneur, père auquel il faut croire;
    Je vous porte, apaisé,     10
Les morceaux de ce cœur tout plein de votre gloire
    Que vous avez brisé;

Je viens à vous, Seigneur ! confessant que vous êtes
Bon, clément, indulgent et doux, ô Dieu vivant !
Je conviens que vous seul savez ce que vous faites,     15
Et que l'homme n'est rien qu'un jonc qui tremble au vent;

Je dis que le tombeau qui sur les morts se ferme
    Ouvre le firmament;
Et que ce qu'ici-bas nous prenons pour le terme
    Est le commencement;     20

Je conviens à genoux que vous seul, père auguste,
Possédez l'infini, le réel, l'absolu;
Je conviens qu'il est bon, je conviens qu'il est juste
Que mon cœur ait saigné, puisque Dieu l'a voulu !

Je sais que vous avez bien autre chose à faire     25
    Que de nous plaindre tous,
Et qu'un enfant qui meurt, désespoir de sa mère,
    Ne vous fait rien, à vous.

Je sais que le fruit tombe au vent qui le secoue,
Que l'oiseau perd sa plume et la fleur son parfum,
Que la création est une grande roue
Qui ne peut se mouvoir sans écraser quelqu'un;

5 Seigneur, je reconnais que l'homme est en délire
          S'il ose murmurer;
Je cesse d'accuser, je cesse de maudire,
          Mais laissez-moi pleurer !

Ne vous irritez pas que je sois de la sorte,
10 O mon Dieu ! cette plaie a si longtemps saigné !
L'angoisse dans mon âme est toujours la plus forte,
Et mon cœur est soumis, mais n'est pas résigné.

Ne vous irritez pas ! fronts que le deuil réclame,
          Mortels sujets aux pleurs,
15 Il nous est malaisé de retirer notre âme
          De ces grandes douleurs.

Voyez-vous, nos enfants nous sont bien nécessaires,
Seigneur; quand on a vu dans sa vie, un matin
Au milieu des ennuis, des peines, des misères,
20 Et de l'ombre que fait sur nous notre destin,

Apparaître un enfant, tête chère et sacrée,
          Petit être joyeux,
Si beau, qu'on a cru voir s'ouvrir à son entrée
          Une porte des cieux;

25 Quand on a vu, seize ans, de cet autre soi-même
Croître la grâce aimable et la douce raison,
Lorsqu'on a reconnu que cet enfant qu'on aime
Fait le jour dans notre âme et dans notre maison;

Que c'est la seule joie ici-bas qui persiste
De tout ce qu'on rêva,
Considérez que c'est une chose bien triste
De le voir qui s'en va !

## LE ROMAN

### *Les Misérables*

De fort bonne heure Victor Hugo avait été touché par les souf-frances du peuple et protestait contre des conditions sociales qui paraissaient écraser de plus en plus les infortunés au lieu de les soulager. Voir par exemple son poème ( Pour les pauvres ) dans les *Feuilles d'automne*, où il montre comment, bien naturellement, la pensée de ceux qui ont tant de biens

*Fermente en silence au cœur des misérables.*

Dès 1829 dans *Le dernier jour d'un condamné*, et en 1834 dans *Claude Gueux* (*Gueux*, nom fictif, = *outlaw*), V. Hugo élabore en romans deux cas de malheureux tombés sous le coup de la loi, mais pour les crimes desquels la société porte une grosse part de responsabilité. Le cas de Claude Gueux [1] avait beaucoup agité l'opinion publique en France, et en s'en servant comme d'une histoire symbolique, Hugo avait voulu réveiller la conscience morale de ses contemporains: « Tous les paragraphes de cette histoire, dit-il en terminant, pourraient servir de titre de chapitres au livre où serait résolu le grand problème du peuple au XIXᵉ siècle ». Ce livre, ce sera le grand roman *Les Misérables*, auquel V. Hugo travailla surtout entre 1845 et 48, bien qu'il ne l'ait publié qu'en 1862.[2] Et le « grand problème du peuple » sera résolu par la charité et la bonté, davantage même que par des lois, ou même par la religion des prêtres.[3]

---

[1] Le vrai nom de cet homme était Louis André. Voir *Revue de Paris*, 1 sept. 1913.

[2] Dès 1843 Eugène Sue avait publié son roman *Les Mystères de Paris*, qu'on a souvent rapproché des *Misérables*.

[3] Le roman ne subit pas d'altérations profondes par ce retard; il faut cependant remarquer que Victor Hugo, qui avait considéré comme fort important le rôle de l'Eglise dans la première partie, se montre beaucoup moins bien disposé envers elle après 1851; il lui en voulait alors, car elle avait appuyé Louis Bonaparte quand celui-ci se fit empereur, et l'auteur des *Misérables* fut un ennemi irréconci-

C'est l'histoire d'un forçat, Jean Valjean, un homme de cœur, qui, à l'âge de 25 ans, avait un jour, pour empêcher les enfants de sa sœur de mourir de faim, volé un pain. Il est envoyé aux galères, à Toulon, pour cette offense aux lois, essaie à plusieurs reprises de s'évader, — ce qui chaque fois prolonge sa peine. Enfin, après dix-neuf ans, il est libre. Mais ses « papiers » (passeport) indiquent qu'il a été galérien, et partout il est signalé comme un être dangereux. Il arrive un soir à Digne (entre Toulon et Grenoble). Repoussé de l'hôtellerie et de toute maison, il est recueilli enfin avec une bonté angélique par l'évêque Myriel. Mais le sens moral de Valjean a été émoussé par l'affreuse vie de forçat, et il succombe à la tentation de voler l'argenterie de l'évêque; arrêté par les gendarmes et ramené devant l'évêque, celui-ci refuse de l'accuser, lui donne ce qu'il a volé et même davantage. Cet acte de charité réveille en Valjean le sentiment de la bonté. Une dernière fois, cependant, il succombe (scène du vol d'une pièce d'argent au petit Gervais), mais aussitôt le remords s'empare de lui, et il se jure de vivre en honnête homme. Cependant la police le surveille constamment et la plus grande partie du roman décrira une lutte entre cet homme qui voudrait se vouer au bien, et la société qui, à cause de son passé, l'empêche de se réhabiliter.[1] On le retrouve cinq ans après, ayant pris le nom de monsieur Madeleine, dans la petite ville de Montreuil-sur-mer dont il est même devenu le maire. Grâce à une invention qu'il avait faite, il était devenu riche; il avait fondé une fabrique où il rend tout le monde heureux et prospère. Un jour il apprend qu'un autre a été arrêté sous le nom de Valjean et va être condamné aux galères; après quelques heures d'angoisse (fameux chapitre « Une tempête sous un crâne ») il va se livrer à la justice. Mais, il s'échappera de prison pour aller réaliser une promesse faite à une pauvre mère (Fantine) abandonnée par son séducteur et qui, en mourant d'épuisement, lui avait confié la mission de retrouver l'enfant et de la protéger. Il trouve la petite Cosette affreusement maltraitée par ses gardiens, l'arrache à ses persécuteurs, la ramène à Paris et concentre sur elle tout l'amour qui remplit son cœur charitable. La police peu après découvre son lieu de retraite; suit une fuite dramatique avec Cosette; Valjean réussit à se cacher dans un couvent (le couvent de Picpus) faisant les fonctions de jardinier. Cosette grandit. Valjean a quitté le couvent; et c'est alors que commence « L'idylle de la rue Plumet »,

---

liable de Napoléon III (voir plus bas). Certaines parties furent ajoutées au roman; ainsi la fameuse description de la bataille de Waterloo (II° Partie, Livre I).

[1] La société est personnifiée dans le roman par le terrible policier Javert.

c'est à dire l'idylle de Cosette avec un étudiant pauvre, du nom de Marius (V. Hugo profite de l'occasion pour nous décrire sa propre vie d'étudiant quand, subsistant sur une pension dérisoire que lui faisait son père, il travaillait ayant au cœur l'amour de sa fiancée Adèle Foucher).    Valjean continue à répandre partout autour de lui une atmosphère de générosité et de bonté; le terrible Javert lui-même, que Valjean a épargné lorsqu'il était à sa merci un jour de révolution à Paris en 1832, finit par être ému de tant de grandeur d'âme chez cet ancien forçat; et quand le jour arrive enfin où il pourrait arrêter Valjean, il se jette dans la Seine; car s'il doit arrêter Valjean selon sa consigne, il ne le peut pas selon sa conscience.    Marius après son mariage, ayant appris de la bouche de Valjean lui-même qu'il était un ancien forçat, avait accepté l'offre de celui-ci de voir moins souvent Cosette; mais il apprend qu'il doit lui-même la vie sauve à Valjean (car blessé lors de la révolution, c'était Valjean qui l'avait transporté en lieu sûr); il accourt avec Cosette; ils trouvent Valjean sur son lit de mort, si heureux de cette reconciliation avant de partir pour l'éternité.

[L'idée des *Misérables*, que l'homme n'est pas mauvais, mais que l'ordre social ne lui laisse souvent pas le choix d'être honnête, et puis surtout que les préjugés sociaux l'empêchent souvent de se réhabiliter quand il en a l'intention, est le développement de la pensée fondamentale de la philosophie sociale de J. J. Rousseau.]

Le succès du livre fut immédiat et mondial.    Il parut au moment où commençait en Amérique la Guerre de Sécession, et on dit que les soldats américains le portaient dans leurs musettes.

Voici l'*Avant-Propos* de Victor Hugo à son roman:

*Tant qu'il existera, par le fait des lois et des mœurs, une damnation sociale créant artificiellement, en pleine civilisation, des enfers, et compliquant d'une fatalité humaine la destinée qui est divine; tant que les trois problèmes du siècle, la dégradation de l'homme par le prolétariat, la déchéance de la femme par la faim, l'atrophie de l'enfant par la nuit, ne seront pas résolus; tant que, dans certaines régions, l'asphyxie sociale sera possible; en d'autres termes, et à un autre point de vue plus étendu encore, tant qu'il y aura sur la terre ignorance et misère, des livres de la nature de celui-ci pourront ne pas être inutiles.*

## L'évêque Myriel

Jean Valjean, l'ancien forçat, chassé de partout quand il cherche un gîte pour la nuit et un morceau de pain, est recueilli par l'évêque Myriel,[1] surnommé Monseigneur Bienvenu.

Il y a au coin de la place de la Cathédrale une imprimerie. Épuisé de fatigue et n'espérant plus rien, Jean Valjean se coucha sur le banc de pierre qui est à la porte de cette imprimerie.

5	Une vieille femme sortait de l'église en ce moment. Elle vit cet homme étendu dans l'ombre. — Que faites-vous là, mon ami ? dit-elle.

Il répondit durement et avec colère: — Vous le voyez, bonne femme, je me couche.

10	— Sur ce banc ? reprit-elle.

— J'ai eu pendant dix-neuf ans un matelas de bois, dit l'homme; j'ai aujourd'hui un matelas de pierre.

— Vous avez été soldat ?

— Oui, bonne femme. Soldat.

15	— Pourquoi n'allez-vous pas à l'auberge ?

— Parce que je n'ai pas d'argent.

— Hélas, je n'ai dans ma bourse que quatre sous.

— Donnez toujours.

L'homme prit les quatre sous.

20	— Vous ne pouvez vous loger avec si peu dans une auberge. Avez-vous essayé pourtant ? Il est impossible que vous passiez ainsi la nuit. Vous avez sans doute froid et faim. On aurait pu vous loger par charité.

— J'ai frappé à toutes les portes.

[1] V. Hugo a emprunté à la réalité les deux personnages de l'évêque Myriel — Monseigneur Viollis, de Digne, et de Jean Valjean — Pierre Maurin, forçat libéré (Voir E. Benoit-Lévy, *Les Misérables*, Paris, 1929, chap. II).

— Eh bien ?

— Partout on m'a chassé.

La « bonne femme » toucha le bras de l'homme et lui montra de l'autre côté de la place une petite maison basse à côté de l'évêché.

— Vous avez, reprit-elle, frappé à toutes les portes ?

— Oui.

— Avez-vous frappé à celle-là ?

— Non.

— Frappez-y.

10

\*   \*   \*

Ce soir-là, M. l'évêque de Digne, après sa promenade en ville, était resté assez tard enfermé dans sa chambre. Il travaillait encore à huit heures quand madame Magloire [1] entra, selon son habitude, pour prendre l'argenterie dans le placard près du lit.  Un moment après, l'évêque, 15 sentant que le couvert était mis et que sa sœur [2] l'attendait peut-être, ferma son livre, se leva de sa table, et entra dans la salle à manger.

Au moment où M. l'évêque entra, madame Magloire parlait avec quelque vivacité. Elle entretenait *made-* 20 *moiselle* d'un sujet qui lui était familier et auquel l'évêque était accoutumé.  Il s'agissait du loquet de la porte d'entrée.

Il paraît que, tout en allant faire quelques provisions pour le souper, madame Magloire avait entendu dire 25 des choses en divers lieux.  On parlait d'un rôdeur de mauvaise mine; qu'un vagabond suspect serait arrivé, qu'il devait être quelque part dans la ville, que la police

---

[1] La femme de ménage de l'évêque.
[2] Mademoiselle Baptistine.

était bien mal faite du reste, attendu que M. le préfet et
M. le maire ne s'aimaient pas, et cherchaient à se nuire
en faisant arriver des événements. Que c'était donc aux
gens sages à faire la police eux-mêmes et à se bien garder,
5 et qu'il faudrait avoir soin de *bien fermer ses portes*.

— Mon frère, dit Mademoiselle Baptistine, entendez-
vous ce que dit madame Magloire ?

— J'en ai entendu vaguement quelque chose, répondit l'évêque. Voyons. Qu'y a-t-il ? qu'y a-t-il ? nous
10 sommes donc dans quelque gros danger ?

Alors madame Magloire recommença toute l'histoire,
en l'exagérant quelque peu, sans s'en douter. Il paraîtrait qu'un bohémien, un va-nu-pieds, une espèce de
mendiant dangereux serait en ce moment dans la ville.
15 Un homme de sac et de corde [1] avec une figure terrible.

— Vraiment ! dit l'évêque.

— Oui, monseigneur. C'est comme cela. Il y aura
quelque malheur cette nuit dans la ville. Tout le monde
le dit. Et si monseigneur le permet, je vais aller dire à
20 Paulin Musebois, le serrurier, qu'il vienne remettre les anciens verrous de la porte ; on les a là, c'est une minute ;
et je dis qu'il faut des verrous, monseigneur, ne serait-ce
que pour cette nuit ; car je dis qu'une porte qui s'ouvre du
dehors avec un loquet, par le premier passant venu, rien
25 n'est plus terrible ; avec cela que monseigneur a l'habitude
de toujours dire d'entrer, et que d'ailleurs, même au milieu de la nuit, ô mon Dieu ! on n'a pas besoin d'en demander la permission. . . .

En ce moment, on frappa à la porte un coup assez vio-
30 lent.

— Entrez, dit l'évêque.

---

[1] méritant les châtiments capitaux, comme la corde.

* * *

La porte s'ouvrit. Un homme entra. Cet homme, nous le connaissons déjà. C'est le voyageur que nous avons vu tout à l'heure errer cherchant un gîte.

Madame Magloire n'eut pas même la force de jeter un cri. Elle tressaillit, et resta béante.                5

Mademoiselle Baptistine se retourna, aperçut l'homme qui entrait et se dressa à demi d'effarement, puis, ramenant peu à peu sa tête vers la cheminée, elle se mit à regarder son frère, et son visage redevint profondément calme et serein.                10

L'évêque fixait sur l'homme un œil tranquille. Comme il ouvrait la bouche, sans doute pour demander au nouveau venu ce qu'il désirait, l'homme promena ses yeux tour à tour sur le vieillard et les femmes, et, sans attendre que l'évêque parlât, dit d'une voix haute:                15

—Voici. Je m'appelle Jean Valjean. Je suis un galérien. J'ai passé dix-neuf ans au bagne. Je suis libéré depuis quatre jours et en route pour Pontarlier qui est ma destination. Ce soir, en arrivant dans ce pays, j'ai été dans une auberge, on m'a renvoyé à cause de mon passe- 20 port jaune que j'avais montré à la mairie. Il avait fallu. J'ai été à une autre auberge. On m'a dit: Va-t'en ! Chez l'un, chez l'autre. Personne n'a voulu de moi. J'ai été à la prison, le guichetier ne m'a pas ouvert. J'ai été dans la niche d'un chien. Ce chien m'a mordu et m'a chassé, 25 comme s'il avait été un homme. Je m'en suis allé dans les champs pour coucher à la belle étoile. J'ai pensé qu'il pleuvrait, et qu'il n'y avait pas de bon Dieu pour empêcher de pleuvoir, et je suis rentré dans la ville pour y trouver le renfoncement d'une porte. Là, dans la place, j'allais 30 me coucher sur une pierre, une bonne femme m'a montré

votre maison et m'a dit: Frappe là. J'ai frappé. Qu'-
est ce que c'est ici ? êtes-vous une auberge ? J'ai de l'argent.
Ma masse.[1]  Cent neuf francs quinze sous que j'ai gagnés
au bagne par mon travail en dix-neuf ans.  Je payerai.
5 Voulez-vous que je reste ?

— Madame Magloire, dit l'évêque, vous mettrez un
couvert de plus.

L'homme fit trois pas et s'approcha de la lampe qui
était sur la table. — Tenez, reprit-il, comme s'il n'avait
10 pas bien compris, ce n'est pas ça.  Avez-vous entendu ?
Je suis un galérien.  Un forçat.  Je viens des galères.
— Il tira de sa poche une grande feuille de papier jaune
qu'il déplia. — Voilà mon passe-port.  Jaune, comme
vous voyez.  Tenez, voilà ce qu'on a mis sur le passe-
15 port: « Jean Valjean, forçat libéré, natif de ... Cela
vous est égal ? ... — Est resté dix-neuf ans au bagne.
Cinq ans pour vol avec effraction.  Quatorze ans pour
avoir tenté de s'évader quatre fois.  Cet homme est très
dangereux. »

20 — Madame Magloire, dit l'évêque, vous mettrez des
draps blancs au lit de l'alcôve.

Madame Magloire sortit pour exécuter ces ordres.

L'évêque se tourna vers l'homme:

— Monsieur, asseyez-vous et chauffez-vous.  Nous
25 allons souper dans un instant, et l'on fera votre lit pendant que vous souperez.

Ici l'homme comprit tout à fait.  L'expression de son
visage, jusqu'alors sombre et dure, s'empreignit de stu-
péfaction, de doute, de joie, et devint extraordinaire.  Il
30 se mit à balbutier comme un homme fou:

— Vrai ? quoi ! vous me gardez ? vous ne me chassez pas ?

[1] Nom donné à l'argent gagné au bagne et remis au forçat libéré au
jour de sa sortie.

un forçat ! vous m'appelez *monsieur !* vous ne me tutoyez
pas ? va-t'en, chien ! qu'on me dit toujours. Je croyais
bien que vous me chasseriez. Aussi j'avais dit tout de
suite qui je suis. Pardon, monsieur l'aubergiste, comment
vous appelez-vous ? je payerai tout ce qu'on voudra. 5
Vous êtes un brave homme. Vous êtes aubergiste, n'est-ce
pas ?

— Je suis, dit l'évêque, un prêtre qui demeure ici.

— Un prêtre ! reprit l'homme. Oh ! un brave homme
de prêtre ! C'est bien bon un bon prêtre. Alors vous 10
n'avez pas besoin que je paye ?

— Non, dit l'évêque, gardez votre argent. Combien
avez-vous ? ne m'avez-vous pas dit cent neuf francs ?

— Quinze sous, ajouta l'homme.

— Cent neuf francs quinze sous. Et combien de temps 15
avez-vous mis à gagner cela ?

— Dix-neuf ans.

— Dix-neuf ans !

L'évêque soupira profondément.

Madame Magloire rentra. Elle apportait un couvert 20
qu'elle mit sur la table.

— Madame Magloire, dit l'évêque, mettez ce couvert
le plus près possible du feu. — Et se tournant vers son
hôte : — Le vent de nuit est dur dans les Alpes. Vous
devez avoir froid, monsieur ? 25

Chaque fois qu'il disait ce mot *monsieur*, avec sa voix
doucement grave et de si bonne compagnie, le visage de
l'homme s'illuminait.

— Voici, reprit l'évêque, une lampe qui éclaire bien mal.

Madame Magloire comprit, et elle alla chercher sur la 30
cheminée de la chambre à coucher de monseigneur les
deux chandeliers d'argent qu'elle posa sur la table tout
allumés.

— Monsieur le curé, dit l'homme, vous êtes bon, vous
ne me méprisez pas.  Vous me recevez chez vous.  Je
ne vous ai pourtant pas caché d'où je viens et que je suis
un homme malheureux.

5      L'évêque le regarda et lui dit:

— Vous avez bien souffert ?

— Oh ! la casaque rouge, le boulet au pied, une planche
pour dormir, le chaud, le froid, le travail, la chiourme,
les coups de bâton !  La double chaîne pour rien.  Le
10 cachot pour un mot.  Même malade au lit, la chaîne.
Les chiens, les chiens sont plus heureux !  Dix-neuf ans !
J'en ai quarante-six.  A présent le passe-port jaune.
Voilà.

— Oui, reprit l'évêque, vous sortez d'un lieu de tris-
15 tesse.  Écoutez.  Il y aura plus de joie au ciel pour le
visage en larmes d'un pécheur repentant que pour la
robe blanche de cent justes.  Si vous sortez de ce lieu
douloureux avec des pensées de haine et de colère contre
les hommes, vous êtes digne de pitié; si vous en sortez
20 avec des pensées de bienveillance, de douceur et de paix,
vous valez mieux qu'aucun de nous.

Cependant madame Magloire avait servi le souper.

Le visage de l'évêque prit tout à coup cette expression
de gaîté propre aux natures hospitalières: — À table !
25 dit-il vivement. — Comme il en avait coutume lorsque
quelque étranger soupait avec lui, il fit asseoir l'homme
à sa droite.  Mademoiselle Baptistine, parfaitement paisible et naturelle, prit place à sa gauche.

L'évêque dit le bénédicité, puis servit lui-même la
30 soupe, selon son habitude.  L'homme se mit à manger
avidement.

\* \* \*

Après avoir donné le bonsoir à sa sœur, monseigneur Bienvenu prit sur la table un des deux flambeaux d'argent, remit l'autre à son hôte, et lui dit:

— Monsieur, je vais vous conduire à votre chambre.

L'homme le suivit. 5

L'évêque installa son hôte dans l'alcôve. Un lit blanc et frais y était dressé. L'homme posa le flambeau sur une petite table.

— Allons, dit l'évêque, faites une bonne nuit. Demain matin, avant de partir, vous boirez une tasse de lait de 10 nos vaches, tout chaud.

— Merci, monsieur l'abbé, dit l'homme.

À peine eut-il prononcé ces paroles pleines de paix, que, tout à coup et sans transition, il eut un mouvement étrange et qui eût glacé d'épouvante les deux saintes 15 filles, si elles en eussent été témoins. Il se tourna brusquement vers le vieillard, croisa les bras, et, fixant sur son hôte un regard sauvage, il s'écria d'une voix rauque:

— Ah! çà, décidément! vous me logez chez vous, près de vous comme cela! 20

Il s'interrompit et ajouta avec un rire où il y avait quelque chose de monstrueux:

— Avez-vous bien fait toutes vos réflexions? Qui est-ce qui vous dit que je n'ai pas assassiné?

L'évêque répondit: 25

— Cela regarde le bon Dieu.

[Ici se place la scène où, Jean Valjean ne pouvant dormir, sort de la maison par la fenêtre, emportant l'argenterie de l'évêque.]

Le lendemain, au soleil levant, monseigneur Bienvenu se promenait dans son jardin. Madame Magloire accourut vers lui toute bouleversée.

— Monseigneur, monseigneur, cria-t-elle, votre grandeur sait-elle où est le panier d'argenterie ?

— Oui, dit l'évêque.

— Jésus-Dieu soit béni ! reprit-elle.　Je ne savais ce
5 qu'il était devenu.

L'évêque venait de ramasser le panier dans une plate-
bande.　Il le présenta à Madame Magloire.

— Le voilà.

— Eh bien ? dit-elle.　Rien dedans ? et l'argenterie ?

10 — Ah ! repartit l'évêque.　C'est donc l'argenterie qui
vous occupe ?　Je ne sais où elle est.

— Grand bon Dieu ! elle est volée ! c'est l'homme d'hier
soir qui l'a volée !

Tout en poussant cette exclamation, ses yeux tombaient
15 sur un angle du jardin où l'on voyait des traces d'escalade.
Le chevron du mur avait été arraché.

— Tenez ! c'est par là qu'il s'en est allé.　Ah ! l'abo-
mination ! il nous a volé notre argenterie !

L'évêque resta un moment silencieux, puis leva son
20 œil sérieux, et dit à madame Magloire avec douceur:

— Et d'abord, cette argenterie était-elle à nous ?

Madame Magloire resta interdite.　Il y eut encore un
silence, puis l'évêque continua:

— Madame Magloire, je détenais à tort depuis
25 longtemps cette argenterie.　Elle était aux pauvres.
Qu'était-ce que cet homme ?　Un pauvre évidemment.

Quelques instants après, il déjeunait à cette même
table où Jean Valjean s'était assis la veille.　Tout en dé-
jeunant, monseigneur Bienvenu faisait gaîment remarquer
30 à sa sœur qui ne disait rien et à madame Magloire qui
grommelait sourdement, qu'il n'est nullement besoin d'une
cuiller ni d'une fourchette, même en bois, pour tremper un
morceau de pain dans une tasse de lait.

Comme le frère et la sœur allaient se lever de table, on frappa à la porte.

— Entrez, dit l'évêque.

La porte s'ouvrit. Un groupe étrange et violent apparut sur le seuil. Trois hommes en tenaient un quatrième au collet. Les trois hommes étaient des gendarmes; l'autre était Jean Valjean.

Un brigadier de gendarmerie, qui semblait conduire le groupe, était près de la porte. Il entra et s'avança vers l'évêque en faisant le salut militaire.

Cependant monseigneur Bienvenu s'était approché aussi vivement que son grand âge le lui permettait.

— Ah ! vous voilà ! s'écria-t-il en regardant Jean Valjean. Je suis aise de vous voir. Eh bien, mais ! je vous avais donné les chandeliers aussi, qui sont en argent comme le reste et dont vous pourrez bien avoir deux cents francs. Pourquoi ne les avez-vous pas emportés avec vos couverts ?

Jean Valjean ouvrit les yeux et regarda le vénérable évêque avec une expression qu'aucune langue humaine ne pourrait rendre.

— Monseigneur, dit le brigadier de gendarmerie, ce que cet homme disait était donc vrai ? Nous l'avons rencontré. Il avait cette argenterie.

— Et il vous a dit, interrompit l'évêque en souriant, qu'elle lui avait été donnée par un vieux bonhomme de prêtre chez lequel il avait passé la nuit ? Je vois la chose. Et vous l'avez ramené ici ? C'est une méprise.

— Comme cela, reprit le brigadier, nous pouvons le laisser aller ?

— Sans doute, répondit l'évêque.

Les gendarmes lâchèrent Jean Valjean qui recula.

— Est-ce que c'est vrai qu'on me laisse ? dit-il d'une

voix presque inarticulée et comme s'il parlait dans le sommeil.

— Mon ami, reprit l'évêque, avant de vous en aller, voici vos chandeliers. Prenez-les.

5 Il alla à la cheminée, prit les deux flambeaux d'argent et les apporta à Jean Valjean. Les deux femmes le regardaient faire sans un mot. Jean Valjean tremblait de tous ses membres. Il prit les deux chandeliers machinalement et d'un air égaré.

10 — Maintenant, dit l'évêque, allez en paix.

Puis se tournant vers la gendarmerie:

— Messieurs, vous pouvez vous retirer.

Les gendarmes s'éloignèrent.

Jean Valjean était comme un homme qui va s'éva-
15 nouir.

L'évêque s'approcha de lui, et lui dit à voix basse:

— N'oubliez pas, n'oubliez jamais que vous m'avez promis d'employer cet argent à devenir honnête homme.

Jean Valjean, qui n'avait aucun souvenir d'avoir rien
20 promis, resta interdit. L'évêque avait appuyé sur ces paroles en les prononçant. Il reprit avec solennité:

— Jean Valjean, mon frère, vous n'appartenez plus au mal, mais au bien. C'est votre âme que je vous achète; je la retire aux pensées noires et à l'esprit de perdition, et
25 je la donne à Dieu.

Jean Valjean est tenté une fois encore par l'esprit mauvais, et succombe. Mais il n'a pas plus tôt commis son vol que sa conscience se réveille. Il se souvient de sa promesse à l'évêque de vivre en honnête homme. Dorénavant il mettra sa vie au service des autres, « misérables » comme lui.

## Cosette

Cosette était la fille de Fantine, une pauvre ouvrière de Montreuil-sur-Mer, sa ville natale. Fantine était allée à Paris où un homme

l'avait séduite et puis abandonnée avec l'enfant. Elle était revenue à
Montreuil-sur-Mer dont Jean Valjean, sous le nom de Monsieur
Madeleine était alors le maire. Comme elle n'était pas mariée, elle ne
pouvait garder son enfant auprès d'elle; elle la mit en pension chez
les Thénardier, sinistre couple qui tenait une auberge mal famée à
Montfermeil, à l'entrée de Paris. Fantine se tue de travail. De son
côté, Cosette, malgré l'argent payé pour sa pension, doit travailler
comme une servante et est constamment battue; elle ne connaît
aucune des joies de l'enfance. Puis la mère tombe malade d'épuisement. C'est alors que Monsieur Madeleine entendit parler d'elle,
car elle travaillait dans sa fabrique. Il était devenu très riche; il lui
promit quand il vit qu'elle allait mourir, d'aller chercher sa petite
Cosette et de s'occuper d'elle. Il fit bien plus que cela, il devint son
ange gardien.

Montfermeil est situé entre Livry et Chelles, sur la
lisière méridionale de ce haut plateau qui sépare l'Ourcq
de la Marne. Aujourd'hui c'est un assez gros bourg,
orné, toute l'année, de villas en plâtre, et, le dimanche,
de bourgeois épanouis. En 1823, il n'y avait à Mont-   5
fermeil ni tant de maisons blanches ni tant de bourgeois
satisfaits; ce n'était qu'un village dans les bois. C'était
un endroit paisible et charmant, qui n'était sur la route
de rien; on y vivait à bon marché de cette vie paysanne
si abondante et si facile. Seulement l'eau y était rare à 10
cause de l'élévation du plateau.

Il fallait aller la chercher assez loin. C'était donc une
assez rude besogne pour chaque ménage que cet approvi-
sionnement de l'eau.

C'était là la terreur de la petite Cosette. Cosette était 15
utile aux Thénardier de deux manières, ils se faisaient
payer par la mère et ils se faisaient servir par l'enfant.
Elle leur remplaçait une servante. En cette qualité, c'était
elle qui courait chercher de l'eau quand il en fallait. Aussi
l'enfant, fort épouvantée de l'idée d'aller à la source la nuit, 20
avait-elle grand soin que l'eau ne manquât jamais à la
maison.

Dans la soirée même de Noël, plusieurs hommes, rou-
liers et colporteurs, étaient attablés et buvaient autour
de quatre ou cinq chandelles dans la salle basse de l'auberge Thénardier.  Cosette était à sa place ordinaire, assise
5 sur la traverse de la table de cuisine près de la cheminée.
Elle était en haillons, elle avait ses pieds nus dans des
sabots, et elle tricotait à la lueur du feu des bas de laine
destinés aux petites Thénardier.

Il était arrivé quatre nouveaux voyageurs.

10　Cosette songeait tristement; car, quoiqu'elle n'eût que
huit ans, elle avait déjà tant souffert qu'elle rêvait avec
l'air lugubre d'une vieille femme.  Elle avait la paupière
noire d'un coup de poing que la Thénardier lui avait donné,
ce qui faisait de temps en temps dire à la Thénardier: —
15 Est-elle laide avec son pochon sur l'œil.

Cosette pensait donc qu'il était nuit, très nuit, qu'il
avait fallu remplir à l'improviste les pots et les carafes
dans les chambres des voyageurs survenus, et qu'il n'y
avait plus d'eau dans la fontaine.  Ce qui la rassurait
20 un peu, c'est qu'on ne buvait pas beaucoup d'eau dans
la maison Thénardier.  Il ne manquait pas là de gens
qui avaient soif; mais c'était de cette soif qui s'adresse
plus volontiers au broc qu'à la cruche.

Tout à coup, un des marchands colporteurs logés dans
25 l'auberge entra, et dit d'une voix dure:

— On n'a pas donné à boire à mon cheval.

— Au fait, c'est juste, dit la Thénardier, si cette bête
n'a pas bu, il faut qu'elle boive.

Puis, regardant autour d'elle:

30　— Eh bien, où est donc cette autre ?

Elle se pencha et découvrit Cosette blottie à l'autre
bout de la table, presque sous les pieds des buveurs.

— Vas-tu venir ? cria la Thénardier.

Cosette sortit de l'espèce de trou où elle s'était cachée. La Thénardier reprit:

— Mademoiselle Chien-faute-de-nom, va porter à boire à ce cheval.

— Mais, madame, dit Cosette faiblement, c'est qu'il n'y a pas d'eau.

La Thénardier ouvrit toute grande la porte de la rue:

— Eh bien, va en chercher !

Puis elle fouilla dans un tiroir où il y avait des sous, du poivre et des échalotes.

— Tiens, mamselle Crapaud, ajouta-t-elle, en revenant tu prendras un gros pain chez le boulanger. Voilà une pièce de quinze sous.

Cosette avait une petite poche de côté à son tablier; elle prit la pièce sans dire un mot, et la mit dans cette poche. Puis elle resta immobile le seau à la main, la porte ouverte devant elle.

— Va donc ! cria la Thénardier.

Cosette sortit. La porte se referma.

Cosette traversa le labyrinthe de rues tortueuses et désertes qui termine du côté de Chelles le village de Montfermeil. Tant qu'elle eut des maisons et même seulement des murs des deux côtés de son chemin, elle alla assez hardiment. De temps en temps, elle voyait le rayonnement d'une chandelle à travers la fente d'un volet, c'était de la lumière et de la vie, il y avait là des gens, cela la rassurait. Cependant, à mesure qu'elle avançait, sa marche se ralentissait comme machinalement. Quand elle eut passé l'angle de la dernière maison, Cosette s'arrêta. Aller au delà de la dernière boutique avait été difficile; aller plus loin que la dernière maison, cela devenait impossible. — Bah ! dit-elle, je lui dirai qu'il n'y avait plus d'eau ! — Et elle rentra résolûment dans Montfermeil.

À peine eut-elle fait cent pas qu'elle s'arrêta encore.
Maintenant, c'était la Thénardier qui lui apparaissait;
la Thénardier hideuse avec sa bouche d'hyène et la colère
flamboyante dans les yeux.   L'enfant jeta un regard
5 lamentable en avant et en arrière.   Que faire ? que devenir ?
où aller?   Devant elle le spectre de la Thénardier; derrière
elle tous les fantômes de la nuit et des bois.   Ce fut devant
la Thénardier qu'elle recula.   Elle reprit le chemin de la
source et se mit à courir.   Tout en courant elle avait envie
10 de pleurer.   Le frémissement nocturne de la forêt l'en-
veloppait tout entière.

Il n'y avait que sept ou huit minutes de la lisière du
bois à la source.   Cosette connaissait le chemin pour
l'avoir fait plusieurs fois le jour.   Elle ne jetait les yeux
15 ni à droite ni à gauche, de crainte de voir des choses dans
les branches et dans les broussailles.   Elle arriva ainsi à la
source.

Cosette ne prit pas le temps de respirer.   Il faisait
très noir, mais elle avait l'habitude de venir à cette fon-
20 taine.   Elle chercha de la main gauche dans l'obscurité un
jeune chêne incliné sur la source qui lui servait ordinairement de point d'appui, rencontra une branche,
s'y suspendit, se pencha et plongea le seau dans
l'eau.   Pendant qu'elle était ainsi penchée, elle ne
25 fit pas attention que la poche de son tablier se vidait
dans la source.   La pièce de quinze sous tomba dans
l'eau.   Cosette ne la vit ni ne l'entendit tomber.   Elle
retira le seau presque plein et le posa sur l'herbe.

Cela fait, elle s'aperçut qu'elle était épuisée de lassi-
30 tude.   Elle fut bien forcée de s'asseoir.   Elle se laissa
tomber sur l'herbe et y demeura accroupie.   Elle ferma
les yeux, puis elles les rouvrit, sans savoir pourquoi, mais
ne pouvant faire autrement.

Alors, par une sorte d'instinct, pour sortir de cet état singulier qu'elle ne comprenait pas, mais qui l'effrayait, elle se mit à compter à haute voix un, deux, trois, quatre, jusqu'à dix, et, quand elle eut fini, elle recommença. Cela lui rendit la perception vraie des choses qui l'entouraient. 5 Elle sentit le froid à ses mains qu'elle avait mouillées en puisant de l'eau. Elle se leva. Son regard tomba sur le seau qui était devant elle. Elle saisit l'anse à deux mains. Elle eut de la peine à soulever le seau.

Elle fit ainsi une douzaine de pas, mais le seau était 10 plein, il était lourd, elle fut forcée de le reposer à terre. Elle respira un instant, puis elle enleva l'anse de nouveau, et se remit à marcher, cette fois un peu plus longtemps. Mais il fallut s'arrêter encore. Après quelques secondes de repos, elle repartit. Elle marchait penchée 15 en avant, la tête baissée, comme une vieille; le poids du seau tendait et roidissait ses bras maigres; l'anse de fer achevait d'engourdir et de geler ses petites mains mouillées; de temps en temps elle était forcée de s'arrêter, et chaque fois qu'elle s'arrêtait l'eau froide qui 20 débordait du seau tombait sur ses jambes nues. Cela se passait au fond d'un bois, la nuit, en hiver, loin de tout regard humain; c'était un enfant de huit ans. Il n'y avait que Dieu en ce moment qui voyait cette chose triste. 25

Cependant elle ne pouvait pas faire beaucoup de chemin de la sorte, et elle allait bien lentement. Elle avait beau diminuer la durée des stations et marcher entre chaque le plus longtemps possible, elle pensait avec angoisse qu'il lui faudrait plus d'une heure pour retourner 30 ainsi à Montfermeil et que la Thénardier la battrait. Cette angoisse se mêlait à son épouvante d'être seule dans le bois la nuit. Elle était harassée de fatigue et

n'était pas encore sortie de la forêt.  Parvenue près d'un
vieux châtaignier qu'elle connaissait, elle fit une dernière
halte plus longue que les autres pour se bien reposer,
puis elle rassembla toutes ses forces, reprit le seau et se
5 remit à marcher courageusement.  Cependant le pauvre
petit être désespéré ne put s'empêcher de s'écrier: O
mon Dieu ! mon Dieu !

En ce moment, elle sentit tout à coup que le seau ne
pesait plus rien.  Une main, qui lui parut énorme, venait
10 de saisir l'anse et la soulevait vigoureusement.  Elle leva
la tête.  Une grande forme noire, droite et debout, marchait auprès d'elle dans l'obscurité.  C'était un homme
qui était arrivé derrière elle et qu'elle n'avait pas entendu
venir.  Cet homme, sans dire un mot, avait empoigné
15 l'anse du seau qu'elle portait.

Il y a des instincts pour toutes les rencontres de la
vie.  L'enfant n'eut pas peur.

L'homme lui adressa la parole.  Il parlait d'une voix
grave et presque basse.

20 — Mon enfant, c'est bien lourd pour vous ce que vous
portez là.

Cosette leva la tête et répondit:

— Oui, monsieur.

— Donnez, reprit l'homme, je vais vous le porter.

25 Cosette lâcha le seau.  L'homme se mit à cheminer près
d'elle.

— C'est très lourd, en effet, dit-il entre ses dents.
Puis il ajouta:

— Petite, quel âge as-tu ?

30 — Huit ans, monsieur.

L'homme resta un moment sans parler, puis il dit
brusquement:

— Tu n'as donc pas de mère ?

— Je ne sais pas, répondit l'enfant.

Avant que l'homme eût eu le temps de reprendre la parole, elle ajouta:

— Je ne crois pas. Les autres en ont. Moi, je n'en ai pas.                                                                    5

Et après un silence, elle reprit:

— Je crois que je n'en ai jamais eu.

L'homme s'arrêta, il posa le seau à terre, se pencha et mit ses deux mains sur les deux épaules de l'enfant, faisant effort pour la regarder et voir son visage dans l'obscu-  10
rité.

— Comment t'appelles-tu ? dit l'homme.

— Cosette.

L'homme eut comme une secousse électrique. Il la regarda encore, puis il ôta ses mains de dessus les épaules  15
de Cosette, saisit le seau, et se remit à marcher.

Au bout d'un instant, il demanda:

— Petite, où demeures-tu ?

— À Montfermeil, si vous connaissez.

Il fit encore une pause, puis il recommença:             20

— Qui est-ce donc qui t'a envoyée à cette heure cher-cher de l'eau dans le bois ?

— C'est madame Thénardier.

— Qu'est-ce qu'elle fait, ta madame Thénardier ?

— C'est ma bourgeoise, dit l'enfant. Elle tient l'au-  25
berge.

— L'auberge ? dit l'homme. Eh bien, je vais aller y loger cette nuit. Conduis-moi.

— Nous y allons, dit l'enfant.

L'homme marchait assez vite. Cosette le suivait sans  30
peine. Elle ne sentait plus la fatigue. De temps en temps, elle levait les yeux vers cet homme avec une sorte de tranquillité et d'abandon inexprimable.

Quelques minutes s'écoulèrent.  L'homme reprit:

— Est-ce qu'il n'y a pas de servante chez madame Thénardier ?

— Non, monsieur.

5   — Est-ce que tu es seule ?

— Oui, monsieur.

Il y eut encore une interruption.  Cosette éleva la voix.

— C'est-à-dire, il y a deux petites filles.

— Quelles petites filles ?

10   — Ponine et Zelma.

— Qu'est que c'est que Ponine et Zelma ?

— Ce sont les demoiselles de madame Thénardier.

— Et que font-elles, celles-là ?

— Oh ! dit l'enfant, elles ont de belles poupées.  Elles
15 jouent, elles s'amusent.

— Et toi ?

— Moi, je travaille.

— Toute la journée ?

L'enfant leva ses grands yeux où il y avait une larme
20 qu'on ne voyait pas à cause de la nuit, et répondit doucement:

— Oui, monsieur.

Elle poursuivit, après un intervalle de silence:

— Des fois, quand j'ai fini l'ouvrage et qu'on veut bien,
25 je m'amuse aussi.

— Comment t'amuses-tu ?

— Comme je peux.  On me laisse.  Mais je n'ai pas beaucoup de joujoux.  Je n'ai qu'un petit sabre en plomb, pas plus long que ça.

30   L'enfant montrait son petit doigt.

Ils atteignirent le village; Cosette guida l'étranger dans les rues.  Ils passèrent devant la boulangerie, mais Cosette ne songea pas au pain qu'elle devait rapporter.

Comme ils approchaient de l'auberge, Cosette lui toucha
le bras timidement:

— Monsieur ?

— Quoi, mon enfant ?

— Nous voilà tout près de la maison.                    5

Un instant après, ils étaient à la porte de la gargote.

Cosette ne put s'empêcher de jeter un regard de côté
à la grande poupée étalée chez le bimbelotier, puis elle
frappa.  La porte s'ouvrit.  La Thénardier parut une
chandelle à la main.                                   10

— Ah ! c'est toi, petite gueuse ! Tu y as mis le temps !
elle se sera amusée, la drôlesse !

— Madame, dit Cosette toute tremblante, voilà un
monsieur qui vient loger.

La Thénardier remplaça bien vite sa mine bourrue 15
par sa grimace aimable, changement à vue propre aux
aubergistes, et chercha avidement des yeux le nouveau
venu.

— C'est monsieur ? dit-elle.

— Oui, madame, répondit l'homme en portant la main 20
à son chapeau.

[Après quelques pourparlers, l'affaire est arrangée; l'homme — qui
est Jean Valjean — va coucher à l'auberge.  Le voici devant un verre
de vin:]

L'homme, qui avait à peine trempé ses lèvres dans le
verre de vin qu'il s'était versé, considérait l'enfant avec
une attention étrange.

Cosette était laide.  Heureuse, elle eût peut-être été 25
jolie.  Nous avons déjà esquissé cette petite figure sombre.  Cosette était maigre et blême; elle avait près de
huit ans, on lui en eût donné à peine six.  Ses grands yeux
enfoncés dans une sorte d'ombre étaient presque éteints à
force d'avoir pleuré.  Les coins de sa bouche avaient cette 30

courbe de l'angoisse habituelle, qu'on observe chez les
condamnés et chez les malades désespérés.  Toute la
personne de cette enfant, son allure, son attitude, le son de
sa voix, ses intervalles entre un mot et l'autre, son regard,
5 son silence, son moindre geste exprimaient et traduisaient
une seule idée, la crainte.

Cette crainte était telle qu'en arrivant, toute mouillée
comme elle était, Cosette n'avait pas osé s'aller sécher
au feu et s'était remise silencieusement à son travail.

10 L'homme à la redingote jaune ne quittait pas Cosette
des yeux.

Tout à coup la Thénardier s'écria:

— À propos ! et ce pain ?

Cosette, selon sa coutume toutes les fois que la Thé-
15 nardier élevait la voix, sortit bien vite de dessous la table.

Elle avait complètement oublié ce pain.  Elle eut recours à l'expédient des enfants toujours effrayés.  Elle
mentit.

— Madame, le boulanger était fermé.

20 — Je saurai demain si c'est vrai, dit la Thénardier, et
si tu mens tu auras une fière danse.  En attendant, rends-
moi la pièce de quinze-sous.

Cosette plongea sa main dans la poche de son tablier,
et devint verte.  La pièce de quinze sous n'y était plus.

25 — Ah çà ! dit la Thénardier, m'as-tu entendue ?

Cosette retourna la poche.  Il n'y avait rien.  Qu'est-ce
que cet argent pouvait être devenu ?

— Est-ce que tu l'as perdue, la pièce de quinze-sous ?
râla la Thénardier, ou bien est-ce que tu veux me la voler ?

30 En même temps elle allongea le bras vers le martinet
suspendu à l'angle de la cheminée.

Cependant l'homme à la redingote jaune avait fouillé
dans le gousset de son gilet, sans qu'on eût remarqué ce

mouvement. Cosette se pelotonnait avec angoisse dans l'angle de la cheminée, tâchant de ramasser et de dérober ses pauvres membres demi-nus. La Thénardier leva le bras.

— Pardon, madame, dit l'homme, mais tout à l'heure j'ai vu quelque chose qui est tombé de la poche du tablier de cette petite et qui a roulé. C'est peut-être cela.

En même temps il se baissa et parut chercher à terre un instant:

— Justement, voici, reprit-il en se relevant.

Et il tendit une pièce d'argent à la Thénardier.

— Oui, c'est cela, dit-elle.

Ce n'était pas cela, car c'était une pièce de vingt sous, mais la Thénardier y trouvait du bénéfice. Elle mit la pièce dans sa poche, et se borna à jeter un regard farouche à l'enfant en disant: — Que cela ne t'arrive plus, toujours !

Cosette rentra dans ce que la Thénardier appelait « sa niche ».

— À propos, voulez-vous souper ? demanda la Thénardier au voyageur.

Il ne répondit pas. Il semblait songer profondément.

— Qu'est-ce que c'est que cet homme-là ? dit-elle entre ses dents. C'est quelque affreux pauvre. Cela n'a pas le sou pour souper. Me payera-t-il mon logement seulement ?

Cependant une porte s'était ouverte et Éponine et Azelma étaient entrées.

Elles vinrent s'asseoir au coin du feu. Elles avaient une poupée qu'elles tournaient et retournaient sur leurs genoux avec toutes sortes de gazouillements joyeux. De temps en temps, Cosette levait les yeux de son tricot, et les regardait jouer d'un air lugubre.

Éponine et Azelma ne regardaient pas Cosette. C'était

pour elles comme le chien.   Ces trois petites filles n'avaient
pas vingt-quatre ans à elles trois, et elles représentaient
déjà toute la société des hommes; d'un côté l'envie, de
5 l'autre le dédain.

La poupée des sœurs Thénardier était très fanée et
très vieille et toute cassée, mais elle n'en paraissait pas
moins admirable à Cosette, qui de sa vie n'avait eu une
poupée, *une vraie poupée*, pour nous servir d'une expres-
10 sion que tous les enfants comprendront.

Tout à coup, la Thénardier, qui continuait d'aller et
de venir dans la salle, s'aperçut que Cosette avait des
distractions et qu'au lieu de travailler elle s'occupait des
petites qui jouaient.

15 — Ah! je t'y prends! cria-t-elle.   C'est comme cela
que tu travailles!   Je vais te faire travailler à coups de
martinet, moi.

L'étranger, sans quitter sa chaise, se tourna vers la
Thénardier.

20 — Madame, dit-il en souriant d'un air presque craintif,
bah! laissez-la jouer!

De la part de tout voyageur qui eût mangé une tranche
de gigot et bu deux bouteilles de vin à son souper et qui
n'eût pas eu l'air d'*un affreux pauvre*, un pareil souhait
25 eût été un ordre.   Mais qu'un homme qui avait ce chapeau se permît d'avoir un désir et qu'un homme qui
avait cette redingote se permît d'avoir une volonté, c'est
ce que la Thénardier ne crut pas devoir tolérer.   Elle
repartit aigrement:

30 — Il faut qu'elle travaille, puisqu'elle mange.   Je ne
la nourris pas à rien faire.

— Qu'est-ce qu'elle fait donc? reprit l'étranger de
cette voix douce qui contrastait si étrangement avec ses
habits de mendiant et ses épaules de portefaix.

La Thénardier daigna répondre:

— Des bas, s'il vous plaît.  Des bas pour mes petites
filles qui n'en ont pas, autant dire, et qui vont tout à
l'heure pieds nus.

L'homme regarda les pauvres pieds rouges de Cosette,  5
et continua:

— Quand aura-t-elle fini cette paire de bas?

— Elle en a encore au moins pour trois ou quatre grands
jours, la paresseuse.

— Et combien peut valoir cette paire de bas, quand 10
elle sera faite?

La Thénardier lui jeta un coup d'œil méprisant.

— Au moins trente sous.

— La donneriez-vous pour cinq francs? reprit l'homme.

— Pardieu! s'écria avec un gros rire un roulier qui 15
écoutait, cinq francs?  Je crois fichtre bien! cinq balles!

Le Thénardier crut devoir prendre la parole.

— Oui, monsieur, si c'est votre fantaisie, on vous donnera cette paire de bas pour cinq francs.  Nous ne savons
rien refuser aux voyageurs.                                20

— Il faudrait payer tout de suite, dit la Thénardier
avec sa façon brève et péremptoire.

— J'achète cette paire de bas, répondit l'homme, et,
ajouta-t-il en tirant de sa poche une pièce de cinq francs
qu'il posa sur la table, — je la paye.                     25

Puis il se tourna vers Cosette.

— Maintenant ton travail est à moi.  Joue, mon enfant.

Cosette avait laissé là son tricot, mais elle n'était
pas sortie de sa place.  Cosette bougeait toujours le 30
moins possible.  Elle avait pris dans une boîte derrière elle quelques vieux chiffons et son petit sabre de
plomb.

Éponine et Azelma ne faisaient aucune attention à ce
qui se passait.  Elles venaient d'exécuter une opération
fort importante; elles s'étaient emparées du chat.  Elles
avaient jeté la poupée à terre, et Éponine, qui était
5 l'aînée, emmaillottait le petit chat, malgré ses miaule-
ments et ses contorsions, avec une foule de nippes et de
guenilles rouges et bleues.

Cosette s'était fait une poupée avec le sabre.

Cependant les buveurs, tous ivres aux trois quarts,
10 répétaient leur refrain immonde avec un redoublement
de gaîté.  Cosette, sous la table, regardait le feu qui se
réverbérait dans son œïl fixe; elle s'était remise à bercer
l'espèce de maillot qu'elle avait fait, et, tout en le berçant,
elle chantait à voix basse: Ma mère est morte ! ma mère
15 est morte ! ma mère est morte !

Tout à coup Cosette s'interrompit.  Elle venait de se
retourner et d'apercevoir la poupée des petites Thénardier qu'elles avaient quittée pour le chat et laissée à terre
à quelques pas de la table de cuisine.

20 Alors elle laissa tomber le sabre emmaillotté qui ne
lui suffisait qu'à demi, puis elle promena lentement ses
yeux autour de la salle.  La Thénardier parlait bas à son
mari et comptait de la monnaie, Ponine et Zelma jouaient
avec le chat, les voyageurs mangeaient, ou buvaient, ou
25 chantaient, aucun regard n'était fixé sur elle.  Elle n'avait
pas un moment à perdre.  Elle sortit de dessous la table en
rampant sur les genoux et sur les mains, s'assura encore
une fois qu'on ne la guettait pas, puis se glissa vivement
jusqu'à la poupée, et la saisit.  Un instant après elle était
30 à sa place, assise, immobile, tournée seulement de manière
à faire de l'ombre sur la poupée qu'elle tenait dans ses bras.
Ce bonheur de jouer avec une poupée était tellement rare
pour elle qu'il avait toute la violence d'une volupté.

Personne ne l'avait vue, excepté le voyageur, qui mangeait lentement son maigre souper.

Cette joie dura près d'un quart d'heure.

Mais quelque précaution que prît Cosette, elle ne s'apercevait pas qu'un des pieds de la poupée — *passait,* 5 — et que le feu de la cheminée l'éclairait très vivement. Ce pied rose et lumineux qui sortait de l'ombre frappa subitement le regard d'Azelma qui dit à Éponine:— Tiens ! ma sœur !

Les deux petites filles s'arrêtèrent, stupéfaites.  Co- 10 sette avait osé prendre la poupée !

Éponine se leva, et, sans lâcher le chat, alla vers sa mère et se mit à la tirer par sa jupe.

— Mais laisse-moi donc ! dit la mère.  Qu'est-ce que tu me veux ?                                                    15

— Mère, dit l'enfant, regarde donc !

Et elle désignait du doigt Cosette.

Une czarine qui verrait un mougick essayer le grand cordon bleu de son impérial fils n'aurait pas une autre figure.                                                        20

Elle cria d'une voix que l'indignation enrouait:

— Cosette !

Cosette tressaillit comme si la terre eût tremblé sous elle.  Elle se retourna.

— Cosette ! répéta la Thénardier.                         25

Cosette prit la poupée et la posa doucement à terre avec une sorte de vénération mêlée de désespoir.  Alors, sans la quitter des yeux, elle joignit les mains, et, ce qui est effrayant à dire dans un enfant de cet âge, elle se les tordit; puis elle éclata en sanglots.              30

Cependant le voyageur s'était levé.

— Qu'est-ce donc ? dit-il à la Thénardier.

— Vous ne voyez pas ? dit la Thénardier en montrant

du doigt le corps du délit qui gisait aux pieds de Cosette.

— Eh bien, quoi ? reprit l'homme.

— Cette gueuse, répondit la Thénardier, s'est permis
5 de toucher à la poupée des enfants !

— Tout ce bruit pour cela ! dit l'homme. Eh bien,
quand elle jouerait avec cette poupée ?

— Elle y a touché avec ses mains sales ! poursuivit la
Thénardier, avec ses affreuses mains !

10 Ici Cosette redoubla ses sanglots.

— Te tairais-tu ! cria la Thénardier.

L'homme alla droit à porte de la rue, l'ouvrit et sortit.
Dès qu'il fut sorti, la Thénardier profita de son absence pour
allonger sous la table à Cosette un grand coup de pied qui
15 fit jeter à l'enfant les hauts cris.

La porte se rouvrit, l'homme reparut, il portait dans
ses deux mains la poupée fabuleuse dont nous avons
parlé, et il la posa debout devant Cosette en disant:

— Tiens, c'est pour toi.

20 Il faut croire que, depuis plus d'une heure qu'il était
là, au milieu de sa rêverie, il avait confusément remarqué
cette boutique de bimbeloterie éclairée de lampions et de
chandelles si splendidement qu'on l'apercevait à travers
la vitre du cabaret comme une illumination.

25 Cosette leva les yeux, elle avait vu venir l'homme à elle
avec cette poupée comme elle eût vu venir le soleil, elle
entendit ces paroles inouïes: *c'est pour toi*, elle le regarda,
elle regarda la poupée, puis elle recula lentement, et s'alla
cacher tout au fond sous la table dans le coin du mur.

31 Le gargotier s'approcha de sa femme et lui dit bas:

— Cette machine coûte au moins trente francs. À plat
ventre devant l'homme.

— Eh bien, Cosette, dit la Thénardier d'une voix qui

voulait être douce, est-ce que tu ne prends pas ta
poupée ?

Cosette se hasarda à sortir de son trou.

— Ma petite Cosette, reprit la Thénardier d'un air
caressant, monsieur te donne une poupée. Prends-la. 5
Elle est à toi.

Cosette considérait la poupée merveilleuse avec une
sorte de terreur.   Son visage était encore inondé de
larmes, mais ses yeux commençaient à s'emplir, comme le
ciel au crépuscule du matin, des rayonnements étranges de 10
la joie.   Ce qu'elle éprouvait en ce moment-là était un peu
pareil à ce qu'elle eût ressenti si on lui eût dit brusquement: Petite, vous êtes la reine de France.   Il lui semblait
que si elle touchait à cette poupée, le tonnerre en sor-
tirait.                                                         15

Ce qui était vrai jusqu'à un certain point, car elle se
disait que la Thénardier gronderait, et la battrait.   Pourtant, l'attraction l'emporta.   Elle finit par s'approcher, et
murmura timidement en se tournant vers la Thénardier:

— Est-ce que je peux, madame ?                                  20

— Pardi ! fit la Thénardier, c'est à toi.   Puisque monsieur te la donne.

— Vrai, monsieur ? reprit Cosette, est-ce que c'est
vrai ? c'est à moi, la dame ?

Tout à coup, elle se retourna et saisit la poupée avec 25
emportement.

— Je l'appellerai Catherine, dit-elle.

Ce fut un moment bizarre que celui où les haillons de
Cosette rencontrèrent et étreignirent les rubans et les
fraîches mousselines roses de la poupée.                        30

— Madame, reprit-elle, est-ce que je peux la mettre
sur une chaise ?

— Oui, mon enfant, répondit la Thénardier.

Maintenant c'était Éponine et Azelma qui regardaient Cosette avec envie.

Cosette posa Catherine sur une chaise, puis s'assit à terre devant elle, et demeura immobile, sans dire un mot,
5 dans l'attitude de la contemplation.

— Joue donc, Cosette, dit l'étranger.

— Oh ! je joue, répondit l'enfant.

### Gavroche

Dans son roman, V. Hugo fait en même temps une peinture de l'époque; ses personnages sont souvent mêlés aux événements de l'histoire. Ainsi Jean Valjean, Javert, Marius, prennent part à la Révolution de 1832 (souvent appelée la Révolution de juin car elle éclata le 5 juin). Les Républicains et les Bonapartistes s'étaient concertés pour s'insurger contre le gouvernement de Louis-Philippe. Le soulèvement, d'ailleurs, n'aboutit à aucun résultat (voir Louis Blanc, *Histoire de Dix ans, 1830–1840*, vol. III). V. Hugo introduit ici un des personnages secondaires les plus connus de son roman, le gamin de Paris, Gavroche, — on dit aujourd'hui un « Gavroche », comme on dit un « Harpagon », pour un avare, ou un « Céladon » pour un amoureux transi. L'auteur place l'épisode où figure Gavroche à la Rue de la Chanvrerie; il a dû penser cependant à celui qui s'est passé en réalité au Cloître Saint-Méry, où un gamin de 12 ans était effectivement parmi les insurgés, et où, en effet, les combattants escaladaient la barricade pour aller vider les cartouchières des soldats du roi tombés au cours du combat.

Paris a un enfant et la forêt a un oiseau; l'oiseau s'appelle le moineau; l'enfant s'appelle le gamin.
10 Ce petit être est joyeux. Il ne mange pas tous les jours et il va au spectacle, si bon lui semble, tous les soirs. Il n'a pas de chemise sur le corps, pas de souliers aux pieds, pas de toit sur la tête; il est comme les mouches du ciel qui n'ont rien de tout cela. Il a de sept à treize
15 ans, vit par bandes, loge en plein air, porte un vieux pantalon de son père qui lui descend plus bas que les talons, un vieux chapeau de quelque autre père qui lui

descend plus bas que les oreilles, court, guette, connaît
des voleurs, parle argot, et n'a rien de mauvais dans le
cœur. C'est qu'il a dans l'âme une perle, l'innocence, et
les perles ne se dissolvent pas dans la boue.

Si l'on demandait à l'énorme ville: Qu'est-ce que c'est
que cela ? elle répondrait: C'est mon petit.

Huit ou neuf ans environ après les événements ra-
contés dans cette histoire, on remarquait sur le boulevard du Temple [1] et dans les régions du Château-d'Eau [2]
un petit garçon de onze à douze ans qui eût assez correc-
tement réalisé cet idéal du gamin ébauché plus haut, si,
avec le rire de son âge sur les lèvres, il n'eût pas eu le
cœur absolument sombre et vide. Son père ne songeait
pas à lui et sa mère ne l'aimait point. C'était un de ces
enfants dignes de pitié entre tous qui ont père et mère et
qui sont orphelins. Cet enfant ne se sentait jamais si bien
que dans la rue.

Pourtant, il arrivait parfois, tous les deux ou trois
mois, qu'il disait: Tiens, je vais voir maman ! Alors il
quittait le boulevard, descendait aux quais, passait les
ponts, gagnait les faubourgs, et arrivait à la masure Gor-
beau.

Il y arrivait et il y trouvait la pauvreté, la détresse, et,
ce qui est plus triste, aucun sourire; le froid dans l'âtre
et le froid dans les cœurs. Quand il entrait, on lui demandait: — D'où viens-tu ? Il répondait: — De la rue.
Quand il s'en allait, on lui demandait: — Où vas-tu ? Il
répondait: — Dans la rue. Sa mère lui disait: Qu'est-ce
que tu viens faire ici ?

Cet enfant vivait dans cette absence d'affection. Il

[1] Aboutissant à la Place de la République.
[2] Aujourd'hui, Place de la République (*Château d'eau* = *Water-
tower*).

ne savait pas au juste comment devaient être un père
et une mère.

Sur le boulevard du Temple on nommait cet enfant le
petit Gavroche.

5   L'extrémité de la rue de la Chanvrerie opposée à la
barricade avait été évacuée par les troupes.  On ne voyait
rien, mais on entendait.  Il se faisait à une certaine distance un mouvement mystérieux.  Il était évident que
l'instant critique arrivait.

10   L'attente ne fut pas longue.  Une pièce de canon apparut.  Pendant que les insurgés rechargeaient les fusils,
les artilleurs chargeaient le canon.

L'anxiété était profonde dans la redoute.

Le coup partit, la détonation éclata.

15   — Présent ! cria une voix joyeuse.

Et en même temps que le boulet sur la barricade,
Gavroche s'abattit dedans.

Puis les canonniers se mirent à recharger la pièce.  La
décharge se fit avec le râle effrayant d'un coup de mitraille.

20 Bientôt une seconde pièce vint prendre place à côté de la
première; et quelques instants après, les deux pièces,
vivement servies, tiraient contre la redoute.

On entendait une autre canonnade à quelque distance.

25   — Il faut absolument diminuer l'incommodité de ces
pièces, dit Enjolras,[1] et il cria: Feu sur les artilleurs !

— Voilà qui va bien, dit un des hommes à Enjolras.
Succès.  Enjolras hocha la tête et répondit:

— Encore un quart d'heure de ce succès, et il n'y aura
30 plus dix cartouches dans la barricade.

Il paraît que Gavroche entendit ce mot.

---

[1] Le chef des insurgés en cet endroit de Paris.

Courfeyrac tout à coup aperçut quelqu'un au bas de la barricade, dehors dans la rue, sous les balles.

Gavroche avait pris un panier dans le cabaret voisin, était sorti par la coupure, et était paisiblement occupé à vider dans son panier les gibernes pleines de cartouches des gardes nationaux tués sur le talus de la redoute.

— Qu'est-ce que tu fais là ? dit Courfeyrac, un des chefs.

— Citoyen, j'emplis mon panier.

— Tu ne vois donc pas la mitraille ?

— Eh bien, il pleut. Après ?

Courfeyrac cria: — Rentre !

— Tout à l'heure, fit Gavroche.

Et, d'un bond, il s'enfonça dans la rue. Une vingtaine de morts gisaient çà et là dans toute la longueur de la rue sur le pavé. Une vingtaine de gibernes pour Gavroche, une provision de cartouches pour la barricade.

La fumée était dans la rue comme un brouillard. Sous ce voile de fumée et grâce à sa petitesse, il put s'avancer assez loin dans la rue sans être vu. Il dévalisa les sept ou huit premières gibernes sans grand danger. Il parvint au point où le brouillard de la fusillade devenait transparent.

Au moment où Gavroche débarrassait de ses cartouches un sergent gisant près d'une borne, une balle frappa le cadavre.

— Fichtre ! fit Gavroche. Voilà qu'on me tue mes morts.

Une deuxième balle fit étinceler le pavé à côté de lui. Une troisième renversa son panier. Gavroche regarda. Il se dressa tout droit, debout, les cheveux au vent, les mains sur les hanches, l'œil fixé sur les gardes nationaux qui tiraient, et il chanta:

> On est laid à Nanterre,[1]
> C'est la faute à Voltaire,
> Et bête à Palaiseau,[1]
> C'est la faute à Rousseau.[2]

5 Puis il ramassa son panier, y remit, sans en perdre une seule, les cartouches qui en étaient tombées, et avançant vers la fusillade, alla dépouiller une autre giberne. Là une quatrième balle le manqua encore. Gavroche chanta:

> Je ne suis pas notaire,
> 10 C'est la faute à Voltaire;
> Je suis petit oiseau,
> C'est la faute à Rousseau.

Une cinquième balle ne réussit qu'à tirer de lui un troisième complet.

> 15 Joie est mon caractère,
> C'est la faute à Voltaire;
> Misère est mon trousseau,
> C'est la faute à Rousseau.

Cela continua ainsi quelque temps.

20 Gavroche avait l'air de s'amuser beaucoup. Il répondait à chaque décharge par un couplet. On le visait sans cesse, on le manquait toujours. Les gardes nationaux et les soldats riaient en l'ajustant. Il se couchait, puis se redressait, s'effaçait dans un coin de porte, puis

---

[1] Localités dans la banlieue de Paris.

[2] « Refrain, à variantes diverses, d'une chanson en vogue sous la Restauration, sur la manie des partisans de l'ancien régime d'attribuer tous les malheurs aux philosophes du XVIIIᵉ siècle:

> S'il tombe dans le ruisseau,
> C'est la faute à Rousseau:
> Et le voilà par terre,
> C'est la faute à Voltaire. »

(voir Guerlac, *Citations françaises*, p. 226, note 3. On trouvera là aussi l'origine de la chanson.)

bondissait, disparaissait, reparaissait, se sauvait, revenait, et cependant remplissait son panier. Les insurgés le suivaient des yeux. Les balles couraient après lui, il était plus leste qu'elles. Il jouait on ne sait quel effrayant jeu de cache-cache avec la mort. 5

Une balle pourtant, finit par atteindre l'enfant. On vit Gavroche chanceler, puis il s'affaissa. Toute la barricade poussa un cri. Gavroche n'était tombé que pour se redresser; il resta assis sur son séant, un long filet de sang rayait son visage, il éleva ses deux bras en l'air, regarda 10 du côté d'où était venu le coup, et se mit à chanter:

> Je suis tombé par terre,
> C'est la faute à Voltaire,
> Le nez dans le ruisseau,
> C'est la faute à ... 25

Il n'acheva point. Une seconde balle du même tireur l'arrêta court. Cette fois il s'abattit la face contre le pavé, et ne remua plus. Cette petite grande âme venait de s'envoler.

## Révolution de 1848 et Période d'exil, 1852–1870

### INTRODUCTION

Victor Hugo abandonne le théâtre; les circonstances de l'exil, du reste, seront peu favorables pour poursuivre ce genre de littérature.

Il se tournera avec d'autant plus d'énergie, pour quelques années, vers la politique qui lui inspira une partie importante de son œuvre. Rappelons ici qu'il avait perdu ses croyances monarchistes et catholiques, qu'il avait salué la Révolution de 1830 (« Dicté après Juillet 1830 »), dans *Les chants du crépuscule:*

> Oh ! l'avenir est magnifique !
> Jeunes Français, jeunes amis,
> Un siècle pur et pacifique
> S'ouvre à nos pas mieux affermis.
> Chaque jour aura sa conquête.

> Depuis la base jusqu'au faîte,
> Nous verrons avec majesté,
> Comme une mer sur ses rivages,
> Monter d'étages en étages,
> L'irrésistible liberté !

qu'il avait accepté Louis-Philippe, le roi bourgeois, et fut nommé pair
de France; qu'il fit quelques discours politiques (paix universelle,
abolition de la peine de mort, États-Unis d'Europe, etc.).

Ce qui est surtout important, pour l'histoire de la littérature, c'est
que, dans les années qui séparent les deux révolutions, il avait contribué
plus que n'importe qui — avec, surtout, le poète chansonnier Béranger,
et l'historien Thiers (ce dernier dans son grand ouvrage *Le Consulat et
l'Empire*, 1845–55) — à créer ce que l'on a appelé « la légende de
Napoléon ».   C'est que depuis la Restauration, on avait été tenté
d'oublier que Napoléon avait fait triompher la Révolution contre les
rois de l'Europe qui s'étaient alliés pour empêcher l'avènement d'une
ère de liberté.   V. Hugo le rappela dans une série de poèmes d'un
élan magnifique.   Son premier grand poème napoléonien était intitulé « Lui », et avait paru dès 1829 dans *Les Orientales*: personne ne
peut passer devant cette grande figure sans y voir un homme de la
destinée.


### Lui

> *J'étais géant alors, et haut de cent
> coudées.*
>
> (Buonaparte).[1]


## I

Toujours lui ! lui partout ! — Ou brûlante ou glacée,
Son image sans cesse ébranle ma pensée,
Il verse à mon esprit le souffle créateur.
Je tremble, et dans ma bouche abondent les paroles
5 Quand son nom gigantesque, entouré d'auréoles,
Se dresse dans mon vers de toute sa hauteur.

---

[1] Épigraphe dont la source est inconnue.   Peut-être tirée de quelque pièce de théâtre de l'époque.

Là, je le vois, guidant l'obus aux bonds rapides [1];
Là massacrant le peuple au nom des régicides [2];
Là, soldat, aux tribuns arrachant leurs pouvoirs [3];
Là, consul jeune et fier, amaigri par des veilles
Que des rêves d'empire emplissaient de merveilles, [4]                5
       Pâle sous ses longs cheveux noirs.

Puis, empereur puissant, dont la tête s'incline, [5]
Gouvernant un combat du haut de la colline,
Promettant une étoile [6] à ses soldats joyeux,
Faisant signe aux canons qui vomissent les flammes,              10
De son âme à la guerre armant six cent mille âmes,
Grave et serein, avec un éclair dans les yeux.

Puis, pauvre prisonnier, qu'on raille et qu'on tourmente, [7]
Croisant ses bras oisifs sur son sein qui fermente,
En proie aux geôliers vils comme un vil criminel,                15
Vaincu, chauve, courbant son front noir de nuages,
Promenant sur un roc où passent les orages
       Sa pensée, orage éternel.

Qu'il est grand, là surtout ! quand, puissance brisée,
Des porte-clefs anglais misérable risée,                         20
Au sacre du malheur il retrempe ses droits,
Tient au bruit de ses pas deux mondes en haleine,

[1] Le siège de Toulon, 1793, où Napoléon révéla d'abord son génie
militaire.
[2] Napoléon délivrant la Convention de ses ennemis en dirigeant
le canon sur le peuple.
[3] Renversant le Directoire et établissant le Consulat, se faisant
nommer Premier Consul; coup d'État du 18 Brumaire (9 nov. 1799).
[4] Consul à vie en 1802.
[5] Empereur en 1804.
[6] Une décoration pour bravoure sur le champ de bataille.
[7] Il arriva à Sainte-Hélène le 16 octobre 1815.

Et, mourant de l'exil, gêné dans Sainte-Hélène,
Manque d'air dans la cage où l'exposent les rois !

Qu'il est grand à cette heure où, prêt à voir Dieu même,[1]
Son œil qui s'éteint roule une larme suprême !
5 Il évoque à sa mort sa vieille armée en deuil,
Se plaint à ses guerriers d'expirer solitaire,
Et, prenant pour linceul son manteau militaire,[2]
      Du lit de camp passe au cercueil ![3]

## II

À Rome, où du sénat hérite le conclave,[4]
10 À l'Elbe,[5] aux monts blanchis de neige ou noirs de lave,[6]
Au menaçant Kremlin [7] à l'Alhambra riant,[8]
Il est partout ! — Au Nil je le retrouve encore.[9]
L'Égypte resplendit des feux de son aurore ;
Son astre impérial se lève à l'orient.

15 Vainqueur, enthousiaste, éclatant de prestiges,
Prodige, il étonna la terre des prodiges.
Les vieux scheiks vénéraient l'émir jeune et prudent ;
Le peuple redoutait ses armes inouïes ;

[1] Il mourut en 1821.
[2] Il fut enseveli dans son manteau militaire qu'il portait dans ses campagnes depuis Marengo, 1800.
[3] La légende veut que Napoléon se soit servi à Sainte-Hélène de son lit de camp.
[4] Le conclave, assemblée des cardinaux de l'Église, qui remplaça à Rome le sénat de l'Empire romain.
[5] Fleuve de Prusse où Napoléon livra maintes batailles (1806–7).
[6] Passage des Alpes, 1796.
[7] Campagne de Russie, 1812.
[8] Guerres d'Espagne, 1808 ; 1812, 1813.
[9] Campagne d'Egypte, 1798–9.

Sublime, il apparut aux tribus éblouies
    Comme un Mahomet d'Occident.[1]

Leur féerie a déjà réclamé son histoire.[2]
La tente de l'Arabe est pleine de sa gloire.
Tout Bédouin libre était son hardi compagnon;        5
Les petits enfants, l'œil tourné vers nos rivages,
Sur un tambour français règlent leurs pas sauvages,
Et les ardents chevaux hennissent à son nom.

Parfois il vient, porté sur l'ouragan numide,[3]
Prenant pour piédestal la grande pyramide,        10
Contempler les déserts, sablonneux océans,
Là, son ombre, éveillant le sépulcre sonore,
Comme pour la bataille y ressuscite encore
    Les quarante siècles géants.[4]

Il dit: Debout ! Soudain chaque siècle se lève,     15
Ceux-ci portant le sceptre et ceux-là ceints du glaive,
Satrapes, pharaons, mages, peuple glacé;
Immobiles, poudreux, muets, sa voix les compte;
Tous semblent, adorant son front qui les surmonte,
Faire à ce roi des temps une cour du passé.     20

---

[1] « Une ancienne prophétie de Mahomet dit qu'un soleil se lèvera au couchant — est-ce de Napoléon qu'il voulait parler » écrit V. Hugo dans *Littérature et Philosophie mêlées*, p. 153.

[2] V. Hugo raconte à plusieurs reprises que toute une légende s'était formée en Égypte autour du nom de Napoléon. Voir le poème XXXIX, « Bounaberdi », dans *les Orientales*.

[3] Adjectif poétique pour *africain*.

[4] Allusion au fameux discours de Napoléon à ses troupes avant la bataille des Pyramides: « Soldats, du haut de ces pyramides quarante siècles vous contemplent ! ».

## III

Histoire, poésie, il joint du pied vos cimes.
Éperdu, je ne puis dans ces mondes sublimes
Remuer rien de grand sans toucher à son nom;
Oui quand tu m'apparais, pour le culte ou le blâme,
5 Les chants volent pressés sur mes lèvres de flamme,
Napoléon! soleil dont je suis le Memnon![1]

Tu domines notre âge; ange ou démon, qu'importe?[2]
Ton aigle dans son vol, haletants nous emporte.
L'œil même qui te fuit te retrouve partout.
10 Toujours dans nos tableaux tu jettes ta grande ombre;
Toujours Napoléon, éblouissant et sombre,
        Sur le seuil du siècle est debout.

Ainsi, quand du Vésuve explorant le domaine,[3]
De Naple à Portici l'étranger se promène,
15 Lorsqu'il trouble, rêveur, de ses pas importuns,
Ischia, de ses fleurs embaumant l'onde heureuse

[1] Près de Thèbes, se dressait, au temps des Pharaons, une grande statue de Memnon (un des Pharaons) qui frappée par les rayons du soleil levant, émettait des sons harmonieux: *Memnon saluait son Dieu, le soleil.*

[2] V. Hugo dit cela car il avait été lui-même de ceux qui avaient maudit Napoléon, comme un « fléau de Dieu », un esprit démoniaque.

[3] Pour cette longue comparaison finale de Napoléon qui domine notre âge comme le Vésuve en feu domine le panorama grandiose de la baie de Naples, il faut se souvenir que Naples est à une extrémité du golfe et Portici à l'autre, que l'île d'Ischia est à l'entrée du dit Golfe, que Pæstum est le nom de la belle ruine d'un temple antique sur une route près de Naples, que Pouzzole est le nom d'un faubourg qui domine la mer, et que le Pausilippe est un promontoire au milieu de la baie. Quant à Pompéï, il est enseveli, comme on sait, sous la cendre du Vésuve.

Dont le bruit, comme un chant de sultane amoureuse,
Semble une voix qui vole au milieu des parfums;

Qu'il hante de Pæstum l'auguste colonnade,
Qu'il écoute à Pouzzol la vive sérénade
Chantant la tarentelle [1] au pied d'un mur toscan;                 5
Qu'il éveille en passant cette cité momie,
Pompéi, corps gisant d'une ville endormie,
    Saisie un jour par le volcan;

Qu'il erre au Pausilippe avec la barque agile
D'où le brun marinier chante Tasse à Virgile;                       10
Toujours, sous l'arbre vert, sur les lits de gazon,
Toujours il voit, du sein des mers et des prairies,
Du haut des caps, du bord des presqu'îles fleuries,
Toujours le noir géant qui fume à l'horizon!

Deux fois, dans des circonstances spéciales, V. Hugo avait protesté
contre ceux qui voulaient tâcher d'étouffer le souvenir de Napoléon: la
première fois en 1827, dans l'« Ode à la Colonne de la Place Vendôme »
lorsque les royalistes avaient voulu refuser de reconnaître les titres
de noblesse accordés par Napoléon; la seconde fois en 1830, lorsque,
après la révolution de juillet, les députés à la Chambre avaient refusé
de voter la translation des cendres de Napoléon de Sainte-Hélène à
Paris. Victor Hugo avait prédit que ce retour aurait lieu quand
même:

Dors, nous t'irons chercher! ce jour viendra peut-être,             15
Car nous t'avons pour Dieu sans t'avoir eu pour maître!
Car notre œil s'est mouillé de ton destin fatal . . .
Oh, va, nous te ferons de belles funérailles!

Le 15 décembre 1840 en effet, on ramena en grande pompe les
cendres de Napoléon, à Paris, sous le dôme de l'Hôtel de Invalides,[2]

---

[1] Une danse exécutée à Tarente, ville du sud de l'Italie.
[2] Napoléon avait choisi la colonne Vendôme comme le monument
sous lequel devaient demeurer ses restes; de là le titre des odes de
Victor Hugo, « À la colonne ». La colonne de bronze surmontée

ce qui inspira à V. Hugo son poème « Le Retour de l'Empereur »
(publié dans la *Légende des Siècles*).

## POÉSIE SATIRIQUE

### Les Châtiments

Le ferment de la Révolution travaillait toujours la France et l'Europe, et le peuple réclamait ses droits; les idées socialistes gagnaient du terrain.   Hugo, très compatissant pour les misères du peuple, ne croyait cependant point à la démocratie en politique; il rêvait une main forte, une intelligence puissante, un ministre comme Richelieu, un monarque comme Napoléon.   Lorsque donc, en 1848, Louis Philippe fut renversé, tandis que Lamartine se prononçait pour la république, Victor Hugo préférait continuer la monarchie.   La république triompha, et le neveu de Napoléon, Louis Bonaparte, revenu d'exil, fut nommé président.   Victor Hugo crut un moment à l'étoile de Louis Bonaparte, à cause du prestige du nom; mais quand il reconnut s'être trompé sur la qualité de l'homme, et quand Louis Bonaparte après avoir fait le coup d'État du 2 Décembre 1851 voulut s'emparer du trône, alors V. Hugo se tourna contre lui avec une violence inouïe.[1]   Après le coup d'État il quitte Paris sous un déguisement, et il sera bientôt sous le coup d'un décret d'exil.   Après quelques semaines à Bruxelles, et trois ans environ à l'Île (anglaise) de Jersey, dans la Manche (1852–55), il s'en va à Guernesey, où il restera, toujours en exil, jusqu'en 1870.   Il avait, en 1857, refusé de profiter de l'amnistie générale proclamée par Napoléon III en faveur des exilés politiques: « Quand la liberté rentrera, je rentrerai », avait-il dit.   En effet, il rentra le 5 septembre, après que l'armée française fut vaincue à Sedan, et la République proclamée.

Il écrivit contre Napoléon III un pamphlet en prose, *L'Histoire d'un crime*, et un volume de vers, *Les Châtiments*.   Ces vers vengeurs font de V. Hugo le plus puissant satiriste français dans le domaine de

---

d'une statue de Napoléon était faite des canons pris sur l'ennemi, et des bas-reliefs montant en spirale représentaient les victoires de la Grande armée.   On trouvera un récit en prose des « Funérailles de Napoléon » dans V. Hugo, *Choses Vues*, I° série.

[1] On a dit que V. Hugo s'était tourné contre Louis Bonaparte parce que celui-ci aurait refusé de reconnaître les servies rendus par le poète. Pourquoi toujours chercher les raisons mesquines quand il y en a de grandes qui valent si bien ?

la poésie. (Il n'y a qu'Agrippa d'Aubigné, au XVI° siècle qui, peut-être, puisse lui disputer ce titre). C'est là qu'il oppose constamment « Napoléon le Grand » à « Napoléon le Petit ».

## Le Manteau Impérial

Le manteau impérial des Napoléon était de couleur pourpre, et semé d'abeilles d'or.

> Oh ! vous dont le travail est joie,
> Vous qui n'avez pas d'autre proie
> Que les parfums, souffles du ciel,
> Vous qui fuyez quand vient décembre,[1]
> Vous qui dérobez aux fleurs l'ambre      5
> Pour donner aux hommes le miel,
>
> Chastes buveuses de rosée,
> Qui, pareilles à l'épousée,
> Visitez le lys du coteau,
> O sœurs des corolles vermeilles,      10
> Filles de la lumière, abeilles,
> Envolez-vous de ce manteau !
>
> Ruez-vous sur l'homme, guerrières !
> O généreuses ouvrières,
> Vous le devoir, vous la vertu,      15
> Ailes d'or et flèches de flamme,
> Tourbillonnez sur cet infâme !
> Dites-lui: — « Pour qui nous prends-tu ?
>
> « Maudit ! nous sommes les abeilles !
> Des chalets ombragés, des treilles,      20
> Notre ruche orne le fronton;

[1] Le « Coup d'État » par lequel Louis Bonaparte se saisit du pouvoir et qui lui permit ensuite de monter sur le trône sous le nom de Napoléon III, eut lieu le 2 Décembre, 1851.

Nous volons, dans l'azur écloses,
Sur la bouche ouverte des roses
Et sur les lèvres de Platon.[1]

« Ce qui sort de la fange y rentre.
5      Va trouver Tibère en son antre,
Et Charles neuf sur son balcon.[2]
Va ! sur ta pourpre il faut qu'on mette,
Non les abeilles de l'Hymette,
Mais l'essaim noir de Montfaucon ! »[3]

10     Et percez-le toutes ensemble,
Faites honte au peuple qui tremble,
Aveuglez l'immonde trompeur,
Acharnez-vous sur lui farouches,
Et qu'il soit chassé par les mouches
15     Puisque les hommes en ont peur !


*Chanson*

Sa grandeur éblouit l'histoire.
        Quinze ans, il fut
Le dieu que traînait la victoire
        Sur un affût;
20     L'Europe sous sa loi guerrière
        Se débattit. —

---

[1] Une poétique légende veut que des abeilles se soient posées, comme il dormait, sur les lèvres de Platon enfant, — symbole des paroles de miel qui devaient un jour sortir de sa bouche.

[2] Charles IX (1550–1574) le roi de France qui ordonna, ou permit, le Massacre de la Saint-Barthélemy, la nuit du 24 août, 1572, et qui, selon la légende, aurait contemplé d'un balcon de son palais, le massacre de ses sujets.

[3] L'emplacement du sinistre vieux gibet de Paris, élevé au XIIme siècle, et démoli en 1761. (Voir plus haut, *Notre-Dame de Paris*, p. 222).

Toi, son singe, marche derrière
    Petit, petit.

Napoléon dans la bataille,
    Grave et serein,
Guidait à travers la mitraille          5
    L'aigle d'airain.
Il entra sur le pont d'Arcole,[1]
    Il en sortit. —
Voici de l'or, viens, pille et vole,
    Petit, petit.          10

Berlin, Vienne, étaient ses maîtresses;
    Il les forçait,
Leste, et prenant les forteresses
    Par le corset;
Il triompha de cent bastilles          15
    Qu'il investit. —
Voici pour toi, voici des filles,[2]
    Petit, petit.

Il passait les monts et les plaines,
    Tenant en main          20
La palme, la foudre et les rênes
    Du genre humain;
Il était ivre de sa gloire
    Qui retentit. —

[1] Le 17 novembre, 1796, le Général Bonaparte vainquit les Autrichiens près d'Arcole, village de la Vénétie, après un combat qui dura deux jours, et au cours duquel les Français firent d'héroïques efforts pour forcer le passage d'un pont. Bonaparte sauta sur le pont et entraîna ses soldats après lui.

[2] Ici *courtisanes*. Cette comparaison d'une ville serrée dans ses fortifications comme une femme dans un corset ou une ceinture, se retrouve ailleurs sous la plume du poète; par exemple dans « Aymerillot », de la *Légende des siècles*.

Voici du sang, accours, viens boire,
    Petit, petit.

Quand il tomba, lâchant le monde,
    L'immense mer
5  Ouvrit à sa chute profonde
    Le gouffre amer [1];
Il y plongea, sinistre archange,
    Et s'engloutit. —
Toi, tu te noieras dans la fange
10    Petit, petit.

## L'Expiation

On pouvait reprocher à V. Hugo son attitude différente vis à vis de Napoléon Ier et de Napoléon III: Tous les deux avaient profité de circonstances qui leur étaient favorables pour faire un coup d'État et s'élever sur le trône impérial: pourquoi exalter si haut l'un, et rabaisser si bas l'autre ? V. Hugo répondit par son grand poème « L'Expiation » qui veut dire ceci: Napoléon Ier qui était une figure gigantesque et comme providentielle pour la France, qui sauva la Révolution menacée par les rois tyrans de l'ancien régime, a été grand non pas à cause du coup d'État du Dix-huit Brumaire, an VIII de la République (9 nov. 1799), mais malgré ce coup d'État; quant à Napoléon III, il n'avait aucune des qualités qui font le grand homme d'État. Il y a plus: V. Hugo admet tout-à-fait que Napoléon Ier aurait été plus grand sans le coup d'État, et qu'il aurait pu accomplir les mêmes choses. Et d'ailleurs il a été cruellement puni; il a connu *L'Expiation;* car la fin lamentable du grand homme n'est pas autre chose. V. Hugo raconte dans un admirable tryptique les trois degrés de la chute du géant: la tragique retraite de Russie, en 1812, Waterloo, en 1815, et, depuis, l'humiliation de Sainte-Hélène où il fut prisonnier de ces rois qu'il avait tous vaincus. Mais encore ce n'était pas assez: la suprême humiliation fut la honte d'avoir eu comme successeur sur son trône impérial l'incapable et indigne Napoléon III. La quatrième partie du poème nous montre Napoléon I° se réveillant un jour dans son tombeau, sous le dôme des Invalides et ayant la vision mortifiante des fêtes et des orgies du Second empire …

---

[1] À Sainte-Hélène.

L'horrible vision s'éteignit. — L'empereur,
Désespéré, poussa dans l'ombre un cri d'horreur,
Baissant les yeux, dressant ses mains épouvantées;
Les Victoires de marbre à la porte sculptées,
Fantômes blancs debout du sépulcre obscur,                    5
Se faisaient du doigt signe et, s'appuyant au mur,
Écoutaient le titan pleurer dans les ténèbres.
Et lui, cria: Démon aux visions funèbres,
Toi qui me suis partout, que jamais je ne vois,
Qui donc es-tu ? — Je suis ton crime, dit la voix. —        10
La tombe alors s'emplit d'une lumière étrange
Semblable à la clarté de Dieu quand il se venge;
Pareils aux mots que vit resplendir Balthazar,
Deux mots dans l'ombre écrits flamboyaient sur César;
Bonaparte, tremblant comme un enfant sans mère,            15
Leva sa face pâle et lut: — DIX-HUIT BRUMAIRE !

## Waterloo

### (Fragment de *L'Expiation*.)

On signale volontiers trois descriptions célèbres de la bataille de
Waterloo, en littérature, dont deux de Victor Hugo: celle en prose
dans le roman *Les Misérables*, et celle qui forme le deuxième panneau
du grand poème « L'Expiation », dans *Les Châtiments;* la troisième se
trouve dans le roman de Stendhal *La Chartreuse de Parme* (voir plus
bas).

Après le retour de l'île d'Elbe, l'Europe s'était coalisée de nouveau
contre Napoléon. La bataille décisive eut lieu à Waterloo, en Belgique, le 18 juin, 1815. Les Prussiens, sous le général Blücher, avaient
été vaincus le 16 à Ligny, et le général français Grouchy devait les
poursuivre. Napoléon, avec 72 000 hommes, alla alors attaquer les
Anglais sous Wellington, au nombre de 62 000, dans la plaine de
Waterloo. Les deux armées avaient combattu longtemps avec une
égale énergie, sans avantage ni d'un côté ni de l'autre. Napoléon
espérait le retour de Grouchy pour attaquer le flanc gauche de l'ennemi et décider de la victoire. Mais Grouchy, quoiqu'ayant cessé
de poursuivre les Prussiens, ne revint pas. Ce fut Blücher qui revint. En voyant une armée s'approcher, Napoléon avait cru que

c'étaient les Français.   Cette intervention de 70 000 hommes de
troupes fraîches, et qui doublait presque l'effectif de l'armée ennemie,
fut fatale à l'empereur.

[**Note sur le vers.**  V. Hugo avait alors déjà poussé assez loin la
réforme du vers alexandrin dans le sens de l'assouplissement.   Cet
assouplissement consistait, dans ce qu'on appelle le « vers romantique », surtout:  1) à déplacer la césure — que le vers classique
exigeait après la sixième syllabe; 2) à accepter — et parfois employer
pour des effets particuliers — l'enjambement.   (Il ne toucha pas à la
règle de l'e muet).   On a pu établir une progression assez régulière
dans ces licences poétiques; à savoir:  En 1830, 1 vers romantique
sur 6; de 1830 à 1835, 1 sur cinq; de 1835 à 1840, 1 sur 4½; en 1854,
1 sur 1½.   De même pour l'enjambement: en 1830, 1 sur 50 vers; de
1830 à 1840, 1 sur 30; en 1854, 1 sur 10.   (Voir Dupin, « Étude sur la
Chronologie des Contemplations », Publ. Univ. de Paris, Fac. des
Lettres, XXI, *Mélanges d'Histoire litt.*, 1906.)]

Waterloo ! Waterloo ! Waterloo ! morne plaine !
Comme une onde qui bout dans une urne trop pleine,
Dans ton cirque de bois, de coteaux, de vallons,
La pâle mort mêlait les sombres bataillons.
5 D'un côté c'est l'Europe et de l'autre la France.
Choc sanglant ! des héros Dieu trompait l'espérance;
Tu désertais, victoire, et le sort était las.
O Waterloo ! je pleure et je m'arrête, hélas !
Car ces derniers soldats de la dernière guerre
10 Furent grands; ils avaient vaincu toute la terre,
Chassé vingt rois, passé les Alpes et le Rhin,
Et leur âme chantait dans les clairons d'airain !

Le soir tombait; la lutte était ardente et noire.
Il avait l'offensive et presque la victoire;
15 Il tenait Wellington acculé sur un bois.
Sa lunette à la main, il observait parfois
Le centre du combat, point obscur où tressaille
La mêlée, effroyable et vivante broussaille,
Et parfois l'horizon, sombre comme la mer.
Soudain, joyeux, il dit: Grouchy ! — C'était Blücher !

L'espoir changea de camp, le combat changea d'âme,
La mêlée en hurlant grandit comme une flamme.
La batterie anglaise écrasa nos carrés.
La plaine où frissonnaient les drapeaux déchirés          5
Ne fut plus, dans les cris des mourants qu'on égorge,
Qu'un gouffre flamboyant, rouge comme une forge;
Gouffre où les régiments, comme des pans de murs,
Tombaient; où se couchaient comme des épis mûrs
Les hauts tambours-majors aux panaches énormes;          10
Où l'on entrevoyait des blessures difformes !
Carnage affreux ! moment fatal !  L'homme inquiet
Sentit que la bataille entre ses mains pliait.
Derrière un mamelon la garde était massée,
La garde, espoir suprême et suprême pensée ! [1]         15
— Allons ! faites donner la garde, cria-t-il, —
Et lanciers, grenadiers aux guêtres de coutil,
Dragons que Rome eût pris pour des légionnaires,
Cuirassiers, canonniers qui traînaient des tonnerres,
Portant le noir colback [2] ou le casque poli,          20
Tous, ceux de Friedland et ceux de Rivoli,[3]
Comprenant qu'ils allaient mourir dans cette fête,
Saluèrent leur dieu, debout dans la tempête.
Leur bouche, d'un seul cri, dit: Vive l'empereur !
Puis, à pas lents, musique en tête, sans fureur,         25
Tranquille, souriant à la mitraille anglaise,

[1] La fameuse Garde impériale de Napoléon I° avait été créée en
1804 de soldats de toutes les armes; d'abord forte de 10 000 hommes,
elle avait été considérablement augmentée dans la suite.  En 1810 une
*jeune garde* avait été formée; il s'agit ici de la *vieille garde.*

[2] Bonnet à poil en forme de cône tronqué, comme en portaient
souvent les soldats de l'Europe orientale — d'où le nom est venu.

[3] C'est à dire les vétérans des grandes victoires de Friedland, 14
juin, 1807, sur les Russes, et de Rivoli, 14 janvier, 1797, sur les Autrichiens.

La garde impériale entra dans la fournaise.
Hélas ! Napoléon, sur sa garde penché,
Regardait, et, sitôt qu'ils avaient débouché
5 Sous les sombres canons jetant des jets de soufre,
Voyait, l'un après l'autre, en cet horrible gouffre,
Fondre ces régiments de granit et d'acier,
Comme fond une cire au souffle d'un brasier.
Ils allaient, l'arme au bras, front haut, graves, stoïques,
10 Pas un ne recula.   Dormez, morts héroïques !
Le reste de l'armée hésitait sur leurs corps
Et regardait mourir la garde. — C'est alors
Qu'élevant tout à coup sa voix désespérée,
La Déroute, géante à la face effarée,
15 Qui, pâle, épouvantant les plus fiers bataillons,
Changeant subitement les drapeaux en haillons,
À de certains moments, spectre fait de fumées,
Se lève grandissante au milieu des armées,
La Déroute apparut au soldat qui s'émeut,
20 Et, se tordant les bras, cria: Sauve qui peut !
Sauve qui peut ! affront ! horreur ! toutes les bouches
Criaient;  à travers champs, fous, éperdus, farouches,
Comme s'envole au vent une paille enflammée,
S'évanouit ce bruit qui fut la grande armée,
25 Et cette plaine, hélas, où l'on rêve aujourd'hui,
Vit fuir ceux devant qui l'univers avait fui !
Quarante ans sont passés, et ce coin de la terre,
Waterloo, ce plateau funèbre et solitaire,
Ce champ sinistre où Dieu mêla tant de néants,
30 Tremble encor d'avoir vu la fuite des géants !

Napoléon les vit s'écouler comme un fleuve;
Hommes,   chevaux,   tambours,   drapeaux; — et   dans
    l'épreuve

Sentant confusément revenir son remords,
Levant les mains au ciel; il dit: — Mes soldats morts,
Moi vaincu ! mon empire est brisé comme verre.
Est-ce le châtiment cette fois, Dieu sévère ? —
Alors parmi les cris, les rumeurs, le canon,                    5
Il entendit la voix qui lui répondait: Non !

### POÉSIE PHILOSOPHIQUE (LA THÉORIE DES MAGES)

V. Hugo est maintenant arrivé à la maturité de son robuste génie.
Déjà dès l'aube de sa carrière, dans son premier recueil des *Odes et
Ballades*, il avait exposé cette idée que le poète doit consacrer ses
talents au service des hommes au milieu desquels il est appelé à vivre.
Lorsqu'il eut abandonné ses convictions de jeunesse — sa foi monarchique et catholique — il demeura cependant quelque temps désemparé, comme le témoignent les titres mêmes de ses collections de
poèmes (*Feuilles d'automne, Chants du crépuscule, Voix intérieures*);
et il ne prit pleine confiance que graduellement en sa mission. C'est
dans le volume *Les Rayons et les Ombres* qu'il l'affirme de nouveau
pleinement.

### *Fonction du Poète*

Ce morceau est un dialogue supposé entre deux sortes de poètes,
celui qui se considère en quelque sorte comme sali en se mêlant aux
affaires des hommes, et celui qui croit à la mission du poète telle que
la conçoit V. Hugo.  En le composant, V. Hugo a peut-être pensé à
Lamartine comme interlocuteur, car il existe un poème de Lamartine,
dans les *Harmonies poétiques* (III, xiii) adressé à V. Hugo, intitulé
« La Retraite », et qui contient ces strophes, entre autres:

>               . . . Fuis ces champs de bataille,
>               Où l'insecte pensant
>               S'agite et travaille
>               Autour d'un brin de paille
>               Qu'écrase le passant.
>
>               Je sais sur la colline
>               Une blanche maison;
>               Un rocher la domine,

Un buisson d'aubépine
Est tout son horizon.

Là jamais ne s'élève
Bruit qui fasse penser;
Jusqu'à ce qu'il s'achève,
On peut mener son rêve
Et le recommencer.

## I

Pourquoi t'exiler, ô poète,
Dans la foule où nous te voyons ?
Que sont pour ton âme inquiète
Les partis, chaos sans rayons ?
5   Dans leur atmosphère souillée
Meurt ta poésie effeuillée;
Leur souffle égare ton encens.
Ton cœur, dans leurs luttes serviles
Est comme ces gazons des villes
10  Rongés par les pieds des passants.

Dans les brumeuses capitales
N'entends-tu pas avec effroi,
Comme deux puissances fatales,
Se heurter le peuple et le roi ?
15  De ces haines que tout réveille
À quoi bon emplir ton oreille,
O poète, ô maître, ô semeur ?
Tout entier au Dieu que tu nommes,
Ne te mêle pas à ces hommes
20  Qui vivent dans une rumeur !

Va résonner, âme épurée,
Dans le pacifique concert ! [1]

----

[1] Le pacifique concert de la nature où meurent les bruits des disputes des hommes.

Va t'épanouir, fleur sacrée,
Sous les larges cieux du désert ![1]
O rêveur, cherche les retraites,
Les abris, les grottes discrètes,
Et l'oubli pour trouver l'amour,                              5
Et le silence, afin d'entendre
La voix d'en haut, sévère et tendre,
Et l'ombre, afin de voir le jour !

Va dans les bois ! va sur les plages !
Compose tes chants inspirés                                  10
Avec la chanson des feuillages
Et l'hymne des flots azurés !
Dieu t'attend dans les solitudes;
Dieu n'est pas dans les multitudes;
L'homme est petit, ingrat et vain.                           15
Dans les champs tout vibre et soupire.
La nature est la grande lyre,
Le poète est l'archet divin !

Sors de nos tempêtes, ô sage !
Que pour toi l'empire en travail,[2]                         20
Qui fait son périlleux passage
Sans boussole et sans gouvernail,
Soit comme un vaisseau qu'en décembre
Le pêcheur, du fond de sa chambre
Où pendent les filets séchés,                                25
Entend la nuit passer dans l'ombre
Avec un bruit sinistre et sombre
De mâts frissonnants et penchés !

[1] *Désert:* mot employé à l'époque romantique pour désigner simplement un lieu inhabité par les hommes, mais où peut régner la végétation la plus luxuriante ... Qu'on se souvienne d'*Atala.*
[2] L'empire des hommes, le monde.

## II

— Hélas ! hélas ! dit le poète,
J'ai l'amour des eaux et des bois;
Ma meilleure pensée est faite
De ce que murmure leur voix.
La création est sans haine.
Là, point d'obstacle et point de chaîne.
Les prés, les monts, sont bienfaisants;
Les soleils m'expliquent les roses;
Dans la sérénité des choses
Mon âme rayonne en tous sens.

Je vous aime, ô sainte nature !
Je voudrais m'absorber en vous;
Mais, dans ce siècle d'aventure,
Chacun, hélas ! se doit à tous,
Toute pensée est une force.
Dieu fit la sève pour l'écorce,
Pour l'oiseau les rameaux fleuris,
Le ruisseau pour l'herbe des plaines,
Pour les bouches, les coupes pleines,
Et le penseur pour les esprits.

Dieu le veut, dans les temps contraires,
Chacun travaille et chacun sert,
Malheur à qui dit à ses frères:
Je retourne dans le désert !
Malheur à qui prend des sandales
Quand les haines et les scandales
Tourmentent le peuple agité;
Honte au penseur qui se mutile
Et s'en va, chanteur inutile,
Par la porte de la cité !

Le poète en des jours impies
Vient préparer des jours meilleurs.
Il est l'homme des utopies;
Les pieds ici, les yeux ailleurs.
C'est lui qui sur toutes les têtes,                    5
En tout temps, pareil aux prophètes,
Dans sa main où tout peut tenir,
Doit, qu'on l'insulte ou qu'on le loue
Comme une torche qu'il secoue,
Faire flamboyer l'avenir.                              10

Il voit, quand les peuples végètent !
Ses rêves, toujours pleins d'amour,
Sont faits des ombres que lui jettent
Les choses qui seront un jour.
On le raille.  Qu'importe ?  Il pense.                 15
Plus d'une âme inscrit en silence
Ce que la foule n'entend pas.
Il plaint ses contempteurs frivoles,
Et maint faux sage à ses paroles
Rit tout haut et songe tout bas.                       20

———————

Foule qui répands sur nos rêves
Le doute et l'ironie à flots,
Comme l'océan sur les grèves
Répand son râle et ses sanglots,
L'idée auguste qui t'égaie                             25
À cette heure encore bégaie;
Mais de la vie elle a le sceau !
Ève contient la race humaine,
Un œuf l'aiglon, un gland le chêne !
Une utopie est un berceau !                            30

De ce berceau, quand viendra l'heure,
Vous verrez sortir, éblouis,
Une société meilleure
Pour des cœurs mieux épanouis,
5    Le devoir que le droit enfante,
L'ordre saint, la foi triomphante,
Et les mœurs, ce groupe mouvant
Qui toujours, joyeux ou morose,
Sur ses pas sème quelque chose
10   Que la loi récolte en rêvant . . .

———

Peuples, écoutez le poète !
Écoutez le rêveur sacré !
Dans votre nuit sans lui complète,
Lui seul a le front éclairé.
15   Des temps futurs perçant les ombres,
Lui seul distingue en leurs flancs sombres
Le germe qui n'est pas éclos.
Homme, il est doux comme une femme.
Dieu parle à voix basse à son âme
20   Comme aux forêts et comme aux flots . . .

Il rayonne ! il jette sa flamme
Sur l'éternelle vérité !
Il la fait resplendir pour l'âme
D'une merveilleuse clarté !
25   Il inonde de sa lumière
Ville et désert, Louvre et chaumière,
Et les plaines et les hauteurs;
À tous d'en haut il la dévoile;
Car la poésie est l'étoile
30   Qui mène à Dieu rois et pasteurs.

Depuis lors, V. Hugo formula avec toujours plus de fermeté le devoir du poète de conduire les peuples à leurs destinées, et le devoir de ceux-ci d'écouter ces messagers de Dieu. C'est ainsi qu'il en vint à formuler sa « théorie des Mages », de ces sages suscités pour être des flambeaux de l'histoire.

Dans les *Contemplations* (1856) il y a deux poèmes qui sont particulièrement frappants sur ce sujet, « *Ibo* », où il rappelle encore une fois sa mission lors des événements récents en France, c'est à dire son devoir de dénoncer Napoléon III comme l'usurpateur, et « Les Mages », dans lequel il évoque toute une série de ces sages apparus au cours des âges. Il en nomme environ quatre-vingts:

> Pourquoi donc faites-vous des prêtres
> Quand vous en avez parmi vous ? [1]
> Les esprits conducteurs des êtres
> Portent un signe sombre et doux...

Ces hommes ce sont les poètes.

> Oui, c'est un prêtre que Socrate !                    5
> Oui, c'est un prêtre que Caton !...
> Ce sont des prêtres, les Tyrtées,
> Les Platons et les Raphaëls !

> Les Virgiles, les Isaïes,
> Toutes les âmes envahies                    10
> Par les grandes brumes du sort;
> Tous ceux en qui Dieu se concentre;
> Tous les yeux où la lumière entre,
> Tous les fronts d'où le rayon sort.

Et aux poètes, il dira:

> Oh ! vous êtes les seuls pontifes,                    15
> Penseurs, lutteurs des grands espoirs,

---

[1] Ici on sent le ressentiment que V. Hugo éprouvait encore contre l'Église qui n'avait pas protesté avec lui contre l'usurpation du trône par Napoléon III.

Dompteurs des fauves hippogriffes,
Cavaliers des pégases noirs !

Le plus grand des mages est resté, aux yeux de Victor Hugo, ce
Shakespeare qu'il avait déjà exalté dans la *Préface de Cromwell*, en
1827. En 1864 le monde allait célébrer le troisième centenaire de la
naissance de Shakespeare. Le fils de Victor Hugo avait travaillé
depuis quelques années à une traduction française des œuvres du grand
dramaturge. On aurait voulu que Victor Hugo vînt à Paris pour y
prendre la présidence des fêtes organisées à cette occasion. Le
gouvernement s'y opposa; mais V. Hugo écrivit un volume à la gloire
de ce plus grand des mages, et qui pouvait servir en quelque sorte
d'introduction à la traduction de son fils.

Voici comment, dans ce volume *Shakespeare*, il décrit, dans le
langage d'un prophète, sa vision de ce que sont les mages:

L'art suprême est la région des Égaux.

Le chef-d'œuvre est adéquat au chef d'œuvre,

5    qui,

Comme l'eau chauffée à cent degrés, n'est plus capable
d'augmentation calorique et ne peut s'élever plus haut;
la pensée humaine atteint dans certains hommes sa complète intensité. Eschyle, Job, Phidias, Isaïe, Saint-Paul,
10 Juvénal, Dante, Michel-Ange, Rabelais, Cervantès, Shakespeare, Rembrandt, Beethoven, quelques autres encore,
marquent les cent degrés de génie.

L'esprit humain a une cime.

Cette cime est l'idéal.

15    Dieu y descend, l'homme y monte.

Dans chaque siècle, trois ou quatre génies entreprennent
cette ascension. D'en bas, on les suit des yeux. Ces
hommes gravissent la montagne, entrent dans la nuée,
disparaissent, reparaissent. On les épie, on les observe.
20 Ils côtoient les précipices; un faux pas ne déplairait point
à certains spectateurs. Les aventuriers poursuivent leur
chemin. Les voilà haut, les voilà loin: ce ne sont plus que
des points noirs. Comme ils sont petits ! dit la foule. Ce

sont des géants. Ils vont. La route est âpre. L'escarpe-
ment se défend. À chaque pas un mur, à chaque pas un
piège. À mesure qu'on s'élève, le froid augmente. Il faut
se faire son escalier, couper la glace, marcher dessus, se
tailler des degrés dans la neige. Toutes les tempêtes font ⁵
rage. Cependant ces insensés cheminent. L'air n'est plus
respirable. Le gouffre se multiplie autour d'eux. Quelques-uns tombent. C'est bien fait. D'autres s'arrêtent
et redescendent. Il y a de sombres lassitudes. Les
intrépides continuent; les prédestinés persistent. La ¹⁰
pente redoutable croule sous eux et tâche de les entraîner;
la gloire est traître; ils sont regardés par les aigles; ils sont
tâtés par les éclairs; l'ouragan est furieux. N'importe, ils
s'obstinent. Ils montent. Celui qui arrive au sommet est
ton égal, Homère.                                         ¹⁵

Ces noms que nous venons de dire, et ceux que nous aurions pu ajouter, redites-les. Choisir entre ces hommes,
impossible. Nul moyen de faire pencher la balance entre
Rembrandt et Michel-Ange.

Et pour nous enfermer seulement dans les écrivains et les ²⁰
poètes, examinez-les l'un après l'autre. Lequel est le plus
grand ? Tous.

[Il choisit définitivement quatorze grands mages, dont il caractérise le génie: Homère, Job, Eschyle, Isaïe, Ezéchiel, Lucrèce, Juvénal,
Tacite, Saint Jean, Saint Paul, Dante, Rabelais, Cervantès, Shakespeare.
    La série n'est pas close. Il en faut attendre d'autres. Il en faut
attendre un autre, surtout après le grand mouvement de la Révolution française que Victor Hugo considère comme une crise aussi importante dans l'histoire du monde que celle qui avait suscité Homère
— marquant la fin de la civilisation d'Asie et le début de celle d'Europe —, et que celle qui avait suscité Shakespeare — marquant la fin
du moyen-âge et le commencement de l'ère moderne: « La troisième
grande crise est la Révolution Française; c'est la troisième porte
énorme de la barbarie, la porte monarchique, qui se ferme en ce
moment. Le dix-neuvième siècle l'entend rouler sur ses gonds. De

là, pour la poésie, le drame et l'art, l'ère actuelle, aussi indépendante
de Shakespeare que d'Homère. »

   Plusieurs noms ont été suggérés pour cet honneur, tels Chateaubriand, Lamartine, Hugo lui-même.]

## Ce que dit la Bouche d'Ombre

### (Fragments.)

   Le morceau principal dans lequel V. Hugo parle à la manière d'un
mage et expose la philosophie à laquelle il est arrivé, est celui qui clôt
le second volume des *Contemplations* (Livre VI, xxvi). Cette « bouche »
qui parle des profondeurs des abîmes s'adresse au poète comme la
voix qui s'adressait à Moïse sur le Mont Sinaï.  Ces vers sont signés
comme ayant été inspirés et écrits au Dolmen de Rozel, un point
particulièrement grandiose et pittoresque de l'île de Jersey, qui est
marqué par un de ces monuments druidiques nombreux en Bretagne
et dans les îles de la Manche, et qui servaient aux cérémonies religieuses des anciens druides — ces mages celtiques.

L'homme en songeant descend au gouffre universel.

J'errais près du dolmen qui domine Rozel,

À l'endroit où le cap se prolonge en presqu'île.

Le spectre m'attendait;  l'être sombre et tranquille

5 Me prit par les cheveux dans sa main qui grandit,

M'emporta sur le haut du rocher, et me dit:

   [D'abord un grand morceau panthéiste;  *Tout dans la nature est
divin:*]

Sache que tout connaît sa loi, son but, sa route;

Que, de l'astre au ciron,[1] l'immensité s'écoute;

Que tout a conscience en la création;

10 Et l'oreille pourrait avoir sa vision,

Car les choses et l'être ont un grand dialogue.

Tout parle;  l'air qui passe et l'alcyon qui vogue,

   [1] Pascal, dans les *Pensées*, donne le ciron comme le plus petit
insecte perceptible à l'homme et comme le symbole de l'infiniment
petit.

Le brin d'herbe, la fleur, le germe, l'élément.
T'imaginerais-tu l'univers autrement ? ...
Crois-tu que l'eau du fleuve et les arbres des bois,
S'ils n'avaient rien à dire élèveraient la voix ?
Prends-tu le vent des mers pour un joueur de flûte ?          5
Crois-tu que l'océan, qui se gonfle et qui lutte,
Serait content d'ouvrir sa gueule jour et nuit
Pour souffler dans le vide une vapeur de bruit,
Et qu'il voudrait rugir, sous l'ouragan qui vole,
Si son rugissement n'était une parole ?                       10
Crois-tu que le tombeau, d'herbe et de nuit vêtu,
Que la création profonde qui compose
Sa rumeur des frissons du lys et de la rose,
De la foudre, des flots, des souffles du ciel bleu,
Ne sait ce qu'elle dit quand elle parle à Dieu ?              15
Crois-tu qu'elle ne soit qu'une langue épaissie ?
Crois-tu que la nature énorme balbutie,
Et que Dieu se serait dans son immensité
Donné pour tout plaisir, pendant l'éternité,
D'entendre bégayer une sourde-muette ?                        20
Non, l'abîme est un prêtre et l'ombre est un poète;
Non, tout dit une voix et tout est un parfum;
Une pensée emplit le tumulte superbe.
Dieu n'a pas fait un bruit sans y mêler le verbe.
Tout comme toi, gémit, ou chante comme moi;                   25
Tout parle.  Et maintenant, homme, sais-tu pourquoi
Tout parle ? Ecoute bien.  C'est que vents, onde, flammes,
Arbres, roseaux, rochers, tout vit !
                    Tout  est  plein  d'âmes.
Mais comment ?  Oh ! voilà le mystère inouï.                  30

Ici la doctrine (platonicienne, gnostique, et leibnitzienne encore)
que ce que l'homme appelle le mal n'est que l'imparfait et le relatif.
Dieu n'a pas pu créer quelque chose de mauvais, mais aussi il ne pou-

vait transmettre l'existence en dehors de lui sans que cette création, étant hors de lui, l'absolu, cessât de comporter la perfection et fût entachée de relativité. Cette relativité, cette imperfection, que les théologiens appellent le mal ou parfois le péché, V. Hugo la considère comme s'étant en quelque sorte allégoriquement revêtue de matière, de la matière pesante qui tire en bas la création et qui, en l'homme, est le péché.

Dieu n'a créé que l'être impondérable.
Il le fit radieux, beau, candide, adorable,
Mais imparfait; sans quoi, sur la même hauteur,
La créature étant égale au créateur,
5 Cette perfection, dans l'infini perdue,
Se serait avec Dieu mêlée et confondue,
Et la création, à force de clarté,
En lui serait rentrée et n'aurait pas été.
La création sainte où rêve le prophète,
10 Pour être, ô profondeur ! devait être imparfaite.

Donc, Dieu fit l'univers, l'univers fit le mal.
L'être créé, paré du rayon baptismal,
En des temps dont nous seuls [1] conservons la mémoire,
Planait dans la splendeur sur des ailes de gloire;
15 Tout était chant, encens, flamme, éblouissement;
L'être errait, aile d'or, dans un rayon charmant,
Et de tous les parfums tout à tout était l'hôte;
Tout nageait, tout volait.

Or, la première faute
20 Fut le premier poids.

Dieu sentit une douleur,
Le poids prit une forme, et, comme l'oiseleur
Fuit, emportant l'oiseau qui frissonne et qui lutte,
Il tomba, traînant l'ange éperdu dans sa chute.
25 Le mal était fait.  Puis, tout alla s'aggravant;

[1] Nous seuls, *les mages.*

Et l'éther devint air, et l'air devint le vent;
L'ange devint esprit, et l'esprit devint l'homme.

> Mais la créature aspire à s'affranchir de la matière, à se libérer du mal, à sortir du relatif, et à rentrer dans l'absolu. (Comparez cette idée avec celle de Pascal: l'homme aspirant à la rédemption de la misère, du mal, du péché. Voir *Seventeenth Century French Readings*, Holt & Co. p. 249-250; 262-3.)

Faisons un pas de plus dans ces choses profondes.

Homme, tu veux, tu fais, tu construis et tu fondes,
Et tu dis:— Je suis seul, car je suis le penseur.          5
L'univers n'a que moi dans sa morne épaisseur.
En deçà, c'est la nuit; au delà, c'est le rêve.

[Et dans ce rêve,]

L'âme entrevoit de loin la lueur éternelle.

[L'homme peut rêver, car]

Le monstre a le carcan,[1] l'homme la liberté.
Espérez ! espérez ! espérez !  Misérables !          10
Pas de deuil infini, pas de maux incurables,
    Pas d'enfer éternel !
Les douleurs vont à Dieu comme la flèche aux cibles;
Les bonnes actions sont les gonds invisibles
    De la porte du ciel. . . .          15

Oh ! comme vont chanter toutes les harmonies,
Comme rayonneront dans les sphères bénies
    Les faces de clarté,
Comme les firmaments se fondront en délires,
Comme tressailleront toutes les grandes lyres          20
    De la sérénité,

---

[1] Le « monstre » c'est l'être des sens et de la matière.

Quand, du monstre matière ouvrant toutes les serres,
Faisant évanouir en splendeurs les misères,
    Changeant l'absinthe en miel,
Inondant de beauté la nuit diminuée,
Ainsi que le soleil tire à lui la nuée
5    Et l'emplit d'arcs-en-ciel.

Dieu, de son regard fixe attirant les ténèbres,
Voyant vers lui, du fond des cloaques funèbres,
    Où le mal le pria,
Monter l'énormité bégayant des louanges,
10 Fera rentrer, parmi les univers archanges,
    L'univers paria !

[Bélial lui-même (autre appellation pour Satan), rentrera dans le
sein du Christ divin; c'est à dire, le mal, l'imparfait, le relatif rentre
dans l'absolu — une philosophie toute empreinte de l'esprit du
Nirvana oriental, des Gnostiques d'Alexandrie, et pas en opposition
avec la théorie platonicienne du recommencement éternel des choses.]

Ils viendront ! ils viendront ! tremblants, brisés d'extase,
Chacun d'eux débordant de sanglots comme un vase,
    Mais pourtant sans effroi;
15 On leur tendra les bras de la haute demeure,
Et Jésus, se penchant sur Bélial qui pleure,
    Lui dira: c'est donc toi !

Et vers Dieu par la main il conduira ce frère;
Et, quand ils seront près des degrés de lumière
20    Par nous seuls aperçus,
Tous deux seront si beaux, que Dieu dont l'œil flamboie
Ne pourra distinguer, père ébloui de joie,
    Bélial de Jésus !

Tout sera dit. Le mal expirera; les larmes
25 Tariront; plus de fers, plus de deuils, plus d'alarmes;
    L'affreux gouffre inclément

Cessera d'être sourd, et bégaiera: Qu'entends-je?
Les douleurs finiront dans toute l'ombre;  un ange
Criera:  Commencement!

## Le Revenant

(*Contemplations*, Vol. I, III, 23.)

Cette pièce est écrite à la même époque que « Ce que dit la Bouche d'Ombre ».  Le monde avait manifesté en ces temps-là un intérêt passionné pour les phénomènes appelés occultes.  V. Hugo avait été entraîné dans le courant surtout après l'arrivée à Jersey d'une amie qui avait introduit chez ses hôtes les expériences des tables tournantes et des esprits frappeurs.[1]  Il est resté à V. Hugo, des quelques semaines que dura ce soi-disant commerce avec l'au-delà, un goût secret pour ces mystères impénétrables.  Le poème suivant, qui semble trahir en lui une croyance à la doctrine de la transmigration des âmes, avait frappé beaucoup ses contemporains.

On ne sait pas pourquoi le poète a assigné la date du 18 août, 1843, à son poème; peut-être parce que c'était l'année de la mort de sa fille préférée, Léopoldine (Mais alors, pourquoi 18 août, puisque la catastrophe de Villequier eut lieu le 4 septembre?)

On ne sait rien de l'événement de Blois qui sert de point de départ au poème sauf ce qu'en dit V. Hugo; celui-ci avait séjourné dans cette ville, chez son père, du 17 avril au 19 mai, 1825.

Mères en deuil, vos cris là-haut sont entendus.
Dieu, qui tient dans sa main tous les oiseaux perdus,                5
Parfois au même nid rend la même colombe.
O mères, le berceau communique à la tombe.
L'éternité contient plus d'un divin secret.

La mère dont je vais vous parler demeurait
À Blois; je l'ai connue en un temps plus prospère;                10
Et sa maison touchait à celle de mon père.
Elle avait tous les biens que Dieu donne ou permet.

[1] Cette phase de la pensée de V. Hugo a été étudiée avec un soin particulier par l'abbé Cl. Grillet, *Victor Hugo spirite* (Lyon, Vitte, 1929), et Denys Saurat, *La religion de Victor Hugo* (Hachette, 1930).

On l'avait mariée à l'homme qu'elle aimait.
Elle eut un fils; ce fut une ineffable joie.

Ce premier-né couchait dans un berceau de soie;
Sa mère l'allaitait; il faisait un doux bruit
5 À côté du chevet nuptial; et, la nuit,
La mère ouvrait son âme aux chimères sans nombre,
Pauvre mère, et ses yeux resplendissaient dans l'ombre,
Quand, sans souffle, sans voix, renonçant au sommeil,
Penchée, elle écoutait dormir l'enfant vermeil.
10 Dès l'aube, elle chantait, ravie et toute fière.

Elle se renversait sur sa chaise en arrière,
Son fichu laissant voir son sein gonflé de lait,
Et souriait au faible enfant, et l'appelait
Ange, trésor, amour; et mille folles choses.
15 Oh! comme elle baisait ces beaux petits pieds roses!
Comme elle leur parlait! L'enfant, charmant et nu,
Riait, et, par ses mains sous les bras soutenu,
Joyeux, de ses genoux montait jusqu'à sa bouche.

Tremblant comme le daim qu'une feuille effarouche,
20 Il grandit. Pour l'enfant, grandir, c'est chanceler.
Il se mit à marcher, il se mit à parler.
Il eut trois ans; doux âge, où déjà la parole,
Comme le jeune oiseau, bat de l'aile et s'envole.
Et la mère disait: mon fils! — et reprenait:
25 — Voyez comme il est grand! Il apprend; il connaît
Ses lettres. C'est un diable! Il veut que je l'habille
En homme; il ne veut plus de ses robes de fille.
C'est déjà très méchant, ces petits hommes-là!
C'est égal, il lit bien; il ira loin; il a
30 De l'esprit; je lui fais épeler l'évangile. —

Et ses yeux adoraient cette tête fragile,
Et, femme heureuse, et mère au regard triomphant,
Elle sentait son cœur battre dans son enfant.
Un jour, — nous avons tous de ces dates funèbres ! [1] —
Le croup, monstre hideux, épervier des ténèbres,                5
Sur la blanche maison brusquement s'abattit,
Horrible, et, se ruant sur le pauvre petit,
Le saisit à la gorge.  O noire maladie !
De l'air par qui l'on vit sinistre perfidie !
Qui n'a vu se débattre, hélas, ces doux enfants                10
Qu'étreint le croup féroce en ses doigts étouffants !
Ils luttent; l'ombre emplit lentement leurs yeux d'ange,
Et de leur bouche froide, il sort un râle étrange
Et si mystérieux, qu'il semble qu'on entend,
Dans leur poitrine, où meurt le souffle haletant,                15
L'affreux coq du tombeau chanter son aube obscure.
Tel qu'un fruit qui du givre a senti la piqûre,
L'enfant mourut.  La mort entra comme un voleur
Et le prit. — Une mère, un père, la douleur,
Le noir cercueil, le front qui se heurte aux murailles,                20
Les lugubres sanglots qui sortent des entrailles,
Oh ! la parole expire où commence le cri;
Silence aux mots humains !

                                La mère au cœur meurtri,
Pendant qu'à ses côtés pleurait le père sombre,                25
Resta trois mois sinistre, immobile dans l'ombre,
L'œil fixe, murmurant on ne sait quoi d'obscur,
Et regardant toujours le même angle du mur.
Elle ne mangeait pas, sa vie était sa fièvre;
Elle ne répondait à personne; sa lèvre                30
Tremblait; on l'entendait avec un morne effroi,

[1] V. Hugo avait perdu son premier enfant, Léopold, le 9 oct. 1823, quand celui-ci avait trois mois.

Qui disait à voix basse à quelqu'un: Rends-le-moi !
Et le médecin dit au père: « Il faut distraire
Ce cœur triste, et donner à l'enfant mort un frère. »
Le temps passa;  les jours, les semaines, les mois.

5 Elle se sentit mère une seconde fois.

Devant le berceau froid de son ange éphémère,
Se rappelant l'accent dont il disait: « ma mère »,
Elle songeait, muette, assise sur son lit.
Le jour où, tout à coup, dans son flanc tressaillit
10 L'être inconnu promis à notre aube mortelle,
Elle pâlit. « Quel est cet étranger ? » dit-elle.
Puis elle cria, sombre et tombant à genoux:
« Non, non, je ne veux pas ! non ! tu serais jaloux !
O mon doux endormi, toi que la terre glace,
15 Tu dirais: On m'oublie;  un autre a pris ma place;
Ma mère l'aime, et rit;  elle le trouve beau,
Elle l'embrasse, et, moi, je suis dans mon tombeau ! »
Non, non ! »

                    Ainsi pleurait cette douleur profonde.

20 Le jour vint, elle mit un autre enfant au monde,
Et le père joyeux cria: « C'est un garçon ! »
Mais le père était seul joyeux dans la maison;
La mère restait morne, et la pâle accouchée,
Sur l'ancien souvenir tout entière penchée,
25 Rêvait;  on lui porta l'enfant sur un coussin;
Elle se laissa faire et lui donna le sein;
Et tout à coup, pendant que, farouche, accablée,
Pensant au fils nouveau moins qu'à l'âme envolée,
Hélas ! et songeant moins aux langes qu'au linceul,
30 — O doux miracle ! ô mère au bonheur revenue ! —
Elle entendit, avec une voix bien connue,

Le nouveau-né parler dans l'ombre entre ses bras,
Et tout bas murmurer: « C'est moi.  Ne le dis pas ! »


## POÉSIE ÉPIQUE

### La Légende des siècles [1]

Victor Hugo en exil travaillait à trois œuvres en vers: *Dieu, La Fin de Satan* et *Les Petites Épopées* qui devaient former les trois parties d'un grand poème philosophique.  Après le grand succès des *Contemplations*, en 1856, son éditeur (Hetzel) le pressa de terminer *Les Petites Épopées* en laissant momentanément de côté les deux poèmes abstraits qui n'intéresseraient pas autant le grand public. Victor Hugo y consentit.  Il avait déjà une vingtaine des plus beaux poèmes écrits; il changea le titre en *La Légende des siècles;* et pour céder à l'impatience de l'éditeur il n'attendit pas d'avoir tout terminé pour commencer la publication.  En fait, il n'acheva jamais son œuvre; *La Légende des siècles* demeura à l'état de grandioses fragments, qu'on admire comme on admire les fragments grandioses de l'œuvre du sculpteur Rodin.

Il parut une « Première série » de la *Légende des siècles*, en deux volumes, en 1859; une « Nouvelle série », en deux volumes encore, 17 ans plus tard, le 26 février, 1877 (le jour du 75° anniversaire de la naissance du poète); et, en 1883, un volume complémentaire.

L'idée du grand tryptique était la même, travaillée avec beaucoup plus de détails, que dans « La Bouche d'Ombre »: Le triomphe ultime de l'esprit sur la matière.  Tandis que *La Fin de Satan* devait figurer, par une série de tableaux, le recul progressif du mal ou du relatif dans la création, et que *Dieu* devait figurer la victoire finale de l'infini ou de l'absolu, *La Légende des siècles* devait illustrer dans l'histoire, par une succession de « petites épopées » ce que M. Berret appelle « l'histoire de la conscience humaine en ascension vers le bien » (II p. 787).

Victor Hugo, en effet, ne cherche pas à faire un récit suivi des destinées des peuples; il choisit dans chaque grande époque historique — tels que les temps bibliques, les empires de l'ancien orient, la Grèce et Rome, le Moyen-âge sombre, chevaleresque et chrétien, la Révolution et l'ère napoléonienne, les temps modernes et les temps

---

[1] Il y a ici deux ouvrages capitaux à consulter: Eug. Rigal, *Victor Hugo, poète épique* (Paris, Boivin, 1900), et l'édition dans la collection des Grands écrivains de la France, par Paul Berret, *La Légende des siècles* (6 volumes in 12, Paris, Hachette, 1922–5).

à venir — certains épisodes caractéristiques. Il est difficile de faire un choix parmi tant de magnifiques poèmes. On peut au moins mentionner quelques-uns des plus connus.

Certaines périodes sont beaucoup mieux représentées que d'autres; mais il faut toujours se souvenir que la grande fresque n'existe qu'en fragments.

Après un grand morceau d'introduction « Vision d'où est sorti ce livre » (publié dans la seconde série), il devait y avoir un certain nombre de poèmes bibliques. Parmi les meilleurs qui sont conservés: « Le Sacre de la femme », (ce fut, au jardin d'Eden, le jour où Ève sentit qu'elle allait devenir la mère de la race humaine); « La Conscience » (le remords de Caïn); « Booz endormi » (racontant l'histoire de Booz devant épouser Ruth, la Moabite); « La première rencontre du Christ avec le Tombeau » (résurrection de Lazare).

## La Conscience

Le poète s'écarte à peine, dans quelques détails, du récit de la *Genèse*, Chap. IX.

Il existe un tableau célèbre évidemment inspiré par V. Hugo, qui est dû au peintre Cormon (1845–1924), et exposé au Musée du Luxembourg, à Paris.

Lorsque avec ses enfants vêtus de peaux de bêtes
Échevelé, livide au milieu des tempêtes,
Caïn se fut enfui de devant Jéhovah,
Comme le soir tombait, l'homme sombre arriva
5 Au bas d'une montagne en une grande plaine;
Sa femme fatiguée et ses fils hors d'haleine
Lui dirent: — Couchons-nous sur la terre, et dormons. —
Caïn, ne dormant pas, songeait au pied des monts.
Ayant levé la tête, au fond des cieux funèbres
10 Il vit un œil, tout grand ouvert dans les ténèbres,
Et qui le regardait dans l'ombre fixement.
— Je suis trop près, dit-il avec un tremblement.
Il réveilla ses fils dormant, sa femme lasse,
Et se remit à fuir sinistre dans l'espace.
15 Il marcha trente jours, il marcha trente nuits.

Il allait, muet, pâle et frémissant aux bruits,
Furtif, sans regarder derrière lui, sans trêve,
Sans repos, sans sommeil.  Il atteignit la grève
Des mers dans le pays qui fut depuis Assur.[1]
— Arrêtons-nous, dit-il, car cet asile est sûr.                    5
Restons-y.  Nous avons du monde atteint les bornes. —
Et, comme il s'asseyait, il vit dans les cieux mornes
L'œil à la même place au fond de l'horizon.
Alors il tressaillit en proie au noir frisson.
— Cachez-moi, cria-t-il; et, le doigt sur la bouche,          10
Tous ses fils regardaient trembler l'aïeul farouche.
Caïn dit à Jabel,[2] père de ceux qui vont
Sous des tentes de poil dans le désert profond:
— Étends de ce côté la toile de la tente. —
Et l'on développa la muraille flottante;                           15
Et, quand on l'eut fixée avec des poids de plomb:
— Vous ne voyez plus rien? dit Tsilla,[3] l'enfant blond,
La fille de ses fils, douce comme l'aurore;
Et Caïn répondit: — Je vois cet œil encore ! —
Jubal,[4] père de ceux qui passent dans les bourgs            20
Soufflant dans des clairons et frappant des tambours,
Cria: — Je saurai bien construire une barrière. —
Il fit un mur de bronze et mit Caïn derrière.
Et Caïn dit: — Cet œil me regarde toujours !
Hénoch [5] dit: — Il faut faire une enceinte de tours        25
Si terrible, que rien ne puisse approcher d'elle.

[1] Assyrie.
[2] Descendant au sixième degré de Caïn, Jubal « fut le père de ceux qui habitent sous des tentes et près des troupeaux » (v. 21).
[3] Tsilla, la mère de Tubalcaïn, déjà alors un homme fait, n'était donc plus une « enfant ».  Peut-être le joli nom a-t-il suggéré au poète d'en faire une jeune fille.
[4] Le frère de Jabel (mentionné plus haut): « le père de tous ceux qui jouent de la harpe et du chalumeau » (v. 21).
[5] Le propre fils de Caïn.

Bâtissons une ville avec sa citadelle.
Bâtissons une ville, et nous la fermerons. —
Alors Tubalcaïn,[1] père des forgerons,
Construisit une ville énorme et surhumaine.
5 Pendant qu'il travaillait, ses frères, dans la plaine,
Chassaient les fils d'Énos et les enfants de Seth[2];
Et l'on crevait les yeux à quiconque passait;
Et, le soir, on lançait des flèches aux étoiles.
Le granit remplaça la tente aux murs de toiles,
10 On lia chaque bloc avec des nœuds de fer,
Et la ville semblait une ville d'enfer;
L'ombre des tours faisait la nuit dans les campagnes;
Ils donnèrent aux murs l'épaisseur des montagnes;
Sur la porte on grava: « Défense à Dieu d'entrer. »
15 Quand ils eurent fini de clore et de murer,
On mit l'aïeul au centre en une tour de pierre.
Et lui restait lugubre et hagard. — O mon père !
L'œil a-t-il disparu ? dit en tremblant Tsilla.
Et Caïn répondit: — Non, il est toujours là.
20 Alors il dit. Je veux habiter sous la terre
Comme dans son sépulcre un homme solitaire;
Rien ne me verra plus, je ne verrai plus rien. —
On fit donc une fosse, et Caïn dit: C'est bien !
Puis il descendit seul sous cette voûte sombre.
25 Quand il se fut assis sur sa chaise dans l'ombre
Et qu'on eut sur son front fermé le souterrain,
L'œil était dans la tombe et regardait Caïn.

\*　　\*　　\*

Le cycle des « Chevaliers errants », c'est à dire des chevaliers qui
cherchent des aventures pour secourir les opprimés, la veuve et

[1] « Qui forgeait tous les instruments d'airain et de fer » (v. 22).
[2] Seth, le fils que Dieu donna à Ève pour remplacer Abel tué par
Caïn. Enos, le fils de Seth (v. 25, 26).

l'orphelin, contient entre autres « Le Petit Roi de Galice » et « Évi-
radnus », magnifiques vengeances exercées sur des barons bandits par
des ministres de la justice divine.   Victor Hugo trahit sa vieille préférence des temps romantiques pour le moyen-âge, et il fait intervenir
l'Écosse médiévale, « L'aigle du casque », et pour l'Orient, « Sultan
Mourad ».   Il évoque l'Italie, dans « Ratbert », « La confiance du
marquis Fabrice ».

Dans la seconde série, on admire « La Rose de l'Infante » (vision
prophétique de l'écroulement, au XVI° siècle, de la puissance mon-
diale de l'Espagne, l'anéantissement de l'Invincible Armada, en
1588).  De grands morceaux sur les « Aventuriers de la mer », et sur les
« Troupes mercenaires », (« Le Régiment du Baron de Madruce »).  La
période révolutionnaire, traitée ailleurs (*Les Quatre vents de l'Esprit*)
n'est représentée que par quelques poèmes napoléoniens, « La Bataille d'Eylau », « Le Retour de l'Empereur », et un petit morceau fort
connu, « Après la Bataille ».

## *Après la Bataille*

Le père du poète, Léopold Hugo (1774–1828) fit une longue carrière militaire, s'étant engagé dès l'âge de 14 ans.   Il a laissé des *Mémoires*.   Il fut un Général de la Grande armée de Napoléon; l'épisode
raconté ici a dû se passer pendant la guerre d'Espagne qui dura de
1808 à 1813.   Sur l'authenticité du fait, voir Kr. Nyrop, « Autour
d'un poème de V. Hugo » (*Mélanges Baldensperger*, II, p. 142–150.
Paris, Champion, 1930).

Mon père, ce héros au sourire si doux,
Suivi d'un seul housard [1] qu'il aimait entre tous
Pour sa grande bravoure et pour sa haute taille,
Parcourait à cheval, le soir d'une bataille,
Le champ couvert de morts sur qui tombait la nuit.          5
Il lui sembla dans l'ombre entendre un faible bruit.
C'était un Espagnol de l'armée en déroute
Qui se traînait sanglant sur le bord de la route,
Râlant, brisé, livide, et mort plus qu'à moitié,
Et qui disait: — A boire, à boire par pitié ! —          10
Mon père, ému, tendit à son housard fidèle

---

[1] Plus souvent épelé « hussard »:  corps de cavalerie légère.

Une gourde de rhum qui pendait à sa selle,
Et dit: — Tiens, donne à boire à ce pauvre blessé. —
Tout à coup, au moment où le housard baissé
Se penchait vers lui, l'homme, une espèce de maure,
5 Saisit un pistolet qu'il étreignait encore,
Et vise au front mon père en criant: Caramba ! [1]
Le coup passa si près que le chapeau tomba
Et que le cheval fit un écart en arrière.
— Donne-lui tout de même à boire, dit mon père.

*    *    *

Dans les poèmes relatifs à la Grèce — très peu nombreux, — il faut signaler « Les Trois cents » (rappelant l'épisode de Léonidas et des Thermopyles). Dans le Cycle rappelant l'écroulement de l'immense empire romain, « Au Lion d'Androclès » (le lion qui épargne le chrétien livré aux bêtes sauvages:

*Et l'homme étant le monstre, ô Lion, tu fus l'homme.*)

Le Cycle héroïque chrétien est un des plus abondants en grands morceaux, « Parricide » (la légende danoise de Kanut); « Le mariage de Roland », « Aymerillot », « Bivar » (légende du Cid).

## Le Mariage de Roland

L'intérêt pour le Moyen-âge ne s'était pas entièrement perdu en France lorsque le Romantisme avait passé dans le domaine de l'histoire. *Les Burgraves* de Victor Hugo sont de 1843. Et les savants s'y intéressent toujours, veulent même y intéresser le public. Dans *Le Journal du Dimanche* du 1 novembre 1846, le grand érudit Jubinal publiait un article qui attira l'attention de Victor Hugo: « Quelques romans chez nos aïeux ». Parmi les épopées médiévales dont il donnait le résumé se trouvait celle de *Gérard de Vienne* (une ville au sud de la France): Charlemagne est en guerre avec un de ses vassaux, Gérard, et après de longs combats sans issue on décide de remettre le sort de la lutte entre les mains de deux champions; l'un est Olivier, le fils de Gérard; l'autre est Roland, le neveu de Charlemagne. Après cinq jours de combat formidable, la victoire demeure toujours

---

[1] Accent sur la pénultième. Énergique interjection espagnole sans signification spéciale. Les interjections commencent volontiers, en espagnol, par *Ca* —, ou *Co* —.

incertaine.   Alors Olivier propose la paix, et comme gage d'alliance, il
offre sa sœur, la belle Aude, en mariage à Roland.

  Dans le récit tel que rapporté par Jubinal, un ange vient interrompre le furieux combat et commande aux chevaliers chrétiens de
cesser de se battre entre eux, pour mettre leur courage au service de la
cause commune, à savoir la lutte contre les infidèles Sarrazins.
L'intervention de l'ange est abandonnée par V. Hugo.   Dans la
*Chanson de Roland* on nous dit que Roland mourut à Roncevaux
avant la célébration des noces, et que la belle Aude, en entendant la
fatale nouvelle des lèvres de Charlemagne, tomba morte à ses pieds.

  (Voir P. Berret, édition de *La Légende des Siècles*, Vol. I, p. 155–
159).

Ils se battent — combat terrible ! — corps à corps.

Voilà déjà longtemps que leurs chevaux sont morts;

Ils sont là seuls tous deux dans une île du Rhône.

Le fleuve à grand bruit roule un flot rapide et jaune,

Le vent trempe en sifflant les brins d'herbe dans l'eau.          5

L'archange saint Michel attaquant Apollo [1]

Ne ferait pas un choc plus étrange et plus sombre.

Déjà, bien avant l'aube, ils combattaient dans l'ombre.

Qui, cette nuit, eût vu s'habiller ces barons,

Avant que la visière eût dérobé leurs fronts,                    10

Eût vu deux pages blonds, roses comme des filles.

Hier, c'étaient deux enfants riant à leurs familles,

Beaux, charmants; — aujourd'hui, sur ce fatal terrain,

C'est le duel effrayant de deux spectres d'airain,

Deux fantômes auxquels le démon prête une âme,                   15

Deux masques dont les trous laissent voir de la flamme.

Ils luttent, noirs, muets, furieux, acharnés.

Les bateliers pensifs qui les ont amenés

Ont raison d'avoir peur et de fuir dans la plaine,

Et d'oser, de bien loin, les épier à peine;                      20

---

[1] *Apollo*, pour la rime avec *l'eau*.   Que vient faire ici cette divinité
grecque ?   On ne sait; mais son nom se retrouve jusque dans la *Chanson de Roland*.

Car de ces deux enfants, qu'on regarde en tremblant,
L'un s'appelle Olivier et l'autre a nom Roland.

Et, depuis qu'ils sont là, sombres, ardents, farouches,
Un mot n'est pas encor sorti de ces deux bouches.
5 Olivier, sieur de Vienne et comte souverain,
A pour père Gérard et pour aïeul Garin.
Il fut pour ce combat habillé par son père.
Sur sa targe est sculpté Bacchus [1] faisant la guerre
Aux Normands, Rollon [2] ivre, et Rouen consterné,
10 Et le dieu souriant par des tigres traîné,
Chassant, buveur de vin, tous ces buveurs de cidre,
Son casque est enfoui sous les ailes d'une hydre;
Il porte le haubert que portait Salomon;
Son estoc resplendit comme l'œil d'un démon;
15 Il y grava son nom afin qu'on s'en souvienne;
Au moment du départ, l'archevêque de Vienne
A béni son cimier de prince féodal.

Roland a son habit de fer, et Durandal. [3]
Ils luttent de si près avec de sourds murmures,
20 Que leur souffle âpre et chaud s'empreint sur les armures;
Le pied presse le pied; l'île à leurs noirs assauts
Tressaille au loin; l'acier mord le fer; des morceaux
De heaume et de haubert, sans que pas un s'émeuve,
Sautent à chaque instant dans l'herbe et dans le fleuve;
25 Leurs brassards sont rayés de longs filets de sang
Qui coule de leur crâne et dans leurs yeux descend.
Soudain, sire Olivier, qu'un coup affreux démasque,

---

[1] Bacchus, le dieu du vin, tandis que les Normands fabriquent surtout la boisson, considérée comme bien moins noble, du cidre.

[2] Le premier Duc de Normandie; un chef Viking, venu du « pays du nord », remonta la Seine et prit Rouen (X$^{me}$ siècle).

[3] Nom de la fameuse épée de Roland.

Voit tomber à la fois son épée et son casque.
Main vide et tête nue, et Roland l'œil en feu !
L'enfant songe à son père et se tourne vers Dieu.
Durandal sur son front brille.  Plus d'espérance !
— Çà, dit Roland, je suis neveu du roi de France,          5
Je dois me comporter en franc neveu de roi.
Quand j'ai mon ennemi désarmé devant moi,
Je m'arrête.  Va donc chercher une autre épée,
Et tâche, cette fois, qu'elle soit bien trempée.
Tu feras apporter à boire en même temps,                  10
Car j'ai soif.

                    — Fils, merci, dit Olivier.

                                        — J'attends,

Dit Roland, hâte-toi.
                        Sire Olivier appelle             15
Un batelier caché derrière une chapelle.
— Cours à la ville, et dis à mon père qu'il faut
Une autre épée à l'un de nous, et qu'il fait chaud.
Cependant les héros, assis dans les broussailles,
S'aident à délacer leurs capuchons de mailles,            20
Se lavent le visage, et causent un moment.
Le batelier revient, il a fait promptement;
L'homme a vu le vieux comte; il rapporte une épée
Et du vin, de ce vin qu'aimait le grand Pompée [1]
Et que Tournon [2] récolte au flanc de son vieux mont.     25
L'épée est cette illustre et fière Closamont, [3]
Que d'autres quelquefois appellent Haute-Claire.
L'homme a fui.  Les héros achèvent sans colère,

---

[1] Pompée se trouva plusieurs fois en Espagne — qui n'est pas fort
loin du sud de la France.
[2] Une ville sur le Rhône.
[3] Une méprise, car Closamont est le nom d'un homme qui avait été
possesseur d'une fameuse épée, Haute-Claire.

Ce qu'ils disaient, le ciel rayonne au-dessus d'eux;
Olivier verse à boire à Roland; puis tous deux
Marchent droit l'un vers l'autre, et le duel [1] recommence.
Voilà que par degrés de sa sombre démence
5 Le combat les enivre, il leur revient au cœur
Ce je ne sais quel dieu qui veut qu'on soit vainqueur,
Et qui, s'exaspérant aux armures frappées,
Mêle l'éclair des yeux aux lueurs des épées.
Ils combattent, versant à flots leur sang vermeil.
10 Le jour entier se passe ainsi. Mais le soleil
Baisse vers l'horizon. La nuit vient.

                       — Camarade,
Dit Roland, je ne sais, mais je me sens malade.
Je ne me soutiens plus, et je voudrais un peu
15 De repos.

                 — Je prétends, avec l'aide de Dieu,
Dit le bel Olivier, le sourire à la lèvre,
Vous vaincre par l'épée et non point par la fièvre.
Dormez sur l'herbe verte; et cette nuit, Roland,
20 Je vous éventerai de mon panache blanc.
Couchez-vous et dormez.

                   — Vassal, ton âme est neuve,
Dit Roland. Je riais, je faisais une épreuve.
Sans m'arrêter et sans me reposer, je puis
25 Combattre quatre jours encore, et quatre nuits.

Le duel reprend. La mort plane, le sang ruisselle.
Durandal heurte et suit Closamont; l'étincelle
Jaillit de toutes parts sous leurs coups répétés.
L'ombre autour d'eux s'emplit de sinistres clartés.
30 Ils frappent; le brouillard du fleuve monte et fume;

    [1] V. Hugo compte le mot *duel* comme n'ayant qu'une syllabe.

Le voyageur s'effraie et croit voir dans la brume
D'étranges bûcherons qui travaillent la nuit.

Le jour naît, le combat continue à grand bruit;
La pâle nuit revient, ils combattent; l'aurore
Reparaît dans les cieux, ils combattent encore.                5
Nul repos.   Seulement, vers le troisième soir,[1]
Sous un arbre, en causant, ils sont allés s'asseoir:
Puis ont recommencé.

                              Le vieux Gérard dans Vienne
Attend depuis trois jours que son enfant revienne.            10
Il envoie un devin regarder sur les tours;
Le devin dit: Seigneur, ils combattent toujours.
Quatre jours sont passés, et l'île et le rivage
Tremblent sous ce fracas monstrueux et sauvage.
Ils vont, viennent, jamais fuyant, jamais lassés,             15
Froissent le glaive au glaive et sautent les fossés,
Et passent, au milieu de ronces remuées,
Comme deux tourbillons et comme deux nuées,
O chocs affreux; terreur! tumulte étincelant!
Mais enfin Olivier saisit au corps Roland,                    20
Qui de son propre sang en combattant s'abreuve,
Et jette d'un revers Durandal dans le fleuve.

— C'est mon tour maintenant, et je vais envoyer
Chercher un autre estoc pour vous, dit Olivier.
Le sabre du géant Sinnagog [2] est à Vienne.                  25
C'est après Durandal, le seul qui vous convienne.
Mon père le lui prit alors qu'il le défit.
Acceptez-le.

----

[1] Depuis ici, V. Hugo laisse la bride à son imagination propre,
tandis que jusqu'alors il avait suivi assez fidèlement le récit médiéval.

[2] Dans la chanson d'*Otinel*, il est question d'un Sinagon ou Sina-
got « le vaillant », auquel pense probablement le poète.

Roland sourit. — Il me suffit
De ce bâton. — Il dit, et déracine un chêne.

Sire Olivier arrache un orme dans la plaine
Et jette son épée, et Roland, plein d'ennui,
5 L'attaque.　Il n'aimait pas qu'on vînt faire après lui
Les générosités, qu'il avait déjà faites.
Plus d'épée en leurs mains, plus de casque à leurs têtes.
Ils luttent maintenant, sourds, effarés, béants,
À grands coups de troncs d'arbre, ainsi que des géants.
10 Pour la cinquième fois, voici que la nuit tombe.
Tout à coup Olivier, aigle aux yeux de colombe,
S'arrête et dit:

　　　　　　　— Roland, nous n'en finirons point,
Tant qu'il nous restera quelque tronçon au poing,
15 Nous lutterons ainsi que lions et panthères.
Ne vaudrait-il pas mieux que nous devinssions frères ?
Écoute, j'ai ma sœur, la belle Aude au bras blanc,
Épouse-la.

　　　　　　　— Pardieu ! je veux bien, dit Roland.
20 Et maintenant buvons, car l'affaire était chaude. —

C'est ainsi que Roland épousa la belle Aude.

*　　　*　　　*

Pour le XIX° siècle, il y a une grande « Vision de Dante », ou
plutôt une vision dantesque où V. Hugo dénonce les grands coupables
des misères qui rongent l'humanité moderne, et c'est l'Église qu'il
accuse de n'avoir pas rempli sa mission. (On se souvient que le poète
n'avait pas pardonné au pape d'avoir soutenu Napoléon III qui avait
fait le coup d'État de décembre 1851). Puis, dans toute une série de
poèmes, V. Hugo prêche la charité comme le grand évangile qui donnera
au monde l'ère de bonheur à laquelle elle aspire. C'est le même évangile
que celui des *Misérables*, et on peut dire que le très fameux morceau,
« Les pauvres gens », est comme un nouveau récit des *Misérables* en

vers.[1] D'une façon encore plus saisissante, V. Hugo exalte la bonté comme le meilleur de l'homme dans « Le Crapaud ». C'est l'histoire d'un pauvre âne, horriblement maltraité par son maître, et qui accepte encore des coups pour ne pas écraser avec sa charrette un pauvre crapaud torturé et mutilé par des hommes sans autre raison que la laideur dont il n'est naturellement pas responsable; or:

> *Cet âne abject, souillé, meurtri sous le bâton,*
> *Est plus saint que Socrate et plus grand que Platon.*

\*      \*      \*

## En Plein Ciel

(Fragments, 1859)

Dans le Livre de *La Légende des siècles* portant le titre « XX° siècle », Victor Hugo entrevoit prophétiquement le développement de l'aviation.  Depuis les premiers ballons des frères Montgolfier (1783) des essais nombreux avaient été tentés pour la victoire de l'homme sur l'air.  En 1850–1851 une grande curiosité s'attachait aux expériences de l'ingénieur Pétin; elles ne donnèrent pas le résultat qu'on en attendait.  Mais Victor Hugo eut la foi.  En 1855 le grand poète Leconte de Lisle avait parlé avec beaucoup de mépris des inventions nouvelles dans le domaine de la vapeur, de l'électricité, etc. qui rendaient les poètes « de plus en plus inutiles aux sociétés modernes » (Préface à ses *Poèmes et Poésies*).  En 1859 Hugo lui donna en quelque sorte la réplique.  P. Berret, dans son édition de *La Légende des siècles* (Vol. II, p. 790 ss.) rappelle que V. Hugo avait précédemment déjà affirmé sa conviction de la victoire de l'homme sur l'air.  Ainsi dans sa « Conclusion » au livre *Napoléon le Petit* (1852), dans « Force des choses », une pièce des *Châtiments*, dans une étude restée longtemps à l'état de manuscrit mais publiée en entier dans la *Revue de Paris* du 5 avril 1910: sous le titre « L'homme devient oiseau », V. Hugo reprend tout le problème sous la forme d'une « lettre ouverte à Nadar », un des pionniers de l'aviation.

Voici quelques fragments du poème « Plein Ciel ».  Le poète voit le futur navire de l'air — ou « aéroscaphe » —, qui doit être réalisé au XX$^{me}$ siècle, comme un grand symbole de l'homme brisant les liens qui l'attachent à la terre, les liens de la pesanteur, et montant aux étoiles, à la lumière, à la liberté; c'est donc un hymne au progrès en général.

---

[1] Le poème est trop long pour l'introduire ici, mais tout étudiant devrait le lire.

Oui, l'aube s'est levée.

　　　　　　　　　　　Oh ! ce fut tout à coup

Comme une éruption de folie et de joie,

Quand après six mille ans [1] dans la fatale voie,

5 Défaite brusquement par l'invisible main,

La pesanteur, liée au pied du genre humain,

Se brisa; cette chaîne était toutes les chaînes ! [2]

\*　　\*　　\*

Où va-t-il ce navire ? Il va, de jour vêtu,

À l'avenir divin et pur, à la vertu,

10　　　　　À la science qu'on voit luire,

À la mort des fléaux, à l'oubli généreux,

À l'abondance, au calme, au rire, à l'homme heureux;

　　　　Il va, ce glorieux navire,

Au droit, à la raison, à la fraternité,

15 À la religieuse et sainte vérité

　　　　Sans impostures et sans voiles.

---

[1] L'histoire traditionnelle, fondée sur les récits bibliques, donne à l'humanité environ 6 000 ans d'existence. C'est la manière de compter qu'avait adoptée, par exemple, Bossuet dans son *Discours sur l'Histoire universelle* (1681).

[2] Ceci se rattache à la philosophie de V. Hugo telle qu'elle était formulée dans « La Bouche d'Ombre » (*Les Contemplations*) qui contenait entre autres ces lignes où le poète identifie, dans son langage métaphysique la matière *pesante* à la faiblesse humaine, ou, en langage religieux à la « faute humaine » ou « péché originel »:

　　　　　　Or la première faute

Fut le premier poids.

　　　　　　Dieu sentit la douleur.

Le poids prit une forme, et, comme l'oiseleur

Fuit emportant l'oiseau qui frissonne et qui lutte,

Il tomba, traînant l'ange éperdu dans sa chute.

Le mal était fait. Puis tout alla s'aggravant ...

ou encore:

Le mal, c'est la matière. Arbre noir, fatal fruit.

À l'amour, sur les cœurs serrant son doux lien,
Au juste, au grand, au bon, au beau ... — Vous voyez bien
      Qu'en effet il monte aux étoiles !

       *    *    *

Oh ! ce navire fait le voyage sacré !
C'est l'ascension bleue à son premier degré;        5
      Hors de l'antique et vil décombre,
Hors de la pesanteur, c'est l'avenir fondé;
C'est le destin de l'homme à la fin évadé,
      Qui lève l'ancre et sort de l'ombre !

Ce navire là-haut conclut le grand hymen,      10
Il mêle presque à Dieu l'âme du genre humain.
      Il voit l'insondable, il y touche;
Il est le vaste élan du progrès vers le ciel;
Il est l'entrée altière et sainte du réel
      Dans l'antique idéal farouche. ...      15

Nef magique et suprême ! elle n'a rien qu'en marchant,
Changé le cri terrestre en pur et joyeux chant,
      Rajeuni les races flétries,
Établi l'ordre vrai, montré le chemin sûr,
Dieu juste ! et fait entrer dans l'homme tant d'azur      20
      Qu'elle a supprimé les patries !

Faisant à l'homme avec le ciel une cité,
Une pensée avec toute l'immensité,
      Elle abolit les vieilles règles;
Elle abaisse les monts, elle annule les tours;      25
Splendide, elle introduit les peuples, marcheurs lourds,
      Dans la communion des aigles.

Elle a cette divine et chaste fonction
De composer là-haut l'unique nation,
    À la fois dernière et première,[1]
De promener l'essor dans le rayonnement,
5    Et de faire planer, ivre de firmament,
    La liberté dans la lumière.

### POÉSIE LÉGÈRE

#### *Chansons des Rues et des Bois*

En 1859, après les grands efforts de composition pour les *Contemplations*, et pour la première série de *La Légende des Siècles*, et avant de reprendre *Les Misérables*, V. Hugo a besoin de délassement. Il s'en va passer quelques semaines (de mai à août) dans l'île de Serk, au milieu de la grande nature. C'est là qu'il composa la plupart des poésies légères qu'il publia quelques années plus tard (1865). Il explique lui-même ce qu'il entend dans le premier et dans le dernier poème du recueil. Dans le premier « Le Cheval », il dit humoristiquement que son Pégase, qu'il avait fait galoper si longtemps sur les plus hauts sommets de la poésie, il va le faire descendre à terre pour quelque temps et le laisser jouir des plaisirs de la vie chez les hommes . . . dans les rues et dans les bois:

> Que fais-tu là ? me dit Virgile.
> — Et je répondis, tout couvert
> De l'écume du monstre agile:
> « Maître, je mets Pégase au vert ! »

Puis, dans la dernière pièce, quand il a fini de chanter les joies de la terre, il pousse de nouveau Pégase dans les airs:

> Monstre, à présent, reprends ton vol.
> Approche que je te déboucle;
> Je te lâche, ôte ton licol,
> Rallume en tes yeux l'escarboucle !

« Une tempête d'invectives accueille les *Chansons des Rues et des Bois*. On fait grief au solitaire d'avoir une vieillesse moins chaste que sa jeunesse. C'est là qu'il nous touche. À 60 ans Hugo est dieu, mais c'est un homme . . . Rien de plus sain de corps et de désirs que ce vieillard juvénile » (R. Escholier, *Vie glorieuse de V. Hugo*, p. 368).

---

[1] *Dernière* — selon le temps;  *première* — par l'importance.

*Interruption à une lecture de Platon*

Je lisais Platon. — J'ouvris
La porte de ma retraite,
Et j'aperçus Lycoris,
C'est à dire Turlurette.[1]

Je n'avais pas dit encor                                    5
Un seul mot à cette belle.
Sous un vague plafond d'or
Mes rêves battaient de l'aile.

La belle, en jupon gris clair,
Montait l'escalier sonore;                                  10
Ses frais yeux bleus avaient l'air
De revenir de l'aurore.

Elle chantait un couplet
D'une chanson de la rue
Qui dans sa bouche semblait                                 15
Une lumière apparue.

Son front éclipse Platon.
O front céleste et frivole !
Un ruban sous son menton
Rattachait son auréole.                                     20

Elle avait l'accent qui plaît,
Un foulard pour cachemire,
Dans sa main un pot au lait,
Des flammes dans son sourire.

[1] Lycoris, en style classique, Turlurette en style moderne: —
gentille fillette qui fait rêver d'amour.

Et je lui dis (le *Phédon* [1]
Donne tant de hardiesse !):
— Mademoiselle, pardon,
Ne seriez-vous pas déesse ?

## Le doigt de la femme

5  Dieu prit sa plus molle argile
Et son plus pur kaolin,[2]
Et fit un bijou fragile,
Mystérieux et calin.

Il fit le doigt de la femme,
10  Chef-d'œuvre auguste et charmant,
Ce doigt fait pour toucher l'âme
Et montrer le firmament.

Il mit dans ce doigt le reste
De la lueur qu'il venait
15  D'employer au front céleste
De l'heure où l'aurore naît.

Il y mit l'ombre du voile,
Le tremblement du berceau,
Quelque chose de l'étoile,
20  Quelque chose de l'oiseau.

Le Père qui nous engendre
Fit ce doigt mêlé d'azur,
Très fort pour qu'il restât tendre,
Très blanc pour qu'il restât pur;

[1] Un des plus célèbres dialogues de Platon; c'est, cependant, plutôt *Le Banquet* qui suggérerait cette hardiesse.

[2] Argile blanche et friable qui entre dans la composition de la porcelaine.

Et très doux, afin qu'en somme
Jamais le mal n'en sortît,
Et qu'il pût sembler à l'homme
Le doigt de Dieu, plus petit.

Il en orna la main d'Ève,                               5
Cette frêle et chaste main
Qui se pose comme un rêve
Sur le front du genre humain ...

Dieu, lorsque ce doigt qu'on aime
Sur l'argile fut conquis,                              10
S'applaudit, car le suprême
Est fier de créer l'exquis.

Ayant fait ce doigt sublime,
Dieu dit aux anges: Voilà !
Puis s'endormit dans l'abîme;                          15
Le diable alors s'éveilla.

Dans l'ombre où Dieu se repose,
Il vint, noir sur l'orient,
Et tout au bout du doigt rose
Mit un ongle en souriant.                              20

### Vieillesse, 1871-1885

Victor Hugo eut une magnifique vieillesse. On peut dire qu'il
entra vivant dans l'immortalité. Après avoir été encore quelque
temps mêlé à la vie politique, il vécut retiré avec les siens, dans une
belle maison de l'avenue qui porte aujourd'hui son nom, près de
l'Arc de l'Étoile. Parfois il allait à Guernesey dans la vieille maison
d'exil qui lui était devenue chère.

Il écrivit encore: un de ses meilleurs romans, *Quatre-vingt-treize*
(1873), un grand tableau des guerres vendéennes à l'époque de la
Révolution; deux séries de *La Légende des siècles* (1877, 1883); et
surtout *L'art d'être grand-père* (1877) une collection de poèmes dont la
plupart sont consacrés à ses deux petits-enfants, Georges et Jeanne

(enfants de son fils Charles qui mourut en 1871).　Victor Hugo restera en France, par excellence, le poète des enfants.

Non seulement la France, mais le monde entier s'associa aux fêtes données à l'occasion de son 80° anniversaire (27 février 1882), aux magnifiques funérailles qui lui furent faites à sa mort survenue le 23 mai 1885, à Paris,[1] et enfin aux fêtes du Centenaire de sa naissance en 1902.

## L'Enfant

Cette pièce a paru dans les *Feuilles d'Automne* (1830). On a suggéré qu'elle avait été composée à l'occasion des premiers pas de son troisième enfant, François-Victor, né en oct. 1828.

> *Le toit s'égaie et rit.*
> 　　　　　(André Chénier).

Lorsque l'enfant paraît, le cercle de famille
Applaudit à grands cris.　Son doux regard qui brille
　　　　Fait briller tous les yeux,
Et les plus tristes fronts, les plus souillés peut-être,
5 Se dérident soudain à voir l'enfant paraître,
　　　　Innocent et joyeux.

Soit que juin ait verdi mon seuil, ou que novembre
Fasse autour d'un grand feu vacillant dans la chambre
　　　　Les chaises se toucher,
10 Quand l'enfant vient, la joie arrive et nous éclaire.
On rit, on se récrie, on l'appelle, et sa mére
　　　　Tremble à le voir marcher.

---

[1] La dépouille mortelle de Victor Hugo fut exposée à la vénération du peuple de Paris sous l'Arc de triomphe de l'Étoile, puis transporté en grande pompe au Panthéon, le temple dédié « Aux grands hommes », par « La Patrie reconnaissante ».　L'auteur des *Misérables* avait demandé d'être transporté à sa dernière demeure dans le corbillard des pauvres.　Voir une description de l'ivresse enthousiaste qui, dans ces journées, s'empara du peuple de Paris pour son grand poète, dans le roman de Maurice Barrès, *Les Déracinés* (1897), Chap. XVIII, « La vertu sociale d'un cadavre ».

Quelquefois nous parlons, en remuant la flamme,
De patrie et de Dieu, des poètes, de l'âme
      Qui s'élève en priant;
L'enfant paraît, adieu le ciel et la patrie
Et les poètes saints ! la grave causerie        5
      S'arrête en souriant.

La nuit, quand l'homme dort, quand l'esprit rêve, à l'heure
Où l'on entend gémir, comme une voix qui pleure,
      L'onde entre les roseaux,
Si l'aube tout à coup là-bas luit comme un phare,    10
Sa clarté dans les champs éveille une fanfare
      De cloches et d'oiseaux.

Enfant, vous êtes l'aube et mon âme est la plaine
Qui des plus douces fleurs embaume son haleine
      Quand vous la respirez;    15
Mon âme est la forêt dont les sombres ramures
S'emplissent pour vous seul de suaves murmures
      Et de rayons dorés.

Car vos beaux yeux sont pleins de douceurs infinies,
Car vos petites mains, joyeuses et bénies,    20
      N'ont point mal fait encor;
Jamais vos jeunes pas n'ont touché notre fange,
Tête sacrée ! enfant aux cheveux blonds ! bel ange
      À l'auréole d'or !

... Il est si beau, l'enfant, avec son doux sourire,    25
Sa douce bonne foi, sa voix qui veut tout dire,
      Ses pleurs vite apaisés,
Laissant errer sa vue étonnée et ravie,
Offrant de toutes parts sa jeune âme à la vie
      Et sa bouche aux baisers !    30

Seigneur ! préservez-moi, préservez ceux que j'aime,
Frères, parents, amis, et mes ennemis même
      Dans le mal triomphants,
De jamais voir, Seigneur ! l'été sans fleurs vermeilles,
5 La cage sans oiseaux, la ruche sans abeilles,
      La maison sans enfants !

### La Sieste

Elle fait au milieu du jour son petit somme;
Car l'enfant a besoin du rêve plus que l'homme,
Cette terre est si laide alors qu'on vient du ciel !
10 L'enfant cherche à revoir Chérubin, Ariel,
Ses camarades, Puck, Titania, les fées,
Et ses mains quand il dort sont par Dieu réchauffées.
Oh ! comme nous serions surpris si nous voyions,
Au fond de ce sommeil sacré, plein de rayons,
15 Ces paradis ouverts dans l'ombre, et ces passages
D'étoiles qui font signe aux enfants d'être sages,
Ces apparitions, ces éblouissements !
Donc, à l'heure où les feux du soleil sont calmants,
Quand toute la nature écoute et se recueille,
20 Vers midi, quand les nids se taisent, quand la feuille
La plus tremblante oublie un instant de frémir,
Jeanne a cette habitude aimable de dormir;
Et la mère un moment respire et se repose,
Car on se lasse même à servir une rose.
25 Ses beaux petits pieds nus dont le pas est peu sûr
Dorment; et son berceau qu'entoure un vague azur
Ainsi qu'une auréole entoure une immortelle,
Semble un nuage fait avec de la dentelle;
On croit, en la voyant dans ce frais berceau-là,
30 Voir une lueur rose au fond d'un falbala;

On la contemple, on rit, on sent fuir la tristesse,
Et c'est un astre ayant de plus la petitesse;
L'ombre, amoureuse d'elle, a l'air de l'adorer;
Le vent retient son souffle et n'ose respirer.
Soudain, dans l'humble et chaste alcôve maternelle,          5
Versant tout le matin qu'elle a dans la prunelle,
Elle ouvre la paupière, étend un bras charmant,
Agite un pied, puis l'autre, et si divinement
Que des fronts dans l'azur se penchent pour l'entendre.
Elle gazouille . . . — Alors, de la voix la plus tendre,      10
Couvant des yeux l'enfant que Dieu fait rayonner,
Cherchant le plus doux nom qu'elle puisse donner
À sa joie, à son ange en fleur, à sa chimère:
— Te voilà réveillée, horreur ! lui dit sa mère.


*Jeanne était au pain sec . . .*


Jeanne était au pain sec dans le cabinet noir,             15
Pour un crime quelconque; et, manquant au devoir,
J'allai voir la proscrite en pleine forfaiture,
Et lui glissai dans l'ombre un pot de confiture
Contraire aux lois.   Tous ceux sur qui, dans ma cité,
Repose le salut de la société,                             20
S'indignèrent, et Jeanne a dit d'une voix douce:
— Je ne toucherai plus mon nez avec mon pouce;
Je ne me ferai plus griffer par le minet.
Mais on s'est écrié: — Cette enfant vous connaît;
Elle sait à quel point vous êtes faible et lâche.          25
Elle vous voit toujours rire quand on se fâche.
Pas de gouvernement possible.   À chaque instant
L'ordre est troublé par vous; le pouvoir se détend;
Plus de règle.   L'enfant n'a plus rien qui l'arrête.
Vous démolissez tout. — Et j'ai baissé la tête;            30

Et j'ai dit: Je n'ai rien à répondre à cela;
J'ai tort.  Oui, c'est avec ces indulgences-là
Qu'on a toujours conduit les peuples à leur perte.
Qu'on me mette au pain sec. — Vous le méritez, certe.
5 On vous y mettra. — Jeanne alors, dans son coin noir,
M'a dit tout bas, levant ses yeux si beaux à voir,
Pleins de l'autorité des douces créatures:
— Eh bien, moi, je t'irai porter des confitures.

# CHAPITRE SIX

## ALFRED DE VIGNY

### 1797-1863

**Consulter:** Il y a une abondante littérature. Les principaux ouvrages pour initier à l'étude de Vigny sont: Maurice Paléologue, *A. de Vigny* (Coll. Grands écr. fr., Hachette, 1° éd., 1891, nouv. éd., 1921); E. Lauvrière, *A. de Vigny, sa vie, son œuvre* (Colin, 1909); L. Séché, *A. de Vigny* (Mercure de France, 1913); E. Dupuy, *A. de Vigny, vie et œuvre* (Hachette, 1913); F. Baldensperger, *A. de Vigny* (Nouv. Rev. crit., 1929); Marc Citoleux, *A. de Vigny* (Champion 1924) et *La poésie philosophique au XIX° siècle* (Plon, 1905); E. Sakellaridès, *A. de Vigny, auteur dramatique* (Plume, 1903); P. Flottes, *Pensée politique et sociale d'A. de Vigny* (Fac. des Lettres, Strasbourg, 1926). Edition des *Poèmes antiques et modernes*, par M. Estève (Soc. des textes fr. mod., 1914-15). Comme étude brève, le chapitre sur Vigny dans E. Faguet, *Études sur le XIX° siècle* (Lecène, Oudin, 1887; pp. 127-152).

Il est le philosophe parmi les grands romantiques. Il est né cinq ans avant Victor Hugo, et treize ans avant Musset.

De haute naissance, il croit cependant avant tout à la noblesse de l'esprit; et il dira:

> J'ai fait illustre un nom qu'on m'a transmis sans gloire.
> Qu'il soit ancien, qu'importe ? il n'aura de mémoire
> Que du jour seulement où mon front l'a porté.

Vigny est né à Loches. Sa famille vint à Paris quand il avait deux ans. Un coup de fusil reçu pendant la guerre de sept ans avait rendu infirme son père, Chevalier Pierre-Léon de Vigny, capitaine d'infanterie. Le futur poète ne le connut que plié en deux, cheminant avec deux cannes, et racontant des histoires de chasse et d'aventures, des anecdotes du vieux temps. On vivait très modestement, car, comme d'autres familles nobles, celle du futur poète portait la peine d'abus commis par d'autres sous l'ancien régime. *Mais* « en face de ces ruines, qu'elle était fascinante la France guerrière que Napoléon faisait triompher sur les champs de bataille de l'Europe ! ». L'enfant fut ébloui. Il fallait d'ailleurs bon gré mal gré se rallier au présent. Le petit Alfred alla comme demi-pensionnaire dans une maison d'éducation pour les fils de dignitaires de l'empire (la pension Hix); le royaliste ci-devant y affronta une jeunesse turbulente qui raillait ses prétentions de noblesse. À la Restauration, en 1814, on le fit entrer immédiatement dans l'armée, dans l'exclusive Gendarmerie de la Maison du Roi... et il se rappellera (dans son récit *Le cachet rouge*) comment il accompagna le roi en exil aux « cent jours ». Il restera en service jusqu'en 1828.

Cependant la royauté restaurée fut le sujet d'une grande désillusion pour le jeune homme; les intrigues des courtisans bloquaient le chemin au réel mérite. Il avait une âme très sensible, sœur de celle de René: « J'étais né doué d'une sensibilité féminine. Jusqu'à quinze « ans je pleurais, je versais des fleuves de larmes par amitié, par « sympathie, pour une froideur de ma mère, un chagrin d'un ami; je « me prenais à tout, et partout j'étais repoussé. Je me renfermais « comme une sensitive. La vie, l'armée rude et forte achevèrent de « clore le cercle de fer dont j'entourais mon cœur » (*Journal*). Pauvre en outre (une pension de 800 francs ajoutée à sa modeste solde de sous-lieutenant) se réfugie dans la poésie et les études sérieuses. Il se sent attiré vers Byron. Le mouvement romantique commençait à prendre quelque importance, Vigny se joint au groupe du Cénacle.[1]

Tout à coup, en 1823, il espère qu'une vie d'action s'ouvre pour lui par la guerre d'Espagne; il se fait inscrire et part comme capitaine. Mais il est déçu encore; on lui confie seulement une garde de frontière dans les Pyrénées. Il évoque tristement le souvenir de Roland à Roncevaux:

*Dieu ! que le son du cor est triste au fond des bois !*

Il y médite plusieurs de ses plus grands poèmes; et une épopée biblique *Éloa* [publiée 1824], inspirée de Milton (*Paradis perdu*), ou de Byron (*Le ciel et la terre*). Il est dégoûté de l'armée; il a mal à l'âme: « Une envie déterminée de frapper... c'est la première im- « pulsion que produit le mal sur l'âme d'un jeune homme; plus tard

---

[1] *Cénacle*, nom qu'on donnait à cette époque aux groupes littéraires et artistiques se réunissant dans quelque salon. Il s'agit ici de celui qu'on appelle généralement le ‹ premier cénacle ›, ou ‹ cénacle de l'Arsenal › (le salon était dans une bibliothèque construite en face de l'Arsenal, aujourd'hui la caserne de la Garde républicaine); il était présidé depuis 1823 par Charles Nodier; on y rencontrait la plupart des futurs coryphées du romantisme. Le cénacle de V. Hugo, (Place des Vosges) s'ouvrira vers 1828; il y eut aussi le cénacle de Délécluze et Mérimée, celui des ‹ Jeune France ›, dont Théophile Gautier fut le membre le plus célèbre.

« la tristesse remplace la colère; plus tard c'est l'indifférence et le
« mépris; plus tard encore, une admiration calculée pour les grands
« scélérats qui ont réussi ... » (*Journal*). Cette « admiration » est
toute ironique; car il va exprimer « sa déception de caste, sa désillusion de jeune aristocrate élevé pour le service du roi et qui voit la
récompense des indignes » contre un Richelieu dans son roman *Cinq-
Mars* (1826); et plus tard contre un Napoléon que lui, royaliste,
considérait comme usurpateur, (dans *La canne de jonc*, un des trois
récits du volume *Servitude et grandeur militaires*, 1835).

N'ayant pu faire un mariage d'amour, sa mère s'opposant à une
« mésalliance », il avait épousé, en 1825, une Anglaise (comme
Lamartine); celle-ci devait lui apporter la fortune — qui cependant
ne vint jamais. Depuis quelques années Vigny s'était éloigné du
groupe des romantiques, se sentant peu d'inclination pour leur ro-
ture; mais il combattait le même combat; son *Othello*, traduit de
Shakespeare, fut comme une première bataille romantique au théâtre
en 1829 — après la *Préface de Cromwell* (1827), mais avant *Hernani*
(1830).

NOTE: — Voir les excellentes pages de F. Baldensperger sur cette
représentation d'*Othello*, dans *Alfred de Vigny* (Nouv. Rev. Crit. 1929
pp. 53–60). On y trouve les démêlés amusants de Vigny et des acteurs au sujet de l'emploi du mot vulgaire « mouchoir » que Mlle
Mars ne pouvait se décider à employer sur la scène française; il fallait
dire « Bandeau », ou « écharpe », ou encore « Fatal tissu ». Et les adversaires du romantisme venaient exprès pour « siffler l'oreiller » avec
lequel Othello étouffe Desdémone. La pièce de Vigny, qui était une
vraie traduction, n'eut cependant que 16 représentations, et ce fut
l'*Othello* de Ducis, une adaptation de Shakespeare à la manière de
Racine (et qui nous paraît assez ridicule) qui fut remise à l'affiche
jusqu'en 1850.

Vigny vécut modestement jusqu'à la fin, à Paris (sauf les années
1849–54 qu'il passa à la campagne, dans l'Angoumois), ne voulant
rien demander du roi: « on ne sert pas le fils de Philippe-Égalité » [1]
disait-il; il fit quelques tentatives pour entrer dans la politique (1848),
mais n'y réussit pas. Il vivait pour son art, et soignait avec un dé-

---

[1] Appellation ironique, donnée par les royalistes fidèles, à Philippe,
duc d'Orléans (1747–1793) de la seconde branche d'Orléans et qui sera
le père de Louis-Philippe, le « roi bourgeois » de 1830–48. Il avait pris
fait et cause pour la Révolution, combattu dans les armées de la
Révolution; et même, comme député à la Convention, il avait voté en
1792 la mort de son cousin Louis XVI. Il finit, cependant, par être
compromis et mourut sur l'échafaud.

vouement extraordinaire sa mère d'abord, puis sa femme malade pendant 37 ans avant de mourir. Il avait cependant un cercle d'amis qu'il recevait à ses « mercredis » — continuation aristocratique des cénacles romantiques.

Au milieu de cette vie désolée il avait un jour connu la grande passion. Elle lui fut inspirée par Madame Dorval, une actrice célèbre pour laquelle il écrivit un rôle (Kitty Bell) dans sa plus fameuse pièce, *Chatterton* (1835). « Des grandes douleurs naissent les grandes passions » avait dit Vigny lui-même. C'est ce qui lui arriva; mais toute la nature de Madame Dorval était différente de la sienne; elle se lassa de lui; il souffrit énormément, et son chant d'amour romantique fut un cri de colère furieuse contre l'infidèle. (*La colère de Samson;* voir plus bas).

Il fut reçu à l'Académie Française, le 29 janvier, 1846; son discours était une défense du romantisme qui lui attira une réponse foudroyante de M. de Molé. Il conserva jusqu'à la fin ses opinions politiques et appela le vote du 2 décembre 1851 qui conduisait au Second Empire, « l'écrasement du communisme par 7 millions de votes ».

Malgré sa vie retirée il eut à résister « aux tentatives de conversion » religieuse qui se multipliaient: « L'abbé Vidal, quinze jours avant sa « mort, le confessa et lui donna l'absolution. Ce descendant d'une « famille de soldats et de prêtres a pu dire *Je suis catholique et je meurs* « *catholique*, sans abjurer aucune de ses libertés d'opinions. Il n'a pas « détruit, par exemple, le recueil des *Poèmes philosophiques* présent « parmi ses papiers ». (F. Baldensperger, *livre cité*, p. 209–210).

L'œuvre de Vigny se compose surtout des recueils suivants: *Poèmes antiques et modernes* (divisés en ‹ Livre mystique ›, ‹ Antiquité biblique ›, ‹ Antiquité Homérique ›, ‹ Livre moderne ›; diverses éditions, surtout 1826, 1837); *Les Destinées, poèmes philosophiques*, (posthumes, 1864, contenant certains des morceaux les plus connus). Récits en prose: *Cinq-Mars*, roman historique d'une tentative de révolte contre Richelieu (1826); *Stello*, trois nouvelles (1832); *Servitude et grandeur militaires*, trois nouvelles ‹ Laurette ou le Cachet rouge ›, ‹ La veillée de Vincennes ›, ‹ La Canne de jonc › (1835). Théâtre: outre des traductions en vers des drames de Shakespeare, *La maréchale d'Ancre* (1831), un drame historique se passant sous Louis XIII, comme *Cinq-Mars*, et surtout *Chatterton*, voir plus bas (1835). Enfin Vigny nous a laissé *Le Journal d'un poète*, [1824–47, publié en 1867] comme Chateaubriand *Les Mémoires d'Outre-Tombe*, Lamartine *Les Confidences*, V. Hugo *Victor Hugo raconté par un témoin de sa vie*.

\*  \*  \*

Aucun des grands poètes du commencement du XIX° siècle n'exprime avec plus de force le désenchantement du romantisme qui a essayé de substituer aux croyances humaines traditionnelles la croyance aux destinées supérieures du moi humain affranchi par la Révolution. Vigny est le plus convaincu des frères de *René*.

Comme ses contemporains, il a cherché à trouver un baume au vide de son âme en se tournant vers la France médiévale, à la vie profonde et intense.

J'aime le son du cor, le soir, au fond des bois,
Soit qu'il chante les pleurs de la biche aux abois,
Ou l'adieu du chasseur que l'écho faible accueille
Et que le vent du nord porte de feuille en feuille.

Que de fois seul, dans l'ombre à minuit demeuré,                5
J'ai souri de l'entendre et plus souvent pleuré !
Car je croyais ouïr de ces bruits prophétiques
Qui précédaient la mort des Paladins antiques . . .

Il songe au cor de Roland; ce cor qui rappelle les Français écrasés à Roncevaux; Vigny évoque Charlemagne revenant quand il eut entendu le cor de Roland qui l'appelait:

Malheur, c'est mon neveu !  Malheur, car si Roland
Appelle à son secours, ce doit être en mourant.                10
Arrière, chevaliers, repassons la montagne !
Tremble encor sous nos pieds, sol trompeur de l'Espagne !

\*      \*      \*

Sur le plus haut des monts s'arrêtent les chevaux;
L'écume les blanchit; sous leurs pieds, Roncevaux
Des feux mourants du jour à peine se colore.                15
À l'horizon lointain fuit l'étendard du More.

— « Turpin, n'as-tu rien vu dans le fond du torrent ? »
— « J'y vois deux chevaliers: l'un mort, l'autre expirant.
Tous deux sont écrasés sous une roche noire;

Le plus fort dans sa main, élève un cor d'ivoire,
Son âme en s'exhalant nous appela deux fois ».

Dieu ! que le son du cor est triste au fond des bois !

(« Le Cor »), Poèmes antiques et modernes, 1826.)

## La Poésie

Vigny a consacré des vers aux trois grands thèmes philosophiques du romantisme: *la nature, l'amour, la religion,* — mais il ne trouva partout que vérités désespérément décevantes, et il ne voit pour l'homme qu'une philosophie de résignation méprisante et fière vis-à-vis de la destinée implacable.

### LA NATURE

#### La Maison du Berger

Le morceau le plus célèbre où Vigny interroge la nature a comme titre *La maison du berger* (1844). Il propose à une âme « gémissant du poids de notre vie » d'aller sur la montagne comme le berger, y interroger la nature. Voici les principales strophes de ce long poème:

Pars courageusement, laisse toutes les villes;
5 Ne ternis plus tes pieds aux poudres du chemin;
Du haut de nos pensers vois les cités serviles
Comme les rocs fatals de l'esclavage humain.
Les grands bois et les champs sont de vastes asiles,
Libres comme la mer autour des sombres îles.
10 Marche à travers les champs une fleur à la main.

La Nature t'attend dans un silence austère ...

\* \* \*

Il est sur ma montagne une épaisse bruyère
Où les pas du chasseur ont peine à se plonger,

Qui plus haut que nos fronts lève sa tête altière,
Et garde dans la nuit le pâtre et l'étranger.
Viens y cacher l'amour et ta divine faute [1];
Si l'herbe est agitée ou n'est pas assez haute,
J'y roulerai pour toi la Maison du Berger.... 5

Je verrai, si tu veux, les pays de la neige,
Ceux où l'astre amoureux dévore et resplendit,
Ceux que heurtent les vents, ceux que la mer assiège,
Ceux où le pôle obscur sous sa glace est maudit.
Nous suivrons du hasard la course vagabonde. 10
Que m'importe le jour ? que m'importe le monde ?
Je dirai qu'ils sont beaux quand tes yeux l'auront dit.

\*　　\*　　\*

[Ici se place un passage curieux où le poète maudit le chemin-de-fer, moyen de voyager prosaïque qui se substituait alors aux anciens moyens de locomotion.]
Éva devient ici — comme l'Elvire de Lamartine — en même temps que la femme aimée, une sorte de muse qui assiste le poète dans ses méditations sur les destinées des humains.

Éva, j'aimerai tout dans les choses créées,
Je les contemplerai dans ton regard rêveur
Qui partout répandra ses flammes colorées, 15
Son repos gracieux, sa magique saveur.
Sur mon cœur déchiré viens poser ta main pure ...

Mais surtout

Ne me laisse jamais seul avec la Nature,
Car je la connais trop pour n'en pas avoir peur.

[1] Le poème est adressé ( À Éva ). On ne sait s'il s'agit de Mme Holmes, qui joua un rôle important dans la vie de Vigny — ou de la fille de celle-ci.

Elle me dit: « Je suis l'impassible théâtre
Que ne peut remuer le pied de ses acteurs;
Mes marches d'émeraude et mes parvis d'albâtre,
Mes colonnes de marbre ont les dieux pour sculpteurs.
5 Je n'entends ni vos cris ni vos soupirs; à peine
Je sens passer sur moi la comédie humaine
Qui cherche en vain au ciel ses muets spectateurs.

« Je roule avec dédain, sans voir et sans entendre,
À côté des fourmis les populations;
10 Je ne distingue pas leur terrier de leur cendre,
J'ignore en les portant les noms des nations.
On me dit une mère, et je suis une tombe;
Mon hiver prend vos morts comme son hécatombe,
Mon printemps ne sent pas vos adorations.

15 « Avant vous, j'étais belle et toujours parfumée,
J'abandonnais au vent mes cheveux tout entiers;
Je suivais dans les cieux ma route accoutumée,
Sur l'axe harmonieux des divins balanciers.
Après vous, traversant l'espace où tout s'élance,
20 J'irai seule et sereine; en un chaste silence
Je fendrai l'air du front et de mes seins altiers. »

C'est là ce que me dit sa voix triste et superbe;
Et dans mon cœur alors je la hais, et je vois
Notre sang dans son onde et nos morts sous son herbe
25 Nourrissant de leurs sucs la racine des bois.
Et je dis à mes yeux qui lui trouvaient des charmes:
« Ailleurs tous vos regards, ailleurs toutes vos larmes;
Aimez ce que jamais on ne verra deux fois. »

\*     \*     \*

Vivez, froide Nature, et revivez sans cesse
30 Sous nos pieds, sur nos fronts, puisque c'est votre loi:

Vivez, et dédaignez, si vous êtes déesse,
L'homme, humble passager qui dût [1] vous être un roi;
Plus que tout votre règne et que ses splendeurs vaines,
J'aime la majesté des souffrances humaines [2];
Vous ne recevrez pas un cri d'amour de moi . . .                    5

## L'AMOUR

### La colère de Samson

Ce poème passionné (1839) prend dans la poésie de Vigny la place du *Lac* dans celle de Lamartine, de *La Tristesse d'Olympio* dans celle d'Hugo, du *Souvenir* dans celle de Musset. Elle fut inspirée par la trahison de Madame Dorval (l'actrice pour laquelle il avait écrit le rôle de Kitty Bell; voir plus haut). La rupture eut lieu en 1836. Marie Dorval mourut en 1839 — repentante du mal fait à Vigny; celui-ci ne voulut pas publier le poème avant cette mort. (On trouvera quelques détails sur cette liaison dans le livre cité de Paléologue, pp. 99 et ss.) L'histoire de Samson et Dalila, la courtisane philistine qui grace à ses caresses surprit le secret de la force de Samson et le livra à ses ennemis, est contée dans la Bible, au *Livre des Juges*, chap. XIII–XVI.

Le désert est muet, la tente est solitaire.
Quel pasteur courageux la dressa sur la terre
Du sable et des lions ? — La nuit n'a pas calmé
La fournaise du jour dont l'air est enflammé.
Un vent léger s'élève à l'horizon et ride                          10
Les flots de la poussière ainsi qu'un lac limpide.
Le lin blanc de la tente est bercé mollement;
L'œuf d'autruche, allumé,[3] veille paisiblement,
Des voyageurs voilés intérieure étoile,
Et jette longuement deux ombres sur la toile.                      15

[1] Latinisme; aurait dû, devrait.
[2] Cf. *Journal d'un poète:* « Ce vers est le sens de tous mes poèmes philosophiques. »
[3] Avec une flamme au milieu et servant de lanterne. (Pour cette description des lieux, voir *Juges*, chap. XVI.)

L'une est grande et superbe, et l'autre est à ses pieds:
C'est Dalila, l'esclave, et ses bras sont liés
Aux genoux réunis du maître jeune et grave
Dont la force divine obéit à l'esclave;
5 Comme un doux léopard elle est souple et répand
Ses cheveux dénoués aux pieds de son amant.
Ses grands yeux, entr'ouverts comme s'ouvre l'amande,
Sont brûlants du plaisir que son regard demande,
Et jettent, par éclats, leurs mobiles lueurs.
10 Ses bras fins tout mouillés de tièdes sueurs,
Ses pieds voluptueux qui sont croisés sous elle,
Ses flancs, plus élancés que ceux de la gazelle,
Pressés de bracelets, d'anneaux, de boucles d'or,
Sont bruns, et, comme il sied aux filles de Hatsor,[1]
15 Ses deux seins, tout chargés d'amulettes anciennes,
Sont chastement pressés d'étoffes syriennes.

Les genoux de Samson fortement sont unis
Comme les deux genoux du colosse Anubis.[2]
Elle s'endort sans force et riante et bercée
20 Par la puissante main sous sa tête placée.
Lui, murmure le chant funèbre et douloureux
Prononcé dans la gorge avec des mots hébreux.
Elle ne comprend pas la parole étrangère,
Mais le chant verse un somme en sa tête légère.

25 « Une lutte éternelle en tout temps, en tout lieu,
Se livre sur la terre, en présence de Dieu,
Entre la bonté d'Homme et la ruse de Femme,
Car la Femme est un être impur de corps et d'âme.

---

[1] Dans la vallée de Sorek, pays des Philistins.
[2] Dieu égyptien, avec une tête de chien (qui conduisait les âmes des morts dans les régions inférieures).

« L'Homme a toujours besoin de caresse et d'amour,
Sa mère l'en abreuve alors qu'il vient au jour,
Et ce bras le premier l'engourdit, le balance
Et lui donne un désir d'amour et d'indolence.
Troublé dans l'action, troublé dans le dessein,       5
Il rêvera partout à la chaleur du sein,
Aux chansons de la nuit, aux baisers de l'aurore,
À la lèvre de feu que sa lèvre dévore.
Il ira dans la ville, et, là, les vierges folles
Le prendront dans leurs lacs aux premières paroles.   10
Plus fort il sera né, mieux il sera vaincu,
Car plus le fleuve est grand et plus il est ému.
Quand le combat que Dieu fit pour la créature
Et contre son semblable et contre la nature
Force l'Homme à chercher un sein où reposer,          15
Quand ses yeux sont en pleurs, il lui faut un baiser.
Mais il n'a pas encor fini toute sa tâche:
Vient un autre combat plus secret, traître et lâche;
Sous son bras, sur son cœur, se livre celui-là;
Et, plus ou moins, la Femme est toujours DALILA.      20


« Elle rit et triomphe; en sa froideur savante,
Au milieu de ses sœurs elle attend et se vante
De ne rien éprouver des atteintes du feu.
À sa plus belle amie elle en a fait l'aveu:
Elle se fait aimer sans aimer elle-même;              25
Un maître lui fait peur.  C'est le plaisir qu'elle aime;
L'Homme est rude et le prend sans savoir le donner . . .


« Éternel !  Dieu des forts ! vous savez que mon âme
N'avait pour aliment que l'amour d'une femme,
Puisant dans l'amour seul plus de sainte vigueur      30
Que mes cheveux divins n'en donnaient à mon cœur.

— Jugez-nous. — La voilà sur mes pieds endormie.
Trois fois elle a vendu mes secrets et ma vie,
Et trois fois a versé des pleurs fallacieux
Qui n'ont pu me cacher la rage de ses yeux;
5 Honteuse qu'elle était plus encor qu'étonnée
De se voir découverte ensemble et pardonnée[1];
Car la bonté de l'Homme est forte, et sa douceur
Écrase, en l'absolvant, l'être faible et menteur.

« Mais enfin je suis las.  J'ai l'âme si pesante,
10 Que mon corps gigantesque et ma tête puissante
Qui soutiennent le poids des colonnes d'airain
Ne la peuvent porter avec tout son chagrin.
Toujours voir serpenter la vipère dorée
Qui se traîne en sa fange et s'y croit ignorée;
15 Toujours ce compagnon dont le cœur n'est pas sûr,
La Femme, enfant malade et douze fois impur !
Toujours mettre sa force à garder sa colère
Dans son cœur offensé, comme en un sanctuaire
D'où le feu s'échappant irait tout dévorer;
20 Interdire à ses yeux de voir ou de pleurer,
C'est trop !  Dieu, s'il le veut, peut balayer ma cendre.
J'ai donné mon secret, Dalila va le vendre.
Qu'ils seront beaux les pieds de celui qui viendra
Pour m'annoncer la mort ! — Ce qui sera, sera ! »
25    Il dit et s'endormit près d'elle jusqu'à l'heure
Où les guerriers, tremblant d'être dans sa demeure,
Payant au poids de l'or chacun de ses cheveux,
Attachèrent ses mains et brûlèrent ses yeux,
Le traînèrent sanglant et chargé d'une chaîne
30 Que douze grands taureaux ne tiraient qu'avec peine,
Le placèrent debout, silencieusement,

[1] Trois fois Dalila avait essayé de trahir Samson avant de réussir
(Chap. XVI, 6–15).

Devant Dagon[1] leur Dieu, qui gémit sourdement
Et deux fois, en tournant, recula sur sa base
Et fit pâlir deux fois ses prêtres en extase,
Allumèrent l'encens, dressèrent un festin
Dont le bruit s'entendait du mont le plus lointain;                    5
Et près de la génisse aux pieds du Dieu tuée
Placèrent Dalila, pâle prostituée,
Couronnée, adorée et reine du repas,
Mais tremblante et disant: IL NE ME VERRA PAS!

Terre et ciel! avez-vous tressailli d'allégresse                       10
Lorsque vous avez vu la menteuse maîtresse
Suivre d'un œil hagard les yeux tachés de sang
Qui cherchaient le soleil d'un regard impuissant?
Et quand enfin Samson, secouant les colonnes
Qui faisaient le soutien des immenses Pylônes,                         15
Écrasa d'un seul coup, sous les débris mortels,
Ses trois mille ennemis, leurs dieux et leurs autels?
Terre et ciel! punissez par de telles justices
La trahison ourdie en des amours factices,
Et la délation du secret de nos cœurs                                  20
Arraché dans nos bras par des baisers menteurs.


## LA RELIGION

### Le Mont des Oliviers[2]

Vigny interroge la religion du Vieux et du Nouveau Testament.
Il trouve le Jéhova du Vieux Testament cruel comme les dieux antiques. Son poème *La Fille de Jephté* raconte l'histoire du Juge d'Israël (*Livre des Juges*, chap. XI et XII): Jephté qui a juré à Jéhova de

---

[1] Dieu des Philistins, moitié femme, moitié poisson.
[2] 1843.

lui sacrifier, s'il remportait la victoire, la première créature vivante
qu'il rencontrerait en rentrant dans sa patrie. C'est sa propre fille
qui vient au-devant de lui; et comme Agamemnon sacrifiant sa fille
Iphigénie au dieu Neptune, Jephté doit obéir à un dieu cruel. Mais
ce n'est pas tout: Jésus lui-même qui vient en mission de bonté au
milieu des hommes ne semble pas être entendu davantage dans sa
grande agonie au Mont des Oliviers. (Les chapitres des Évangiles
racontant la veillée au Mont des Oliviers sont: *Mathieu*, XXVI,
36–47; *Marc*, XIV, 32–43; *Luc*, XXII, 39–47).

# I

Alors il était nuit, et Jésus marchait seul,
Vêtu de blanc ainsi qu'un mort de son linceul;
Les disciples dormaient au pied de la colline,
Parmi les oliviers, qu'un vent sinistre incline;
5 Jésus marche à grands pas en frémissant comme eux;
Triste jusqu'à la mort, l'œil sombre et ténébreux,
Le front baissé, croisant les deux bras sur sa robe
Comme un voleur de nuit cachant ce qu'il dérobe,
Connaissant les rochers mieux qu'un sentier uni,
10 Il s'arrête en un lieu nommé Gethsémani.
Il se courbe à genoux, le front contre la terre;
Puis regarde le ciel en appelant: « Mon Père! »
— Mais le ciel reste noir, et Dieu ne répond pas.

Il se lève étonné, marche encore à grands pas,
15 Froissant les oliviers qui tremblent. Froide et lente
Découle de sa tête une sueur sanglante.
Il recule, il descend, il crie avec effroi:
« Ne pourriez-vous prier et veiller avec moi? »
Mais un sommeil de mort accable les apôtres.
20 Pierre à la voix du maître est sourd comme les autres.
Le Fils de l'Homme alors remonte lentement;
Comme un pasteur d'Égypte, il cherche au firmament
Si l'Ange ne luit pas au fond de quelque étoile.

Mais un nuage en deuil s'étend comme le voile
D'une veuve, et ses plis entourent le désert.
Jésus, se rappelant ce qu'il avait souffert
Depuis trente-trois ans, devint homme, et la crainte
Serra son cœur mortel d'une invincible étreinte.                5
Il eut froid.   Vainement il appela trois fois:
« Mon Père ! » Le vent seul répondit à sa voix.
Il tomba sur le sable assis, et, dans sa peine,
Eut sur le monde et l'homme une pensée humaine.
— Et la terre trembla, sentant la pesanteur                10
Du Sauveur qui tombait aux pieds du Créateur.

## II

Jésus disait: « O Père, encor laisse-moi vivre !
Avant le dernier mot ne ferme pas mon livre !
Ne sens-tu pas le monde et tout le genre humain
Qui souffre avec ma chair et frémit dans ta main ?                15
C'est que la Terre a peur de rester seule et veuve,
Quand meurt celui qui dit une parole neuve,
Et que tu n'as laissé dans son sein desséché
Tomber qu'un mot du ciel par ma bouche épanché.
Mais ce mot est si pur, et sa douceur est telle,                20
Qu'il a comme enivré la famille mortelle
D'une goutte de vie et de divinité,
Lorsqu'en ouvrant les bras j'ai dit: « Fraternité. »
« Père, oh ! si j'ai rempli mon douloureux message,
Si j'ai caché le Dieu sous la face du sage,                25
Du sacrifice humain si j'ai changé le prix,
Pour l'offrande des corps recevant les esprits,
Substituant partout aux choses le symbole,
La parole au combat,[1] comme au trésor l'obole,[2]

[1] La persuasion à la violence.
[2] Voir *Luc*, XXI, 1–4.

Aux flots rouges du sang les flots vermeils du vin,
Aux membres de la chair, le pain blanc sans levain [1]:
Si j'ai coupé les temps en deux parts, l'une esclave
Et l'autre libre; — au nom du passé que je lave,
5 Par le sang de mon corps qui souffre et va finir,
Versons-en la moitié pour laver l'avenir !
Père libérateur ! jette aujourd'hui, d'avance,
La moitié de ce sang d'amour et d'innocence
Sur la tête de ceux qui viendront en disant:
10 « Il est permis pour tous de tuer l'innocent. »
Nous savons qu'il naîtra, dans le lointain des âges,
Des dominateurs durs escortés de faux sages
Qui troubleront l'esprit de chaque nation
En donnant un faux sens à ma rédemption.
15 — Hélas ! je parle encor, que déjà ma parole
Est tournée en poison dans chaque parabole;
Éloigne ce calice impur et plus amer
Que le fiel, ou l'absinthe, ou les eaux de la mer.
Les verges qui viendront, la couronne d'épine,
20 Les clous des mains, la lance au fond de ma poitrine,
Enfin toute la croix qui se dresse et m'attend,
N'ont rien, mon Père, oh ! rien qui m'épouvante autant !
Quand les Dieux veulent bien s'abattre sur les mondes,
Ils n'y doivent laisser que des traces profondes;
25 Et, si j'ai mis le pied sur ce globe incomplet,
Dont le gémissement sans repos m'appelait,
C'était pour y laisser deux Anges à ma place
De qui la race humaine aurait baisé la trace,
La Certitude heureuse et l'Espoir confiant,
30 Qui, dans le paradis, marchent en souriant.
Mais je vais la quitter, cette indigente terre,

---

[1] Ces deux vers désignent la messe.

N'ayant que soulevé ce manteau de misère
Qui l'entoure à grands plis, drap lugubre et fatal,
Que d'un bout tient le Doute et de l'autre le Mal . . . »

## III

Ainsi le divin Fils parlait au divin Père.
Il se prosterne encor, il attend, il espère,                    5
Mais il renonce et dit: « Que votre volonté
Soit faite et non la mienne, et pour l'éternité ! »
Une terreur profonde, une angoisse infinie
Redoublent sa torture et sa lente agonie.
Il regarde longtemps, longtemps cherche sans voir.             10
Comme un marbre de deuil tout le ciel était noir;
La Terre, sans clartés, sans astre et sans aurore,
Et sans clartés de l'âme ainsi qu'elle est encore,
Frémissait. — Dans le bois il entendit des pas,
Et puis il vit rôder la torche de Judas.                        15

### Le Silence [1]

S'il est vrai qu'au Jardin sacré des Écritures,
Le Fils de l'homme ait dit ce qu'on voit rapporté;
Muet, aveugle et sourd au cri des créatures,
Si le Ciel nous laissa comme un monde avorté,
Le juste opposera le dédain à l'absence,                        20
Et ne répondra plus que par un froid silence
Au silence éternel de la Divinité.

*       *       *

Vigny avait déjà traité ce problème du salut du monde par le
messie dans un poème philosophique, *Les Destinées*.  Les hommes,

---

[1] Ces derniers vers ont été ajoutés par le poète en 1862, vingt ans
après la composition du poème original.

pliés depuis des siècles sous le fardeau cruel des ‹ Destinées ›, furent
un jour — lorsque le Christ avait paru sur la terre — saisis d'une
immense espérance que l'heure de la délivrance avait sonné.

Un soir, il arriva que l'antique planète
Secoua sa poussière. — Il se fit un grand cri:
« Le Sauveur est venu, voici le jeune athlète;

« Il a le front sanglant et le côté meurtri,
5 « Mais la Fatalité meurt au pied du Prophète;
« La Croix monte et s'étend sur nous comme un abri ! »

Avant l'heure où, jadis, ces choses arrivèrent,
Tout homme était courbé, le front pâle et flétri:
Quand ce cri fut jeté, tous ils se relevèrent.

10 Détachant les nœuds lourds du joug de plomb du Sort,
Toutes les nations à la fois s'écrièrent:
« O Seigneur ! est-il vrai ? le Destin est-il mort ? »

Mais, non, il n'est pas mort; ce n'était qu'une fausse espérance et
les ‹ Filles du Destin › reviennent prendre possession de leurs victimes

Et le chœur [1] descendit vers sa proie éternelle
Afin d'y ressaisir sa domination
15 Sur la race timide, incomplète et rebelle.

On entendit venir la sombre Légion
Et retomber les pieds des femmes inflexibles,
Comme sur nos caveaux tombe un cercueil de plomb.

Chacune prit chaque homme en ses mains invisibles . . .

Voici la dernière strophe des *Destinées:*

20 Notre mot éternel est-il: C'ÉTAIT ÉCRIT ?
Sur le Livre de Dieu ! dit l'Orient sévère;
Et l'Occident répond: Sur le Livre du Christ.

---

[1] des Filles du Destin.

## *Moïse*

Vigny aime à s'exprimer sous forme de symboles — on l'a parfois considéré comme le précurseur de l'école symboliste de la fin du XIX° siècle. Frappant, de ce point de vue, sont ses deux célèbres poèmes *Moïse* et *Le loup*. Dans le premier, il décrit la solitude de l'homme qui, ayant reçu de la nature des dons supérieurs, les met au service des autres hommes, et chez lequel s'ajoute à la conscience de l'indifférence de la nature et de Dieu, le chagrin de n'être pas compris même de ceux auxquels il consacre ses forces. Tel Moïse, le conducteur du peuple d'Israël. Vigny écrit dans une lettre de 1838, à propos de ce poème composé en 1822: « Aucun de mes poèmes « encore n'a dit toute mon âme; mais s'il y en a un que je préfère aux « autres, c'est *Moïse* . . . Mon Moïse n'est pas celui des Juifs. Ce « grand nom ne sert que de masque à un homme de tous les siècles et « plus moderne qu'antique: L'homme de génie, las de son éternel « veuvage et désespéré de voir sa solitude plus vaste et plus aride à « mesure qu'il grandit. Fatigué de sa grandeur, il demande le néant ». C'est une idée byronienne, et c'est à cette disposition de fuir les hommes que se rattache une figure associée au nom de Vigny: il est le poète qui se retire dans une « tour d'ivoire », symbole de la solitude froide. Sainte-Beuve est responsable de cette image célèbre dans un poème de 1837 (*Pensées d'août*, p. 374); tandis que Victor Hugo continue à batailler, Vigny

> *Comme en sa tour d'ivoire, avant midi rentrait.*

Le cadre extérieur du poème est emprunté au *Livre du Deutéronome*, Chap. XXXIV racontant la dernière visite de Moïse, âgé de 120 ans, au Mont Nébo pour rencontrer « face à face » l'Éternel, et voyant devant lui la « terre promise » à Israël.

Le soleil prolongeait sur la cime des tentes
Ces obliques rayons, ces flammes éclatantes,
Ces larges traces d'or qu'il laisse dans les airs,
Lorsqu'en un lit de sable il se couche aux déserts.
La pourpre et l'or semblaient revêtir la campagne.
Du stérile Nébo gravissant la montagne,
Moïse, homme de Dieu, s'arrête, et, sans orgueil,
Sur le vaste horizon promène un long coup d'œil.
Il voit d'abord Phasga, que des figuiers entourent;

Puis, au-delà des monts que ses regards parcourent,
S'étend tout Galaad, Ephraïm, Manassé,
Dont le pays fertile à sa droite est placé;
Vers le midi, Juda, grand et stérile, étale
5 Ses sables où s'endort la mer occidentale;
Plus loin, dans un vallon que le soir a pâli,
Couronné d'oliviers, se montre Nephtali;
Dans des plaines de fleurs magnifiques et calmes,
Jéricho s'aperçoit: c'est la ville des palmes;
10 Et, prolongeant ses bois, des plaines de Phogor,
Le lentisque [1] touffu s'étend jusqu'à Ségor;
Il voit tout Chanaan, et la terre promise,
Où sa tombe, il le sait, ne sera point admise,
Il voit; sur les Hébreux étend sa grande main,
15 Puis vers le haut du mont il reprend son chemin.

\*       \*       \*

Or, des champs de Moab couvrant la vaste enceinte,
Pressés au large pied de la montagne sainte,
Les enfants d'Israël s'agitaient au vallon
Comme les blés épais qu'agite l'aquilon.
20 Dès l'heure où la rosée humecte l'or des sables
Et balance sa perle au sommet des érables,
Prophète centenaire, environné d'honneur,
Moïse était parti pour trouver le Seigneur.
On le suivait des yeux aux flammes de sa tête,
25 Et, lorsque du grand mont il atteignit le faîte,
Lorsque son front perça le nuage de Dieu
Qui couronnait d'éclairs la cime du haut lieu,
L'encens brûla partout sur les autels de pierre.
Et six cent mille Hébreux, courbés dans la poussière,

[1] Ou le pistachier.

À l'ombre du parfum par le soleil doré,
Chantèrent d'une voix le cantique sacré;
Et les fils de Lévi [1] s'élevant sur la foule,
Tels qu'un bois de cyprès sur le sable qui roule,
Du peuple avec la harpe accompagnant les voix,                    5
Dirigeaient vers le ciel l'hymne du Roi des rois.

*      *      *

Et, debout devant Dieu, Moïse ayant pris place,
Dans le nuage obscur lui parlait face à face.

Il disait au Seigneur: « Ne finirai-je pas ?
Où voulez-vous encor que je porte mes pas ?                    10
Je vivrai donc toujours puissant et solitaire ?
Laissez-moi m'endormir du sommeil de la terre.
Que vous ai-je donc fait pour être votre élu ?
J'ai conduit votre peuple où vous avez voulu.
Voilà que son pied touche à la terre promise.                    15
De vous à lui qu'un autre accepte l'entremise,
Au coursier d'Israël qu'il attache le frein;
Je lui lègue mon livre [2] et la verge d'airain.[3]

*      *      *

« Pourquoi vous fallut-il tarir mes espérances,
Ne pas me laisser homme avec mes ignorances,                    20
Puisque du mont Horeb jusques au mont Nébo
Je n'ai pas pu trouver le lieu de mon tombeau ?
Hélas ! vous m'avez fait sage parmi les sages !

[1] La tribu d'Israël consacrée au service de Jéhova.
[2] *Le Pentateuque*, les cinq livres de Moïse, la *Genèse*, l'*Exode*, le *Lévitique*, les *Nombres*, le *Deutéronome*.
[3] La verge d'airain transformée en serpent par Moïse pour prouver aux Hébreux qu'il avait pouvoir surnaturel. (*Exode*, IV).

Mon doigt du peuple errant a guidé les passages.
J'ai fait pleuvoir le feu sur la tête des rois [1];
L'avenir à genoux adorera mes lois . . .
Je suis très grand, mes pieds sont sur les nations,
5 Ma main fait et défait les générations —
Hélas ! je suis, Seigneur, puissant et solitaire,
Laissez-moi m'endormir du sommeil de la terre ! . . .

*     *     *

« Hélas ! je sais aussi tous les secrets des dieux,
Et vous m'avez prêté la force de vos yeux.
10 Je commande à la nuit de déchirer ses voiles;
Ma bouche par leur nom a compté les étoiles,
Et, dès qu'au firmament mon geste l'appela,
Chacune s'est hâtée en disant: « Me voilà. »
J'impose mes deux mains sur le front des nuages
15 Pour tarir dans leurs flancs la source des orages [2];
J'engloutis les cités sous les sables mouvants;
Je renverse les monts sous les ailes des vents [3];
Mon pied infatigable est plus fort que l'espace;
Le fleuve aux grandes eaux se range quand je passe,[4]
20 Et la voix de la mer se tait devant ma voix.
Lorsque mon peuple souffre, ou qu'il lui faut des lois,
J'élève mes regards, votre esprit me visite;
La terre alors chancelle et le soleil hésite,[5]
Vos anges sont jaloux et m'admirent entre eux. —

---

[1] Miracle accompli par Moïse devant Pharaon pour que celui-ci connaisse la puissance du Dieu des Hébreux (*Exode*, IX, 23).

[2] Quand, sur la demande de Pharaon, il fait cesser la plaie de la grêle (*Exode*, IX, 33).

[3] Aucune allusion précise à la Bible dans ces deux vers et dans plusieurs des suivants.

[4] Passage de la Mer Rouge (*Exode*, XIV).

[5] Miracle attribué dans la Bible à Josué (*Josué*, X).

Et cependant, Seigneur, je ne suis pas heureux;
Vous m'avez fait vieillir puissant et solitaire.
Laissez-moi m'endormir du sommeil de la terre ! . . .

       *    *    *

« Sitôt que votre souffle a rempli le berger,
Les hommes se sont dit: « Il nous est étranger; »     5
Et leurs yeux se baissaient devant mes yeux de flamme,
Car ils venaient, hélas ! d'y voir plus que mon âme.
J'ai vu l'amour s'éteindre et l'amitié tarir;
Les vierges se voilaient et craignaient de mourir.
M'enveloppant alors de la colonne noire,[1]     10
J'ai marché devant tous, triste et seul dans ma gloire,
Et j'ai dit dans mon cœur: « Que vouloir à présent ? »
Pour dormir sur un sein mon front est trop pesant,
Ma main laisse l'effroi sur la main qu'elle touche,
L'orage est dans ma voix, l'éclair est sur ma bouche;     15
Aussi, loin de m'aimer, voilà qu'ils tremblent tous,
Et, quand j'ouvre les bras, on tombe à mes genoux.
O Seigneur ! j'ai vécu puissant et solitaire,
Laissez-moi m'endormir du sommeil de la terre ! »

       *    *    *

Or, le peuple attendait, et, craignant son courroux,     20
Priait sans regarder le mont du Dieu jaloux;
Car, s'il levait les yeux, les flancs noirs du nuage
Roulaient et redoublaient les foudres de l'orage,
Et le feu des éclairs, aveuglant les regards,
Enchaînait tous les fronts courbés de toutes parts.     25
Bientôt le haut du mont reparut sans Moïse. —

---

[1] « Et l'Éternel marchait devant eux, le jour dans une colonne
de nuée pour les conduire par le chemin, et la nuit dans une colonne
de feu pour les éclairer » (*Exode*, XIII, 21).

Il fut pleuré. — Marchant vers la terre promise,
Josué s'avançait pensif, et pâlissant,
Car il était déjà l'élu du Tout-Puissant.

(1822)

## La Mort du Loup

Que reste-t-il à l'homme, s'il refuse d'abdiquer, et, dans une noble
fierté, veut faire face à la destinée cruelle ? À se résigner dans un
silence dédaigneux et triste. *Seul le silence est grand; tout le reste est
faiblesse.*  Ainsi meurt le loup traqué et tué par les chasseurs.

### I

Les nuages couraient sur la lune enflammée
5 Comme sur l'incendie on voit fuir la fumée,
Et les bois étaient noirs jusques à l'horizon.
Nous marchions, sans parler, dans l'humide gazon,
Dans la bruyère épaisse, et dans les hautes brandes,
Lorsque, sous des sapins pareils à ceux des Landes,
10 Nous avons aperçu les grands ongles marqués
Par les loups voyageurs que nous avions traqués.
Nous avons écouté, retenant notre haleine
Et le pas suspendu. — Ni le bois ni la plaine
Ne poussait un soupir dans les airs; seulement
15 La girouette en deuil criait au firmament;
Car le vent, élevé bien au-dessus des terres,
N'effleurait de ses pieds que les tours solitaires,
Et les chênes d'en bas, contre les rocs penchés,
Sur leurs coudes semblaient endormis et couchés.
20 Rien ne bruissait donc, lorsque, baissant la tête,
Le plus vieux des chasseurs qui s'étaient mis en quête
A regardé le sable en s'y couchant; bientôt,
Lui que jamais ici l'on ne vit en défaut,
A déclaré tout bas que ces marques récentes

Annonçaient la démarche et les griffes puissantes
De deux grands loups-cerviers [1] et de leurs louveteaux.
Nous avons tous alors préparé nos couteaux,
Et, cachant nos fusils et leurs lueurs trop blanches,
Nous allions pas à pas en écartant les branches.                    5
Trois s'arrêtent, et moi, cherchant ce qu'ils voyaient,
J'aperçois tout à coup deux yeux qui flamboyaient,
Et je vois au delà quatre formes légères
Qui dansaient sous la lune au milieu des bruyères,
Comme font chaque jour, à grand bruit sous nos yeux,                    10
Quand le maître revient, les lévriers joyeux.
Leur forme était semblable et semblable la danse;
Mais les enfants du Loup se jouaient en silence,
Sachant bien qu'à deux pas, ne dormant qu'à demi,
Se couche dans ses murs l'homme, leur ennemi.                    15
Le père était debout, et plus loin, contre un arbre,
Sa louve reposait comme celle de marbre
Qu'adoraient les Romains, et dont les flancs velus
Couvaient [2] les demi-dieux Rémus et Romulus.
Le loup vient et s'assied, les deux jambes dressées,                    20
Par leurs ongles crochus dans le sable enfoncées.
Il s'est jugé perdu, puisqu'il était surpris,
Sa retraite coupée et tous ses chemins pris;
Alors il a saisi, dans sa gueule brûlante,
Du chien le plus hardi la gorge pantelante,                    25
Et n'a pas desserré ses mâchoires de fer,
Malgré nos coups de feu, qui traversaient sa chair,
Et nos couteaux aigus qui, comme des tenailles,
Se croisaient en plongeant dans ses larges entrailles,
Jusqu'au dernier moment où le chien étranglé,                    30

[1] Vigny désigne ainsi des loups de grande taille, particulièrement
redoutables.
[2] Réchauffaient.

Mort longtemps avant lui, sous ses pieds a roulé.
Le Loup le quitte alors et puis il nous regarde.
Les couteaux lui restaient au flanc jusqu'à la garde,
Le clouaient au gazon tout baigné dans son sang;
5 Nos fusils l'entouraient en sinistre croissant.
Il nous regarde encore, ensuite il se recouche,
Tout en léchant le sang répandu sur sa bouche,
Et, sans daigner savoir comment il a péri,
Refermant ses grands yeux, meurt sans jeter un cri.

## II

10 J'ai reposé mon front sur mon fusil sans poudre,
Me prenant à penser, et n'ai pu me résoudre
À poursuivre sa Louve et ses fils, qui, tous trois,[1]
Avaient voulu l'attendre; et, comme je le crois,
Sans ses deux louveteaux, la belle et sombre veuve
15 Ne l'eût pas laissé seul subir la grande épreuve;
Mais son devoir était de les sauver, afin
De pouvoir leur apprendre à bien souffrir la faim,
À ne jamais entrer dans le pacte des villes
Que l'homme a fait avec les animaux serviles
20 Qui chassent devant lui, pour avoir le coucher,
Les premiers possesseurs du bois et du rocher.

## III

Hélas ! ai-je pensé, malgré ce grand nom d'Hommes,
Que j'ai honte de nous, débiles que nous sommes !
Comment on doit quitter la vie et tous ses maux,
25 C'est vous qui le savez, sublimes animaux !

[1] Plus haut Vigny semblait dire qu'il y avait quatre louveteaux.

À voir ce que l'on fut sur terre et ce qu'on laisse,
Seul le silence est grand; tout le reste est faiblesse.
— Ah ! je t'ai bien compris, sauvage voyageur,
Et ton dernier regard m'est allé jusqu'au cœur !
Il disait: « Si tu peux, fais que ton âme arrive,                    5
À force de rester studieuse et pensive,
Jusqu'à ce haut degré de stoïque fierté
Où naissant dans les bois, j'ai tout d'abord[1] monté.
Gémir, pleurer, prier, est également lâche.
Fais énergiquement ta longue et lourde tâche                    10
Dans la voie où le sort a voulu t'appeler,
Puis, après, comme moi, souffre et meurs sans parler. »

(1843)

\*          \*          \*

Vigny s'est rarement dépris de son foncier pessimisme.  Dans un poème intitulé *La bouteille à la mer*, cependant, il reconnaît avoir trouvé quelque consolation dans la science et l'art.  Il résume sa pensée dans ce vers magnifique:

*Le vrai Dieu, le Dieu fort, est le Dieu des idées.*

Sa grande pitié pour ceux qui souffrent et qui se révoltent contre la destinée est exprimée dans un long poème qui rappelle *La chute d'un ange* de Lamartine: *Éloa, ou la sœur des anges*.  Née d'une larme du Christ, Éloa arrive au ciel où elle apprend l'histoire du plus beau des archanges, celui qui porte la lumière (Lucifer), et que sa révolte a fait précipiter du ciel; elle éprouve une pitié immense pour le déchu; elle descend du ciel pour le rejoindre; . . . elle espère l'entraîner au ciel; c'est Lucifer qui l'entraîne dans les abîmes.  (Il y a ici cette influence de Milton que l'on rencontre parfois chez les romantiques français.)

## Le Roman et la Nouvelle

Vigny exprime les mêmes idées dans des récits en prose et au théâtre que dans sa poésie; mais en leur donnant une forme plus concrète.  Il est le premier grand représentant en France du roman

---

[1] = tout de suite.

historique — inspiré par Walter Scott, et dont Victor Hugo, Balzac et surtout Alexandre Dumas seront des représentants aussi. Il aime à montrer la supériorité de l'esprit et du cœur écrasés soit par la force brutale, soit par la masse des hommes incapables de comprendre le génie.

### Cinq-Mars

*Cinq-Mars* (1826) raconte l'histoire d'une conspiration de jeunes nobles pour renverser Richelieu. Le roi Louis XIII — qui subit lui-même la tyrannie de Richelieu, voudrait surtout sauver son ami Cinq-Mars, le chef du complot. Pour cela il ira jusqu'à essayer de congédier le grand ministre; mais il se sent incapable de régner, et Richelieu lui arrache comme prix de son retour au pouvoir, la condamnation à mort du favori. Cette scène du chapitre XXIV est une des plus puissantes du livre.

... Écoutez-moi, dit tout à coup Richelieu d'une voix tonnante; il faut que tout cela finisse aujourd'hui. Votre favori est à cheval à la tête de son parti; choisissez entre lui et moi. Livrez l'enfant [1] à l'homme ou l'homme à
5 l'enfant, il n'y a pas de milieu.

— Eh ! que voulez-vous donc, si je vous favorise ? dit le roi.

— Sa tête et celle de son confident.[2]

— Jamais ... c'est impossible ! reprit le roi avec horreur
10 et tombant dans la même irrésolution où il était avec Cinq-Mars contre Richelieu. Il est mon ami aussi bien que vous; mon cœur souffre de l'idée de sa mort. Pourquoi aussi n'étiez-vous pas d'accord tous les deux ? pourquoi cette division ? C'est ce qui l'a amené jusque-là. Vous avez
15 fait mon désespoir: vous et lui, vous me rendez le plus malheureux des hommes !

[1] Cinq-Mars avait 22 ans.
[2] De Thou, qui, sans approuver le complot parce que celui-ci comportait une alliance avec l'Espagne ennemie de la France, se compromit cependant avec son grand ami Cinq-Mars.

Louis cachait sa tête dans ses deux mains en parlant, et peut-être versait-il des larmes; mais l'inflexible ministre le suivait des yeux comme on regarde sa proie, et, sans pitié, sans lui accorder un moment pour respirer, profita au contraire de ce trouble pour parler plus longtemps. 5

— Est-ce ainsi, disait-il avec une parole dure et froide, que vous vous rappelez les commandements que Dieu même vous a faits par la bouche de votre confesseur? Vous me dîtes un jour que l'Église vous ordonnait expressément de révéler à votre premier ministre tout ce que vous 10 entendriez contre lui, et je n'ai jamais rien su par vous de ma mort prochaine. Il a fallu que des amis plus fidèles vinssent m'apprendre la conjuration, que les coupables eux-mêmes, par un coup de la Providence, se livrassent à moi pour me faire l'aveu de leurs fautes. Un seul, le plus 15 endurci, le moindre de tous, résiste encore; et c'est lui qui a tout conduit, c'est lui qui livre la France à l'étranger,[1] qui renverse en un jour l'ouvrage de mes vingt années, soulève les huguenots du Midi, appelle aux armes tous les ordres de l'État, ressuscite des prétentions écrasées, et 20 rallume enfin la Ligue [2] éteinte par votre père; car c'est elle, ne vous y trompez pas, c'est elle qui relève toutes ses têtes contre vous. Êtes-vous prêt au combat? où donc est votre massue?

Le roi anéanti, ne répondait pas, et cachait toujours sa 25 tête dans ses mains. Le cardinal, inexorable, croisa les bras et poursuivit:

— Je crains qu'il ne vous vienne à l'esprit que c'est pour

---

[1] Par le traité avec l'Espagne mentionné dans la précédente note.
[2] La « ligue » à la tête de laquelle se trouvaient les Guise, et dirigée contre Henri IV, père de Louis XIII. Vigny compare cette ligue formidable à l'hydre à cent têtes qui demandait pour être abattue, la massue d'Hercule.

moi que je parle. Croyez-vous vraiment que je ne me juge
pas, et qu'un tel adversaire m'importe beaucoup ? En
vérité, je ne sais à quoi il tient que je ne vous laisse faire,
et mettre cet immense fardeau de l'État dans la main de
5 ce jouvenceau. Vous pensez bien que, depuis vingt ans
que je connais votre cour, je ne suis pas sans m'être assuré
quelque retraite où, malgré vous-même, je pourrais aller,
de ce pas, achever les six mois peut-être qu'il me reste de
vie. Ce serait un curieux spectacle pour moi que celui d'un
10 tel règne ! Que répondrez-vous, par exemple, lorsque tous
ces petits potentats, se relevant dès que je ne pèserai plus
sur eux, viendront à la suite de votre frère vous dire, comme
ils l'ont fait à Henri IV sur son trône: « Partagez-nous tous
les grands gouvernements à titres héréditaires et souve-
15 raineté, nous serons contents ». Vous le ferez, je n'en
doute pas, et c'est la moindre chose que vous puissiez
accorder à ceux qui vous auront délivré de Richelieu; et
ce sera plus heureux peut-être, car, pour gouverner l'Île-de-
France, qu'ils vous laisseront sans doute comme domaine
20 originaire, votre nouveau ministre n'aura pas besoin de
tant de papiers !

En parlant il poussa avec colère la vaste table qui remplissait presque la chambre, et que surchargeaient des
papiers et des portefeuilles sans nombre.

25 Louis fut tiré de son apathique méditation par l'excès
d'audace de ce discours; il leva la tête et sembla un instant
avoir pris une résolution par crainte d'en prendre une
autre.

— Eh bien ! Monsieur, dit-il, je répondrai que je veux
30 régner par moi seul.

— À la bonne heure, dit Richelieu; mais je dois vous prévenir que les affaires du moment sont difficiles. Voici
l'heure où l'on m'apporte mon travail ordinaire.

— Je m'en charge, reprit Louis, j'ouvrirai les portefeuilles, je donnerai mes ordres.

— Essayez donc, dit Richelieu, je me retire, et, si quelque
chose vous arrête, vous m'appellerez.

Il sonna; à l'instant même et comme s'ils eussent ⁵
attendu le signal, quatre valets de pied entrèrent et em-
portèrent son fauteuil et sa personne dans un autre
appartement; car nous l'avons dit, il ne pouvait plus
marcher.  En passant dans la chambre où travaillaient les
secrétaires, il dit à haute voix:                          ₁₀

— Qu'on prenne les ordres de Sa Majesté...

[Le roi, resté seul, ouvre quelques-uns des portefeuilles placés sur la
table; et presque aussitôt un secrétaire arrive pour recevoir des ordres
au sujet de la révolte au Portugal; puis, c'est un autre qui apporte la
nouvelle de la guerre civile qui vient d'éclater en Angleterre et dans
laquelle se trouvent compromis la sœur de Louis XIII et son beau-
frère.  Le roi, affolé, sent bien qu'il est incapable de diriger par lui-
même les affaires.  Alors il rappelle son ministre.]

— Richelieu ! cria-t-il d'une voix étouffée, en agitant
une sonnette; qu'on appelle le Cardinal !

Et il tomba évanoui dans un fauteuil.

Lorsque le roi rouvrit les yeux, ranimé par les odeurs ₁₅
fortes et les sels qu'on lui avait mis sur les lèvres et les
tempes, il vit un instant des pages, qui se retirèrent sitôt
qu'il eut entr'ouvert ses paupières, et se retrouva seul avec
le Cardinal.  L'impassible ministre avait fait poser sa
chaise longue contre le fauteuil du roi, comme le siège ₂₀
d'un médecin près du lit de son malade, et fixait ses yeux
étincelants et scrutateurs sur le visage pâle de Louis.
Sitôt qu'il put l'entendre, il reprit d'une voix sombre son
terrible dialogue.

— Vous m'avez rappelé, dit-il, que me voulez-vous ? ₂₅

Louis, renversé sur son oreiller, entr'ouvrit les yeux et

regarda, puis se hâta de les refermer.  Cette tête décharnée,
armée de deux yeux flamboyants et terminée par une barbe
aiguë et blanchâtre, cette calotte et ces vêtements de la
couleur du sang et des flammes, tout lui représentait un
5 esprit infernal.

— Régnez, dit-il d'une voix faible.

— Mais . . . me livrez-vous Cinq-Mars et de Thou?
poursuivit l'implacable ministre en s'approchant pour lire
dans les yeux éteints du prince, comme un avide héritier
10 poursuit jusque dans la tombe les dernières lueurs de la
volonté d'un mourant.

— Régnez, répéta le roi en détournant la tête.

Lorsque, le 29 janvier 1846, eut lieu la réception de Vigny à l'Académie Française, le Comte Molé fit une critique sévère du roman
historique en général qu'avait cultivé le récipiendaire, et en particulier de *Cinq-Mars;* il déclarait que Vigny avait transformé en
héros Cinq-Mars qui n'était qu'un étourdi présomptueux et qu'il
avait fait de Richelieu une indigne caricature — ce ministre qui,
détruisant les grandes puissances rivales du trône, « fit le premier de
l'espace pour les petits ».  (Pour une histoire véridique de la conjuration de Cinq-Mars et de Thou, voir P. de Vaissière, *Conjuration
de Cinq-Mars*, Hachette, 1928).

Le Comte Molé protesta encore davantage contre la conversation
que Vigny prête à Napoléon et au Pape Pie VII qui est introduite
dans son récit *La Canne de jonc* (voir ci-dessous).  Le Comte Molé
avait vécu dans l'intimité de Napoléon.

### Servitude et Grandeur Militaires

Dans ce volume (1835), contenant trois récits (*Laurette ou Le
cachet rouge, La veillée de Vincennes, La vie et la mort du Capitaine
Renaud ou La canne de jonc*) précédés et suivis de commentaires,
Vigny discute la profession du soldat.  Tout enfant, il s'était enthousiasmé pour la carrière des armes:

« J'appartiens à cette génération née avec le siècle, qui, nourrie
« de bulletins par l'Empereur, avait toujours devant les yeux une
« épée nue, et vint la prendre au moment même où la France la re-
« mettait dans le fourreau des Bourbons.  Aussi dans ce modeste

« tableau d'une partie obscure de ma vie, je ne veux paraître que ce
« que je fus, spectateur plus qu'acteur, à mon grand regret. Les
« événements que je cherchais ne vinrent pas aussi grands qu'il me les
« eût fallu. Qu'y faire ? — on n'est pas toujours maître de jouer le
« rôle qu'on eût aimé, et l'habit ne nous vient pas toujours au temps
« où nous le porterions le mieux. Au moment où j'écris (1835) un
« homme de vingt ans de service n'a pas vu une bataille rangée. J'ai
« peu d'aventures à vous raconter, mais j'en ai entendu beaucoup ».

Vigny avait été enrôlé dans l'armée de 1814 à 1828.

Il est frappé de cette idée surtout: l'obéissance aveugle du *soldat*,
obéissance qui le force parfois à faire taire sa conscience d'*homme* pour
perpétrer ce qu'il considère lui-même comme des crimes: « L'abné-
« gation du guerrier est une croix plus lourde que celle du martyr. Il
« faut l'avoir portée longtemps pour en savoir la grandeur et le poids.
« Il faut bien que le sacrifice soit la plus belle chose de la terre, puis-
« qu'il a tant de beauté dans les hommes simples qui, souvent, n'ont
« pas la pensée de leur mérite et le secret de leur vie ».

Il explique l'acceptation de cette ‹ servitude militaire › qui est en
même temps la ‹ grandeur militaire › par ce sentiment spécial de
l'Honneur:

## L'Honneur

Oui, j'ai cru apercevoir sur cette sombre mer un point
qui m'a paru solide. Je l'ai vu d'abord avec incertitude,
et, dans le premier moment, je n'y ai pas cru. J'ai craint
de l'examiner, et j'ai longtemps détourné de lui mes yeux.
Ensuite, parce que j'étais tourmenté du souvenir de cette      5
première vue, je suis revenu malgré moi à ce point visible,
mais incertain. Je l'ai approché, j'en ai fait le tour, j'ai vu
sous lui et au-dessus de lui, j'y ai posé la main, je l'ai
trouvé assez fort pour servir d'appui dans la tourmente,
et j'ai été rassuré.                                          10

Ce n'est pas une foi neuve, un culte de nouvelle invention, une pensée confuse, c'est un sentiment né avec nous,
indépendant des temps, des lieux, et même des religions;
un sentiment fier, inflexible, un instinct d'une incomparable beauté, qui n'a trouvé que dans les temps modernes 15

un nom digne de lui, mais qui déjà produisait de sublimes grandeurs dans l'antiquité, et la fécondait comme ces beaux fleuves qui, dans leur source et leurs premiers détours, n'ont pas encore d'appellation. Cette foi, qui me
5 semble rester à tous encore et régner en souveraine dans les armées, est celle de l'HONNEUR.

L'Honneur, c'est la conscience, mais la conscience exaltée. — C'est le respect de soi-même et de la beauté de sa vie portée jusqu'à la plus pure élévation et jusqu'à la
10 passion la plus ardente. Je ne vois, il est vrai, nulle unité dans son principe; et toutes les fois que l'on a entrepris de le définir, on s'est perdu dans les termes; mais je ne vois pas qu'on ait été plus précis dans la définition de Dieu. Cela prouve-t-il contre une existence que l'on sent uni-
15 versellement ?

\*    \*    \*

Dans le troisième récit *La vie et la mort du Capitaine Renaud ou La canne de jonc*, Vigny donne son opinion sur Napoléon. Il était très attaché à la tradition, et considéra toujours le grand empereur comme un usurpateur et un étranger. Il inventa la curieuse scène suivante et l'intercala dans son récit; c'est une conversation entre Napoléon et le pape, que surprend, sans le vouloir, le futur Capitaine Renaud, alors page du Premier Consul.

La scène se serait passée en 1804. Napoléon avait déjà forcé le pape Pie VII à signer le Concordat (1801), c'est à dire une nouvelle alliance de l'Église catholique avec le pouvoir temporel de la France, — alliance que Napoléon cherchait, car il sentait que son autorité, si elle n'était reconnue par le pape, serait toujours chancelante, mais alliance inégale où celui qui avait la force voulait en faire usage. Maintenant, en 1804, Napoléon contraint le pape à venir à Paris; il veut être couronné par le Saint-Père dans l'Église de Notre-Dame. Napoléon reçoit son hôte d'abord à Fontainebleau; et là, dans un entretien privé, il voudrait bien pousser son avantage encore; il essaie de suggérer au pape de quitter Rome et de venir établir sa résidence à Paris (où ses actes pourraient être mieux surveillés). Le pape comprend très bien la situation, et par deux seuls mots interjetés dans la longue harangue Napoléonienne, il donne bien à entendre qu'il n'est pas dupe.

Le Pape Pie VII fut élu au Conclave de Venise, le 13 mars, 1800; il couronna Napoléon empereur, le 18 mai, 1804; l'excommunia, le 10 juin, 1809; fut emprisonné par lui, le 6 juillet, 1809; ne fut libéré qu'en 1814, à la chute de Napoléon.

Le but général du récit de Vigny consiste à opposer deux types de soldats, celui qui sacrifie toute sa vie personnelle à son pays (l'amiral anglais Collingwood) et l'autre qui sacrifie son pays à ses ambitions personnelles (Napoléon).

### La Canne de jonc
#### (Extrait)

L'Empereur était fort agité; il marcha seul dans la chambre comme quelqu'un qui attend avec impatience, et fit en un instant trois fois sa longueur, puis s'avança vers la fenêtre et se mit à y tambouriner une marche avec les ongles.  Une voiture roula dans la cour, il cessa de  5 battre, frappa des pieds deux ou trois fois comme impatienté de la vue de quelque chose qui se faisait avec lenteur, puis il alla brusquement à la porte et l'ouvrit au Pape.

Pie VII entra seul, Bonaparte se hâta de refermer la porte derrière lui, avec une promptitude de geôlier.  Je  10 sentis une grande terreur, je l'avoue, en me voyant en tiers avec de telles gens.  Cependant je restai sans voix et sans mouvement, regardant et écoutant de toute la puissance de mon esprit.

Le Pape était d'une taille élevée; il avait un visage 15 allongé, jaune, souffrant, mais plein d'une noblesse sainte et d'une bonté sans bornes.  Ses yeux noirs étaient grands et beaux, sa bouche était entr'ouverte par un sourire bienveillant auquel son menton avancé donnait une expression de finesse très-spirituelle et très-vive, sourire qui n'avait 20 rien de la sécheresse politique, mais tout de la bonté chrétienne.  Une calotte blanche couvrait ses cheveux longs, noirs, mais sillonnés de larges mèches argentées.  Il

portait négligemment sur ses épaules courbées un long
camail de velours rouge, et sa robe traînait sur ses pieds.
Il entra lentement, avec la démarche calme et prudente
d'une femme âgée.  Il vint s'asseoir, les yeux baissés, sur
5 un des grands fauteuils romains dorés et chargés d'aigles, et
attendit ce que lui allait dire l'autre Italien.[1]

Ah ! monsieur, quelle scène ! quelle scène ! je la vois
encore. — Ce ne fut pas le génie de l'homme qu'elle me
montra, mais ce fut son caractère; et si son vaste esprit ne
10 s'y déroula pas, du moins son cœur y éclata. — Bonaparte
n'était pas alors ce que vous l'avez vu depuis; il n'avait
point ce ventre de financier, ce visage joufflu et malade, ces
jambes de goutteux, tout cet infirme embonpoint que l'art
a malheureusement saisi pour en faire un *type*, selon le
15 langage actuel, et qui a laissé de lui, à la foule, je ne sais
quelle forme populaire et grotesque qui le livre aux jouets
d'enfants et le laissera peut-être un jour fabuleux et impossible comme l'informe Polichinelle. — Il n'était point
ainsi alors, monsieur, mais nerveux et souple, mais leste,
20 vif et élancé, convulsif dans ses gestes, gracieux dans
quelques moments, recherché dans ses manières; la poitrine plate et rentrée entre les épaules, et tel encore que je
l'avais vu à Malte,[2] le visage mélancolique et effilé.

Il ne cessa point de marcher dans la chambre quand le
25 Pape fut entré; il se mit à rôder autour du fauteuil comme
un chasseur prudent, et s'arrêtant tout à coup en face de
lui dans l'attitude roide et immobile d'un caporal, il reprit
une suite de la conversation commencée dans leur voiture,
interrompue par l'arrivée, et qu'il lui tardait de poursuivre.

---

[1] Bonaparte était né (1769) en Corse, longtemps île italienne.
[2] Le capitaine Renaud qui raconte cette histoire avait rencontré
pour la première fois Napoléon à Malte (1796) alors que celui-ci était
en route pour sa campagne d'Égypte.

— Je vous le répète, Saint-Père, je ne suis point un
esprit fort, moi, et je n'aime pas les raisonneurs et les idéo-
logues.[1] Je vous assure que, malgré mes vieux républicains, j'irai à la messe.

Il jeta ces derniers mots brusquement au Pape comme
un coup d'encensoir lancé au visage, et s'arrêta pour en
attendre l'effet, pensant que les circonstances tant soit
peu impies qui avaient précédé l'entrevue devaient donner
à cet aveu subit et net une valeur extraordinaire. — Le
Pape baissa les yeux et posa ses deux mains sur les têtes
d'aigles qui formaient les bras de son fauteuil. Il parut,
par cette attitude de statue romaine, qu'il disait clairement: Je me résigne d'avance à écouter toutes les choses
profanes qu'il lui plaira de me faire entendre.

Bonaparte fit le tour de la chambre et du fauteuil qui
se trouvait au milieu, et je vis, au regard qu'il jetait de
côté sur le vieux pontife, qu'il n'était content ni de lui-
même ni de son adversaire, et qu'il se reprochait d'avoir
trop lestement débuté dans cette reprise de conversation.
Il se mit donc à parler avec plus de suite, en marchant
circulairement et jetant à la dérobée des regards perçants
dans les glaces de l'appartement où se réfléchissait la figure
grave du Saint-Père, et le regardant en profil quand il
passait près de lui, mais jamais en face, de peur de sembler trop inquiet de l'impression de ses paroles.

— Il y a quelque chose, dit-il, qui me reste sur le cœur,
Saint-Père, c'est que vous consentez au sacre de la même
manière que l'autre fois au concordat, comme si vous y
étiez forcé.[2] Vous avez un air de martyr devant moi,

---

[1] Celui qui s'adonne à des rêveries philosophiques.

[2] Par ce Concordat, de juillet 1801, Bonaparte restaurait la religion
catholique en France, mais les archevêques et évêques, nommés par le
Pape, devaient jurer fidélité et obéissance au pouvoir temporel, gouvernement actuel de la France.

vous êtes là comme résigné, comme offrant au Ciel vos douleurs. Mais, en vérité, ce n'est pas là votre situation, vous n'êtes pas prisonnier,[1] par Dieu! vous êtes libre comme l'air.

5    Pie VII sourit avec tristesse et le regarda en face. Il sentait ce qu'il y avait de prodigieux dans les exigences de ce caractère despotique, à qui, comme à tous les esprits de même nature, il ne suffisait pas de se faire obéir si, en obéissant, on ne semblait encore avoir désiré ardemment ce 10 qu'il ordonnait.

   — Oui, reprit Bonaparte avec plus de force, vous êtes parfaitement libre; vous pouvez vous en retourner à Rome, la route vous est ouverte, personne ne vous retient.

   Le Pape soupira et leva sa main droite et ses yeux au 15 ciel sans répondre; ensuite il laissa retomber très-lentement son front ridé et se mit à considérer la croix d'or suspendue à son cou.

   Bonaparte continua à parler en tournoyant plus lentement. Sa voix devint douce et son sourire plein de 20 grâce.

   — Saint Père, si la gravité de votre caractère ne m'en empêchait, je dirais, en vérité, que vous êtes un peu ingrat. Vous ne paraissez pas vous souvenir assez des bons services que la France vous a rendus. Le conclave de Venise, qui 25 vous a élu Pape,[2] m'a un peu l'air d'avoir été inspiré par ma campagne d'Italie [3] et par un mot que j'ai dit sur vous. L'Autriche ne vous traita pas bien alors, et j'en fus très-affligé. Votre Sainteté fut, je crois, obligée de revenir par

---

   [1] Peut-être allusion au Pape Léon VI, prédécesseur de Pie VII, qui, détrôné par les Français en 1798 fut envoyé comme prisonnier à Valence où il mourut en août 1799.

   [2] Le 13 mars 1800.

   [3] 1796–7 (victoires d'Arcole et de Rivoli), terminée par la Paix de Campo Formio, 17 oct. 1797.

mer à Rome, faute de pouvoir passer par les terres autri-
chiennes.

Il s'interrompit pour attendre la réponse du silencieux
hôte qu'il s'était donné; mais Pie VII ne fit qu'une inclination de tête presque imperceptible, et demeura comme 5
plongé dans un abattement qui l'empêchait d'écouter.

Bonaparte alors poussa du pied une chaise près du grand
fauteuil du Pape. — Je tressaillis, parce qu'en venant
chercher ce siège, il avait effleuré de son épaulette le rideau
de l'alcôve où j'étais caché.                                    10

— Ce fut, en vérité, continua-t-il, comme catholique que
cela m'affligea.  Je n'ai jamais eu le temps d'étudier beaucoup la théologie, moi; mais j'ajoute encore une grande foi
à la puissance de l'Église, elle a une vitalité prodigieuse,
Saint-Père.  Voltaire vous a bien un peu entamés; mais 15
je ne l'aime pas, et je vais lâcher sur lui un vieil oratorien
défroqué.[1]  Vous serez content, allez.  Tenez, nous pour-
rions, si vous vouliez, faire bien des choses à l'avenir.

Il prit un air d'innocence et de jeunesse très-caressant.

— Moi, je ne sais pas, j'ai beau chercher, je ne vois pas 20
bien, en vérité, pourquoi vous auriez de la répugnance à
siéger à Paris pour toujours.  Je vous laisserais, ma foi,
les Tuileries,[2] si vous vouliez.  Ne voyez-vous pas bien,
*Padre*, que c'est là la vraie capitale du monde ?  Moi, je
ferais tout ce que vous voudriez; d'abord, je suis meilleur 25
enfant qu'on ne croit. — Pourvu que la guerre et la politique fatigante me fussent laissées, vous arrangeriez l'Église
comme il vous plairait.  Je serais votre soldat tout à fait.

[1] Ordre des Oratoriens de Jésus, se consacrant surtout à l'éducation; *défroqué*, c'est à dire qui a accepté le nouvel ordre de choses
amené par la Révolution.

[2] Le palais attenant à celui de Louvre, mais plus récemment construit, et brûlé en 1871.

Voyez, ce serait vraiment beau; nous aurions nos conciles comme Constantin et Charlemagne,[1] je les ouvrirais et les fermerais; je vous mettrais ensuite dans la main les vraies clefs du monde, et comme Notre-Seigneur a dit: Je suis
5 venu avec l'épée, je garderais l'épée, moi; je vous la rapporterais seulement à bénir après chaque succès de nos armes.

Il s'inclina légèrement en disant ces derniers mots.

Le Pape, qui jusque-là n'avait cessé de demeurer sans
10 mouvement, comme une statue égyptienne, releva lentement sa tête à demi baissée, sourit avec mélancolie, leva ses yeux en haut et dit, après un soupir paisible, comme s'il eût confié sa pensée à son ange gardien invisible:

— *Commediante !*

15 Bonaparte sauta de sa chaise et bondit comme un léopard blessé. Une vraie colère le prit; une de ses colères jaunes. Il marcha d'abord sans parler, se mordant les lèvres jusqu'au sang. Il ne tournait plus en cercle autour de sa proie avec des regards fins et une marche cauteleuse; mais il
20 allait droit et ferme, en long et en large, brusquement, frappant du pied et faisant sonner ses talons éperonnés. La chambre tressaillit; les rideaux frémirent comme les arbres à l'approche du tonnerre; il me semblait qu'il allait arriver quelque terrible et grande chose; mes cheveux me firent
25 mal et j'y portai la main malgré moi. Je regardai le Pape, il ne remua pas, seulement il serra de ses deux mains les têtes d'aigle des bras du fauteuil.

La bombe éclata tout à coup.

— Comédien ! Moi ! Ah ! je vous donnerai des comédies à vous faire tous pleurer comme des femmes et des

---

[1] Constantin, empereur romain, IV° siècle, qui accepta le Christianisme. Charlemagne qui rétablit un empire européen *et chrétien* aux VIII° et IX° siècles.

enfants. — Comédien ! — Ah ! vous n'y êtes pas, si vous croyez qu'on puisse avec moi faire du sang-froid insolent ! Mon théâtre c'est le monde ; le rôle que j'y joue, c'est celui de maître et d'auteur ; pour comédiens j'ai vous tous, Papes, Rois, Peuples ! et le fil par lequel je vous remue 5 c'est la peur ! — Comédien ! Ah ! il faudrait être d'une autre taille que la vôtre pour m'oser applaudir ou siffler, *signor Chiaramonti !* [1] — Savez-vous bien que vous ne seriez qu'un pauvre curé, si je le voulais ? Vous et votre tiare, la France vous rirait au nez, si je ne gardais mon air 10 sérieux en vous saluant.

Il y a quatre ans seulement, personne n'eût osé parler tout haut du Christ. Qui donc eût parlé du Pape, s'il vous plaît ? — Comédien ! Ah ! messieurs, vous prenez vite pied chez nous ! Vous êtes de mauvaise humeur parce que 15 je n'ai pas été assez sot pour signer, comme Louis XIV, la désapprobation des libertés gallicanes ! [2] — Mais on ne me pipe pas ainsi. — C'est moi qui vous tiens dans mes doigts ; c'est moi qui vous porte du Midi au Nord comme des marionnettes ; c'est moi qui fais semblant de vous 20 compter pour quelque chose parce que vous représentez une vieille idée que je veux ressusciter ; et vous n'avez pas l'esprit de voir cela et de faire comme si vous ne vous en aperceviez pas. — Mais non ! il faut tout vous dire ! il faut vous mettre le nez sur les choses pour que vous les com- 25 preniez. Et vous croyez bonnement que l'on a besoin de vous, et vous relevez la tête, et vous vous drapez dans vos

---

[1] Nom de famille du pape, au lieu de son titre *Votre Sainteté.*

[2] En 1682, le clergé de France assemblé à Paris sous la présidence de Bossuet, limitait les pouvoirs du Pape dans les affaires ecclésiastiques de France, c'est à dire soumettait l'autorité du Pape en dernier appel à celle d'un Conseil Général. Louis XIV, sous l'influence de Madame de Maintenon qui était très dévote, écrivit une lettre privée au Pape, désapprouvant cette mesure.

robes de femme ! — Mais sachez bien qu'elles ne m'en
imposent nullement, et que, si vous continuez, vous ! je
traiterai la vôtre comme Charles XII celle du grand vizir
je la déchirerai d'un coup d'éperon.[1]

5  Il se tut. Je n'osais pas respirer. J'avançai la tête,
n'entendant plus sa voix tonnante, pour voir si le pauvre
vieillard était mort d'effroi. Le même calme dans l'attitude, le même calme sur le visage. Il leva une seconde fois
les yeux au ciel, et après avoir encore jeté un profond sou-
10 pir, il sourit avec amertume et dit:

— *Tragediante !*

Bonaparte, en ce moment, était au bout de la chambre,
appuyé sur la cheminée de marbre aussi haute que lui.
Il partit comme un trait, courant sur le vieillard; je crus
15 qu'il l'allait tuer. Mais il s'arrêta court, prit, sur la table,
un vase de porcelaine de Sèvres, où le château Saint-Ange
et le Capitole étaient peints,[2] et, le jetant sur les chenets
et le marbre, le broya sous ses pieds. Puis tout d'un coup
s'assit et demeura dans un silence profond et une im-
20 mobilité formidable.

Je fus soulagé, je sentis que la pensée réfléchie lui était
revenue et que le cerveau avait repris l'empire sur les
bouillonnements du sang. Il devint triste, sa voix fut
sourde et mélancolique, et dès sa première parole je com-
25 pris qu'il était dans le vrai, et que ce Protée, dompté par
deux mots, se montrait lui-même.

— Malheureuse vie ! dit-il d'abord. — Puis il rêva,

---

[1] Voir Voltaire, *Charles XII*. Ce roi, irrité un jour, au milieu
d'une querelle avec le grand vizir, se jeta sur un canapé, avança sa
botte éperonnée vers le grand vizir, lui déchira sa robe de haut en bas,
et puis sauta sur son cheval et disparut.

[2] Un vase de la célèbre manufacture de Sèvres, près de Paris.
Château de Saint-Ange, sur le Tibre à Rome, appartenant au Pape.
Le Capitole de Rome.

déchira le bord de son chapeau sans parler pendant une minute encore, et reprit, se parlant à lui seul, au réveil.

— C'est vrai ! Tragédien ou Comédien. — Tout est rôle, tout est costume pour moi depuis longtemps et pour toujours. Quelle fatigue ! quelle petitesse ! Poser ! toujours poser ! de face pour ce parti, de profil pour celui-là, selon leur idée. Leur paraître ce qu'ils aiment que l'on soit, et deviner juste leurs rêves d'imbéciles. Les placer tous entre l'espérance et la crainte. — Les éblouir par des dates et des bulletins, par des prestiges de distance et des prestiges de nom. Être leur maître à tous et ne savoir qu'en faire. Voilà tout, ma foi ! — Et après ce tout, s'ennuyer autant que je fais, c'est trop fort. — Car, en vérité, poursuivit-il en se croisant les jambes et en se couchant dans un fauteuil, je m'ennuie énormément. — Sitôt que je m'assieds, je crève d'ennui. — Je ne chasserais pas trois jours à Fontainebleau sans périr de langueur. — Moi, il faut que j'aille et que je fasse aller. Si je sais où, je veux être pendu, par exemple. Je vous parle à cœur ouvert. J'ai des plans pour la vie de quarante empereurs, j'en fais un tous les matins et un tous les soirs; j'ai une imagination infatigable; mais je n'aurais pas le temps d'en remplir deux, que je serais usé de corps et d'âme; car notre pauvre lampe ne brûle pas longtemps. Et franchement, quand tous mes plans seraient exécutés, je ne jurerais pas que le monde s'en trouvât beaucoup plus heureux; mais il serait plus beau, et une unité majestueuse régnerait sur lui. — Je ne suis pas un philosophe, moi, et je n'entends rien à certaines théories. La vie est trop courte pour s'arrêter. Sitôt que j'ai pensé, j'exécute. On trouvera assez d'explications de mes actions après moi pour m'agrandir si je réussis et me rapetisser si je tombe. Les paradoxes sont là tout prêts, ils abondent en France; je

les fais taire de mon vivant, mais après il faudra voir. —
N'importe, mon affaire est de réussir, et je m'entends à
cela. Je fais mon Iliade en action, moi, et tous les jours.

Ici il se leva avec une promptitude gaie et quelque chose
5 d'alerte et de vivant; il était naturel et vrai dans ce
moment-là, il ne songeait point à se dessiner comme il fit
depuis dans ses dialogues de Sainte-Hélène[1]; il ne songeait
point à s'idéaliser, et ne composait point son personnage de
manière à réaliser les plus belles conceptions philosophi-
10 ques; il était lui, lui-même mis au dehors. — Il revint près
du Saint-Père, qui n'avait pas fait un mouvement, et
marcha devant lui. Là, s'enflammant, riant à moitié
avec ironie, il débita ceci, à peu près, tout mêlé de trivial
et de grandiose, selon son usage, en parlant avec une
15 volubilité inconcevable, expression rapide de ce génie facile
et prompt qui devinait tout à la fois, sans étude.

— La naissance est tout, dit-il; ceux qui viennent au
monde pauvres et nus sont toujours des désespérés. Cela
tourne en action ou en suicide, selon le caractère des gens.
20 Quand ils ont le courage, comme moi, de mettre la main à
tout, ma foi! ils font le diable. Que voulez-vous? Il faut
vivre. Il faut trouver sa place et faire son trou. Moi, j'ai
fait le mien comme un boulet de canon. Tant pis pour
ceux qui étaient devant moi. — Qu'y faire? Chacun
25 mange selon son appétit; moi, j'avais grand'faim! —
Tenez, Saint-Père, à Toulon, je n'avais pas de quoi acheter
une paire d'épaulettes, et au lieu d'elles j'avais une mère
et je ne sais combien de frères sur les épaules. Tout cela
est placé à présent, assez convenablement, j'espère.
30 Joséphine m'avait épousé, comme par pitié, et nous allons

---

[1] Allusion au *Mémorial de Sainte-Hélène* (1823) où le comte de Las
Casas, compagnon de captivité de Napoléon, rapporte les entretiens
qu'il eut avec ce dernier.

la couronner à la barbe de Raguideau, son notaire, qui
disait que je n'avais que la cape et l'épée. Il n'avait, ma
foi ! pas tort. — Manteau impérial, couronne, qu'est-ce
que tout cela ? Est-ce à moi ? — Costume ! costume d'acteur ! Je vais l'endosser pour une heure, et j'en aurai assez. 5
Ensuite je reprendrai mon petit habit d'officier, et je
monterai à cheval ; toute la vie à cheval ! — Je ne serai pas
assis un jour sans courir le risque d'être jeté à bas du
fauteuil. Est-ce donc bien à envier ? Hein ?

Je vous le dis, Saint-Père ; il n'y a au monde que deux 10
classes d'hommes : ceux qui ont et ceux qui gagnent.

Les premiers se couchent, les autres se remuent. Comme
j'ai compris cela de bonne heure et à propos, j'irai loin,
voilà tout. Il n'y en a que deux qui soient arrivés en
commençant à quarante ans : Cromwell [1] et Jean- 15
Jacques [2] ; si vous aviez donné à l'un une ferme, et à
l'autre douze cents francs et sa servante, ils n'auraient ni
prêché, ni commandé, ni écrit. Il y a des ouvriers en bâtiments, en couleurs, en formes et en phrases ; moi, je suis
ouvrier en batailles. C'est mon état. — À trente-cinq ans, 20
j'en ai déjà fabriqué dix-huit qui s'appellent : Victoires.
— Il faut bien qu'on me paye mon ouvrage. Et le payer
d'un trône, ce n'est pas trop cher. — D'ailleurs je tra-
vaillerai toujours. Vous en verrez bien d'autres. Vous
verrez toutes les dynasties dater de la mienne, tout par- 25
venu que je suis, et élu. Élu, comme vous, Saint-Père,
et tiré de la foule. Sur ce point nous pouvons nous donner
la main.

Et, s'approchant, il tendit sa main blanche et brusque

---

[1] Né en 1599, avait 43 ans quand il chassa Charles Ier de Whitehall
(12 janv. 1642).
[2] Rousseau, né en 1712, devint célèbre en 1750 par son *Premier
Discours*. Ses grands écrits sont de 1761 et 62.

vers la main décharnée et timide du bon Pape, qui, peut-
être attendri par le ton de bonhomie de ce dernier mouvement de l'Empereur, peut-être par un retour secret sur sa
propre destinée et une triste pensée sur l'avenir des sociétés
5 chrétiennes, lui donna doucement le bout de ses doigts,
tremblants encore, de l'air d'une grand'mère qui se rac-
commode avec un enfant qu'elle avait eu le chagrin de
gronder trop fort.   Cependant il secoua la tête avec tristesse, et je vis rouler de ses beaux yeux une larme qui glissa
10 rapidement sur sa joue livide et desséchée.   Elle me parut
le dernier adieu du Christianisme mourant qui abandonnait la terre à l'égoïsme et au hasard.


### Théâtre

#### *Chatterton*

(12 février, 1835)

Ce fut le grand succès de Vigny au théâtre.[1]   Le thème en est, une
fois de plus, celui des êtres supérieurs qui sont si peu compris de
leurs frères humains, qu'ils sont soit mis à mort par eux, soit forcés
de quitter la vie de leur propre chef.   L'auteur met à la scène un des
trois épisodes de son livre *Stello*.[2]   Les génies dont il avait retracé la
triste carrière sont: André Chénier, le poète admirable que les
hommes firent monter à la guillotine, Gilbert, un poète de la fin du
XVIIIᵉ siècle qui mourut de faim,[3] et ce Chatterton, jeune écrivain
anglais qui, à l'âge de dix-huit ans, s'empoisonna de désespoir après
avoir brûlé ses manuscrits.   (Il avait entre autres, composé un pastiche du XVᵉ siècle qu'il avait attribué à un moine de son invention,
Rowley; mais la supercherie fut découverte).

---

[1] On lui reprochera, cependant, d'avoir fait l'apologie du suicide, et
le Parlement discutera la pièce (le 29 août, 1835) à propos de la loi
sur la censure.

[2] *Stello* est un nom sous lequel il faut chercher Vigny lui-même,
comme Chateaubriand sous celui de *René* ou Hugo sous celui d'*Olympio*.

[3] On a, cependant, contesté la vérité de ce drame.   Voir *Eighteenth
Century French Readings*, Holt and Co., p. 586-7.

La pièce montre Chatterton ayant pris pension chez un riche bourgeois de Londres, qui, lui, ne comprend pas du tout ce rêveur; mais sa
femme, la douce Kitty Bell, a pitié de ce jeune homme qui a l'air si
triste, — et, à leur insu à tous deux, l'amour se glisse dans leurs cœurs.
À bout de ressource, et sur la demande de Kitty, Chatterton consent à
demander assistance au Lord Maire. Celui-ci, pour obliger Kitty,
offre une place de valet. C'est alors que le jeune homme, insulté au
plus profond de son être et de son génie, ne voit plus de solution
que la mort. La seule pensée qui aurait pu le retenir, son amour
pour Kitty, ne compte même plus.

On a beaucoup remarqué le rôle du bon Quaker, un ami de la maison qui comprend la situation et apporte une note de profonde humanité dans les différentes péripéties du drame.

Les deux dernières scènes (*Acte III*) font assister à la mort de
Chatterton. On voit un vaste appartement; à gauche, une cheminée
pleine de charbon de terre allumé; à droite, la porte de la chambre de
Kitty; au fond, un escalier tournant conduit à la porte de la petite
chambre de Chatterton, dont on entrevoit quelques meubles.[1]

## Acte III, Scène 7

CHATTERTON, *seul* . . . Et à present, pourquoi vivre ?
pour qui ? . . . Pour qu'elle vive, c'est assez . . . Allons,
arrêtez-vous, idées noires, ne revenez pas . . . Lisons ceci
. . . Voyons, qu'offre-t-il (*Il décachète la lettre du Lord
Maire, lit . . . et s'écrie avec indignation*): Une place de   5
premier valet de chambre dans sa maison ! . . . Ah ! pays
damné ! terre du dédain ! sois maudite à jamais ! (*Prenant
la fiole d'opium.*) O mon âme, je t'avais vendue ! je te
rachète avec ceci. (*Il boit l'opium.*) Skirner sera payé ![2]
— Libre de tous ! égal à tous, à présent ! — Salut, pre-   10
mière heure de repos que j'aie goûtée ! — Dernière heure
de ma vie, aurore du jour éternel, salut ! — Adieu, hu-
miliations, haines, sarcasmes, travaux dégradants, incer-

---

[1] Le rôle de Kitty était tenu par Marie Dorval (voir plus haut).

[2] Pour payer un loyer arriéré, Chatterton avait vendu d'avance
son corps à une École de Médecine.

titudes, angoisses, misères, tortures du cœur, adieu ! Oh !
quel bonheur, je vous dis adieu ! — Si l'on savait ! si l'on
savait ce bonheur que j'ai ... on n'hésiterait pas si
longtemps ! (*Ici, après un instant de recueillement*
*durant lequel son visage prend une expression de béa-*
*titude, il joint les mains et poursuit.*)   O Mort, ange de
délivrance, que ta paix est douce ! j'avais bien raison
de t'adorer, mais je n'avais pas la force de te conquérir.
— Je sais que tes pas seront lents et sûrs.   Regarde-
moi, ange sévère, leur ôter à tous la trace de mes pas
sur la terre. (*Il se prépare à jeter au feu tous ses papiers.*)
Allez, nobles pensées écrites pour tous ces ingrats dédaigneux, purifiez-vous dans la flamme et remontez au ciel
avec moi !

*Il lève les yeux au ciel, et déchire lentement ses poèmes,*
*dans l'attitude grave et exaltée d'un homme qui fait*
*un sacrifice solennel.*

### Scène 8

#### CHATTERTON, KITTY BELL

*Kitty Bell sort lentement de sa chambre, s'arrête, observe*
*Chatterton, et va se placer entre la cheminée et lui.* —
*Il cesse tout à coup de déchirer ses papiers.*

KITTY BELL, *à part.* — Que fait-il donc ?  Je n'oserai
jamais lui parler.  Que brûle-t-il ?  Cette flamme me fait
peur, et son visage éclairé par elle est lugubre. (*À Chat-*
*terton.*)  N'allez-vous pas rejoindre milord ?

CHATTERTON *laisse tomber ses papiers; tout son corps*
*frémit.* — Déjà ![1] — Ah ! c'est vous ! — Ah ! madame !
à genoux ! par pitié ! oubliez-moi.[2]

[1] Il sent que le poison agit déjà.
[2] Le Quaker lui avait confié que Kitty partageait son amour.

KITTY BELL. — Eh ! mon Dieu ! pourquoi cela ? qu'a-vez-vous fait ?

CHATTERTON. — Je vais partir ! — Adieu ! — Tenez, madame, il ne faut pas que les femmes soient dupes de nous plus longtemps. Les passions des poètes n'existent 5 qu'à peine. On ne doit pas aimer ces gens-là; franche-ment, ils n'aiment rien: ce sont tous des égoïstes. Le cerveau se nourrit aux dépens du cœur. Ne les lisez jamais et ne les voyez pas; moi, j'ai été plus mauvais qu'eux tous. 10

KITTY BELL. — Mon Dieu ! pourquoi dites-vous: « J'ai été ? »

CHATTERTON. — Parce que je ne veux plus être poète; vous le voyez, j'ai déchiré tout. — Ce que je serai ne vau-dra guère mieux, mais nous verrons. Adieu ! — Écoutez- 15 moi ! Vous avez une fille charmante; aimez-vous vos enfants ?

KITTY BELL. — Plus que ma vie, assurément.

CHATTERTON. — Aimez donc votre vie pour ceux à qui vous l'avez donnée. 20

KITTY BELL. — Hélas ! ce n'est que pour eux que je l'aime.

CHATTERTON. — Eh ! quoi de plus beau dans le monde ô Kitty Bell ! Avec ces anges sur vos genoux, vous res-semblez à la divine Charité.[1] 25

KITTY BELL. — Ils me quitteront un jour.

CHATTERTON. — Rien ne vaut cela pour vous ! — C'est là le vrai dans la vie ! Voilà un amour sans trouble et sans peur. En eux est le sang de votre sang, l'âme de votre âme: aimez-les, madame, uniquement et par-dessus tout. 30 Promettez-le-moi !

---

[1] Allusion à *An excellent Balade of Charitie as wroten by the gode Prieste Thomas Rowley*, 1464 — une des pièces forgées par Chatterton.

KITTY BELL. — Mon Dieu! vos yeux sont pleins de larmes, et vous souriez.

CHATTERTON. — Puissent vos beaux yeux ne jamais pleurer et vos lèvres sourire sans cesse! O Kitty! ne laissez entrer en vous aucun chagrin étranger à votre paisible famille.

KITTY BELL. — Hélas! cela dépend-il de nous?

CHATTERTON. — Oui! oui!... Il y a des idées avec lesquelles on peut fermer son cœur. — Demandez au quaker, il vous en donnera. — Je n'ai pas le temps, moi; laissez-moi sortir.

*Il marche vers sa chambre.*

KITTY BELL. — Mon Dieu! comme vous souffrez!

CHATTERTON. — Au contraire. — Je suis guéri. — Seulement, j'ai la tête brûlante. Ah! bonté! bonté tu me fais plus de mal que leurs noirceurs.

KITTY BELL. — De quelle bonté parlez-vous? Est-ce de la vôtre?

CHATTERTON. — Les femmes sont dupes de leur bonté. C'est par bonté que vous êtes venue. On vous attend là-haut! J'en suis certain. Que faites-vous ici?

KITTY BELL *émue profondément, et l'œil hagard.* — À présent, quand toute la terre m'attendrait, j'y resterais.

CHATTERTON. — Tout à l'heure je vous suivrai. — Adieu! adieu!

KITTY BELL, *l'arrêtant.* — Vous ne viendrez pas?

CHATTERTON. — J'irai. — J'irai.

KITTY BELL. — Oh! vous ne voulez pas venir.

CHATTERTON. — Madame, cette maison est à vous, mais cette heure m'appartient.

KITTY BELL. — Qu'en voulez-vous faire?

CHATTERTON. — Laissez-moi, Kitty. Les hommes ont des moments où ils ne peuvent plus se courber à votre taille et s'adoucir la voix pour vous... Kitty Bell, laissez-moi.

KITTY BELL. — Jamais je ne serai heureuse si je vous laisse ainsi, monsieur.

CHATTERTON. — Venez-vous pour ma punition ? Quel mauvais génie vous envoie ?

KITTY BELL. — Une épouvante inexplicable.

CHATTERTON. — Vous serez épouvantée si vous restez.

KITTY BELL. — Avez-vous de mauvais desseins, grand Dieu ?

CHATTERTON. — Ne vous en ai-je pas dit assez ? Comment êtes-vous là ?

KITTY BELL. — Eh ! comment n'y serais-je plus ?

CHATTERTON. — Parce que je vous aime, Kitty.

KITTY BELL. — Ah ! monsieur, si vous me le dites, c'est que vous voulez mourir.

CHATTERTON. — J'en ai le droit, de mourir. — Je le jure devant vous, et je le soutiendrai devant Dieu !

KITTY BELL. — Et moi, je vous jure que c'est un crime; ne le commettez pas.

CHATTERTON. — Il le faut, Kitty, je suis condamné.

KITTY BELL. — Attendez seulement un jour pour penser à votre âme.

CHATTERTON. — Il n'y a rien que je n'aie pensé, Kitty.

KITTY BELL. — Une heure seulement pour prier.

CHATTERTON. — Je ne peux plus prier.

KITTY BELL. — Et moi, je vous prie pour moi-même. Cela me tuera.

CHATTERTON. — Je vous ai avertie ! il n'est plus temps.

KITTY BELL. — Et si je vous aime, moi !

CHATTERTON. — Je l'ai vu, et c'est pour cela que j'ai bien fait de mourir; c'est pour cela que Dieu peut me pardonner.

KITTY BELL. — Qu'avez-vous donc fait ?

CHATTERTON. — Il n'est plus temps, Kitty; c'est un mort qui vous parle.

KITTY BELL, *à genoux, les mains au ciel.* — Puissances du ciel ! grâce pour lui !

CHATTERTON. — Allez-vous-en ... Adieu !

KITTY BELL, *tombant.* — Je ne le puis plus ...

CHATTERTON. — Eh bien donc ! prie pour moi sur la terre et dans le ciel.

*Il la baise au front et remonte l'escalier en chancelant; il ouvre sa porte et tombe dans sa chambre.*

KITTY BELL. — Ah ! — Grand Dieu ! (*Elle trouve la fiole.*) Qu'est-ce que cela ? — Mon Dieu ! pardonnez-lui.


## Scène 9

### KITTY BELL, LE QUAKER

LE QUAKER, *accourant.* — Vous êtes perdu ... Que faites-vous ici ?

KITTY BELL, *renversée sur les marches de l'escalier.* — Montez vite ! montez, monsieur, il va mourir; sauvez-le ... s'il est temps.

*Tandis que le quaker s'achemine vers l'escalier, Kitty Bell cherche à voir, à travers les portes vitrées, s'il n'y a personne qui puisse donner du secours; puis, ne voyant rien, elle suit le quaker avec terreur, en écoutant le bruit de la chambre de Chatterton.*

LE QUAKER, *en montant à grands pas, à Kitty Bell.* — Reste, reste, mon enfant, ne me suis pas.

*Il entre chez Chatterton et s'enferme avec lui. On devine des soupirs de Chatterton et des paroles d'encouragement*

*du quaker.   Kitty Bell monte, à demi-évanouie, en*
*s'accrochant à la rampe de chaque marche: elle fait un*
*effort pour tirer à elle la porte, qui résiste et s'ouvre enfin.*
*On voit Chatterton mourant et tombé sur le bras du quaker.*
*Elle crie, glisse à demi-morte sur la rampe de l'escalier,*  5
*et tombe sur la dernière marche.*

*On entend John Bell appeler de la salle voisine.*

JOHN BELL. — Mistress Bell !

*Kitty se lève tout à coup comme par ressort.*

JOHN BELL, *une seconde fois.* — Mistress Bell !          10

*Elle se met en marche et vient s'asseoir, lisant sa Bible*
*et balbutiant tout bas des paroles qu'on n'entend pas.*
*Ses enfants accourent et s'attachent à sa robe.*

LE QUAKER, *du haut de l'escalier.* — L'a-t-elle vu mou-
rir ? l'a-t-elle vu ?   (*Il va près d'elle.*)   Ma fille ! ma fille ! 15

JOHN BELL, *entrant violemment, et montant deux marches*
*de l'escalier.* — Que fait-elle ici ?   Où est ce jeune homme ?
Ma volonté est qu'on l'emmène !

LE QUAKER. — Dites qu'on l'emporte, il est mort !

JOHN BELL. — Mort ?          20

LE QUAKER. — Oui, mort à dix-huit ans !   Vous l'avez
tous si bien reçu, étonnez-vous qu'il soit parti !

JOHN BELL. — Mais . . .

LE QUAKER. — Arrêtez, monsieur, c'est assez d'effroi
pour une femme.   (*Il regarde Kitty et la voit mourante.*) 25
Monsieur, emmenez ses enfants !   Vite, qu'ils ne la voient
pas.

*Il arrache les enfants des pieds de Kitty, les passe à*
*John Bell, et prend leur mère dans ses bras.   John Bell*
*les prend à part, et reste stupéfait.   Kitty Bell meurt* 30
*dans les bras du quaker.*

JOHN BELL, *avec épouvante.* — Eh bien ! eh bien ! Kitty !
Kitty ! qu'avez-vous ?

*Il s'arrête en voyant le quaker s'agenouiller.*

LE QUAKER, *à genoux.* — Oh ! dans ton sein ! dans ton sein, Seigneur, reçois ces deux martyrs.

*Le quaker reste à genoux, les yeux tournés vers le ciel,*
5 *jusqu'à ce que le rideau soit baissé.*

# CHAPITRE SEPT

## ALFRED DE MUSSET

### (1810–1857)

**Consulter:** Arvède Barine, *A. de Musset* (Coll. grands écr. fr., 1893); M. Donnay, *A. de Musset* (Hachette, 1914); E. Henriot, *A. de Musset* (Hachette, 1928, avec bibl. pp. 189–191); E. Faguet, *Études litt. sur le XIXᵒ siècle* (Lecène, Oudin, 1887); M. Souriau, *Histoire du Romantisme* (Ed. Spes, 1927–1928); Pierre Gastinel, *Le Romantisme d'A. de Musset* (Paris, 1933).

Pour l'histoire de l'amour pour George Sand, voir aussi: George Sand, *Elle et lui* (Hachette, 1859); Paul de Musset, *Lui et elle* (Charpentier, 1860); Louise Colet, *Lui,* roman (1860); M. de Lescure, *Eux et elle, Histoire d'un scandale* (de Broise, 1860) Spoelberch de Lovenjoul, *La véritable histoire d'Elle et lui* (Calmann-Lévy, 1897); P. Mariéton, *Une histoire d'amour* (Havard, 1897); L. Séché, *Études d'histoire romantique, A. de Musset* (Mercure de France, 2 vol., 1907). La meilleure étude approfondie semble rester celle de Ch. Maurras, *Les amants de Venise* (Boccard, 1902; Nouv. éd. augmentée, 1917).

Pour le théâtre: L. Lafoscade, *Le Théâtre d'A. de Musset* (Hachette, 1901); A. LeBreton, *Le Théâtre romantique* (Boivin, 1923) — où l'on trouvera quelques indications sur l'origine de la « comédie des proverbes »; J. Lemaître, « Introduction » au *Théâtre d'A. de Musset* (Jouant, 1889–91).

Il est né à Paris, et, sauf à l'occasion de quelques voyages, il demeura à Paris toute sa vie, — si courte d'ailleurs. Il appartenait à une famille de gens cultivés. On prétend qu'il comptait parmi ses ancêtres un des vieux poètes de France, Colin Muset (XIIIᵐᵉ siècle). Son père était Musset-Pathay, le grand admirateur de Rousseau. De dix ans moins âgé que la plupart des grands romantiques, il paraissait un peu comme un enfant dans leur cercle, et souvent avait les impertinences de la jeunesse.[1] Il entrevit un des premiers les

---

[1] Voir un charmant poème, où, bien des années plus tard, il évoque le souvenir des soirées au Cénacle de l'Arsenal, chez Nodier: « Réponse aux *Stances* de Ch. Nodier ». (*Poésies Nouvelles*, Ed. Lemerre, p. 276–82).

dangers de l'exaltation romantique et parfois s'amusa à la parodier, ainsi dans sa célèbre *Ballade à la lune* (1830). En 1835–36 il publia dans la *Revue des Deux Mondes* une très spirituelle critique des romantiques, les *Lettres de Dupuis et Cotonet;* et en 1840 il brisera une lance en faveur des classiques négligés, dans *Une soirée perdue,* — une soirée au Théâtre-Français presque vide pour une représentation du chef-d'œuvre de Molière, *le Misanthrope.*

## La Poésie

### Ballade à la Lune

#### (1830)

(On observera, dès la troisième strophe, le procédé de l'énumération, fréquent chez les Romantiques.)

C'était dans la nuit brune
Sur le clocher jauni,
    La lune
Comme un point sur un i.

5         Lune, quel esprit sombre
Promène au bout d'un fil,
    Dans l'ombre,
Ta face et ton profil ?

Est-tu l'œil du ciel borgne ?
10        Quel chérubin cafard [1]
    Nous lorgne
Sous ton masque blafard ?

N'es-tu rien qu'une boule,
Qu'un grand faucheux [2] bien gras

---

[1] Hypocrite: la pâleur et la mélancolie des romantiques n'était souvent qu'un masque ou une pose.
[2] La grosse araignée des champs.

Qui roule
Sans pattes et sans bras?

Es-tu, je t'en soupçonne,
Le vieux cadran de fer
Qui sonne                                    5
L'heure aux damnés d'enfer?

Sur ton front qui voyage
Ce soir ont-ils compté
Quel âge
A leur éternité?                             10

Est-ce un ver qui te ronge
Quand ton disque noirci
S'allonge
En croissant rétréci?

Qui t'avait éborgnée,                        15
L'autre nuit? T'étais-tu
Cognée
À quelque arbre pointu?

Car tu vins, pâle et morne,
Coller sur mes carreaux                      20
Ta corne
À travers les barreaux.

Va, lune moribonde,
Le beau corps de Phébé[1]
La blonde                                    25
Dans la mer est tombé.

Tu n'en es que la face
Et, déjà, tout ridé
S'efface
Ton front dépossédé...                       30

[1] La lune.

Lune, en notre mémoire
De tes belles amours
　　L'histoire
T'embellira toujours.

5　　Et toujours rajeunie,
Tu seras du passant
　　Bénie,
Pleine lune ou croissant.

T'aimera le vieux pâtre
10　Seul, tandis qu'à ton front
　　D'albâtre,
Les dogues aboieront.

T'aimera le pilote
Dans son grand bâtiment
15　　Qui flotte
Sous le clair firmament.

Et la fillette preste
　Qui passe le buisson
　　Pied leste,
20　En chantant sa chanson...

Et qu'il vente ou qu'il neige
Moi-même chaque soir,
　　Que fais-je
Venant ici m'asseoir ?

25　　Je viens voir à la brune
Sur le clocher jauni,
　　La lune
Comme un point sur un i.

\*　　\*　　\*

Cependant Musset était vraiment romantique lui-même, comme on le voit par son premier livre *Contes d'Espagne et d'Italie* (1830) où il choisit, pour les imiter en vers, les contes du moyen-âge pittoresque (amours chevaleresques, sérénades, duels, etc.) les plus sentimentaux ou les plus byronesques (Italie: *Simone, Portia;* Espagne: *Don Paëz*).

## Namouna

### (1833)

Il était même plus romantique qu'aucun comme on le voit dans son *Namouna,* conte du genre en apparence frivole à la mode du XVIII° siècle (mais en vers); la scène est dans l'orient féerique; Hassan est comme un grand pacha des mille et une nuits; mais toutes les richesses et toutes les puissances et toutes les femmes — dont Namouna — ne lui ont procuré que le désenchantement; il évoque le souvenir de Don Juan, mais pas le débauché impénitent de l'Espagne et de Molière, et qui trouve une joie méchante à semer sa route de larmes et de misère; c'est le Don Juan déjà entrevu par l'écrivain allemand Hoffmann, le Don Juan qui se lasse de toutes ses conquêtes non parce qu'il est, lui, méchant, mais parce qu'elles, ces femmes, ont déçu son attente; il leur demandait d'apaiser sa soif d'idéal; elles ne lui offraient qu'un plaisir éphémère et trompeur. Hassan est le grand désenchanté romantique. Les strophes suivantes sont empruntées à la fin du Chant Deuxième de *Namouna:*

### XXIV

Il en est un plus grand,[1] plus beau, plus poétique,
Que personne n'a fait, que Mozart a rêvé,
Qu'Hoffmann a vu passer, au son de la musique,
Sous un éclair divin de sa nuit fantastique,
Admirable portrait qu'il n'a point achevé,
Et que de notre temps Shakespeare aurait trouvé.

\*     \*     \*

[1] *Nom* — « plus grand » que celui de Valmont, qui vient d'être cité par le poète. Valmont, le héros du roman célèbre de Choderlos de Laclos, *Les liaisons dangereuses* (1782), est le type du débauché vulgaire et séducteur éhonté, de la famille de Lovelace.

### XXXVIII

Oui, don Juan.[1]   Le voilà, ce nom que tout répète,
Ce nom mystérieux que tout l'univers prend,
Dont chacun vient parler, et que nul ne comprend,
Si vaste et si puissant qu'il n'est pas de poète
5 Qui ne l'ait soulevé dans son cœur et sa tête,
Et pour l'avoir tenté ne soit resté plus grand.

### XXXIX

Insensé que je suis ! que fais-je ici moi-même !
Était-ce donc mon tour de leur parler de toi,
Grande ombre, et d'où viens-tu pour tomber jusqu'à moi ?
10 C'est qu'avec leurs horreurs, leur doute et leur blas-
       phème,
Pas un d'eux ne t'aimait, don Juan; et moi, je t'aime
Comme le vieux Blondel [2] aimait son pauvre roi.

### XL

Oh ! qui me jettera sur ton coursier rapide !
15 Oh ! qui me prêtera le manteau voyageur,
Pour te suivre en pleurant, candide corrupteur !
Qui me déroulera cette liste homicide,
Cette liste d'amour si remplie et si vide,
Et que ta main peuplait des oublis de ton cœur !

---

[1] *Juan* — Il faut lire tout le poème en comptant Juan comme une
seule syllabe; sinon le rythme est constamment faussé.
[2] Blondel, le type de la fidélité dans le malheur.  Il était l'écuyer de
Richard Cœur de Lion.  Selon la légende, ce prince à son retour de
Palestine, avait été fait prisonnier et livré à Léopold, Duc d'Autriche.
Blondel parcourut l'Europe pour découvrir la prison de son maître, et
il fit connaître sa présence en chantant sous la fenêtre du cachot une
romance de Richard.

### XLI

Trois mille noms charmants ! trois mille noms de femme !
Pas un qu'avec des pleurs tu n'aies balbutié
Et ce foyer d'amour qui dévorait ton âme,
Qui, lorsque tu mourus, de tes veines de flamme
Remonta dans le ciel comme un ange oublié,　　　　　5
De ces trois mille amours pas un qui l'ait noyé !

### XLII

Elles t'aimaient pourtant, ces filles insensées
Que sur ton cœur de fer tu pressas tour à tour;
Le vent qui t'emportait les avait traversées;
Elles t'aimaient, don Juan, ces pauvres délaissées　　　　　10
Qui couvraient de baisers l'ombre de ton amour,
Qui te donnaient leur vie, et qui n'avaient qu'un jour !

### XLIII

Mais toi, spectre énervé, toi, que faisais-tu d'elles ?
Ah ! massacre et malheur ! tu les aimais aussi,
Toi ! croyant toujours voir sur tes amours nouvelles　　　　　15
Se lever le soleil de tes nuits éternelles,
Te disant chaque soir: « Peut-être le voici »,
Et l'attendant toujours, et vieillissant ainsi !

### XLIV

Demandant aux forêts, à la mer, à la plaine,
Aux brises du matin, à toute heure, à tout lieu　　　　　20
La femme de ton âme et de ton premier vœu !
Prenant pour fiancée un rêve, une ombre vaine,
Et fouillant dans le cœur d'une hécatombe humaine,
Prêtre désespéré, pour y chercher ton Dieu.

### XLV

Et que voulais-tu donc ? — Voilà ce que le monde
Au bout de trois cents ans demande encor tout bas.
Le sphinx aux yeux perçants attend qu'on lui réponde.
Ils savent compter l'heure, et que leur terre est ronde.
5 Ils marchent dans le ciel sur le bout d'un compas,
Mais ce que tu voulais, ils ne le savent pas.

### XLVI

« Quelle est donc, disent-ils, cette femme inconnue
Qui seule eût mis la main au frein de son coursier ?
Qu'il appelait toujours et qui n'est pas venue ?
10 Où l'avait-il trouvée ? où l'avait-il perdue ?
Et quel nœud si puissant avait su les lier,
Que, n'ayant pu venir, il n'ait pu l'oublier ?

### XLVII

N'en était-il pas une, ou plus noble, ou plus belle,
Parmi tant de beautés, qui, de loin ou de près,
15 De son vague idéal eût du moins quelques traits ?
Que ne la gardait-il ? qu'on nous dise laquelle. »
Toutes lui ressemblaient, — ce n'était jamais elle;
Toutes lui ressemblaient, don Juan, et tu marchais.

### XLVIII

Tu ne t'es pas lassé de parcourir la terre !
20 Ce vain fantôme, à qui Dieu t'avait envoyé,
Tu n'en as pas brisé la forme sous ton pié !
Tu n'es pas remonté, comme l'aigle à son aire,
Sans avoir sa pâture, ou comme le tonnerre
Dans sa nue aux flancs d'or, sans avoir foudroyé !

### XLIX

Tu n'as jamais médit de ce monde stupide
Qui te dévisageait d'un regard hébété;
Tu l'as vu, tel qu'il est, dans sa difformité;
Et tu montais toujours cette montagne aride,
Et tu suçais toujours, plus jeune et plus avide,     5
Les mamelles d'airain de la Réalité.

### L

Et la vierge aux yeux bleus, sur la souple ottomane,[1]
Dans ses bras parfumés te berçait mollement;
De la fille de roi jusqu'à la paysanne
Tu ne méprisais rien, même la courtisane     10
À qui tu disputais son misérable amant;
Mineur, qui dans un puits cherchais un diamant.

### LI

Tu parcourais Madrid, Paris, Naple et Florence;
Grand seigneur au palais, voleur aux carrefours;
Ne comptant ni l'argent, ni les nuits, ni les jours;     15
Apprenant du passant à chanter sa romance;
Ne demandant à Dieu, pour aimer l'existence,
Que ton large horizon et tes larges amours.

### LII

Tu retrouvais partout la vérité hideuse,
Jamais ce qu'ici-bas cherchaient tes vœux ardents,     20
Partout l'hydre éternel qui te montrait les dents;
Et poursuivant toujours ta vie aventureuse,
Regardant sous tes pieds cette mer orageuse,
Tu te disais tout bas: « Ma perle est là dedans. »

[1] Sorte de canapé à l'orientale.

## LIII

Tu mourus plein d'espoir dans ta route infinie
Et te souciant peu de laisser ici-bas
Des larmes et du sang aux traces de tes pas.
Plus vaste que le ciel et plus grand que la vie;
5 Tu perdis ta beauté, ta gloire et ton génie
Pour un être impossible, et qui n'existait pas . . .

La légende de Don Juan est d'origine espagnole; Molière la reprend (1665) — comme Corneille avait repris celle du Cid — et en
fixe le type: débauché, athée, hypocrite, du reste puni par le ciel. Au
XVIIIᵉ siècle, ce type emprunte les noms de « Lovelace » chez
Richardson (1749), et de « Valmont » dans *Les liaisons dangereuses* de
Choderlos de Laclos (1782). Parfois aussi, conservant le nom, Don
Juan est représenté avec des traits caractéristiques de l'esprit du
dix-huitième siècle, c'est à dire comme le libertin aimable, l'homme
à bonnes fortunes; c'est encore le Don Juan de Mozart (1787) —
poétisé à vrai dire par celui-ci — mais que Hoffmann va transformer
en héros romantique (1814), le Don Juan qui va de fleur en fleur,
volage peut-être, mais à l'âme de poète poursuivant un beau rêve, et
toujours désillusionné. Il n'y avait qu'un pas à faire pour arriver
à l'idée de réunir la légende de Don Juan à celle du Docteur Faust,
chercheur éternel lui aussi, et dont Gretchen fut la victime. Vient
alors Byron (1818–1819) romantique passionné d'abord, mais bientôt
désabusé, et finissant comme un chasseur de sensations nouvelles,
blasé cynique devant les vulgarités de l'existence, et qui inspire la toile
célèbre de Delacroix. Mais c'est le Hassan de Musset qui donne
l'expression la plus profonde du Don Juan qui ne va pas jusqu'au
cynisme, mais souffre de la solitude jamais remplie (1832). [Voir
l'ouvrage de Georges Gendarme de Bévotte, *La légende de Don Juan*,
Hachette, 1911, 2 volumes.] On pourra comparer cette interprétation de Don Juan chez Musset avec celle du héros d'Homère, Ulysse,
chez Dante: Ulysse, le voyageur éternel, qui cherche toujours le pays
de ses rêves [voir Hauvette, « Dante et la pensée moderne », *Revue
de Paris*, 1 juin, 1920; pp. 620–621].

Il convient maintenant de remarquer que, sauf les vers que l'on
vient de lire, le long poème de *Namouna* est écrit tout à fait dans le
style frivole, désabusé, moqueur et brillant du *Don Juan* de Byron.
De même aussi, le *Mardoche* de Musset pourrait être rapproché du
*Beppo* de Byron.

## *Rolla*

### (Extrait)

Musset est donc un enfant de René, et il se montre plus acharné que Chateaubriand même pour lancer l'anathème à ces « philosophes » du XVIII° siècle qui, en minant la foi religieuse, ont enlevé à l'homme tout ce qui lui donnait une raison de vivre; les jouissances que l'homme trouve en ce bas monde sont vaines et trompeuses. Dans son poème *Rolla* (1833) nous voyons un jeune homme qui a vidé la coupe des plaisirs mondains et ne voit d'issue à son désespoir que dans le suicide. Il se donne la mort après une dernière rencontre avec sa maîtresse. [On trouvera un écho de l'anathème qu'il jette à Voltaire dans un poème de Victor Hugo, « Un regard jeté dans une mansarde », *Rayons et Ombres*, 1839.] Et dans *La confession d'un enfant du siècle* quelques années plus tard, Musset fera, de ce qu'il a appelé « le mal du siècle », le sujet d'un roman (voir plus bas).

\*       \*       \*

O Christ ! je ne suis pas de ceux que la prière
Dans tes temples muets amène à pas tremblants;
Je ne suis pas de ceux qui vont à ton Calvaire,
En se frappant le cœur, baiser tes pieds sanglants !
Et je reste debout sous tes sacrés portiques                    5
Quand ton peuple fidèle, autour des noirs arceaux,
Se courbe en murmurant sous le vent des cantiques,
Comme au souffle du nord un peuple de roseaux.
Je ne crois pas, ô Christ ! à ta parole sainte:
Je suis venu trop tard dans un monde trop vieux.[1]            10
D'un siècle sans espoir naît un siècle sans crainte;
Les conquêtes [2] du nôtre ont dépeuplé les cieux.
Maintenant le hasard promène au sein des ombres
De leurs illusions les mondes réveillés;

[1] Vers célèbre.
[2] Conquêtes de la science. On lit souvent « comètes »; mais il est impossible alors de trouver une interprétation satisfaisante. (Voir E. Faguet, *Études sur le XIX° siècle*, p. 290.)

L'esprit des temps passés, errant sur leurs décombres,
Jette au gouffre éternel tes anges mutilés.
Les clous du Golgotha te soutiennent à peine;
Sous ton divin tombeau le sol s'est dérobé:
5 Ta gloire est morte, ô Christ ! et sur nos croix d'ébène
Ton cadavre céleste en poussière est tombé.

Eh bien ! qu'il soit permis d'en baiser la poussière
Au moins crédule enfant de ce siècle sans foi,
Et de pleurer, ô Christ ! sur cette froide terre
10 Qui vivait de ta mort, et qui mourra sans toi !
Oh ! maintenant, mon Dieu, qui lui rendra la vie ?
Du plus pur de ton sang tu l'avais rajeunie;
Jésus, ce que tu fis, qui jamais le fera ?
Nous, vieillards nés d'hier, qui nous rajeunira ?
15 Nous sommes aussi vieux qu'au jour de ta naissance.
Nous attendons autant, nous avons plus perdu.
Plus livide et plus froid, dans son cercueil immense
Pour la seconde fois Lazare est étendu.
Où donc est le Sauveur pour entr'ouvrir nos tombes ?
20 Où donc le vieux saint Paul haranguant les Romains,
Suspendant tout un peuple à ses haillons divins ?
Où donc est le Cénacle ?[1] où donc les Catacombes ?
Avec qui marche donc l'auréole de feu ?
Sur quels pieds tombez-vous, parfums de Madeleine ?
25 Où donc vibre dans l'air une voix plus qu'humaine ? . . .

Dors-tu content, Voltaire, et ton hideux sourire
Voltige-t-il encor sur tes os décharnés ?
Ton siècle était, dit-on, trop jeune pour te lire;
Le nôtre doit te plaire, et tes hommes sont nés.

---

[1] Le groupe de Jésus-Christ et des disciples lorsqu'ils prirent le repas symbolique de la Sainte-Cène (en anglais, *Last Supper*). *Cena* ou *cœna*, latin, *repas*.

Il est tombé sur nous, cet édifice immense
Que de tes larges mains tu sapais nuit et jour.
La Mort devait t'attendre avec impatience,
Pendant quatre-vingts ans que tu lui fis ta cour[1];
Vous devez vous aimer d'un infernal amour.                    5
Ne quittes-tu jamais la couche nuptiale
Où vous vous embrassez dans les vers du tombeau,
Pour t'en aller tout seul promener ton front pâle
Dans un cloître désert ou dans un vieux château ?
Que te disent alors tous ces grands corps sans vie,          10
Ces murs silencieux, ces autels désolés,
Que pour l'éternité ton souffle a dépeuplés ?
Que te disent les croix ? que te dit le Messie ?
Oh ! saigne-t-il encor, quand, pour le déclouer,
Sur son arbre tremblant, comme une fleur flétrie,            15
Ton spectre dans la nuit revient le secouer ?
Crois-tu ta mission dignement accomplie,
Et comme l'Éternel, à la création,
Trouves-tu que c'est bien, et que ton œuvre est bon ?...

### Les Nuits et Souvenir

En 1833 Musset devait rencontrer sa destinée — qui allait, pour
quelques années au moins, chasser cette note de jeunesse et de grâce
qui faisait un des charmes, de ses premiers écrits. Musset allait devenir le plus merveilleux poète élégiaque, le poète des *Nuits*, de
*Souvenir*, de *La lettre à Lamartine* et de *L'Espoir en Dieu*.

Il avait 23 ans quand il rencontra George Sand (une femme de
lettres dont il sera question encore dans un chapitre spécial) qui en
avait 29. Celle-ci venait d'écrire son troisième roman — très passionné, *Lélia* — où elle réclamait pour la femme le droit à l'amour;
c'est la Julie de la première moitié du roman de Rousseau, la jeune
fille dans un état d'exaltation qui touche à la folie. Ils se rencontrèrent à un dîner des collaborateurs de la *Revue des Deux mondes*

---

[1] Voltaire, 1694–1778; il avait donc 84 ans à sa mort.

(récemment fondée par M. de Buloz et mise au service des écrivains révolutionnaires), et les deux jeunes cœurs ayant respiré l'atmosphère exaltée de cette période romantique, crurent un moment qu'ils allaient connaître, dans un amour surhumain, le bonheur parfait. Ils partirent pour l'Italie, s'arrêtèrent à Venise, en janvier 1834, y demeurèrent quelques semaines, mais très tôt comprirent que l'absolu n'est pas de ce monde; ils connurent d'amères souffrances dont Musset ne se remit jamais. Il retourna à Paris après quelques semaines (en avril) laissant derrière lui George Sand, qui cherchait à se consoler avec un Docteur Pagello — celui même qui avait soigné Musset pendant une maladie à Venise. George Sand revint à Paris en août avec Pagello, qui s'en retourna en octobre dans son pays. Musset revit George Sand l'hiver suivant, mais la rupture définitive fut alors consommée.[1]

Profondément ébranlé, Musset demeura sans ressort pendant des mois; il se reprit pour composer cette série des *Nuits* qui racontent les différentes étapes de sa demi-guérison.

## La Nuit de Mai

### (1835)

Par une belle nuit de printemps, la Muse, trop longtemps abandonnée, engage le poète à reprendre sa lyre (ou plutôt son luth, une combinaison de lyre et guitare, instrument oriental). Tout renaît dans la nature; ne veut-il pas lui aussi renaître à la vie? — Non, répond le poète; d'ailleurs je n'aurais à chanter que la douleur — Même cela n'est pas une raison pour négliger la lyre; les plus grands poètes n'ont-ils pas souvent chanté la douleur? (Le passage du pélican, grand surtout dans la souffrance acceptée par son amour sublime, est un des plus célèbres de la poésie romantique française.)

### LA MUSE

Poète, prends ton luth et me donne un baiser;
La fleur de l'églantier sent ses bourgeons éclore.
Le printemps naît ce soir; les vents vont s'embraser;
Et la bergeronnette, en attendant l'aurore,
5 Aux premiers buissons verts commence à se poser.
Poète, prends ton luth, et me donne un baiser.

---

[1] Cette histoire a été contée cent fois. Voir la bibliographie au commencement de ce chapitre.

## LE POÈTE

Comme il fait noir dans la vallée !
J'ai cru qu'une forme voilée
Flottait là-bas sur la forêt.
Elle sortait de la prairie;
Son pied rasait l'herbe fleurie;                    5
C'est une étrange rêverie;
Elle s'efface et disparaît.

## LA MUSE

Poète, prends ton luth; la nuit, sur la pelouse,
Balance le zéphyr dans son voile odorant.
La rose, vierge encor, se referme jalouse          10
Sur le frelon nacré qu'elle enivre en mourant.
Écoute ! tout se tait; songe à ta bien-aimée.
Ce soir, sous les tilleuls à la sombre ramée,
Le rayon du couchant laisse un adieu plus doux.

## LE POÈTE

Pourquoi mon cœur bat-il si vite ?                  15
Qu'ai-je donc en moi qui s'agite
Dont je me sens épouvanté ?
Ne frappe-t-on pas à ma porte ?
Pourquoi ma lampe à demi morte
M'éblouit-elle de clarté ?                          20
Dieu puissant ! tout mon corps frissonne.
Qui vient ? qui m'appelle ? — Personne.
Je suis seul; c'est l'heure qui sonne;
O solitude ! ô pauvreté !

## LA MUSE

Poète, prends ton luth; le vin de la jeunesse       25
Fermente cette nuit dans les veines de Dieu.

Mon sein est inquiet; la volupté l'oppresse,
Et les vents altérés m'ont mis la lèvre en feu.
O paresseux enfant ! regarde, je suis belle.
Notre premier baiser, ne t'en souviens-tu pas,
5 Quand je te vis si pâle au toucher de mon aile,
Et que, les yeux en pleurs, tu tombas dans mes bras ?
Ah ! Je t'ai consolé d'une amère souffrance !
Hélas ! bien jeune encor, tu te mourais d'amour.
Console-moi ce soir, je me meurs d'espérance;
10 J'ai besoin de prier pour vivre jusqu'au jour.

### LE POÈTE

Est-ce toi dont la voix m'appelle,
O ma pauvre Muse ! est-ce toi ?
O ma fleur ! ô mon immortelle !
Seul être pudique et fidèle
15 Où vive encor l'amour de moi !
Oui, te voilà, c'est toi, ma blonde,
C'est toi, ma maîtresse et ma sœur !
Et je sens, dans la nuit profonde,
De ta robe d'or qui m'inonde
20 Les rayons glisser dans mon cœur.

### LA MUSE

Poète, prends ton luth; c'est moi, ton immortelle,
Qui t'ai vu cette nuit triste et silencieux,
Et qui, comme un oiseau que sa couvée appelle,
Pour pleurer avec toi descends du haut des cieux.
25 Viens, tu souffres, ami. Quelque ennui solitaire
Te ronge, quelque chose a gémi dans ton cœur;
Quelque amour t'est venu, comme on en voit sur terre,
Une ombre de plaisir, un semblant de bonheur.
Viens, chantons devant Dieu; chantons dans tes pensées,

Dans tes plaisirs perdus, dans tes peines passées;
Partons, dans un baiser, pour un monde inconnu.
Éveillons au hasard les échos de ta vie,
Parlons-nous de bonheur, de gloire et de folie,
Et que ce soit un rêve, et le premier venu.                    5
Inventons quelque part des lieux où l'on oublie;
Partons, nous sommes seuls, l'univers est à nous.
Voici la verte Écosse et la brune Italie,
Et la Grèce, ma mère, où le miel est si doux . . .
Dis-moi, quel songe d'or nos chants vont-ils bercer ?          10
D'où vont venir les pleurs que nous allons verser ?
Ce matin, quand le jour a frappé ta paupière,
Quel séraphin pensif, courbé sur ton chevet,
Secouait des lilas dans sa robe légère,
Et te contait tout bas les amours qu'il rêvait ?               15
Chanterons-nous l'espoir, la tristesse ou la joie ?
Tremperons-nous de sang les bataillons d'acier ?
Suspendrons-nous l'amant sur l'échelle de soie ?
Jetterons-nous au vent l'écume du coursier ?
Dirons-nous quelle main, dans les lampes sans nombre           20
De la maison céleste, allume nuit et jour
L'huile sainte de vie et d'éternel amour ? . . .
Peindrons-nous une vierge à la joue empourprée,
S'en allant à la messe, un page la suivant,
Et d'un regard distrait, à côté de sa mère,                    25
Sur sa lèvre entr'ouverte oubliant sa prière ? . . .
Vêtirons-nous de blanc une molle élégie ?
L'homme de Waterloo nous dira-t-il sa vie,
Et ce qu'il a fauché du troupeau des humains
Avant que l'envoyé de la nuit éternelle                        30
Vînt sur son tertre vert l'abattre d'un coup d'aile,
Et sur son cœur de fer lui croiser les deux mains ?
Prends ton luth ! prends ton luth ! je ne peux plus me taire,

Mon aile me soulève au souffle du printemps.
Le vent va m'emporter; je vais quitter la terre.
Une larme de toi ! Dieu m'écoute; il est temps.

### LE POÈTE

S'il ne te faut, ma sœur chérie,
5   Qu'un baiser d'une lèvre amie
Et qu'une larme de mes yeux,
Je te les donnerai sans peine;
De nos amours qu'il te souvienne,
Si tu remontes dans les cieux.
10   Je ne chante ni l'espérance,
Ni la gloire, ni le bonheur,
Hélas ! pas même la souffrance.
La bouche garde le silence
Pour écouter parler le cœur.

### LA MUSE

15 Crois-tu donc que je sois comme le vent d'automne,
Qui se nourrit de pleurs jusque sur un tombeau,
Et pour qui la douleur n'est qu'une goutte d'eau ?
O poète ! un baiser, c'est moi qui te le donne.
L'herbe que je voulais arracher de ce lieu,
20 C'est ton oisiveté; ta douleur est à Dieu.
Quel que soit le souci que ta jeunesse endure,
Laisse-la s'élargir, cette sainte blessure
Que les noirs séraphins t'ont faite au fond du cœur;
Rien ne nous rend si grands qu'une grande douleur,
25 Mais, pour en être atteint, ne crois pas, ô poète,
Que ta voix ici-bas doive rester muette.
Les plus désespérés sont les chants les plus beaux,
Et j'en sais d'immortels qui sont de purs sanglots.
Lorsque le pélican, lassé d'un long voyage,

Dans les brouillards du soir retourne à ses roseaux,
Ses petits affamés courent sur le rivage
En le voyant au loin s'abattre sur les eaux.
Déjà, croyant saisir et partager leur proie,
Ils courent à leur père avec des cris de joie          5
En secouant leurs becs sur leurs goitres hideux.
Lui, gagnant à pas lents une roche élevée,
De son aile pendante abritant sa couvée,
Pêcheur mélancolique, il regarde les cieux.
Le sang coule à longs flots de sa poitrine ouverte;    10
En vain il a des mers fouillé la profondeur:
L'Océan était vide et la plage déserte;
Pour toute nourriture il apporte son cœur.
Sombre et silencieux, étendu sur la pierre,
Partageant à ses fils ses entrailles de père,         15
Dans son amour sublime il berce sa douleur,
Et, regardant couler sa sanglante mamelle,
Sur son festin de mort il s'affaisse et chancelle,
Ivre de volupté, de tendresse et d'horreur.
Mais parfois, au milieu du divin sacrifice,           20
Fatigué de mourir dans un trop long supplice,
Il craint que ses enfants ne le laissent vivant;
Alors il se soulève, ouvre son aile au vent,
Et, se frappant le cœur avec un cri sauvage,
Il pousse dans la nuit un si funèbre adieu,           25
Que les oiseaux des mers désertent le rivage,
Et que le voyageur attardé sur la plage,
Sentant passer la mort, se recommande à Dieu.
Poète, c'est ainsi que font les grands poètes.
Ils laissent s'égayer ceux qui vivent un temps;        30
Mais les festins humains qu'ils servent à leurs fêtes
Ressemblent la plupart à ceux des pélicans.
Quand ils parlent ainsi d'espérances trompées,

De tristesse et d'oubli, d'amour et de malheur,
Ce n'est pas un concert à dilater le cœur.
Leurs déclamations sont comme des épées:
Elles tracent dans l'air un cercle éblouissant,
5 Mais il y pend toujours quelque goutte de sang.

### LE POÈTE

O Muse! spectre insatiable,
Ne m'en demande pas si long.
L'homme n'écrit rien sur le sable
À l'heure où passe l'aquilon.
10 J'ai vu le temps où ma jeunesse
Sur mes lèvres était sans cesse
Prête à chanter comme un oiseau;
Mais j'ai souffert un dur martyre,
Et le moins que j'en pourrais dire,
15 Si je l'essayais sur ma lyre,
La briserait comme un roseau.

Viendra ensuite la *Nuit de Décembre*, de la même année. Le poète toujours désespéré, consent cependant à arrêter sa pensée sur la sombre histoire: Pourquoi a-t-elle fait cela?

Ah, faible femme, orgueilleuse, insensée,
Malgré toi tu t'en souviendras.
Pourquoi, Grand Dieu! mentir à sa pensée?
Pourquoi ces pleurs, cette gorge oppressée,
Ces sanglots si tu n'aimais pas?

La troisième est la *Nuit d'août*, de l'année suivante. C'est toujours un dialogue avec la Muse; Musset se ressaisit:

Salut, salut, consolatrice!
Ouvre tes bras, je viens chanter...

Vient la *Nuit d'Octobre*, de 1836 aussi. La pensée du poète est hantée de nouveau par la femme fatale; il va trouver la force de pardonner, mais non, cependant, sans encore un sursaut de colère contre celle qui l'a trahi:

(Fragment)

## LE POÈTE

Honte à toi qui la première
M'as appris la trahison,
Et d'horreur et de colère
M'as fait perdre la raison !
Honte à toi, femme à l'œil sombre,                    5
Dont les funestes amours
Ont enseveli dans l'ombre
Mes printemps et mes beaux jours !
C'est ta voix, c'est ton sourire,
C'est ton regard corrupteur,                    10
Qui m'ont appris à maudire
Jusqu'au semblant du bonheur;
C'est ta jeunesse et tes charmes
Qui m'ont fait désespérer,
Et si je doute des larmes,                    15
C'est que je t'ai vu pleurer.
Honte à toi, j'étais encore
Aussi simple qu'un enfant;
Comme une fleur à l'aurore,
Mon cœur s'ouvrait en t'aimant. . . .                    20

## LA MUSE

Poète, c'est assez.  Auprès d'une infidèle,
Quand ton illusion n'aurait duré qu'un jour,
N'outrage pas ce jour lorsque tu parles d'elle;
Si tu veux être aimé, respecte ton amour.
Si l'effort est trop grand pour la faiblesse humaine                    25
De pardonner les maux qui nous viennent d'autrui,
Épargne-toi du moins le tourment de la haine;
À défaut du pardon, laisse venir l'oubli. . . .
O mon enfant ! plains-la, cette belle infidèle,

Qui fit couler jadis les larmes de tes yeux;
Plains-la ! c'est une femme, et Dieu t'a fait, près d'elle,
Deviner, en souffrant, le secret des heureux.
Sa tâche fut pénible; elle t'aimait peut-être;
5  Mais le destin voulait qu'elle brisât ton cœur.
Elle savait la vie, et te l'a fait connaître;
Une autre a recueilli le fruit de ta douleur.
Plains-la ! son triste amour a passé comme un songe;
Elle a vu ta blessure et n'a pu la fermer.
10 Dans ses larmes, crois-moi, tout n'était pas mensonge.
Quand tout l'aurait été, plains-la ! tu sais aimer.

LE POÈTE

Tu dis vrai: la haine est impie.
Je te bannis de ma mémoire
Reste d'un amour insensé,
15        Mystérieuse et sombre histoire
Qui dormiras dans le passé !
Et toi qui, jadis d'une amie
Portas la forme et le doux nom,
L'instant suprême où je t'oublie
20        Doit être celui du pardon.
Pardonnons-nous, je romps le charme
Qui nous unissait devant Dieu.
Avec une dernière larme
Reçois un éternel adieu !

Enfin le couronnement de cette série de poèmes est *Souvenir*, qui est postérieur de plusieurs années (février 1841). En septembre 1840, Musset avait passé en voiture dans cette Forêt de Fontainebleau où il s'était, sept ans auparavant, promené avec George Sand, et où ses souvenirs se réveillèrent. Puis, quelques semaines plus tard, il apercevait, par hasard, George Sand dans une loge au Théâtre des Italiens. Il écrivit alors le poème de l'apaisement.

## Souvenir

(1841)

J'espérais bien pleurer, mais je croyais souffrir
En osant te revoir, place à jamais sacrée,
O la plus chère tombe et la plus ignorée
    Où dorme un souvenir !

Que redoutiez-vous donc de cette solitude,         5
Et pourquoi, mes amis, me preniez-vous la main,
Alors qu'une si douce et si vieille habitude
    Me montrait ce chemin ?

Les voilà ces coteaux, ces bruyères fleuries
Et ces pas argentins sur le sable muet,         10
Ces sentiers amoureux, remplis de causeries ;
    Où son bras m'enlaçait.

Les voilà ces sapins à la sombre verdure,
Cette gorge profonde aux nonchalants détours,
Ces sauvages amis, dont l'antique murmure         15
    A bercé mes beaux jours.

Les voilà ces buissons, où toute ma jeunesse
Comme un essaim d'oiseaux chante au bruit de mes pas,
Lieux charmants, beau désert où passa ma maîtresse,
    Ne m'attendiez-vous pas ?         20

Ah ! laissez-les couler, elles me sont bien chères,
Ces larmes que soulève un cœur encor blessé !
Ne les essuyez pas, laissez sur mes paupières
    Ce voile du passé !

Je ne viens point jeter un regret inutile         25
Dans l'écho de ces bois témoins de mon bonheur.
Fière est cette forêt dans sa beauté tranquille
    Et fier aussi mon cœur.

Que celui-là se livre à des plaintes amères
Qui s'agenouille et prie au tombeau d'un ami.
Tout respire en ces lieux; les fleurs des cimetières
          Ne poussent point ici.

5 Voyez ! la lune monte à travers ces ombrages,
Ton regard tremble encor, belle reine des nuits,
Mais du sombre horizon déjà tu te dégages
          Et tu t'épanouis.

Ainsi de cette terre, humide encor de pluie,
10 Sortent, sous tes rayons, tous les parfums du jour;
Aussi calme, aussi pur, de mon âme attendrie
          Sort mon ancien amour.

Que sont-ils devenus, les chagrins de ma vie?
Tout ce qui m'a fait vieux est bien loin maintenant;
15 Et rien qu'en regardant cette vallée amie,
          Je redeviens enfant.

O puissance du temps ! ô légères années !
Vous emportez nos pleurs, nos cris et nos regrets;
Mais la pitié vous prend, et sur nos fleurs fanées
20          Vous ne marchez jamais.

Tout mon cœur te bénit, bonté consolatrice !
Je n'aurais jamais cru que l'on pût tant souffrir
D'une telle blessure et que sa cicatrice
          Fût si douce à sentir.

25 Loin de moi les vains mots, les frivoles pensées,
Des vulgaires douleurs linceul accoutumé,
Que viennent étaler sur leurs amours passées
          Ceux qui n'ont point aimé.

Dante, pourquoi dis-tu qu'il n'est pire misère
Qu'un souvenir heureux dans les jours de douleur ? [1]
Quel chagrin t'a dicté cette parole amère
      Cette offense au malheur ?

En est-il donc moins vrai que la lumière existe      5
Et faut-il l'oublier du moment qu'il fait nuit ?
Est-ce bien toi, grande âme immortellement triste,
      Est-ce toi qui l'as dit ?

Non, par ce pur flambeau dont la splendeur m'éclaire,
Ce blasphème vanté ne vient pas de ton cœur.      10
Un souvenir heureux est peut-être sur terre
      Plus vrai que le bonheur . . .

Qu'est-ce donc, juste Dieu, que la pensée humaine,
Et qui pourra jamais aimer la vérité,
S'il n'est joie ou douleur si juste et si certaine      15
      Dont quelqu'un n'ait douté ?

Comment vivez-vous donc, étranges créatures ?
Vous riez, vous chantez, vous marchez à grands pas,
Le ciel et sa beauté, le monde et ses souillures
      Ne vous dérangent pas.      20

Mais lorsque par hasard le destin vous ramène
Vers quelque monument d'un amour oublié,
Ce caillou vous arrête et cela vous fait peine
      Qu'il vous heurte le pié.

Et vous criez alors que la vie est un songe ;      25
Vous vous tordez les bras comme en vous réveillant
Et vous trouvez fâcheux qu'un si joyeux mensonge
      Ne dure qu'un instant.

[1] Allusion aux paroles de Dante au sujet de l'épisode amoureux de Francesca da Rimini et Paolo Malatesta (*Inferno,* Canto V.)

Malheureux ! Cet instant où votre âme engourdie
A secoué les fers qu'elle traîne ici-bas,
Ce fugitif instant fut toute votre vie;
   Ne le regrettez pas ! . . .

5 Oui, sans doute, tout meurt; ce monde est un grand rêve,
Et le peu de bonheur qui nous vient en chemin,
Nous n'avons pas plus tôt ce roseau dans la main
   Que le vent nous l'enlève.

Oui, les premiers baisers, oui, les premiers serments
10 Que deux êtres mortels échangèrent sur terre,
Ce fut au pied d'un arbre effeuillé par les vents
   Sur un roc en poussière.

Ils prirent à témoin de leur joie éphémère
Un ciel toujours voilé qui change à tout moment,
15 Et des astres sans nom que leur propre lumière
   Dévore incessamment.

Tout mourait autour d'eux, l'oiseau dans le feuillage,
La fleur entre leurs mains, l'insecte sous leurs pieds,
La source desséchée où vacillait l'image
20    De leurs traits oubliés.

Et sur tous ces débris joignant leurs mains d'argile,
Étourdis des éclairs d'un instant de plaisir,
Ils croyaient échapper à cet Être immobile
   Qui regarde mourir.

25 Insensés, dit le sage, — Heureux ! dit le poète,
Et quels tristes amours as-tu donc dans le cœur,
Si le bruit du torrent te trouble et t'inquiète,
   Si le vent te fait peur ?

J'ai vu sous le soleil tomber bien d'autres choses
30 Que les feuilles des bois et l'écume des eaux,

Bien d'autres s'en aller que le parfum des roses
      Et le chant des oiseaux . . .

J'ai vu ma seule amie, à jamais la plus chère,
Devenue elle-même un sépulcre blanchi,
Une tombe vivante où flottait la poussière         5
      De notre mort chéri,

De notre pauvre amour que, dans la nuit profonde
Nous avions sur nos cœurs si doucement bercé !
C'était plus qu'une vie, hélas ! c'était un monde
      Qui s'était effacé . . .         10

Eh bien ! ce fut sans doute une horrible misère,
Que ce riant adieu d'un être inanimé.
Eh bien ! qu'importe encore ? O nature ! ô ma mère !
      En ai-je moins aimé ?

La foudre maintenant peut tomber sur ma tête,      15
Jamais ce souvenir ne peut m'être arraché !
Comme le matelot brisé par la tempête
      Je m'y tiens attaché.

Je ne veux rien savoir, ni si les champs fleurissent
Ni ce qu'il adviendra du simulacre humain,      20
Ni si ces vastes cieux éclaireront demain
      Ce qu'ils ensevelissent.

Je me dis seulement: « À cette heure, en ce lieu,
Un jour, je fus aimé, j'aimais, elle était belle.
J'enfouis ce trésor dans mon âme immortelle      25
      Et je l'emporte à Dieu ! »

On compare souvent le *Souvenir* de Musset avec *Le Lac* de Lamartine et la *Tristesse d'Olympio* de V. Hugo. Les trois poètes s'enten-
dent sur la mélancolie que comporte le souvenir du bonheur toujours
éphémère des hommes. C'est sur le rôle de la nature qu'ils diffèrent:
le bonheur passe, dit Lamartine, mais la nature en garde le souvenir;

le bonheur passe, dit Hugo, la nature même n'en garde aucun souvenir; le bonheur passe, dit Musset, mais, que la nature en garde ou non le souvenir, peu importe; elle a été au moins le témoin qu'un jour l'homme s'est vraiment cru heureux, a pu croire au bonheur.

Deux célèbres poèmes de Musset rappellent encore le drame d'amour; Musset y cherche une consolation dans la religion, comme Lamartine. Le premier, la *Lettre à Lamartine*, contient ces strophes connues:

Créature d'un jour qui t'agites une heure,
De quoi viens-tu te plaindre et qui te fait gémir ?
Ton âme t'inquiète, et tu crois qu'elle pleure:
Ton âme est immortelle, et tes pleurs vont tarir.

5 Tu te sens le cœur pris d'un caprice de femme,
Et tu dis qu'il se brise à force de souffrir.
Tu demandes à Dieu de soulager ton âme:
Ton âme est immortelle, et ton cœur va guérir.

Le regret d'un instant te trouble et te dévore;
10 Tu dis que le passé te voile l'avenir.
Ne te plains pas d'hier; laisse venir l'aurore:
Ton âme est immortelle, et le temps va s'enfuir.

Ton corps est abattu du mal de ta pensée;
Tu sens ton front peser et tes genoux fléchir.
15 Tombe, agenouille-toi, créature insensée:
Ton âme est immortelle, et la mort va venir.

Tes os dans le cercueil vont tomber en poussière,
Ta mémoire, ton nom, ta gloire vont périr,
Mais non pas ton amour, si ton amour t'est chère:
20 Ton âme est immortelle, et va s'en souvenir.

Dans le second, *L'Espoir en Dieu*, on lit ces vers non moins célèbres:

Je ne puis: — malgré moi l'infini me tourmente . . .
Qu'est-ce donc que ce monde, et qu'y venons-nous faire,
Si, pour qu'on vive en paix, il faut voiler les cieux ?

Ces deux poèmes sont en même temps une réponse à *Rolla* et à l'anathème à Voltaire de Musset lui-même quelques années auparavant.

*     *     *

Musset raconte en prose l'épisode qui lui inspira les *Nuits* et *Souvenir*, de même que Lamartine avait raconté dans son petit roman *Raphaël* l'épisode qui lui avait inspiré *Le Lac*.   Il l'appelle *Confession d'un enfant du siècle*, et l'écrivit de 1835 à 1836, c'est à dire entre les *Nuits de décembre* et *d'août*.   Il avait revu George Sand et probablement reçut d'elle la suggestion de s'attribuer, à lui, tous les torts, reconnaissant qu'à cause de sa vie frivole avant leur rencontre, il était véritablement indigne d'un tel amour.[1]

Il y a aussi, au commencement de ce roman, une explication de la ‹ mélancolie romantique › que Musset appelle le « mal du siècle » — et qui complète celle donnée dans *Rolla* (l'incroyance religieuse due aux écrits de Voltaire):  « Pendant les guerres de l'Empire, tandis « que les maris et les frères étaient en Allemagne, les mères inquiètes « avaient mis au monde une génération ardente, pâle, nerveuse. « Conçus entre deux batailles, élevés dans les collèges au roulement des « tambours, des milliers d'enfants se regardaient entre eux d'un œil « sombre, en essayant leurs muscles chétifs.  De temps en temps leurs « pères ensanglantés apparaissaient, les soulevaient sur leurs poitrines « chamarrées d'or, puis les posaient à terre et remontaient à cheval ».

## Le Théâtre

Musset aimait le théâtre et il réussit admirablement à mêler dans ses pièces la légèreté et la grâce au touchant, même au dramatique intense.  On ne le croyait pas propre à écrire pour la scène, et luimême y avait renoncé.  C'est par hasard qu'une actrice, en 1847, Mme Allan-Despréaux s'aperçut que sa pièce *Un caprice* (1837) était très jouable;  alors on essaya les autres avec autant de succès.

Dans la première période de sa vie, sous le titre de *Spectacle dans un fauteuil* (1833) il avait donné une comédie en vers qui révéla un sujet des plus romantiques et dont on ne s'était pas encore avisé: *À quoi rêvent les jeunes filles.*[2]  Parmi les autres pièces fort connues de

---

[1] George Sand dans le roman s'appelle *Brigitte Pierson;* Musset, *Octave;* et le Docteur Pagello, *Smith.*

[2] Le sujet sera repris à la fin du siècle par Rostand dans *Les romanesques* (1894).

Musset, il faut citer *Barberine* (1835) et les « Proverbes » : *Il faut qu'*
*une porte soit ouverte ou fermée; Il ne faut jurer de rien; On ne saurait*
*penser à tout; On ne badine pas avec l'amour.* C'est encore à l'épisode
George Sand que se rapporte la dernière nommée de ces pièces,
composée probablement à son retour d'Italie (1834). Le jeune Perdican doit épouser sa cousine Camille qui sortait du couvent où elle
avait parfait son éducation et qui ne répond d'abord que froidement.
Perdican imagine de la rendre jalouse en prétendant faire la cour à
une jeune paysanne, Rosette; celle-ci est prise à ce jeu cruel et quand
elle comprend qu'on s'est moqué d'elle, elle meurt de chagrin, tandis
que Camille, frappée de remords pour sa part dans la tragédie, retourne au couvent.[1]

Deux pièces ont comme héros des personnages sous lesquels il est facile de reconnaître Musset lui-même: *Fantasio* (1834), le poète charmant et insouciant, et *Lorenzaccio* (1834), le sombre romantique. La
seconde est un drame historique ayant pour thème le meurtre du duc
Alexandre de Médicis, à Florence, en 1537, par son cousin Lorenzo, ou
Lorenzaccio; celui-ci est une âme dégradée par la vie de débauche
qu'il mène avec le duc et la folle jeunesse de la cour; pourtant, il a
conscience de son avilissement et se méprise; il décide de tuer le duc
— non pas parce qu'il croit que cela servira à quelquechose et qu'il
libérera Florence par ce crime, mais parce que, ayant conscience de sa
déchéance, il a besoin de se donner l'illusion qu'il n'a pas perdu toute
sa noblesse d'âme. (On appelle souvent cette pièce le ‹ Hamlet ›
de la scène française. Elle fut reprise brillamment en 1897 avec
Sarah Bernhardt dans le rôle de Lorenzaccio.)

### Lorenzaccio

*(Acte II, sc. 3)*

LORENZO (*ou Lorenzaccio*), PHILIPPE (*Philippe Strozzi,*
*un vieillard idéaliste qui souffre comme Lorenzo des*
*maux de sa patrie, mais les croit remédiables par des*
*moyens humains — ce que Lorenzo nie.*)

LORENZO: . . . Je vous répète que d'ici à quelques jours
il n'y aura pas plus d'Alexandre de Médicis à Florence qu'il
n'y a de soleil à minuit.

---

[1] Cette pièce, d'un tragique intense, devrait être étudiée intégralement par tout étudiant.

PHILIPPE: Quand cela serait vrai, pourquoi aurais-je tort de penser à la liberté? Ne viendra-t-elle pas quand tu auras fait ton coup, si tu le fais?

LORENZO: Philippe, Philippe, prends garde à toi. Tu as soixante ans de vertu sur ta tête grise; c'est un enjeu trop cher pour le jouer aux dés.

PHILIPPE: Si tu caches sous ces sombres paroles quelque chose que je puisse entendre, parle; tu m'irrites singulièrement.

LORENZO: Tel que tu me vois, Philippe, j'ai été honnête. J'ai cru à la vertu, à la grandeur humaine, comme un martyr croit à son Dieu. J'ai versé plus de larmes sur la pauvre Italie que Niobé sur ses filles.[1]

PHILIPPE: Eh bien, Lorenzo?

LORENZO: Ma jeunesse a été pure comme l'or. Pendant vingt ans de silence, la foudre s'est amoncelée dans ma poitrine; et il faut que je sois réellement une étincelle du tonnerre, car, tout à coup, une certaine nuit que j'étais assis sur les ruines du Colisée antique, je ne sais pourquoi je me levai; je tendis vers le ciel mes bras trempés de rosée, et je jurai qu'un des tyrans de ma patrie mourrait de ma main. J'étais un étudiant paisible, et je ne m'occupais alors que des arts et des sciences, et il m'est impossible de dire comment cet étrange serment s'est fait en moi. Peut-être est-ce là ce qu'on éprouve quand on devient amoureux.

PHILIPPE: J'ai toujours eu confiance en toi, et cependant je crois rêver.

LORENZO: Et moi aussi. J'étais heureux alors; j'avais le cœur et les mains tranquilles; mon nom m'appelait au

---

[1] Mythologie grecque: Niobé qui avait 7 fils et 7 filles; elle insulta Latone qui n'avait que deux enfants, Diane et Apollon; pour venger sa mère, ce dernier tua à coups de flèches les 14 enfants de Niobé.

trône, et je n'avais qu'à laisser le soleil se lever et se coucher pour voir fleurir autour de moi toutes les espérances humaines. Les hommes ne m'avaient fait ni bien ni mal; mais j'étais bon, et, pour mon malheur éternel, j'ai voulu
5 être grand. Il faut que je l'avoue: si la Providence m'a poussé à la résolution de tuer un tyran, quel qu'il fût, l'orgueil m'y a poussé aussi. Que te dirais-je de plus? Tous les Césars du monde me faisaient penser à Brutus.[1]

PHILIPPE: L'orgueil de la vertu est un noble orgueil.
10 Pourquoi t'en défendrais-tu?

LORENZO: Tu ne sauras jamais, à moins d'être fou, de quelle nature est la pensée qui m'a travaillé. Pour comprendre l'exaltation fiévreuse qui a enfanté en moi le Lorenzo qui te parle, il faudrait que mon cerveau et mes
15 entrailles fussent à nu sous un scalpel. Une statue qui descendrait de son piédestal pour marcher parmi les hommes sur la place publique serait peut-être semblable à ce que j'ai été le jour où j'ai commencé à vivre avec cette idée: il faut que je sois un Brutus.

20 PHILIPPE: Tu m'étonnes de plus en plus.

LORENZO: J'ai voulu d'abord tuer Clément VII[2]; je n'ai pu le faire parce qu'on m'a banni de Rome avant le temps.[3] J'ai recommencé mon ouvrage avec Alexandre... Tu sauras seulement que j'ai réussi dans mon entre-
25 prise. Alexandre viendra dans un certain lieu d'où il ne sortira pas debout[4]... Tout sera fait. Maintenant, sais-tu ce qui m'arrive, et ce dont je veux t'avertir?

PHILIPPE: Tu es notre Brutus, si tu dis vrai.

---

[1] Brutus, qui assassina César au Capitole (44 av. J.–C.).
[2] Un pape (de 1523 à 1534) de la famille des Médicis — Jules de Médicis.
[3] Parce qu'il avait mutilé dix statues sur l'Arc de Constantin.
[4] Lorenzo avait promis un rendez-vous avec sa jeune tante dont Alexandre était amoureux.

LORENZO: Je me suis cru un Brutus, mon pauvre Philippe ... Maintenant, je connais les hommes, et je te conseille de ne pas t'en mêler.

PHILIPPE: Pourquoi ?

LORENZO: Ah ! vous avez vécu tout seul, Philippe. 5 Pareil à un fanal éclatant, vous êtes resté immobile au bord de l'océan des hommes, et vous avez regardé dans les eaux la réflexion de votre propre lumière; du fond de votre solitude, vous trouviez l'océan magnifique sous le dais splendide des cieux; vous ne comptiez pas chaque flot, 10 vous ne jetiez pas la sonde; vous étiez plein de confiance dans l'ouvrage de Dieu. Mais moi, pendant ces temps-là, j'ai plongé; je me suis enfoncé dans cette mer houleuse de la vie; j'en ai parcouru toutes les profondeurs, couvert de ma cloche de verre; tandis que vous admiriez la surface, 15 j'ai vu les débris de naufrages et les Léviathans.[1]

PHILIPPE: Ta tristesse me fend le cœur.

LORENZO: C'est parce que je vous vois tel que j'ai été, et sur le point de faire ce que j'ai fait, que je vous parle ainsi. Je ne méprise point les hommes; le tort des livres 20 et des historiens est de nous les montrer différents de ce qu'ils sont ... Voilà mon avis, Philippe; s'il s'agit de sauver tes enfants,[2] je te dis de rester tranquille; c'est le meilleur moyen pour qu'on te les renvoie après une petite semonce. S'il s'agit de tenter quelque chose pour les 25 hommes je te conseille de te couper les bras, car tu ne seras pas longtemps à t'apercevoir qu'il n'y a que toi qui en aies.

PHILIPPE: Je conçois que le rôle que tu joues t'ait donné de pareilles idées. Si je te comprends bien, tu as pris, dans

---

[1] L'animal fantastique dont il est question dans le *Livre de Job*, — évoquant l'idée de formidable et de monstrueux.

[2] Les fils de Philippe avaient fait une tentative de révolte contre Alexandre de Médicis, et avaient été jetés en prison.

un but sublime, une route hideuse, et tu crois que tout ressemble à ce que tu as vu.

LORENZO: Je me suis réveillé de mes rêves, rien de plus. Je te dis le danger d'en faire. Je connais la vie, et c'est une
5 vilaine cuisine,[1] sois-en persuadé. Ne mets pas la main là-dedans, si tu respectes quelque chose.

PHILIPPE: Arrête; ne brise pas comme un roseau mon bâton de vieillesse. Je crois à tout ce que tu appelles des rêves; je crois à la vertu, à la pudeur, et à la liberté!...
10 Si tu n'as vu que le mal, je te plains; mais je ne puis te croire. Le mal existe, mais non sans le bien; comme l'ombre existe, mais non sans la lumière.

LORENZO: Tu ne veux voir en moi qu'un mépriseur d'hommes: c'est me faire injure. Je sais parfaitement
15 qu'il y en a de bons; mais à quoi servent-ils?...

PHILIPPE: Pauvre enfant, tu me navres le cœur! Mais si tu es honnête, quand tu auras délivré ta patrie, tu le redeviendras. Cela réjouit mon vieux cœur, Lorenzo, de penser que tu es honnête; alors tu jetteras ce déguisement
20 hideux qui te défigure, et tu redeviendras d'un métal aussi pur que les statues de bronze d'Hermodius et d'Aristogiton.[2]

LORENZO: Philippe, Philippe, j'ai été honnête. La main qui a soulevé une fois le voile de la vérité ne peut plus le
25 laisser retomber; elle reste immobile jusqu'à la mort, tenant toujours ce voile terrible et l'élevant de plus en plus au-dessus de la tête de l'homme, jusqu'à ce que l'ange du sommeil éternel lui bouche les yeux.

PHILIPPE: Toutes les maladies se guérissent; et le vice
30 est une maladie aussi.

---

[1] Terme populaire, correspondant à l'anglais *mess* (*an ugly mess*).
[2] Deux Athéniens, mis à mort pour avoir conspiré contre le tyran Hipparque, et auxquels on avait élevé des statues.

LORENZO: Il est trop tard. Je me suis fait à mon métier. Le vice a été pour moi un vêtement; maintenant il est collé à ma peau . . .

## Les Contes et Nouvelles

### Croisilles

#### (1839)

Musset a écrit un seul roman, la *Confession d'un enfant du siècle* (voir plus haut). Ses ‹ contes › et ‹ nouvelles › sont de la même plume alerte que ses comédies. Les plus célèbres sont *Emmeline* (1837); *Les deux maîtresses* (1837) où il dépeint les deux sortes de femmes vers lesquelles il se sentait attiré — la vive et mondaine, la douce et simple —; *Le Fils du Titien* (1838); *Croisilles* (1839); *Mimi Pinson* (1843) — la « grisette » de Paris et les amours d'étudiants, qui contient la fameuse chanson « Mimi Pinson est une blonde . . . »[1]; *La mouche* (1853) — charmant récit où figure Madame de Pompadour; *Pierre et Camille* (1848).

Croisilles est le frère de Fantasio, c'est à dire le jeune homme à l'âme tendre et poétique qui ne se laisse pas distraire de son beau rêve par les absurdités de la vie réelle — et dont la belle confiance est récompensée par une Providence qui se manifeste pour le gentil fou sous la forme d'une charmante jeune fille. Croisilles aime cette jeune fille, mais est repoussé par le père, un gros bourgeois cossu et qui ne conçoit pas un gendre n'ayant pour fortune qu'une imagination exaltée. L'amour suggère à la jeune fille les plus innocentes ruses pour faire triompher Cupidon.

Au commencement du règne de Louis XV,[2] un jeune homme nommé Croisilles, fils d'un orfèvre, revenait de Paris au Havre, sa ville natale. Il avait été chargé par son père d'une affaire de commerce, et cette affaire s'était terminée à son gré. La joie d'apporter une bonne nouvelle le faisait marcher plus gaîment et plus lestement que de coutume;

[1] Mimi = *Darling;* Pinson = *Sparrow.* Cette chanson est aujourd'hui encore très aimée des étudiants.

[2] De 1715 à 1774.

car, bien qu'il eût dans ses poches une somme d'argent
assez considérable, il voyageait à pied pour son plaisir.
C'était un garçon de bonne humeur, et qui ne manquait pas
d'esprit, mais tellement distrait et étourdi, qu'on le re-
5 gardait comme un peu fou. Son gilet boutonné de travers,
sa perruque au vent, son chapeau sous le bras, il suivait les
rives de la Seine, tantôt rêvant, tantôt chantant, levé dès
le matin, soupant au cabaret et charmé de traverser ainsi
l'une des plus belles contrées de la France. Tout en
10 dévastant, au passage, les pommiers de la Normandie,
il cherchait des rimes dans sa tête (car tout étourdi est
un peu poète), et il essayait de faire un madrigal pour une
belle demoiselle de son pays: ce n'était pas moins que
la fille d'un fermier général, [1] Mlle Godeau, la perle du
15 Havre, riche héritière fort courtisée. Croisilles n'était
point reçu chez M. Godeau autrement que par hasard,
c'est-à-dire qu'il y avait porté quelquefois des bijoux
achetés chez son père. M. Godeau, dont le nom, tant soit
peu commun,[2] soutenait mal une immense fortune, se
20 vengeait par sa morgue du tort de sa naissance, et se montrait, en toute occasion, énormément et impitoyablement
riche. Il n'était donc pas homme à laisser entrer dans son
salon le fils d'un orfèvre; mais, comme Mlle Godeau avait
les plus beaux yeux du monde, que Croisilles n'était pas mal
25 tourné,[3] et que rien n'empêche un joli garçon de devenir
amoureux d'une belle fille, Croisilles adorait Mlle Godeau,
qui n'en paraissait pas fâchée. Il pensait donc à elle tout en
regagnant le Havre, et, comme il n'avait jamais réfléchi
à rien, au lieu de songer aux obstacles invincibles qui le

---

[1] Financier, qui, sous l'ancien régime prenait à ferme, c'est à dire
louait, la charge de lever les impôts pour le roi.

[2] Peu aristocratique.

[3] Pas mal conformé physiquement.

séparaient de sa bien-aimée, il ne s'occupait que de trouver une rime au nom de baptême qu'elle portait. Mlle Godeau s'appelait Julie, et la rime était aisée à trouver. Croisilles, arrivé à Honfleur,[1] s'embarqua le cœur satisfait, son argent et son madrigal en poche, et, dès qu'il eut touché le rivage,  5 il courut à la maison paternelle. . . .

Il apprend que son père a fait faillite et s'est enfui en Amérique. Il commence par se décourager, pense à se noyer. Mais justement il aperçoit, passant dans la rue, Mademoiselle Godeau, et toute idée de se tuer disparaît; après tout, la Providence est là; pourquoi douterait-il d'elle ? Aussitôt il se rend chez M. Godeau pour lui demander la main de sa fille; il est reçu comme on pense, c'est à dire comme un fou. Cependant comme Croisilles dit tranquillement qu'il va donc se noyer, M. Godeau, qui ne veut pas avoir une âme sur sa conscience, offre à l'amoureux quatre louis:[2] « Bien obligé, répondit celui-ci, je n'ai pas faim, et je n'ai que faire de votre argent ». Il écrit cependant une lettre à celle qu'il aime demandant combien il lui faudrait d'argent pour qu'elle consente à l'épouser; elle répond: « Eh ! mon Dieu, monsieur, je ne suis pas fière. Si vous aviez seulement cent mille écus,[3] je vous épouserais très volontiers ». C'est une somme fabuleuse pour Croisilles, qui pourtant ne se montre aucunement surpris. Il lui reste deux cents louis; persistant à se fier à la bonté de la Providence qui ne saurait abandonner un amoureux, il les joue et les perd.

— Comment ferai-je à présent, se demanda-t-il, pour me procurer de l'argent ? À qui m'adresser dans cette ville ? Qui voudra me prêter seulement cent louis sur cette maison que je ne puis vendre ?                                        10

Pendant qu'il était dans cet embarras, il rencontra un

[1] Sur l'embouchure de la Seine, en face du Havre. La route de Paris conduisait à Honfleur, d'où on parvenait par bateau au Havre.

[2] Ancienne monnaie à l'effigie de « Louis Roi » ( Louis XIII), et qui valait environ 25 francs en argent moderne, (taux normal); à peu près cinq dollars.

[3] Autre monnaie de l'ancien régime. Le louis valait 24 livres; l'écu d'or, 3 livres (environ 75 francs, argent moderne et taux normal). La somme demandée serait donc environ sept millions et demi de francs.

brocanteur juif. Il n'hésita pas à s'adresser à lui et, en sa
qualité d'étourdi, il ne manqua pas de lui dire dans quelle
situation il se trouvait. Le juif n'avait pas grande envie
d'acheter la maison; il n'était venu la voir que par curio-
5 sité, ou, pour mieux dire, par acquit de conscience, comme
un chien entre en passant dans une cuisine dont la porte est
ouverte, pour voir s'il n'y a rien à voler; mais il vit Croisilles si désespéré, si triste, si dénué de toute ressource,
qu'il ne put résister à la tentation de se gêner un peu pour
10 payer la maison. Il lui en offrit donc à peu près le quart
de ce qu'elle valait. Croisilles lui sauta au cou, l'appela son
ami et son sauveur, signa aveuglément un marché à faire
dresser les cheveux sur la tête, et, dès le lendemain, possesseur de quatre cents nouveaux louis, il se dirigea de
15 rechef vers le tripot [1] où il avait été ruiné la veille.

En s'y rendant, il passa sur le port. Un vaisseau allait en
sortir; le vent était doux, l'Océan tranquille. De toutes
parts, des négociants, des matelots, des officiers de marine
en uniforme, allaient et venaient. Des crocheteurs trans-
20 portaient d'énormes ballots pleins de marchandises. Les
passagers faisaient leurs adieux, de légères barques flottaient de tous côtés; sur tous les visages on lisait la crainte,
l'impatience ou l'espérance; et, au milieu de l'agitation qui
l'entourait, le majestueux navire se balançait doucement,
25 gonflant ses voiles orgueilleuses.

— Quelle admirable chose, pensa Croisilles, que de risquer ainsi ce qu'on possède, et d'aller chercher au delà des
mers une périlleuse fortune ! Quelle émotion de regarder
partir ce vaisseau chargé de tant de richesses, du bien-être
30 de tant de familles ! quelle joie de le voir revenir, rapportant le double de ce qu'on lui a confié, rentrant plus fier et
plus riche qu'il n'était parti ! Que ne suis-je un de ces

_____
[1] Maison de jeu.

marchands! Que ne puis-je jouer ainsi mes quatre cents
louis! Quel tapis vert[1] que cette mer immense, pour y
tenter hardiment le hasard! Pourquoi n'achèterais-je pas
quelques ballots de toiles ou de soieries? qui m'en empêche, puisque j'ai de l'or? Pourquoi ce capitaine re-          5
fuserait-il de se charger de mes marchandises? Et qui
sait? au lieu d'aller perdre cette pauvre et unique somme
dans un tripot, je la doublerais, je la triplerais peut-être
par une honnête industrie. Si Julie m'aime véritablement,
elle attendra quelques années, et elle me restera fidèle      10
jusqu'à ce que je puisse l'épouser. Le commerce procure
quelquefois des bénéfices plus gros qu'on ne pense; il ne
manque pas d'exemples, en ce monde, de fortunes rapides,
surprenantes, gagnées ainsi sur ces flots changeants; pourquoi la Providence ne bénirait-elle pas une tentative faite    15
dans un but si louable, si digne de sa protection? Parmi
ces marchands qui ont tant amassé et qui envoient des
navires aux deux bouts de la terre, plus d'un a commencé
par une moindre somme que celle que j'ai là. Ils ont
prospéré avec l'aide de Dieu; pourquoi ne pourrais-je pas    20
prospérer à mon tour? Il me semble qu'un bon vent
souffle dans ces voiles, et que ce vaisseau inspire la confiance. Allons! le sort en est jeté, je vais m'adresser à ce
capitaine qui me paraît aussi de bonne mine; j'écrirai ensuite à Julie, et je veux devenir un habile négociant.        25

Le plus grand danger que courent les gens qui sont habi-
tuellement un peu fous, c'est de le devenir tout à fait par
instants. Le pauvre garçon, sans réfléchir davantage, mit
son caprice à exécution. Trouver des marchandises à
acheter, lorsqu'on a de l'argent et qu'on ne s'y connaît pas,  30
c'est la chose du monde la moins difficile. Le capitaine,
pour obliger Croisilles, le mena chez un fabricant de ses

[1] Allusion à une table de jeu (*gambling*) converte d'un tapis vert.

amis qui lui vendit autant de toiles et de soieries qu'il put
en payer; le tout, mis dans une charrette, fut promptement
transporté à bord.   Croisilles, ravi et plein d'espérance,
avait écrit lui-même en grosses lettres son nom sur ses
5 ballots.   Il les regarda s'embarquer avec une joie inexprimable; l'heure du départ arriva bientôt, et le navire
s'éloigna de la côte.

VI

Je n'ai pas besoin de dire que, dans cette affaire, Croisilles n'avait rien gardé.   D'un autre côté, sa maison était
10 vendue; il ne lui restait pour tout bien que les habits qu'il
avait sur le corps; point de gîte, et pas un denier.   Croisilles prit le parti de coucher à la belle étoile, et, quant aux repas, voici le calcul qu'il fit: il présumait que le vaisseau qui
portait sa fortune mettrait six mois à revenir au Havre; il
15 vendit, non sans regret, une montre d'or que son père lui
avait donnée, et qu'il avait heureusement gardée; il en eut
trente-six livres.   C'était de quoi vivre à peu près six mois
avec quatre sous par jour.[1]   Il ne douta pas que ce ne fût
assez, et, rassuré par le présent, il écrivit à Mlle Godeau
20 pour l'informer de ce qu'il avait fait; il se garda bien, dans
sa lettre, de lui parler de sa détresse; il lui annonça, au
contraire, qu'il avait entrepris une opération de commerce
magnifique, dont les résultats étaient prochains et infailli-
bles; il lui expliqua comme quoi *la Fleurette*, vaisseau à
25 fret, de cent cinquante tonneaux, portait dans la Baltique
ses toiles et ses soieries; il la supplia de lui rester fidèle
pendant un an, se réservant de lui en demander davantage
ensuite, et, pour sa part, il lui jura un éternel amour.

---

[1] La livre (environ 25 f. argent moderne et taux normal) se divisait
en 20 sous, et le sou (environ 1 f. 25 argent moderne), en 12 deniers.

Lorsque Mlle Godeau reçut cette lettre, elle était au coin de son feu, et elle tenait à la main, en guise d'écran, un de ces bulletins qu'on imprime dans les ports, qui marquent l'entrée et la sortie des navires, et en même temps annoncent les désastres. Il ne lui était jamais arrivé, comme 5 on peut penser, de prendre intérêt à ces sortes de choses, et elle n'avait jamais jeté les yeux sur une seule de ces feuilles. La lettre de Croisilles fut cause qu'elle lut le bulletin qu'elle tenait; le premier mot qui frappa ses yeux fut précisément le nom de *la Fleurette:* le navire avait échoué sur les côtes 10 de France dans la nuit même qui avait suivi son départ. L'équipage s'était sauvé à grand'peine, mais toutes les marchandises avaient été perdues.

Mlle Godeau, à cette nouvelle, ne se souvint plus que Croisilles avait fait devant elle l'aveu de sa pauvreté; elle 15 fut aussi désolée que s'il se fût agi d'un million; en un instant, l'horreur d'une tempête, les vents en furie, les cris des noyés, la ruine d'un homme qui l'aimait, toute une scène de roman, se présentèrent à sa pensée; le bulletin et la lettre lui tombèrent des mains; elle se leva dans un 20 trouble extrême, et, le sein palpitant, les yeux prêts à pleurer, elle se promena à grands pas, résolue à agir dans cette occasion, et se demandant ce qu'elle devait faire.

Il y a une justice à rendre à l'amour, c'est que plus les motifs qui le combattent sont forts, clairs, simples, irrécu- 25 sables, en un mot, moins il a le sens commun, plus la passion s'irrite et plus on s'aime; c'est une belle chose sous le ciel que cette déraison du cœur; nous ne vaudrions pas grand'-chose sans elle. Après s'être promenée dans sa chambre, sans oublier ni son cher éventail, ni le coup d'œil à la glace 30 en passant, Julie se laissa retomber dans sa bergère. Qui l'eût pu voir en ce moment eût joui d'un beau spectacle; ses yeux étincelaient, ses joues étaient en feu; elle poussa un long soupir et murmura avec une joie et une douleur délicieuses:

— Pauvre garçon! il s'est ruiné pour moi!

Indépendamment de la fortune qu'elle devait attendre
5 de son père, Mlle Godeau avait, à elle appartenant, le bien que sa mère lui avait laissé. Elle n'y avait jamais songé; en ce moment, pour la première fois de sa vie, elle se souvint qu'elle pouvait disposer de cinq cent mille francs. Cette pensée la fit sourire; un projet bizarre, hardi, tout
10 féminin, presque aussi fou que Croisilles lui-même, lui traversa l'esprit; elle berça quelque temps son idée dans sa tête, puis se décida à l'exécuter.

Elle commença par s'enquérir si Croisilles n'avait pas quelque parent ou quelque ami; la femme de chambre fut
15 mise en campagne. Tout bien examiné, on découvrit, au quatrième étage d'une vieille maison, une tante à demi percluse, qui ne bougeait jamais de son fauteuil, et qui n'était pas sortie depuis quatre ou cinq ans. Cette pauvre femme, fort âgée, semblait avoir été mise ou plutôt laissée
20 au monde comme un échantillon des misères humaines. Aveugle, goutteuse, presque sourde, elle vivait seule dans un grenier; mais une gaieté plus forte que le malheur et la maladie la soutenait à quatre-vingts ans et lui faisait encore aimer la vie; ses voisins ne passaient jamais devant sa
25 porte sans entrer chez elle, et les airs surannés qu'elle fredonnait égayaient toutes les filles du quartier. Elle possédait une petite rente viagère qui suffisait à l'entretenir; tant que durait le jour, elle tricotait; pour le reste, elle ne savait pas ce qui s'était passé depuis la mort de Louis XIV.
30 Ce fut chez cette respectable personne que Julie se fit conduire en secret. Elle se mit pour cela dans tous ses atours: plumes, dentelles, rubans, diamants, rien ne fut épargné: elle voulait séduire; mais sa vraie beauté en cette

circonstance fut le caprice qui l'entraînait. Elle monta
l'escalier raide et obscur qui menait chez la bonne dame, et,
après le salut le plus gracieux, elle parla à peu près ainsi:

— Vous avez, madame, un neveu nommé Croisilles, qui
m'aime et qui a demandé ma main; je l'aime aussi et vou-  5
drais l'épouser; mais mon père, M. Godeau, fermier général
de cette ville, refuse de nous marier, parce que votre neveu
n'est pas riche. Je ne voudrais pour rien au monde être
l'occasion d'un scandale, ni causer de la peine à personne;
je ne saurais donc avoir la pensée de disposer de moi sans  10
le consentement de ma famille. Je viens vous demander
une grâce que je vous supplie de m'accorder; il faudrait
que vous vinssiez vous-même proposer ce mariage à mon
père. J'ai, grâce à Dieu, une petite fortune qui est toute à
votre service; vous prendrez, quand il vous plaira, cinq  15
cent mille francs chez mon notaire; vous direz que cette
somme appartient à votre neveu, et elle lui appartient en
effet; ce n'est point un présent que je veux lui faire, c'est
une dette que je lui paye, car je suis cause de la ruine de
Croisilles, et il est juste que je la répare. Mon père ne  20
cédera pas aisément; il faudra que vous insistiez et que
vous ayez un peu de courage; je n'en manquerai pas de
mon côté. Comme personne au monde, excepté moi, n'a
de droits sur la somme dont je vous parle, personne ne
saura jamais de quelle manière elle aura passé entre vos  25
mains. Vous n'êtes pas très riche non plus, je le sais, et
vous pouvez craindre qu'on ne s'étonne de vous voir doter
ainsi votre neveu; mais songez que mon père ne vous
connaît pas, que vous vous montrez fort peu dans la ville,
et par conséquent il vous sera facile de feindre que vous  30
arrivez de quelque voyage. Cette démarche vous coûtera
sans doute, il faudra quitter votre fauteuil et prendre un
peu de peine; mais vous ferez deux heureux, madame, et,

si vous avez jamais connu l'amour, j'espère que vous ne me refuserez pas.

La bonne dame, pendant ce discours, avait été tour à tour surprise, inquiète, attendrie et charmée.   Le dernier
5 mot la persuada.

— Oui, mon enfant, répéta-t-elle plusieurs fois, je sais ce que c'est, je sais ce que c'est !

En parlant ainsi, elle fit un effort pour se lever, ses jambes affaiblies la soutenaient à peine ; Julie s'avança
10 rapidement, et lui tendit la main pour l'aider ; par un mouvement presque involontaire, elles se trouvèrent en un instant dans les bras l'une de l'autre.   Le traité fut aussitôt conclu ; un cordial baiser le scella d'avance, et toutes les confidences nécessaires s'ensuivirent sans peine.

15 Toutes les explications étant faites, la bonne dame tira de son armoire une vénérable robe de taffetas qui avait été sa robe de noce.   Ce meuble antique n'avait pas moins de cinquante ans ; mais pas une tache, pas un grain de poussière ne l'avait défloré ; Julie en fut dans l'admiration.   On
20 envoya chercher un carrosse de louage, le plus beau qui fût dans toute la ville.   La bonne dame prépara le discours qu'elle devait tenir à M. Godeau ; Julie lui apprit de quelle façon il fallait toucher le cœur de son père, et n'hésita pas à avouer que la vanité était son côté vulnérable.

25 — Si vous pouviez imaginer, dit-elle, un moyen de flatter ce penchant, nous aurions partie gagnée.

La bonne dame réfléchit profondément, acheva sa toilette sans mot dire, serra la main de sa future nièce, et monta en voiture.   Elle arriva bientôt à l'hôtel Godeau ; là, elle se
30 redressa si bien en entrant, qu'elle semblait rajeunie de dix ans.   Elle traversa majestueusement le salon, et, quand la porte du boudoir s'ouvrit, elle dit d'une voix ferme au laquais qui la précédait:

— Annoncez la baronne douairière de Croisilles.

Ce mot décida du bonheur des deux amants; M. Godeau en fut ébloui. Bien que les cinq cent mille francs lui semblassent peu de chose, il consentit à tout pour faire de sa fille une baronne, et elle le fut; qui eût osé lui en contester le titre? À mon avis, elle l'avait bien gagné.

### Le Merle Blanc

Il faut faire une place à part au récit *Le Merle blanc* (1842) qui est une satire des plus amusantes de son histoire avec George Sand. Musset est évidemment lui-même le « merle blanc » (white blackbird), c'est à dire ce phénomène que les poètes romantiques se croyaient être; ils se plaignaient beaucoup d'être de grands incompris. Le Merle blanc avait fini par en prendre son parti, et même il s'enorgueillissait maintenant d'être différent de tous: « C'est quelque chose, me dis-je, que d'être un merle blanc: cela ne se trouve point dans le pas d'un âne. J'étais bien sot de m'affliger de ne pas rencontrer mon semblable: c'est le sort du génie, c'est le mien! Je voulais fuir le monde, je veux l'étonner... Je veux faire un poème; non pas en un chant, mais en vingt-quatre, comme tous les grands hommes; ce n'est pas assez, il y en aura quarante-huit, avec des notes et un appendice! Il faut que l'univers apprenne que j'existe. Je ne manquerai pas, dans mes vers, de déplorer mon isolement; mais ce sera de telle sorte, que les plus heureux me porteront envie. Puisque le ciel m'a refusé une femelle, je dirai un mal affreux de celles des autres. Je prouverai que tout est trop vert hormis les raisins que je mange.[1] Les rossignols n'ont qu'à se bien tenir; je démontrerai comme deux fois deux font quatre, que leurs complaintes me font mal au cœur...» Et en effet: « L'Europe entière fut émue à l'apparition de mon livre; elle dévora les révélations intimes que je daignais lui communiquer »... Cependant, malgré le calme qu'il « affectait », le merle blanc n'était pas heureux. Or, un jour qu'il se lamentait abondamment de sa solitude dans la vie, il reçoit la visite inattendue d'une « merlette » blanche comme lui et qui demande à partager son sort. Seulement cette merlette (George Sand) est pire que le merle; lui, au moins, était sincère dans sa folie, tandis qu'il découvre un jour que le plumage blanc de son épouse n'était pas même authentique... elle se blanchissait à la colle. Voici la scène où l'horrible secret est découvert:

---

[1] La fable de La Fontaine, *Le renard et les raisins:*
*Ils sont trop verts, dit-il, et bons pour les goujats.*

Plus j'approfondissais le caractère de ma charmante femme, plus mon amour augmentait. Elle réunissait, dans sa petite personne, tous les agréments de l'âme et du corps. Elle était seulement un peu bégueule; mais j'at-
5 tribuai cela à l'influence du brouillard anglais dans lequel elle avait vécu jusqu'alors,[1] et je ne doutai pas que le cli- mat de la France ne dissipât bientôt ce léger nuage.

Une chose qui m'inquiétait plus sérieusement, c'était une sorte de mystère dont elle s'entourait quelquefois avec
10 une rigueur singulière, s'enfermant à clef avec ses camé- ristes, et passant ainsi des heures entières pour faire sa toilette, à ce qu'elle prétendait. Les maris n'aiment pas beaucoup ces fantaisies dans leur ménage. Il m'était arrivé vingt fois de frapper à l'appartement de ma femme sans
15 pouvoir obtenir qu'on m'ouvrît la porte. Cela m'im- patientait cruellement. Un jour, entre autres, j'insistai avec tant de mauvaise humeur, qu'elle se vit obligée de céder et de m'ouvrir un peu à la hâte, non sans se plaindre fort de mon importunité. Je remarquai, en entrant, une
20 grosse bouteille pleine d'une espèce de colle faite avec de la farine et du blanc d'Espagne.[2] Je demandai à ma femme ce qu'elle faisait de cette drogue; elle me répondit que c'était un opiat pour des engelures qu'elle avait.

Cet opiat me sembla tant soit peu louche; mais quelle
25 défiance pouvait m'inspirer une personne si douce et si sage, qui s'était donnée à moi avec tant d'enthousiasme et une sincérité si parfaite? J'ignorais d'abord que ma bien-aimée fût une femme de plume[3]; elle me l'avoua au bout de quelque temps, et elle alla même jusqu'à me montrer le
30 manuscrit d'un roman où elle avait imité à la fois Walter

---

[1] La merlette était venue d'Angleterre, le pays de Byron.
[2] Une sorte de chaux; craie friable.
[3] Jeu de mot: oiseau, écrivassière.

Scott et Scarron.[1] Je laisse à penser le plaisir que me causa
une si aimable surprise. Non-seulement je me voyais
possesseur d'une beauté incomparable, mais j'acquérais
encore la certitude que l'intelligence de ma compagne était
digne en tout point de mon génie. Dès cet instant nous 5
travaillâmes ensemble. Tandis que je composais mes
poëmes, elle barbouillait des rames de papier. Je lui
récitais mes vers à haute voix, et cela ne la gênait nullement
pour écrire pendant ce temps-là. Elle pondait ses romans
avec une facilité presque égale à la mienne, choisissant tou- 10
jours les sujets les plus dramatiques, des parricides, des
rapts, des meurtres, et même jusqu'à des filouteries, ayant
toujours soin, en passant, d'attaquer le gouvernement et
de prêcher l'émancipation des merlettes. En un mot,
aucun effort ne coûtait à son esprit; il ne lui arrivait jamais 15
de rayer une ligne, ni de faire un plan avant de se mettre à
l'œuvre. C'était le type de la merlette lettrée.[2]

Un jour qu'elle se livrait au travail avec une ardeur
inaccoutumée, je m'aperçus qu'elle suait à grosses gouttes,
et je fus étonné de voir en même temps qu'elle avait une 20
grande tache noire dans le dos.

— Eh! bon Dieu! lui dis-je, qu'est-ce donc? est-ce que
vous êtes malade?

Elle parut d'abord un peu effrayée et même penaude;
mais la grande habitude qu'elle avait du monde l'aida 25
bientôt à reprendre l'empire admirable qu'elle gardait
toujours sur elle-même. Elle me dit que c'était une tache
d'encre, et qu'elle y était fort sujette, dans ses moments
d'inspiration.

[1] Poète « burlesque » du XVII° siècle, auteur d'un *Roman comique*.
(Voir *Seventeenth Century French Readings*, Holt & Co., pp. 398–399).
[2] George Sand était un écrivain extrêmement prolifique; elle se
passionnait pour le bouleversement de la société; elle écrivit des
romans d'un féminisme fanatique. (Voir chapitre suivant).

— Est-ce que ma femme déteint ? — me dis-je tout bas.
Cette pensée m'empêcha de dormir. La bouteille de colle
me revint en mémoire. — O ciel ! m'écriai-je, quel soupçon !
Cette créature céleste ne serait-elle qu'une peinture, un
5 léger badigeon ? se serait-elle vernie pour abuser de moi ?
. . . Quand je croyais presser sur mon cœur la sœur de mon
âme, l'être privilégié créé pour moi seul, n'aurais-je donc
épousé que de la farine ?

Poursuivi par ce doute horrible, je formai le dessein de
10 m'en affranchir. Je fis l'achat d'un baromètre, et j'attendis
avidement qu'il vînt à faire un jour de pluie. Je voulais
emmener ma femme à la campagne, choisir un dimanche
douteux, et tenter l'épreuve d'une lessive. Mais nous
étions en plein juillet; il faisait un beau temps effroyable.
15 L'apparence du bonheur et l'habitude d'écrire avaient
fort excité ma sensibilité. Naïf comme j'étais il m'arrivait
parfois, en travaillant, que le sentiment fût plus fort que
l'idée, et de me mettre à pleurer en attendant la rime.
Ma femme aimait beaucoup ces rares occasions: toute
20 faiblesse masculine enchante l'orgueil féminin. Une certaine nuit que je limais une rature, selon le précepte de
Boileau, il advint à mon cœur de s'ouvrir.[1]

— O toi ! dis-je à ma chère merlette, toi, la seule et la
plus aimée ! toi, sans qui ma vie est un songe, toi, dont un
25 regard, un sourire métamorphose pour moi l'univers, vie
de mon cœur, sais-tu combien je t'aime ? Pour mettre en
vers une idée banale déjà usée par d'autres poëtes, un peu
d'étude et d'attention me font aisément trouver des
paroles; mais où en prendrai-je jamais pour t'exprimer ce

---

[1] *Rature*, passage barré et à corriger. Le précepte de Boileau dans
l'*Art poétique:*

> Vingt fois sur le métier remettez votre ouvrage;
> Polissez-le sans cesse et le repolissez.

que ta beauté m'inspire ? Le souvenir même de mes peines passées pourrait-il me fournir un mot pour te parler de mon bonheur présent ? Avant que tu fusses venue à moi, mon isolement était celui d'un orphelin exilé; aujourd'hui, c'est celui d'un roi. Dans ce faible corps dont j'ai le simulacre [5] jusqu'à ce que la mort en fasse un débris, dans cette petite cervelle enfiévrée où fermente une inutile pensée, sais-tu, mon ange, comprends-tu, ma belle, que rien ne peut être qui ne soit à toi ? Écoute ce que mon cerveau peut dire, et sens combien mon amour est plus grand ! Oh ! que mon [10] génie fût une perle, et que tu fusses Cléopâtre ![1]

En radotant ainsi, je pleurais sur ma femme, et elle déteignait visiblement. À chaque larme qui tombait de mes yeux, apparaissait une plume, non pas même noire, mais du plus vieux roux. Après quelques minutes d'at- [15] tendrissement, je me trouvai vis-à-vis d'un oiseau décollé et désenfariné, identiquement semblable aux merles les plus plats et les plus ordinaires.

Que faire ? que dire ? quel parti prendre ? Tout reproche était inutile. J'aurais bien pu, à la vérité, considérer le cas [20] comme rédhibitoire, et faire casser mon mariage; mais comment oser publier ma honte ? N'était-ce pas assez de mon malheur ? Je pris mon courage à deux pattes, je résolus de quitter le monde, d'abandonner la carrière des lettres, de fuir dans un désert, s'il était possible, d'éviter à [25] jamais l'aspect d'une créature vivante, et de chercher, comme Alceste,

> . . . . . Un endroit écarté,
> Où d'être un merle blanc on eût la liberté.[2]

[1] On dit que Cléopâtre, la fameuse reine d'Égypte, avait fait dissoudre dans le vinaigre une perle et avait absorbé le breuvage.

[2] Les vers du *Misanthrope* sont:

> . . . . . Un endroit écarté
> Où d'être homme d'honneur, on eût la liberté.

## Vie de Musset après l'aventure avec George Sand

En 1838 il avait eu une autre liaison — il n'avait encore que 28 ans. C'était avec Rachel, la fameuse actrice, interprète de Racine et dont Alfred de Musset avait été un des premiers à exalter le talent (dans la *Revue des Deux Mondes*). Cet amour fut orageux aussi. De 1847 à 1851 Musset s'attacha à Mme Allan-Despréaux, celle qui fit triompher le théâtre du poète à Paris; elle fut pour lui comme une mère; il était gravement malade déjà. Depuis 1840 il avait eu des crises nerveuses terribles, accompagnées parfois d'hallucinations (voir déjà la *Nuit de Décembre*). On ne peut décider si ce fut la maladie qui le conduisit à la boisson, ou la boisson qui le conduisit à la maladie. Un de ses sonnets les plus connus exprime la lamentable fin de cet enfant de génie.[1]

### *Tristesse*

#### (1840)

J'ai perdu ma force et ma vie,
Et mes amis et ma gaîté;
J'ai perdu jusqu'à la fierté
Qui faisait croire à mon génie.

5

Quand j'ai connu la Vérité,
J'ai cru que c'était une amie;
Quand je l'ai comprise et sentie,
J'en étais déjà dégoûté.

Et pourtant elle est éternelle,
10

Et ceux qui se sont passés d'elle
Ici-bas ont tout ignoré.

Dieu parle, il faut qu'on lui réponde.
— Le seul bien qui me reste au monde
Est d'avoir quelquefois pleuré.

[1] Pour une appréciation intelligente et sympathique de cette fin de Musset, voir E. Henriot, *Alf. de Musset* (Hachette, 1928) pp. 154–177.

Et voici la première et la dernière strophe d'un poème, *Lucie*, où il avait énoncé un vœu qui fut réalisé par ses amis sur sa tombe du cimetière du Père Lachaise:

> Mes bons amis, quand je mourrai,
> Plantez un saule au cimetière;
> Sa pâleur m'en est douce et chère,
> Et son ombre sera légère
> À la terre où je dormirai.[1]                    5

---

[1] De toutes les tombes du grand cimetière, celle de Musset attire même aujourd'hui le plus grand flot de visiteurs.  Bien des fois déjà, il a fallu remplacer le fameux saule dont les feuilles sont sans cesse arrachées pour orner les albums des collectionneurs de souvenirs.

# CHAPITRE HUIT

# GEORGE SAND

## 1804–1876

**Consulter:** George Sand, *Histoire de ma vie* (Calmann-Lévy, 4 volumes, 1854–5); sa version de la liaison avec Musset: *Elle et Lui* (1859); Émile Caro, *George Sand* (Coll. Grands écr. fr., Hachette, 1887); Wladimir Karénine (pseudonyme pour Mme Komaroff) *George Sand, sa vie, ses œuvres* (Paris, Ollendorff, 3 vol. 1899–1901; 4ᵐᵉ éd. 1926); René Doumic, *George Sand, Dix conférences sur sa vie et ses œuvres* (Paris, Perrin, 1909). Excellente étude générale d'Émile Faguet, *Études litt. sur le XIXᵐᵉ siècle*, p. 383–411 (Paris, Lecène-Oudin, 1887). Pour la liaison avec Chopin, qui a suivi celle avec Musset, Ed. Ganche, *Chopin, sa vie, ses œuvres* (Mercure de France, 1913).

Lucie Aurore Dupin, naquit à Paris, de riche famille bourgeoise. Elle était la petite-fille de cette Madame Dupin — femme du fermier général sous Louis XV, propriétaire du Château de Chenonceaux — qui s'intéressa beaucoup à J.-J. Rousseau. Son père mourut jeune; sa mère eut peu d'influence sur l'enfant qui s'éleva pour ainsi dire seule, passant ses jeunes années dans le charmant pays du Berry, à Nohant; elle vivait en communion avec la nature, et en lisant Rousseau et Chateaubriand. À 18 ans, elle épousa M. Dudevant (baron); le mariage ne fut pas heureux; après dix ans, il y eut séparation. Elle partit pour Paris avec ses deux enfants; pour supplémenter une maigre pension, elle fit de la peinture industrielle d'abord, puis de la littérature. Fort bien accueillie dans les milieux artistiques et littéraires, elle fit son chemin; très indépendante, elle se promenait en costume d'homme. En 1833–34 eut lieu son voyage en Italie avec Alfred de Musset (raconté plus haut). Dès 1839 elle fit de Nohant son pied à terre, — mais se rendant souvent à Paris; depuis 1851, elle en fit sa résidence permanente; en 1876 elle y mourut, ayant mérité le nom de « la bonne dame de Nohant ».

Le nom de plume de George Sand avait été adopté en 1832, lorsqu'elle s'était séparée de celui qui avait été jusqu'alors son collaborateur, Jules Sandeau. Elle a laissé une œuvre considérable, écrivant avec une facilité extraordinaire et ne corrigeant jamais — 103 volumes, presque exclusivement des romans. Selon une légende elle terminait parfois un roman à minuit, allait le porter à la poste, rentrait, prenait du papier et commençait une autre histoire.

Sa carrière littéraire se divise en trois périodes assez distinctes.

## Première Période

La première est celle d'un romantisme fougueux. L'individualisme est poussé aux limites extrêmes, et surtout en faveur de la femme. Cet enthousiasme pour une grande liberté d'action est accompagnée de sentiments de grande mélancolie; ses héroïnes sont des révoltées à la fois et des incomprises. Trois romans représentent surtout cette disposition: *Indiana* (1832), *Valentine* (1832) et *Lélia* (1833). Ce dernier consacra sa renommée. En 1834 elle publia *Jacques*, qui reprend le thème de *La Nouvelle Héloïse* de Rousseau dont elle était disciple exaltée; mais elle voulait pousser jusqu'au bout le romantisme. La situation est la même: une femme épouse un homme pour lequel elle n'éprouve que de l'amitié; elle en aime d'amour un autre. Le mari comprend, est très malheureux car, lui, il aime cette femme, mais il cède la place; il se suicide. Pour ne pas causer de remords aux amants, il donne à sa mort les apparences d'un accident de montagne. [Dans le roman de Rousseau, c'était Julie, l'héroïne, qui mourait d'un accident — qui est peut-être bien aussi un suicide — parce qu'elle ne peut être à l'amant de son cœur, et que son époux est le meilleur des hommes.] À ce même groupe romantique appartiennent encore *Mauprat* (1837) et *Spiridion* (1839) — ce dernier un roman spiritualiste, même théosophique [correspondant au *Lys dans la vallée*, dans les romans de Balzac].

## Deuxième Période

La deuxième période est celle où George Sand s'enthousiasme pour le socialisme sous toutes ses formes, jusqu'au saint-simonisme ou collectivisme alors très discuté, ou même jusqu'à un socialisme teinté de mysticisme. Le plus touffu et le plus désordonné de ces romans est *Consuelo* (1842–43); le moins fantaisiste est *Le meunier d'Angibault* (1845) où on voit face-à-face un paysan et une grande dame — celle-ci est finalement gagnée, par la voie de l'amour, au socialisme; celui où le communisme est poussé aux dernières conséquences est *Le péché de Monsieur Antoine* (1847).

## Le Meunier d'Angibault

(Extrait)

La châtelaine de Blanchemont s'est égarée, un soir, dans la campagne; Grand-Louis, le meunier, la recueille; elle passe la nuit au moulin. Le lendemain matin elle remercie pour l'hospitalité reçue. La conversation s'engage:

— Je suis bien aise d'avoir eu l'occasion de vous obliger, foi d'homme !

— En ce cas, vous me permettrez de vous recevoir à mon tour quand vous viendrez à Blanchemont ?

5 — Ah ! cela, pardon ! mais je n'irai pas chez vous. J'irai chez vos fermiers, comme j'y vais souvent, porter du blé; et je vous saluerai avec plaisir, voilà tout.

— Ah ! ah ! Monsieur Louis, vous ne voulez pas déjeuner chez moi ?

10 — Oui et non. Je mange souvent chez vos fermiers; mais, si vous êtes là, ça sera changé. Vous êtes une dame noble, suffit.

— Expliquez-vous, je ne comprends pas.

— Voyons, est-ce que nous n'avez pas conservé les usages 15 des anciens seigneurs ? N'enverriez-vous pas votre meunier manger à la cuisine avec vos valets, et sans vous, bien sûr ? Moi, ça ne me fâcherait pas de manger avec eux, puisque je l'ai bien fait aujourd'hui chez moi; mais ça me paraîtrait drôle de vous avoir fait asseoir chez moi, et de 20 ne pouvoir pas m'asseoir chez vous, au coin du feu, et votre chaise à côté de la mienne. Voilà, je suis un peu fier. Je ne vous blâmerais pas, chacun suit ses idées et ses usages; c'est pourquoi je n'ai pas besoin d'aller me soumettre à ceux des autres quand je n'y suis pas forcé.

25 Marcelle fut très frappée du bon sens et de la sincère hardiesse du meunier. Elle sentit qu'il lui donnait une

leçon et elle se réjouit d'avoir adopté des projets qui lui
permettaient de le recevoir sans rougir.

— Monsieur Louis, lui dit-elle, vous vous trompez sur
mon compte.  Ce n'est pas ma faute, si j'appartiens à la
noblesse; mais il se trouve que, par bonheur ou par hasard,  5
je ne veux plus me conformer à ses usages.  Si vous venez
chez moi je n'oublierai pas que vous m'avez reçue comme
votre égale, que vous m'avez servie comme votre prochain,
et, pour vous prouver que je ne suis pas ingrate, je mettrai,
s'il le faut, votre couvert et celui de votre mère moi-même 10
à ma table, comme vous avez mis le mien à la vôtre.

— Vrai, vous feriez cela ? dit le meunier en regardant
Marcelle avec un mélange de surprise, de doute respectueux et de sympathie familière.  En ce cas, j'irai . . . ou
plutôt non, je n'irai pas; car je vois bien que vous êtes 15
une honnête personne.

— Je ne comprends pas non plus à quel propos cette
réflexion.

— Ah ! dame ! si vous ne comprenez pas . . . je suis un
peu en peine de m'expliquer mieux.                           20

— Allons, Louis, je crois que tu es fou, dit la vieille
Marie,[1] qui tricotait d'un air grave en écoutant toute cette
conversation.  Je ne sais pas où tu prends tout ce que tu
dis à notre dame.  Excusez, Madame, ce garçon est un
sans-souci qui a toujours dit à tout le monde, petits et 25
grands, tout ce qui lui passait par la tête.  Il ne faut pas
que cela vous fâche.  Au fond, il a bon cœur, croyez-moi,
et je vois bien à sa mine qu'il se jetterait dans le feu pour
vous à cette heure.

— Dans le feu, pas sûr, dit le meunier en riant; mais 30
dans l'eau, c'est mon élément.[2]  Vous voyez bien, mère,

---

[1] La mère du meunier.
[2] À propos de son moulin que la rivière fait tourner.

que Madame est une femme d'esprit, et qu'on peut lui
dire tout ce qu'on pense. Je le dis bien à M. Bricolin,
son fermier, qui est certainement plus à craindre qu'elle, ici !

— Dites donc, maître Louis, parlez ! je suis très-disposée
à m'instruire. Pourquoi, parce que je suis une honnête
personne, ne viendriez-vous pas chez moi ?

— Parce que nous aurions tort de nous familiariser avec
vous, et que vous auriez tort de nous traiter en égaux. Ça
vous attirerait des désagréments. Vos pareils vous blâme-
raient; ils diraient que vous oubliez votre rang, et je sais
que cela passe pour très mal à leurs yeux. Et puis, la bonté
que vous auriez avec nous, il faudrait donc l'avoir avec
tous les autres, ou cela ferait des jaloux et nous attirerait
des ennemis. Il faut que chacun suive sa route. On dit
que le monde est grandement changé depuis cinquante ans;
moi, je dis qu'il n'y a rien de changé que nos idées à nous
autres. Nous ne voulons plus nous soumettre, et ma mère
que voilà, et que j'aime pourtant bien, la brave femme,
voit autrement que moi sur bien des choses. Mais les
idées des riches et des nobles sont ce qu'elles ont toujours
été. Si vous ne les avez pas, ces idées-là, si vous ne méprisez pas un peu les pauvres gens, si vous leur faites autant d'honneur qu'à vos pareils, ce sera peut-être tant pis
pour vous. J'ai vu souvent votre mari, défunt M. de
Blanchemont, que quelques-uns appelaient encore le
seigneur de Blanchemont. Il venait tous les ans au pays
et restait deux ou trois jours. Il nous tutoyait. Si ç'avait
été par amitié, passe; mais c'était par mépris; il fallait lui
parler debout et toujours chapeau bas. Moi, cela ne
m'allait guère. Un jour, il me rencontra dans le chemin
et me commanda de tenir son cheval. Je fis la sourde
oreille, il m'appela butor, je le regardai de travers; s'il
n'avait pas été si faible, si mince, je lui aurais dit deux

mots. Mais ç'aurait été lâche de ma part, et je passai
mon chemin en chantant. Si cet homme-là était vivant
et qu'il vous entendît me parler comme vous faites, il
ne pourrait pas être content. Tenez ! rien qu'à la figure de
vos domestiques, j'ai bien vu aujourd'hui qu'ils vous trou- 5
vaient trop sans façon avec nous autres et même avec eux.
Allons, Madame, c'est à vous de revenir vous promener
au moulin, et à nous, qui vous aimons, de ne pas aller nous
attabler au château.

— Pour le mot que vous venez de dire, je vous pardonne 10
tout le reste, et je me promets de vous convaincre, dit Marcelle en lui tendant la main avec une expression de visage
dont la noble chasteté commandait le respect, en même
temps que ses manières entraînaient l'affection. Le meunier rougit en recevant cette main délicate dans sa main 15
énorme, et, pour la première fois, il devint timide devant
Marcelle, comme un enfant audacieux et bon dont l'orgueil est tout à coup vaincu par l'émotion.

— Je vais vous servir de guide jusqu'à Blanchemont,
dit-il après un instant de silence embarrassé; ce patachon [1] 20
de malheur vous égarerait encore, quoiqu'il n'y ait pas loin.

— Eh bien ! j'accepte, dit Marcelle; direz-vous encore
que je suis fière ?

— Je dirai, je dirai, s'écria le Grand-Louis en sortant
avec précipitation, que, si toutes les femmes riches étaient 25
comme vous . . .

On n'entendit pas la fin de la phrase.

### Troisième Période

La troisième période est celle de « la bonne dame de Nohant »,
celle où elle a le mieux réussi. Ses romans paysans et champêtres ren-

---

[1] Voiture de service, mauvaise voiture: patachon de malheur =
*carriage of ill luck.*

dent admirablement ce qu'il y a de poésie dans la vie de ceux qui sont
attachés au sol qui les nourrit.    Elle continue ici l'œuvre de Jean-
Jacques Rousseau, mais l'approfondit; car, tandis que les « campagnards » de Rousseau sont encore des artisans — les horlogers des
montagnes neuchâteloises, en Suisse —, ou sont même des gens de la
société, des propriétaires ruraux (c'était Julie, fille du baron d'Étan-
ges, qui épousait Monsieur de Wolmar, et dont l'ami était le gentilhomme anglais Lord Bomston); chez George Sand, ce sont les
travailleurs de la terre eux-mêmes qui jouent les rôles principaux.[1]

Les quatre principaux romans appartenant à cette classe sont:
*La Mare au Diable* (1846).   Voir plus bas.

*La petite Fadette* (1849): un « farfadet », ou un « fadet » est le nom
que les paysans, un peu superstitieux, du Berry donnent aux lutins;
on avait appelé « Fadette » la fille d'une femme de l'endroit qu'on
croyait sorcière, et on lui prêtait à elle-même certaines relations avec
le monde surnaturel.   C'est ici l'histoire de deux « bessons » (patois
berrichon pour *jumeaux*), Sylvinet et Landry, qui ont l'un pour l'autre
la plus touchante affection; les joies et peines de l'un sont les joies
et les peines de l'autre.   La petite Fadette, tout innocemment, sera
la cause de malheur.   Landry et elle s'aiment; alors Sylvinet, désespéré et du reste lui-même tombé sous le charme de Fadette, s'engage
comme soldat, comptant ainsi terminer tôt sa triste vie.

*François le Champi* (1850)[2] — « champi », nom local pour *orphelin* — est peut-être le plus touchant de ces romans  (à  lire  tout
entier).

*Les Maîtres Sonneurs* (1852).   Voir plus bas.

### La Mare au Diable

(Extrait)

Germain, un jeune laboureur, est devenu veuf; il a charge d'enfant; il veut se remarier.   On lui a parlé d'un riche parti dans un
village du canton.   Il a décidé d'aller voir.   Il part accompagné de son
garçon, Pierre, et d'une jeune fille de seize ans, « la petite Marie » qui
doit se louer dans une ferme de ces mêmes environs.   Ayant perdu
leur chemin, l'obscurité les surprend en pleine forêt; il faut y passer

---

[1] C'est contre cette représentation poétique de la vie de la nature
que Zola, dans la seconde moitié du siècle, protestera, et à laquelle il
opposera sa peinture du paysan, être d'instincts bas et sensuels.
(Voir surtout son roman *La Terre*, 1888).

[2] Le roman avait été commencé en 1848, et publié en feuilleton;
il fut interrompu par la Révolution, repris après, et terminé en 1850.

la nuit.  Marie s'occupe du petit Pierre, prépare le repas, veille à tout;
et elle se montre si avisée et si bonne que Germain est déjà tenté de ne
pas chercher une autre femme; et, en effet, il finira par l'épouser.
C'est ici la scène de la forêt:

— Ah çà, petite Marie, nous allons souper ensemble !
Je veux boire à ta santé et te souhaiter un bon mari . . . là,
comme tu le souhaiterais toi-même.  Dis-moi un peu cela !

— J'en serai fort empêchée, Germain, car je n'y ai pas
encore songé.                                                      5

— Comment ?  Pas du tout ?  Jamais ? dit Germain, en
commençant à manger avec un appétit de laboureur, mais
coupant les meilleurs morceaux pour les offrir à sa compagne qui refusa obstinément et se contenta de quelques
châtaignes.                                                        10

Dis-moi donc, petite Marie, reprit-il, voyant qu'elle ne
songeait pas à lui répondre, tu n'as pas encore eu l'idée du
mariage ? tu es en âge pourtant !

— Peut-être, dit-elle, mais je suis trop pauvre.  Il faut
au moins cent écus [1] pour entrer en ménage, et je dois tra-   15
vailler cinq ou six ans pour les ramasser.

— Pauvre fille ! je voudrais que le père Maurice [2] voulût
bien me donner cent écus pour t'en faire cadeau.

— Grand merci, Germain.  Eh bien ! qu'est-ce qu'on
dirait de moi ?                                                   20

— Que veux-tu qu'on dise ? on sait bien que je suis vieux [3]
et que je ne peux pas t'épouser.  Alors on ne supposerait
pas que . . . que tu . . .

— Dites donc, laboureur ! voilà votre enfant qui se réveille, dit la petite Marie.                                      25

Petit-Pierre s'était soulevé et regardait autour de lui
d'un air tout pensif.

[1] à peu près cent dollars.
[2] Beau-père de Germain.
[3] Germain approche de la trentaine.

— Ah ! il n'en fait jamais d'autres, quand il entend
manger, celui-là ! dit Germain.　Le bruit du canon ne le
réveillerait pas; mais, quand on remue les mâchoires
auprès de lui, il ouvre les yeux tout de suite.

5　　— Vous avez dû être comme ça à son âge, dit la petite
Marie avec un sourire malin.　Allons, mon Petit-Pierre,
tu cherches ton ciel de lit ?　Il est fait de verdure, ce soir,
mon enfant; mais ton père n'en soupe pas moins.　Veux-tu
souper avec lui ?　Je n'ai pas mangé ta part; je me doutais
10　bien que tu la réclamerais !

— Marie, je veux que tu manges, s'écria le laboureur, je
ne mangerai plus.　Je suis un vorace, un grossier; toi, tu
te prives pour nous, ce n'est pas juste, j'en ai honte.　Tiens,
ça m'ôte la faim; je ne veux pas que mon fils soupe, si tu ne
15　soupes pas.

— Laissez-nous tranquilles, répondit la petite Marie,
vous n'avez pas la clé de nos appétits.　Le mien est fermé
aujourd'hui, mais celui de votre Pierre est ouvert comme
celui d'un petit loup.　Tenez, voyez comme il s'y prend !
20　Oh ! ce sera un rude laboureur !

En effet, Petit-Pierre montra bientôt de qui il était le
fils, et, à peine éveillé, ne comprenant ni où il était, ni
comment il y était venu, il se mit à dévorer.　Puis, quand
il n'eut plus faim, se trouvant excité comme il arrive aux
25　enfants qui rompent leurs habitudes, il eut plus d'esprit,
plus de curiosité et plus de raisonnement qu'à l'ordinaire.
Il se fit expliquer où il était, et quand il sut que c'était au
milieu d'un bois, il eut un peu peur.

— Y a-t-il des méchantes bêtes dans ce bois ? demanda-
30　t-il à son père.

— Non, fit le père, il n'y en a point.　Ne crains rien.

— Tu as donc menti quand tu m'as dit que, si j'allais
avec toi dans les grands bois, les loups m'emporteraient ?

— Voyez-vous ce raisonneur ? dit Germain embarrassé.

— Il a raison, reprit la petite Marie, vous lui avez dit cela; il a bonne mémoire, il s'en souvient. Mais apprends, mon Petit-Pierre, que ton père ne ment jamais. Nous avons passé les grands bois pendant que tu dormais, et nous 5 sommes à présent dans les petits bois, où il n'y a pas de méchantes bêtes.

— Les petits bois sont-ils bien loin des grands ?

— Assez loin; d'ailleurs les loups ne sortent pas des grands bois. Et puis, s'il en venait par ici, ton père les 10 tuerait.

— Et toi aussi, petite Marie ?

— Et nous aussi, car tu nous aiderais bien, mon Pierre ? Tu n'as pas peur, toi ? Tu taperais bien dessus !

— Oui, oui, dit l'enfant enorgueilli, en prenant une pose 15 héroïque, nous les tuerions !

— Il n'y a personne comme toi pour parler aux enfants, dit Germain à la petite Marie, et pour leur faire entendre raison. Il est vrai qu'il n'y a pas longtemps que tu étais toi-même un petit enfant, et tu te souviens de ce que te 20 disait ta mère. Je crois bien que, plus on est jeune, mieux on s'entend avec ceux qui le sont. J'ai grand'peur qu'une femme de trente ans qui ne sait pas encore ce que c'est d'être mère,[1] n'apprenne avec peine à babiller et à raisonner avec des marmots.                                           25

— Pourquoi donc pas, Germain ? Je ne sais pas pourquoi vous avez une mauvaise idée touchant cette femme; vous en reviendrez !

— Au diable la femme ! dit Germain. Je voudrais en être revenu pour n'y plus retourner. Qu'ai-je besoin d'une 30 femme que je ne connais pas ?

[1] Germain fait ici allusion à la fermière chez laquelle il va se présenter.

— Mon petit père, dit l'enfant, pourquoi donc est-ce que tu parles toujours de ta femme aujourd'hui ? Puisqu'elle est morte ? . . .

— Hélas ! tu ne l'as donc pas oubliée, toi, ta pauvre chère mère ?

— Non, puisque je l'ai vu mettre dans une belle boîte de bois blanc, et que ma grand'mère m'a conduit auprès pour l'embrasser et lui dire adieu ! . . . Elle était toute blanche et toute froide, et tous les soirs ma tante me fait prier le bon Dieu pour qu'elle aille se réchauffer avec lui dans le ciel. Crois-tu qu'elle y soit à présent ?

— Je l'espère, mon enfant; mais il faut toujours prier, ça fait voir à ta mère que tu l'aimes.

— Je vais dire ma prière, reprit l'enfant, je n'ai pas pensé à la dire ce soir. Mais je ne peux pas la dire tout seul; j'en oublie toujours un peu. Il faut que la petite Marie m'aide.

— Oui, mon Pierre, je vais t'aider, dit la jeune fille. Viens là, te mettre à genoux sur moi.

L'enfant s'agenouilla sur la jupe de la jeune fille, joignit ses petites mains, et se mit à réciter sa prière, d'abord avec attention et ferveur, car il savait très bien le commencement, puis avec plus de lenteur et d'hésitation, et enfin répétant mot à mot ce que lui dictait la petite Marie, lorsqu'il arriva à cet endroit de son oraison, où, le sommeil le gagnant chaque soir, il n'avait jamais pu l'apprendre jusqu'au bout.

Cette fois encore le travail de l'attention et la monotonie de son propre accent produisirent leur effet accoutumé; il ne prononça plus qu'avec effort les dernières syllabes, et encore après se les être fait répéter trois fois; sa tête s'appesantit et se pencha sur la poitrine de Marie; ses mains se détendirent, se séparèrent et retombèrent ouvertes sur ses genoux.  À la lueur du feu de bivouac, Germain regarda son petit ange assoupi sur le cœur de la jeune fille, qui, le soutenant dans ses bras et réchauffant ses cheveux blonds de sa pure haleine, s'était laissé aller aussi à une rêverie pieuse, et priait mentalement pour l'âme de 5 Catherine.[1]

Germain fut attendri, chercha ce qu'il pourrait dire à la petite Marie pour lui exprimer ce qu'elle lui inspirait d'estime et de reconnaissance, mais ne trouva rien qui pût rendre sa pensée.  Il s'approcha d'elle pour embrasser son 10 fils qu'elle tenait toujours pressé contre son sein et il eut peine à détacher ses lèvres du front de Petit-Pierre.

— Vous l'embrassez trop fort, lui dit Marie en repoussant doucement la tête du laboureur, vous allez le réveiller. Laissez-moi le recoucher, puisque le voilà reparti pour les 15 rêves du paradis.

L'enfant se laissa coucher; mais en s'étendant sur la peau de chèvre du bât, il demanda s'il était sur la Grise.[2] Puis, ouvrant ses grands yeux bleus, et les tenant fixés vers les branches pendant une minute, il parut rêver tout 20 éveillé, ou être frappé d'une idée qui avait glissé dans son esprit durant le jour, et qui s'y formulait à l'approche du sommeil.  « Mon petit père, dit-il, si tu veux me donner une autre mère, je veux que ce soit la petite Marie. »

Et, sans attendre de réponse, il ferma les yeux et s'en- 25 dormit.

### Les Maîtres Sonneurs

Il s'agit ici des « sonneurs » ou joueurs de musette ou cornemuse (*bagpipe*) qui formaient des sortes de corporations (*guilds*) rivalisant

---

[1] La mère du petit Pierre.
[2] La jument de Germain.

entre elles de province à province.  Ces rivalités étaient particulièrement accusées entre les sonneurs berrichons et les sonneurs bourbonnais.   Le roman de George Sand met en scène ces rivalités.  La jolie
Brulette est très courtisée;  elle appartiendra finalement à un grand et
vigoureux sonneur muletier; mais le berger éconduit se consolera avec
sa musette: le jeune Joseph, ou ‹ Joset ›, deviendra un grand artiste
après s'être perfectionné dans son art, guidé par le ‹ Grand-Bucheux ›,
le maître-sonneur du Bourbonnais.[1]

. . . Un mois environ après ce jour-là, dit Tienet, Joseph
vint me trouver à la maison.

— Le temps est arrivé, me dit-il avec un regard net et
une parole sûre, où je veux que les deux seules personnes en
5 qui j'ai confiance connaissent mon flûter.[2]  Je veux donc
que Brulette vienne ici demain soir, parce que nous y
serons tranquilles tous les trois.  Je sais que tes parents
partent le matin pour aller en pèlerinage, à cause de la
fièvre de ton frère cadet;  tu seras donc seul dans ta mai-
10 son, qui est si éloignée dans la campagne que nous ne
risquons pas d'être entendus.  J'ai averti Brulette, elle est
consentante à sortir du bourg à la nuit; je l'attendrai
dans le petit chemin, et nous viendrons ici te trouver sans
que personne s'en avise.  Brulette compte sur toi pour ne
15 jamais parler de ça, et ton grand-père, qui veut tout ce
qu'elle souhaite, y est consentant aussi, moyennant ta
parole, que j'ai donnée d'avance.

À l'heure dite, j'étais devant ma porte, ayant poussé
toutes les huisseries [3] pour que les passants (s'il en passait)
20 me crussent couché ou absent, et j'attendais l'arrivée de

[1] Voir sur ce roman le chapitre intéressant de Julien Tiersot, *La
chanson populaire française et les écrivains romantiques* (Plon, 1931)
pp. 237-254.  J. Tiersot pense que sous le frêle Joseph du roman, l'ardent artiste, George Sand a voulu peindre Chopin, dont elle fut quelque temps amoureuse, et qui fut son hôte à Nohant.

[2] Ma manière de jouer de la flûte.

[3] Dérivé local de *huis*, ancien mot français signifiant *ouverture,
portes et fenêtres.*

Brulette et de Joseph.  On était alors au printemps, et, comme il avait tonné dans le jour, le ciel était encore chargé de nuages très épais.  Il faisait de bons coups de vent tiède qui apportaient toutes les jolies senteurs du mois de mai.  J'écoutais les rossignols qui se répondaient dans la 5 campagne aussi loin que l'ouïe pouvait s'étendre, et je me disais que Joseph aurait grand'peine à flûter aussi fine-ment.  Je regardais au loin toutes les petites clartés des maisons s'éteindre une à une dans le bourg; et environ dix minutes après que la dernière fut soufflée, je vis arriver 10 devant moi le jeune couple que j'attendais.  Ils avaient marché si doucement sur les herbes nouvelles, et si bien côtoyé les grands buissons du chemin, que je ne les avais ni vus ni entendus approcher.  Je les fis entrer chez nous, où j'avais allumé la lampe, et quand je les vis tous deux, 15 elle toujours si coquettement coiffée et si quiètement [1] fière, lui toujours si froid et si pensif, je me représentai mal mes deux amoureux enflammés de tendresse.

Pendant que je causai un peu avec Brulette pour lui faire les honneurs de ma demeure, qui était assez gentille 20 et dont j'aurais souhaité qu'elle prît envie, Joseph, sans me rien dire, s'était mis en devoir d'accommoder sa flûte.  Il trouva que le temps humide l'avait enrhumée, et jeta une poignée de chènevottes [2] dans l'âtre pour l'y réchauffer.  Quand les chènevottes s'enflammèrent, elles envoyèrent 25 une grande clarté à son visage penché vers le foyer, et je lui trouvai un air si étrange que j'en fis tout bas l'observa-tion à Brulette.

— Vous aurez beau penser, lui dis-je, qu'il ne se cache le jour et ne court la nuit que pour flûter tout son soûl, je 30

---

[1] Quiètement, *tranquillement.*
[2] Chènevottes, brins de chanvre sous écorce (dérivé de *chènevis*).

sais, moi, qu'il a en lui et autour de lui quelque secret qu'il ne nous dit pas.

— Bah ! fit-elle en riant, parce que Véret le sabotier s'imagine de l'avoir vu avec un grand homme noir à l'orme
5 Râteau ?

— Possible qu'il ait rêvé ça, répondis-je, mais moi je sais bien ce que j'ai vu et entendu à la forêt.

— Qu'est-ce que tu as vu, Tiennet ? dit tout d'un coup Joset, qui ne perdait rien de notre discours, encore que
10 nous eussions parlé bien bas. Qu'est-ce que tu as entendu ? Tu as vu celui qui est mon ami, et que je ne peux te montrer: mais ce que tu as entendu, tu vas l'entendre encore, si la chose te plaît.

Là-dessus il souffla dans sa flûte, l'œil tout en feu, et la
15 figure embrasée par une fièvre.

Ce qu'il flûta, ne me le demandez point. Je ne sais si le diable y eût connu quelque chose; quant à moi, je n'y connus rien, sinon qu'il me parut bien que c'était le même air que j'avais ouï cornemuser dans la fougeraie. Mais j'a-
20 vais eu si belle peur dans ce moment-là, que je ne m'étais point embarrassé d'écouter le tout; et, soit que la musique en fût longue, soit que Joseph y mît du sien, il ne décota[1] de flûter d'un gros quart d'heure, mettant ses doigts bien finement, ne désoufflant mie,[2] et tirant si grande sonnerie
25 de son méchant roseau,[3] que dans des moments on eût dit trois cornemuses jouant ensemble. Par d'autres fois, il faisait si doux qu'on entendait le grelet[4] au-dedans de la maison et le rossignol au dehors; et quand Joseph faisait

---

[1] *Cessa* . . . (local).

[2] Ne cessant *jamais* de souffler. *Mie* s'employait jadis avec la négation *ne*, comme *pas*, *point*, *goutte*. Il vient du latin *mica*, miette de pain. Je *n'en veux mie*, signifiait donc: je *n'en veux miette*.

[3] *Méchante flûte*, ici dans le sens de *poor*.

[4] Nom local du grillon, qui a la voix *grêle*.

doux, je confesse que j'y prenais plaisir, bien que le tout
ensemble fût si mal ressemblant à ce que nous avons coutume d'entendre que ça me représentait un sabbat de fous.

— Oh ! oh ! lui dis-je quand il eut fini, voilà bien une
musique enragée ! Où diantre prends-tu tout ça ? à quoi 5
ça peut-il servir, et qu'est-ce que tu veux signifier par
là ?

Il ne me fit point réponse, et il sembla même qu'il ne
m'entendait point. Il regardait Brulette, qui s'était appuyée contre une chaise et qui avait la figure tournée du 10
côté du mur.

Comme elle ne disait mot, Joset fut pris d'une flambée
de colère, soit contre elle, soit contre lui-même, et je le vis
faire comme s'il voulait briser sa flûte entre ses mains;
mais au moment même, la belle fille regarda de son côté, 15
et je fus bien étonné de voir qu'elle avait de grosses larmes
au long des joues.

Alors Joseph courut auprès d'elle, et, lui prenant vivement les mains:

— Explique-toi, ma mignonne, dit-il, et fais-moi con- 20
naître si c'est de compassion pour moi que tu pleures, ou
si c'est de contentement ?

— Je ne sache point, répondit-elle, que le contentement
d'une chose comme ça puisse faire pleurer. Ne me demande donc point si c'est que j'ai de l'aise ou du mal; 25
ce que je sais, c'est que je ne m'en puis empêcher, voilà
tout.

— Mais à quoi est-ce que tu as pensé, pendant ma flû-
terie ? dit Joseph en la fixant beaucoup.

— À tant de choses, que je ne saurais pas t'en rendre 30
compte, répliqua Brulette.

— Mais enfin, dis-en une, reprit-il sur un ton qui signifiait de l'impatience et du commandement.

— Je n'ai pensé à rien, dit Brulette;  mais j'ai eu mille
ressouvenances du temps passé.  Il ne me semblait point te
voir flûter, encore que je t'ouïsse [1] bien clairement;  mais
tu me paraissais comme dans l'âge où nous demeurions
5 ensemble, et je me sentais comme portée avec toi par un
grand vent qui nous promenait tantôt sur les blés mûrs, tantôt sur des herbes folles, tantôt sur des herbes courantes [2];
et je voyais des prés, des bois, des fontaines, des pleins
champs de fleurs et des pleins ciels d'oiseaux qui passaient
10 dans les nuées.  J'ai vu aussi, dans ma songerie, ta mère
et mon grand-père assis devant le feu, et causant de choses
que je n'entendais point, tandis que je te voyais à genoux
dans un coin, disant ta prière, et que je me sentais endormie
dans mon petit lit.  J'ai vu encore la terre couverte de
15 neige, et des saulaies remplies d'alouettes, et puis des nuits
remplies d'étoiles filantes, et nous les regardions, assis
tous deux sur un tertre, pendant que nos bêtes faisaient le
petit bruit de tondre l'herbe;  enfin, j'ai vu tant de rêves
que c'est déjà embrouillé dans ma tête; et si ça m'a donné
20 l'envie de pleurer, ce n'est point par chagrin, mais par une
secousse de mes esprits que je ne veux point t'expliquer
du tout.

— C'est bien! dit Joset.  Ce que j'ai songé, ce que j'ai
vu en flûtant, tu l'as vu aussi!  Merci, Brulette!  Par toi,
25 je sais que je ne suis point fou et qu'il y a une vérité dans
ce qu'on entend comme dans ce qu'on voit.  Oui oui! fit-il
encore en se promenant dans la chambre à grandes enjam-
bées et en élevant sa flûte au-dessus de sa tête; ça parle, ce
méchant bout de roseau; ça dit ce qu'on pense; ça montre
30 comme avec les yeux, ça raconte comme avec les mots; ça

---

[1] Subjonctif imparfait de *ouïr*, entendre.
[2] *herbes folles*, qui croissent sans culture et en abondance; *herbes
courantes*, herbes semées.

aime comme avec le cœur; ça vit, ça existe ! Et à présent, Joset le fou, Joset l'innocent, Joset l'ébervigé,[1] tu peux bien retomber dans ton imbécillité; tu es aussi fort, aussi savant, aussi heureux qu'un autre !

Disant cela, il s'assit, sans plus faire attention à aucune chose autour de lui.

\*     \*     \*

George Sand a aussi fait du théâtre, mais sans trop réussir. Son plus grand succès fut *Le Marquis de Villemer* (1864), écrit en collaboration et tiré d'un roman du même nom publié en 1861. Dans l'*Histoire de ma vie*, George Sand parle du théâtre de marionnettes qu'elle avait à Nohant (et qu'on montre encore aux visiteurs).

Émile Faguet, dans ses *Études sur le XIXᵉ siècle* termine ainsi celle sur George Sand:

« Elle a occupé une place très considérable dans la littérature du XIXᵉ siècle. Elle a renouvelé l'idylle, elle a transformé le roman. À égale distance du roman d'aventures, si puéril, et du roman réaliste, si pénible, elle a eu un genre moyen, où il entre du romanesque, où il reste de la vérité, où une poésie douce et une sensibilité délicate trouvent leur place, et qui pourrait bien être le vrai roman français. Son influence, presque insensible chez nous, a été grande à l'étranger. Tourguénef, George Eliot, Dostoïewski l'ont passionnément admirée ».

[1] Patois local, *étourdi*, *effaré*, *distrait*.

# CHAPITRE NEUF

# JULES MICHELET

## 1798–1874

**Consulter:** Camille Jullian, *Introduction aux Extraits des Historiens Français au XIX° siècle* (Hachette, 1897); F. Corréard, *Michelet* (Coll. Classiques pop., Lecène-Oudin, 1886); G. Monod, *Jules Michelet* (Hachette, 1905); D. Halévy, *Jules Michelet* (Hachette, 1928); G. Rudler, *Michelet, Historien de Jeanne d'Arc* (Presses universitaires, 2 vol., 1926).

La Révolution avait naturellement suscité une grande curiosité pour l'histoire; pour construire l'avenir on pouvait apprendre beaucoup du passé. Il y eut, en conséquence, en France une pléiade d'historiens des plus brillants, tels qu'Augustin Thierry (1795–1856), l'auteur de *La conquête de l'Angleterre par les Normands* (1825) et des *Récits des temps Mérovingiens* (1840),[1] François Guizot (1787–1874), Adolphe Thiers (1797–1877), l'auteur de l'*Histoire du Consulat et de l'Empire* (1845–1855), François Mignet, Henri Martin, Alexis de Tocqueville (1805–1859), l'auteur de *La Démocratie en Amérique* (1836–9), Louis Blanc (1812–1882), l'auteur de l'*Histoire de dix ans* (1830–40), sans compter Lamartine (voir plus haut).

Le plus important pour la littérature et l'art, avec Thierry, est Jules Michelet, qui représente le plus parfaitement l'alliance de l'histoire avec le mouvement romantique. Il est bien un historien, c'est à dire qu'il a une connaissance de faits prodigieuse pour son temps, mais en même temps son imagination sait faire vivre les documents morts. Comme Chateaubriand et les romantiques, et avec une ardeur et une passion plus grande s'il se peut, il tient à réaffirmer les rapports profonds qui existent entre la France d'après la Révolution et la France médiévale, c'est à dire celle qui avait été trop négligée et longtemps incomprise depuis que la Renaissance avait mis à la mode les Grecs et les Romains. Les racines vivantes de la nation, elles

---

[1] Et dont la vocation historique avait été éveillée par Chateaubriand; voir la description de la bataille des Romains et des Francs dans *Les Martyrs*, dont nous avons donné une partie.

étaient dans la France de Charlemagne et de Roland, de Philippe Auguste et de saint Louis, des Croisades et des cathédrales, et aussi dans la France de Jeanne d'Arc qui libéra pour toujours le territoire des prétentions de l'étranger. Le but qu'il assigne à l'histoire, c'est « la reconstruction de la vie intégrale » de la nation française: « Je la vois comme une âme et comme une personne ».

C'est le peuple surtout qui l'intéresse, dont les rois et les prêtres doivent être les chefs inspirés. Dès le XVᵉ siècle, cependant, il signale un relâchement dans ce grand esprit du moyen-âge, et il s'en prend aux rois et aux prêtres qui, infidèles à leur mission, compromettent la grande œuvre. Il écrira des livres vengeurs contre les prêtres qui en s'immisçant par la confession dans la vie intime du peuple désintègrent la vie propre du pays (*Du prêtre, de la femme et de la famille*, 1845). Il plaidera partout la cause du peuple (*Le peuple*, 1846), prenant fait et cause pour ceux qui, dès le moyen-âge, se révoltent contre les mauvais bergers. La Révolution de la fin du XVIIIᵉ siècle sera pour lui une magnifique ère d'émancipation. Son récit de la « Prise de la Bastille » est aussi émouvant que ses pages merveilleuses sur « Jeanne d'Arc » . . . Telle son œuvre historique qui comprend surtout: *Histoire de France, des origines à la Renaissance* (1837–1844, 6 vol.), *Histoire de France* (1855–1857, 11 vol.), *Histoire de la Révolution Française* (1847–1853, 7 vol.).[1]

Dans la *Bible de l'Humanité* (1864) il donne un grand tableau de l'histoire embrassant le progrès de la race humaine tout entière; on observera que c'est à peu près la date où Victor Hugo commençait à travailler sa *Légende des siècles*. L'esprit des deux œuvres, celle en prose et celle en vers, ont bien des traits communs; ceux qui les ont conçues sont de somptueux visionnaires.

\*    \*    \*

Jules Michelet naquit à Paris; il était fils d'imprimeur, eut une enfance très difficile et laborieuse; ses talents brillants furent alimentés par une lecture prodigieuse; dès 1822 il était professeur d'histoire, et en 1827 il était nommé à l'École normale supérieure. La Révolution de 1830 éveilla dans son âme une immense espérance; sa nomination en 1831 comme Chef de la section historique aux Archives nationales allait lui faciliter sa grande entreprise, cette *Histoire de France* dont les travaux remplirent la plus grande partie de sa vie. En 1848, nouvelle espérance en lui que la France allait réaliser un idéal de liberté; mais il était (comme V. Hugo) outré du coup d'État de Louis Bonaparte en 1851; il refusait de prêter serment

---

[1] On voit qu'il a traité la Révolution avant la période qui va du moyen-âge à 1789.

à l'Empire, en 1852. À cause de cette résistance, il fut privé de sa chaire au Collège de France en 1851, et de sa place aux Archives en 1852.

Il séjourna dès lors en divers pays, et à son activité d'historien, il en ajouta une autre. Il s'enthousiasma pour la nature; mais tandis que George Sand demeurait attachée à la nature en tant que celle-ci était le séjour de l'homme, Michelet embrasse dans ses écrits la grande nature; il écrit une série de vastes poèmes en prose, *L'Oiseau*, (1852), *L'Insecte* (1857), *La Mer* (1861), *La Montagne* (1868); — dans *L'Insecte*, en particulier, il est comme un grand précurseur de Mæterlinck. Il faut ajouter qu'il eut pour collaboratrice fidèle dans cette partie de son œuvre, Madame Michelet, sa seconde femme.[1]

## L'Historien

### Jeanne d'Arc

[L'étudiant devrait lire intégralement l'histoire de Jeanne d'Arc telle qu'elle fut écrite par Michelet. Le fragment qui suit n'est que comme une introduction à ces pages inspirées.]

J'entrais un jour chez un homme qui a beaucoup vécu, beaucoup fait et beaucoup souffert. Il tenait à la main un livre qu'il venait de fermer, et semblait plongé dans un rêve; je vis, non sans surprise, que ses yeux étaient pleins
5 de larmes. Enfin, revenant à lui-même: « Elle est donc morte ! dit-il. — Qui ? — La pauvre Jeanne d'Arc. »

Telle est la force de cette histoire, telle sa tyrannie sur le cœur, sa puissance pour arracher les larmes. Bien dite ou mal contée, que le lecteur soit jeune ou vieux, qu'il soit,
10 tant qu'il voudra, affermi par l'expérience, endurci par la vie, elle le fera pleurer. Hommes, n'en rougissez pas, et ne vous cachez pas d'être hommes. Ici la cause est belle. Nul deuil récent, nul événement personnel n'a droit d'émouvoir davantage un bon et digne cœur.

15    ... L'histoire est telle:

Une enfant de douze ans, une toute jeune fille, confon-

[1] Il n'a jamais désiré être de l'Académie française; il était de l'Institut, et cela lui suffisait. Il refusa les avances qu'on lui faisait.

dant la voix de son cœur avec la voix du ciel, conçoit l'idée
étrange, improbable, absurde, si l'on veut, d'exécuter la
chose que les hommes ne peuvent plus faire, de sauver son
pays.  Elle couve cette idée pendant six ans sans la confier
à personne; elle n'en dit rien, même à sa mère, rien à nul  5
confesseur.  Sans nul appui de prêtre ou de parents, elle
marche tout ce temps avec Dieu dans la solitude de son
grand dessein.  Elle attend qu'elle ait dix-huit ans, et alors,
immuable, elle l'exécute malgré les siens et malgré tout le
monde.  Elle traverse [1] la France ravagée et déserte, les 10
routes infestées de brigands, elle s'impose à la cour de
Charles VII, se jette dans la guerre et dans les camps qu'elle
n'a jamais vus, dans les combats; rien ne l'étonne; elle
plonge intrépide au milieu des épées.  Blessée toujours,
découragée jamais, elle rassure les vieux soldats, entraîne 15
tout le peuple, qui devient soldat avec elle, et personne
n'ose plus avoir peur de rien.  Tout est sauvé !  La pauvre
fille, de sa chair pure et sainte, de ce corps délicat et tendre,
a émoussé le fer, brisé l'épée ennemie, couvert de son sein
le sein de la France.                                                20

    La récompense, la voici.  Livrée en trahison, outragée
des barbares, tentée des pharisiens [2] qui essayent en vain
de la prendre par ses paroles, elle résiste en tout à ce dernier
combat, elle monte au dessus d'elle-même, éclate en paroles
sublimes, qui font pleurer éternellement . . . Abandonnée 25
du roi et de son peuple qu'elle a sauvés, par le cruel chemin
des flammes elle revient dans le sein de Dieu.  Elle n'en
fonde pas moins sur l'échafaud le droit de la conscience,
l'autorité de la voix intérieure.

    [1] De Domrémy, en Lorraine, son village natal, à Chinon, en Tou-
raine, où étaient alors Charles VII et sa cour.
    [2] Les prêtres français dévoués à la cause des Anglais, et qui firent
au nom de l'Église, le procès d'hérésie à Jeanne.

Nul idéal qu'avait pu se faire l'homme n'a approché de cette très certaine réalité.

Ce n'est pas ici un docteur, un sage éprouvé par la vie, un martyr fort de ses doctrines, qui pour elles accepte la mort. 5 C'est une fille, une enfant, qui n'a de force que son cœur.

... Quand on lui demande, à cette fille jeune et simple qui n'avait rien fait que coudre et filer pour sa mère, comment elle avait pris sur elle de se faire homme,[1] comment elle avait fait l'effort, elle, si timide et rougissante, de s'en 10 aller parler aux soldats, de les mener, les commander, les réprimander, les forcer de combattre ...

Elle ne dit qu'un mot:

« *La pitié* qu'il y avait au royaume de France. »

... Souvenons-nous toujours, Français, que la patrie, 15 chez nous, est née du cœur d'une femme, de sa tendresse et de ses larmes, du sang qu'elle a donné pour nous.

## *La Prise de la Bastille*

### I

Il y avait en France une vingtaine de Bastilles,[2] dont six seulement (en 1775) contenaient trois cents prisonniers. À Paris, en 1779, il y avait une trentaine de prisons où l'on 20 pouvait être enfermé sans jugement. Une infinité de couvents servaient de suppléments à ces Bastilles ...

---

[1] Elle avait adopté le costume masculin pour faire la guerre.

[2] Nom donné d'abord à des forts isolés, en dehors des murs des villes; ici des forteresses ou prisons d'État où l'on enfermait des prisonniers politiques et des criminels de haut rang. Au singulier, *La Bastille*, désigne la fameuse forteresse construite au XIV° siècle, tout près des murs de Paris, à la Porte Sainte-Antoine, et dont les huit tours formidables rappelaient constamment aux esprits le despotisme royal. [Aujourd'hui une colonne surmontée d'une statue du génie de la liberté rappelle l'emplacement de l'ancienne forteresse.]

La Bastille, la lettre de cachet,[1] c'est l'excommunication du Roi.

L'excommunié mourra-t-il ? non.   Il faudrait une décision royale, une résolution pénible à prendre, dont souffrirait le Roi même.   Entre lui et sa conscience, ce serait un jugement.   Dispensons-le de juger, de tuer.   Il y a un milieu entre la vie et la mort, une vie morte, enterrée. Organisons un monde exprès pour l'oubli.   Mettons le mensonge aux portes, au dehors et au dedans, pour que la vie et la mort restent toujours incertaines ... Le mort vivant ne sait plus rien des siens, ni de ses amis ... « Mais ma femme ? — Ta femme est morte ... je me trompe ... remariée ... — Et mes amis, vivent-ils ? ont-ils souvenir de moi ? ... — Tes amis, eh ! radoteur, ce sont eux qui t'ont trahi ... » — Ainsi l'âme du misérable, livrée à leurs jeux féroces, est nourrie de dérisions, de vipères et de mensonges.

Oublié ! mot terrible.   Celui que Dieu fit pour la vie, n'avait-il donc pas le droit de vivre, au moins dans la pensée ?   Qui osera, sur terre, donner même au plus coupable cette mort par delà toute mort, le tuer dans le souvenir ?

Mais non, ne le croyez pas.   Rien n'est oublié, nul homme, nulle chose.   Ce qui a été une fois, ne peut s'anéantir ainsi ... Les murs mêmes n'oublieront pas, le pavé sera complice, transmettra des sons, des bruits ; l'air

---

[1] Un ordre « scellé du cachet royal »; et ici, un ordre d'arrestation au nom du roi et qui n'était pas soumis aux règles ordinaires de la justice, c'est à dire que seule la grâce du roi pouvait rendre au prisonnier sa liberté.   D'abord employé seulement en cas de graves offenses politiques, ce pouvoir extraordinaire tomba (surtout sous le règne du roi indolent Louis XV) aux mains de ministres et de personnes de haut rang qui, sans scrupule, en faisaient usage pour des vengeances personnelles.   Malgré de nombreuses protestations les lettres de cachet ne furent supprimées que par la Révolution.

n'oubliera pas; de cette petite lucarne, où coud une pauvre
fille, à la porte Saint-Antoine, on a vu, on a compris...
Que dis-je? la Bastille sera touchée elle-même. Ce rude
porte-clefs est encore un homme. Je vois inscrit sur les
5 murs l'hymne d'un prisonnier à la gloire d'un geôlier
son bienfaiteur... Pauvre bienfait!... une chemise qu'il
donna à ce Lazare, barbarement abandonné, mangé des
vers dans son tombeau!

Toutes les prisons s'étaient adoucies. Celle-ci s'était
10 endurcie. De règne en règne, on diminuait ce que les
geôliers appelaient pour rire: les libertés de la Bastille.
Peu à peu, on bouchait les fenêtres, on ajoutait des grilles.
Sous Louis XVI, on supprima le jardin et la promenade des
tours.

15    Deux choses vers cette époque ajoutèrent à l'irritation,
les mémoires de Linguet,[1] qui firent connaître l'ignoble et
féroce intérieur; et, ce qui fut plus décisif, l'affaire de
Latude,[2] non écrite, non imprimée, circulant mystérieuse-
ment en passant de bouche en bouche.

20    Pour leur malheur, il se trouva qu'ils avaient enfermé en
ce prisonnier un homme ardent et terrible, que rien ne
pouvait dompter, dont la voix ébranlait les murs, dont
l'esprit, l'audace, étaient invincibles... Corps de fer,
indestructible, qui devait user toutes les prisons, et la

----

[1] Un homme de loi et journaliste qui fut enfermé à la Bastille en
1779 pour quelque écrit politique audacieux, et qui publia ensuite des
*Mémoires* célèbres dans lesquels il raconte la vie et les souffrances
terribles auxquelles étaient soumis les prisonniers. Linguet mourut
guillotiné en 1794.

[2] Célèbre par ses longues détentions à la Bastille et dans d'autres
forteresses, et par plusieurs évasions osées; mais il finissait toujours
par être repris. Il avait encouru le déplaisir de Madame de Pompadour. Il vécut près de vingt ans après sa délivrance, et mourut en
1805.

Bastille, et Vincennes, et Charenton,[1] enfin l'horreur de
Bicêtre,[2] où tout autre aurait péri. . . .

Je suis malheureusement obligé de dire que dans cette
société molle, faible, caduque, il y eut force philanthropes,
ministres, magistrats, grands seigneurs, pour pleurer sur 5
l'aventure; pas un ne fit rien.

Il était sur son fumier, à Bicêtre, mangé des poux, *à la
lettre*, logé sous terre, et souvent hurlant de faim. Il avait
encore adressé un mémoire à je ne sais quel philanthrope,
par un porte-clefs ivre. Celui-ci, heureusement, le perd; 10
une femme le ramasse. Elle le lit, elle frémit, elle ne pleure
pas, celle-ci, mais elle agit à l'instant.

M^{me} Legros était une pauvre petite mercière, qui vivait
de son travail en cousant dans sa boutique, avec son mari,
coureur de cachets, répétiteur de latin.[3] Elle ne craignit 15
pas de s'embarquer dans cette terrible affaire. Elle vit,
avec un ferme bon sens, ce que les autres ne voyaient pas ou
bien ne voulaient pas voir: que le malheureux n'était pas
fou, mais victime d'une nécessité affreuse de ce gouvernement, obligé de cacher, de continuer l'infamie de ses 20
vieilles fautes. Elle le vit, et elle ne fut point découragée,
effrayée. Nul héroïsme plus complet: elle eut l'audace
d'entreprendre, la force de persévérer, l'obstination du
sacrifice de chaque jour et de chaque heure, le courage de
mépriser les menaces, la sagacité et toutes les saintes ruses, 25
pour écarter, déjouer les calomnies des tyrans.

Trois ans de suite, elle suivit son but avec une opiniâtreté
inouïe dans le bien, mettant à poursuivre le droit, la justice,

---

[1] Forteresses bastilles, des environs de Paris.

[2] Aujourd'hui devenu, comme Charenton, un asile d'aliénés près de
Paris.

[3] Qui donne des ( répétitions ) ou leçons particulières à un ou
quelques élèves réunis pour compléter les leçons données en classe.
On payait par « cachets » que le maître vendait aux élèves.

cette âpreté singulière du chasseur ou du joueur, que nous
ne mettons guère que dans nos mauvaises passions.

Tous les malheurs sur la route, et elle ne lâche pas prise.
Son père meurt, sa mère meurt; elle perd son petit com-
5 merce; elle est blâmée de ses parents, vilainement soup-
çonnée.

La tentation des tentations, le sommet, la pointe aiguë
du Calvaire, ce sont les plaintes, les injustices, les dé-
fiances de celui pour qui elle s'use et se sacrifie !

10    Grand spectacle de voir cette femme pauvre, mal vêtue,
qui s'en va de porte en porte, faisant la cour aux valets
pour entrer dans les hôtels, plaider sa cause devant les
grands, leur demander leur appui.

La police frémit, s'indigne. M^{me} Legros peut être en-
15 levée d'un moment à l'autre, enfermée, perdue pour toujours; tout le monde l'en avertit.  Le lieutenant de police
la fait venir, la menace.  Il la trouve immuable, ferme;
c'est elle qui le fait trembler.

Par bonheur, on lui ménage l'appui de M^{me} Duchesne,
20 femme de chambre de Mesdames.[1]  Elle part pour Versailles, à pied, en plein hiver ... La protectrice était
absente; elle court après, gagne une entorse, et elle n'en
court pas moins.  M^{me} Duchesne pleure beaucoup; mais,
hélas! que peut-elle faire ?  Une femme de chambre contre
25 deux ou trois ministres, la partie est forte !  Elle tenait en
main la supplique; un abbé de cour, qui se trouve là,
la lui arrache des mains, lui dit qu'il s'agit d'un enragé,
d'un misérable, qu'il ne faut pas s'en mêler.

Il suffit d'un mot pareil pour glacer Marie-Antoinette,
30 à qui l'on en avait parlé.  Elle avait la larme à l'œil.  On
plaisanta.  Tout finit.

---

[1] Le titre donné aux princesses, sœurs et filles du roi.  Ici, les filles
de Louis XV et tantes du roi Louis XVI.

Il n'y avait guère en France d'homme meilleur que le roi. On finit par aller à lui. Le cardinal de Rohan [1] (un polisson, mais après tout charitable), parla trois fois à Louis XVI, qui par trois fois refusa. Louis XVI était trop bon pour ne pas en croire M. de Sartine.[2] Mais, Sartine 5 à part, il faut le dire, Louis XVI aimait la Bastille; il ne voulait pas lui faire tort, la perdre de réputation.

Le roi était trop humain. Il avait supprimé les bas cachots [3] du Châtelet, supprimé Vincennes, créé la Force [4] pour y mettre les prisonniers pour dettes, les 10 séparer des voleurs.

Mais la Bastille! la Bastille! c'était un vieux serviteur que ne pouvait maltraiter à la légère la vieille monarchie. C'était un système de terreur, c'était comme disait Tacite: *Instrumentum regni* ... 15

Le roi repoussa la pétition que Rohan lui présentait pour Latude. Des femmes de haut rang insistèrent. Il fit alors consciencieusement une étude de l'affaire, lut tous les papiers; il n'y en avait guère d'autres que ceux de la police, ceux des gens intéressés à garder la victime en prison jusqu'à la 20 mort. Il répondit définitivement que c'était un homme dangereux; qu'il ne pouvait lui rendre la liberté *jamais*.

Jamais! Tout autre en fût resté là. Eh bien, ce qui ne se fait par le roi, se fera malgré le roi.

La persévérance sera couronnée tout à l'heure! Latude 25 s'obstine à vivre, et M^me Legros s'obstine à délivrer Latude ...

[1] Un des grands dignitaires de l'Église, connu pour ses prodigalités et sa vie somptueuse. [Il sera plus tard mêlé à la fameuse affaire du collier].

[2] Il était lieutenant général de police quand Latude avait été pour la première fois enfermé.

[3] Cachots au-dessous du niveau du sol, sans air et sans lumière.

[4] Encore aujourd'hui des forteresses servant de prisons.

Puis, en 1784, on arrache à Louis XVI la délivrance de
Latude . . .

## II

Le temps a marché. Quatre années se sont écoulées
depuis la délivrance de Latude! La Révolution est faite
5 dans la haute région des esprits; elle est en train de s'accomplir dans l'âme du peuple. Nous sommes en 89.
Grande scène, étrange, étonnante, de voir toute une nation qui, d'une fois, passe du néant à l'être, qui, jusque-là
silencieuse, prend tout d'un coup une voix, montre un ins-
10 tinct très sûr . . .

[C'est en 1788 que le gouvernement, enfin conscient que les palliatifs
tentés pour empêcher la France de courir à sa ruine, et devant les
manifestations de mécontentement populaire, eut recours à la convo-
cation des États Généraux — assemblée nationale composée des
représentants des trois « ordres »: *la noblesse, le clergé* et *le peuple*,
ce dernier appelé le « tiers (troisième) État ». Le roi ne convoquait
les États Généraux qu'aux heures particulièrement difficiles. Ils
avaient été convoqués, par exemple, en 1302 — la première fois —
pour protester contre les empiètements du Saint-Siège sur les affaires
de l'État; en 1355, à la veille de l'invasion anglaise (guerre de cent
ans); en 1614 pour protester contre les impôts et les dépenses du
gouvernement.

On se réunit à Versailles, au printemps de 1789. Ceux qui entouraient le roi, et le roi lui-même, n'avaient pas conscience de la
gravité de la crise, et ils essayèrent de voir dans tout cela une simple
formalité pour donner au peuple l'illusion qu'on le consultait. L'assemblée, cependant, ne vit pas les choses de cette manière. Le 23
juin, le roi, mal conseillé, somma les délégués, qui ne se montraient
pas assez dociles, de « se séparer ». Cette nouvelle, arrivant à Paris,
mit la ville dans un état de grande fermentation. Le roi, effrayé,
céda quelque peu. Mais tout tournait mal.]

Du 23 juin au 12 juillet, de la menace du roi à l'explosion
du peuple, il y eut une halte étrange. C'était, dit un
15 observateur, c'était un temps orageux, lourd, sombre,
comme un songe agité et pénible, plein d'illusions, de

trouble.  Fausses alarmes, fausses nouvelles; fables, inventions de toutes sortes.  On savait, on ne savait pas.  On voulait tout expliquer, tout deviner.  On voyait des causes profondes même aux choses indifférentes.  Des mouvements commençaient sans auteur et sans projet, d'eux-mêmes, d'un fonds général de défiance, de sourde colère. Le pavé brûlait, le sol était comme miné, vous entendiez dessous déjà gronder le volcan.

Le dimanche, 12 juillet au matin, jusqu'à dix heures, personne encore à Paris ne savait que, la veille au soir, le roi avait congédié son ministre Necker.[1]  Le premier qui en parla au Parlement fut traité d'aristocrate, menacé. Mais la nouvelle se confirme, elle circule, la fureur aussi . . . À ce moment, il était midi, le canon du Palais-Royal [2] vint à tonner.  « On ne peut rendre, dit *l'Ami du roi*,[3] le sombre sentiment de terreur dont ce bruit pénétra les âmes ».  Un jeune homme, Camille Desmoulins,[4] sort du café de Foy,

[1] Le banquier de Genève, à qui le roi avait confié le ministère des finances.  Le peuple attendait de lui des réformes, tandis que la cour craignait ces mêmes réformes.  Le renvoi de Necker fut donc une victoire pour la réaction.  L'ancien ministre, cependant, demeura fidèle au roi dans ses sentiments, et lorsque vint la Terreur, il rentra en Suisse avec sa famille.  Il mourut en 1804.  [Il était le père de Mme de Staël.]

[2] Il y avait dans le Jardin du Palais Royal un canon — dont la mèche était allumée par les rayons du soleil — qui tonnait tous les jours à midi.  Le Palais Royal, construit par Richelieu, donné par lui au roi;  les jardins adjacents étaient publics;  les oisifs s'y promenaient — comme aujourd'hui sur les Grands Boulevards — et discutaient les événements du jour.

[3] Un journal du temps.

[4] Une des grandes figures de la Révolution (1760–1794), à ce moment simple avocat, plus tard journaliste et membre de la Convention nationale.  Enthousiaste de la Révolution, il montra, après la mort du roi et de la reine, des signes de modération; cela lui valut la colère des Terroristes ou Dantonistes avec lesquels il avait combattu jusque là;  il fut guillotiné.

saute sur une table, tire l'épée, montre un pistolet: « Aux
armes ! les Allemands [1] du Champ-de-Mars [2] entreront
ce soir dans Paris pour égorger les habitants ! Arborons
une cocarde ! » Il arrache une feuille d'arbre et la met à
5 son chapeau: tout le monde en fait autant; les arbres sont
dépouillés.

« Point de théâtres ! point de danse ! c'est un jour de
deuil ! » On va prendre au cabinet des figures de cire le
buste de Necker; d'autres, toujours là pour profiter des
10 circonstances, y joignent celui d'Orléans.[3] On les porte
couverts de crêpes à travers Paris; le cortège, armé de
bâtons, d'épées, de pistolets, de haches, suit d'abord la rue
Richelieu, puis, en tournant le boulevard, les rues Saint-
Martin, Saint-Denis, Saint-Honoré, vient à la place Ven-
15 dôme.  Là, devant les hôtels des fermiers généraux,[4] un
détachement de dragons attendait le peuple; il fondit sur
lui, le dispersa, lui brisa son Necker.

La cour, si près de Paris, ne pouvait rien ignorer.  Elle
resta immobile, n'envoya ni ordre, ni troupe.  Elle atten-
20 dait apparemment que le trouble, augmentant, devenant

---

[1] On appelait de ce nom commun les mercenaires allemands, autrichiens et suisses alors à la solde du roi de France.  Sauf les officiers, ils ignoraient souvent la langue du pays et ne comprenaient pas
les évènements dont ils étaient cependant les témoins actifs.

[2] Une grande place sur la rive gauche de la Seine où les soldats
étrangers étaient en caserne.

[3] Un cousin de Louis XVI, et père du futur roi Louis-Philippe; il
avait espéré profiter de la Révolution pour remplacer Louis XVI sur
le trône; à la Convention, il alla jusqu'à voter pour la mort de son
cousin.  Ceci déplut au peuple et il finit par être guillotiné en 1794.

[4] C'étaient les hommes à qui le roi « affermait » la charge de faire
rentrer les impôts et qui souvent s'étaient rendus haïssables au peuple
par leur dureté, et même par les profits honteux qu'ils retiraient de
leurs fonctions alors que la misère régnait partout.  La plupart pé-
rirent pendant la Révolution.

révolte et guerre, lui donnât un prétexte spécieux pour dissoudre l'Assemblée.

Vers l'après-midi, voyant monter le flot du peuple, le commandant Besenval [1] mit ses Allemands dans les Champs-Élysées avec quatre pièces de canon, et réunit ses cavaliers sur la place Louis XV. [2] Avant le soir, avant l'heure où l'on rentre le dimanche, la foule revenait par les Champs-Élysées, remplissait les Tuileries; c'étaient généralement des promeneurs inoffensifs, des familles qui voulaient rentrer de bonne heure, « parce qu'il y avait du bruit. » Cependant, la vue de ces soldats allemands, en bataille sur place, ne laissait pas d'émouvoir. Des hommes dirent des injures, des enfants jetèrent des pierres. C'est alors que Besenval, craignant à la fin qu'on ne lui reprochât à Versailles de n'avoir rien fait, donna l'ordre insensé, barbare, digne de son étourderie, de pousser ce peuple avec les dragons. Ils ne pouvaient se mouvoir dans cette masse compacte qu'en écrasant quelques personnes.

La foule, sortie des Tuileries avec des cris d'effroi et d'indignation, remplit Paris du récit de cette brutalité, de ces Allemands poussant leurs chevaux contre des femmes et des enfants, des vieillards . . .

Le lundi, 13 juillet, le député Guillotin, [3] puis deux électeurs, allèrent à Versailles, et supplièrent l'Assemblée « de concourir à établir une garde bourgeoise. » Ils firent un tableau effrayant de la crise de Paris. L'Assemblée vota deux députations, l'une au roi, l'autre à la ville. Elle ne tira du roi qu'une sèche et ingrate réponse, bien étrange

---

[1] Le commandant militaire de la ville de Paris, et grand ami de la cour.

[2] Aujourd'hui Place de la Concorde.

[3] Un médecin, et député aux États généraux. C'est lui qui, par humanité, inventa la « guillotine » pour remplacer les méthodes souvent cruelles par lesquelles étaient exécutés les condamnés à mort.

quand le sang coulait: « Qu'il ne pouvait rien changer aux mesures qu'il avait prises, qu'il était seul juge de leur nécessité, que la présence des députés à Paris ne pouvait faire aucun bien . . . » L'Assemblée insista pour l'éloignement
5 des troupes.

On déclara la séance permanente, et elle continua pendant soixante-douze heures. M. Lafayette, qui n'avait pas peu contribué au vigoureux arrêté, fut nommé vice-président . . .

10 Le peuple criait toujours: Des armes ! . . .

L'affaire des subsistances pressait autant que celle des armes. Le lieutenant de police, mandé par les électeurs, dit que les arrivages ne le regardaient en rien. La ville dut aviser à se nourrir comme elle pourrait. Tous ses abords
15 étaient occupés par les troupes; il fallait que les fermiers, les marchands qui apportaient les denrées se hasardassent à traverser des postes et des camps d'étrangers qui ne parlaient qu'allemand. En supposant qu'ils y arrivassent, ils trouvaient mille difficultés pour repasser les barrières.[1]

20 Paris devait mourir de faim ou vaincre, et vaincre en un jour. Comment espérer ce miracle ? Il avait l'ennemi dans la ville même, à la Bastille,[2] et à l'École militaire,[3] l'ennemi à toutes les barrières; les gardes françaises, sauf un petit nombre, restaient dans leurs casernes, ne se déci-
25 daient pas encore. Que le miracle se fît par les Parisiens tout seuls, c'était presque ridicule à dire. Ils passaient

[1] Encore aujourd'hui, nom des portes de la ville où sont établis les bureaux d'octroi.

[2] La Bastille, assez défendue de ses épaisses murailles, venait de recevoir un renfort de mercenaires suisses. Elle avait des munitions, une monstrueuse masse de poudre, à faire sauter toute la ville. Les canons, en batterie sur les tours depuis le 30 juin, regardaient Paris, et tout chargés, passaient leur gueule menaçante entre les créneaux.

[3] Sur le Champ de Mars, destinée aux fils d'officiers et de nobles. Les troupes mercenaires y étaient cantonnées.

pour une population douce, amollie, *bon enfant.* Que ce peuple devînt tout à coup une armée aguerrie, rien n'était moins vraisemblable.

La situation était terrible, dénuée, de peu d'espoir, à voir le matériel. Mais le cœur était immense, chacun le sentait 5 grandir d'heure en heure dans sa poitrine. Tous venaient à l'Hôtel de Ville s'offrir au combat; c'étaient des corporations, des quartiers, qui formaient des légions de volontaires. La compagnie de l'arquebuse [1] offrit ses services. L'École de chirurgie vint, Boyer [2] en tête; la Basoche [3] 10 voulait passer devant, combattre à l'avant garde; tous ces jeunes gens juraient de mourir jusqu'au dernier.

Combattre ? mais avec quoi: sans armes, sans fusils, sans poudre ? … Paris, bouleversé, délaissé de toute autorité légale, dans un désordre apparent, atteignit, le 14 juillet, 15 ce qui moralement est l'ordre le plus profond, l'unanimité des esprits.

Le 13 juillet, Paris ne songeait qu'à se défendre. Le 14, il attaqua.

Le 13 au soir, il y avait encore des doutes, et il n'y en 20 avait plus le matin. Le soir était plein de trouble, de fureur désordonnée. Le matin fut lumineux et d'une sérénité terrible.

Une idée se leva sur Paris avec le jour, et tous virent la même lumière. Une lumière dans les esprits, et dans 25 chaque cœur une voix: Va, et tu prendras la Bastille !

Cela était impossible, insensé, étrange à dire … Et tous le crurent néanmoins. Et cela se fit.

---

[1] Une société de tir à l'arquebuse.

[2] Le baron Alexis Boyer, grand chirurgien, une des autorités en médecine de l'époque.

[3] Nom donné à l'Association des juristes parisiens sous l'ancien régime. Basoche était véritablement le nom du bâtiment où on rendait la justice.

La Bastille, pour être une vieille forteresse, n'en était pas moins imprenable, à moins d'y mettre plusieurs jours, et beaucoup d'artillerie. Le peuple n'avait, en cette crise, ni le temps, ni les moyens de faire un siège régulier. L'eût-il
5 fait, la Bastille n'avait pas à craindre, ayant assez de vivres pour attendre un secours si proche, et d'immenses munitions de guerre. Ses murs de dix pieds d'épaisseur au sommet des tours, de trente ou quarante à la base, pouvaient rire longtemps des boulets; et ses batteries, à elle,
10 dont le feu plongeait sur Paris, auraient pu en attendant démolir tout le Marais,[1] tout le faubourg Saint-Antoine.[2] Ses tours, percées d'étroites croisées et de meurtrières, avec doubles et triples grilles, permettaient à la garnison de faire en toute sûreté un affreux carnage des assaillants.
15 L'attaque de la Bastille ne fut nullement raisonnable. Ce fut un acte de foi.

Personne ne proposa, mais tous crurent, et tous agirent. Le long des rues, des quais, des ponts, des boulevards, la foule criait à la foule: À la Bastille! à la Bastille!... Et
20 dans le tocsin qui sonnait, tous entendaient: À la Bastille!

Personne, je le répète, ne donna l'impulsion. Les parleurs du Palais-Royal[3] passèrent le temps à dresser une liste de proscription, à juger à mort la reine, la Polignac,[4] Artois,[5] le prévôt Flesselles,[6] d'autres encore.

[1] Quartier à l'est de Paris; ainsi nommé parce qu'il est construit sur un terrain d'anciens marais.

[2] Attenant à la Porte Sainte-Antoine, et entre le quartier du Marais et la Bastille. Aujourd'hui encore quartier populaire.

[3] Voir note 2, p. 489.

[4] Façon méprisante de parler, pour désigner la Duchesse de Polignac, grande favorite de la reine Marie-Antoinette, et que le peuple considérait comme responsable d'avoir inspiré des mesures fort réactionnaires. Elle émigra et mourut en 1793.

[5] Le comte d'Artois, frère cadet de Louis XVI, très impopulaire, et qui devait monter sur le trône sous le nom de Charles X, en 1824, mais pour être renversé par la Révolution de 1830.

[6] *Prévôt des marchands* était alors le titre de ce qu'on nommerait

Encore moins les électeurs [1] qui siégeaient à l'Hôtel de
Ville eurent-ils l'idée de l'attaque.  Loin de là, pour l'empêcher, pour prévenir le carnage que la Bastille pouvait
faire si aisément, ils allèrent jusqu'à promettre au gouverneur que, s'il retirait ses canons, on ne l'attaquerait  5
pas.  Les électeurs ne trahissaient point, comme ils en
furent accusés, mais il n'avaient pas la foi.

Qui l'eut ?  Celui qui eut aussi le dévouement, la force,
pour accomplir sa foi.  Qui ? le peuple, tout le monde.

Les vieillards qui ont eu le bonheur et le malheur de voir 10
tout ce qui s'est fait dans ce demi-siècle unique où les
siècles semblent entassés, déclarent que tout ce qui suivit
de grand, de national, sous la République et l'Empire, eut
cependant un caractère partiel, non unanime, que le seul
14 juillet fut le jour du peuple entier.  Qu'il reste donc, 15
ce grand jour, qu'il reste une des fêtes éternelles du genre
humain, non seulement pour avoir été le premier de la délivrance, mais pour avoir été le plus haut de la concorde !

Que se passa-t-il dans cette courte nuit, où personne ne
dormit, pour qu'au matin, tout dissentiment, toute in- 20
certitude disparaissant avec l'ombre, ils eussent les mêmes
pensées ?

On sait ce qui se fit au Palais-Royal, à l'Hôtel de Ville;
mais ce qui se passa au foyer du peuple, c'est là ce qu'il
faudrait savoir.                                            25

Là pourtant, on le devine assez par ce qui suivit, là

___

aujourd'hui le maire de la ville. Il était choisi parmi les plus importants bourgeois et devait représenter les intérêts de la ville auprès
du roi.  Flessels, cependant, sympathisa avec la cour pendant ces
jours de trouble, et le peuple le savait.

[1] Les « électeurs » étaient ceux qui avaient choisi les députés aux
États généraux; ils voulaient se réunir encore après l'élection pour
compléter leurs instructions aux députés;  le gouvernement avait
voulu les en empêcher, mais il refusèrent de se laisser intimider, et ils
siégèrent à l'Hôtel de Ville, dans la Salle Saint-Jean.

chacun fit dans son cœur le jugement dernier du passé,
chacun avant de frapper, le condamna sans retour...
L'histoire revint cette nuit-là, une longue histoire de souffrances, dans l'instinct vengeur du peuple. L'âme des
5 pères qui, tant de siècles souffrirent, moururent en silence,
revint dans les fils, et parla.

   Hommes forts, hommes patients, jusque là si pacifiques, qui deviez frapper en ce jour le grand coup de la
Providence, la vue de vos familles sans ressource autre
10 que vous, n'amollit pas votre cœur. Loin de là, regardant
une fois encore vos enfants endormis, ces enfants dont ce
jour allait faire la destinée, votre pensée grandie embrassa
les libres générations qui sortiraient de leur berceau, et
sentit dans cette journée tout le combat de l'avenir!...
15   L'avenir et le passé faisaient tous deux même réponse;
tous deux, ils dirent: Va!... Et ce qui est hors du temps,
hors de l'avenir et hors du passé, l'immuable Droit le disait
aussi, l'immortel sentiment du Juste donna une assiette
d'airain [1] au cœur agité de l'homme, et lui dit: Va paisible,
20 que t'importe? quoi qu'il t'arrive, mort, vainqueur, je suis
avec toi!

   Et qu'est-ce que la Bastille faisait à ce peuple? Les
hommes du peuple n'y entrèrent presque jamais...
Mais la justice lui parlait, et une voix qui plus fortement
25 encore parle au cœur, la voix de l'humanité et de la miséricorde; cette voix douce qui semble faible et qui renverse les
tours, déjà depuis dix ans, elle faisait chanceler la Bastille.

   Il faut dire vrai; si quelqu'un eut la gloire de la
renverser, c'est cette femme intrépide qui si longtemps tra-
30 vailla à la délivrance de Latude [2] contre toutes les puissances du monde.

----

[1] = base de bronze.
[2] Voir note 2, page 484.

Depuis ce temps, le peuple de la ville et du faubourg, qui sans cesse, dans ce lieu si fréquenté, passait, repassait dans son ombre, ne manquait pas de la maudire.  Elle méritait bien cette haine.  Il y avait bien d'autres prisons, mais celle-ci, c'était celle de l'arbitraire capricieux, du despotisme fantasque, de l'inquisition ecclésiastique et bureaucratique.  La cour, si peu religieuse en ce siècle, avait fait de la Bastille le domicile des libres esprits, la prison de la pensée.  Moins remplie sous Louis XVI, elle avait été plus dure et non moins injuste;  on rougit pour la France d'être obligé de dire que le crime d'un des prisonniers était d'avoir donné un secret utile à notre marine !  on craignit qu'il ne le portât ailleurs.

Le monde entier connaissait, haïssait la Bastille.  Bastille, tyrannie, étaient dans toutes les langues, deux mots synonymes.  Toutes les nations, à la nouvelle de sa ruine, se crurent délivrées.

En Russie, dans cet empire du mystère et du silence, cette Bastille monstrueuse entre l'Europe et l'Asie, la nouvelle arrivait à peine que vous auriez vu des hommes de toutes nations crier, pleurer, sur les places; ils se jetaient dans les bras l'un de l'autre, en se disant la nouvelle, « Comment ne pas pleurer ! *La Bastille est prise.* »

Le matin même du grand jour, le peuple n'avait pas d'armes encore.

La poudre qu'il avait prise la veille, à l'arsenal,[1] et mise à l'Hôtel de Ville, lui fut lentement distribuée pendant la nuit par trois hommes seulement.  La distribution ayant cessé un moment vers deux heures, la foule désespérée enfonça les portes du magasin à coups de marteau; chaque coup faisait feu sur les clous.

[1] Le peuple, la veille, avait forcé qu'on lui remette des réserves de poudre gardées à l'arsenal.

Point de fusils ! il fallait aller les prendre, les enlever des Invalides.[1] Cela était très hasardeux. Les Invalides sont, il est vrai, une maison tout ouverte. Mais le gouverneur Sombreuil,[2] vieux et brave militaire, avait reçu un fort détachement d'artillerie et des canons, sans compter ceux qu'il avait. Pour peu que ces canons servissent, la foule pouvait être prise en flanc par les régiments que Besenval avait à l'École militaire, et facilement dispersée . . .

Le vieux Sombreuil fut très habile. Il se présenta à la grille, dit qu'il avait effectivement des fusils, mais que c'était un dépôt qui lui était confié, que sa délicatesse de militaire et de gentilhomme ne lui permettait pas de trahir. Cet argument imprévu arrêta la foule tout court; admirable candeur du peuple, à ce premier âge de la révolution.

— Sombreuil ajoutait qu'il avait envoyé un courrier à Versailles, qu'il attendait la réponse, le tout avec force protestations d'attachement et d'amitié pour l'Hôtel de Ville et la Ville en général.

La plupart voulaient attendre. Il se trouva là heureusement un homme moins scrupuleux qui empêcha la foule d'être ainsi mystifiée. Il n'y avait pas de temps à perdre; et ces armes, à qui étaient-elles, sinon à la nation ? . . . On sauta dans les fossés, et l'hôtel fut envahi; vingt-huit mille fusils furent trouvés dans les caves, enlevés, avec vingt pièces de canon.

Tout ceci entre neuf et onze. Mais courons à la Bastille.

[1] L'Hôtel des Invalides, maison de retraite pour les anciens soldats, fondé par Louis XIV, et situé près du Champ de Mars.

[2] C'est ce Sombreuil qui fut incarcéré à la prison de l'Abbaye, et que sa fille sauva de la guillotine, selon la légende, en buvant un verre de sang. (Voir l'*Ode* de Victor Hugo à Mlle de Sombreuil.) Il fut repris et guillotiné en 1794.

Le gouverneur De Launey était sous les armes, dès le 13, dès deux heures de nuit. Il n'avait négligé aucune précaution. Outre ses canons des tours, il en avait de l'Arsenal, qu'il mit dans la cour, chargés à mitraille. Sur les tours, il fit porter six voitures de pavés, de boulets et de 5 ferraille, pour écraser les assaillants. Dans les meurtrières du bas, il avait placé douze gros fusils de rempart [1] qui tiraient chacun une livre et demie de balles. En bas, il tenait ses soldats les plus sûrs, trente-deux Suisses, qui n'avaient aucun scrupule de tirer sur des Français. Ses 10 quatre-vingt-deux invalides [2] étaient pour la plupart dispersés, loin des portes, sur les tours. Il avait évacué les bâtiments avancés qui couvraient le pied de la forteresse.

Le 13, rien, sauf des injures que les passants venaient dire à la Bastille. 15

Le 14, vers minuit, sept coups de fusils sont tirés sur les factionnaires des tours. Alarme! Le gouverneur monte avec l'état-major, reste une demi-heure, écoutant les bruits lointains de la ville; n'entendant plus rien, il descend.

Le matin, beaucoup de peuple, et de moment en moment, 20 des jeunes gens. Ils crient qu'il faut leur donner des armes. On ne les écoute pas. On écoute, on introduit la députation pacifique de l'Hôtel de Ville,[3] qui, vers dix heures, prie le gouverneur de retirer ses canons, promettant que, s'il ne tire point, on ne l'attaquera pas. Il accepte volontiers, 25 n'ayant nul ordre de tirer, et, plein de joie, oblige les envoyés de déjeuner avec lui.

Comme ils sortaient, un homme arrive, qui parle d'un

[1] « Sorte de fusil plus long que le fusil ordinaire et portant plus loin » (*Littré*).

[2] C'est à dire des soldats logés à l'Hôtel des Invalides et qu'on avait fait appeler à l'heure du danger.

[3] Députation des électeurs siégeant à l'Hôtel de Ville, et qui cherchait à éviter de répandre le sar-

tout autre ton. Un homme violent, audacieux, sans respect humain, sans peur ni pitié, ne connaissant nul obstacle, ni délai, portant en lui le génie colérique de la Révolution . . . Il venait sommer la Bastille.

5 La terreur entre avec lui. La Bastille a peur; le gouverneur ne sait pourquoi, mais il se trouble, il balbutie.

L'homme, c'était Thuriot,[1] un dogue terrible, de la race de Danton[2]; nous le retrouverons deux fois, au commencement et à la fin; sa parole est deux fois mortelle: il tue la 10 Bastille, il tue Robespierre.

Il ne doit passer le pont, le gouverneur ne le veut pas, et il passe. De la première cour, il marche à la seconde; nouveau refus, et il passe; il franchit le second fossé par le pont-levis. Et le voilà en face de l'énorme grille de fer qui 15 fermait la troisième cour. Celle-ci semblait moins une cour qu'un puits monstrueux, dont les huit tours, unies entre elles, formaient les parois. Ces affreux géants ne regardaient point du côté de cette cour, n'avaient point une fenêtre. À leurs pieds, dans leur ombre, était l'unique 20 promenade du prisonnier; perdu au fond de l'abîme, oppressé de ces masses énormes, il n'avait a contempler que l'inexorable nudité des murs. D'un côté seulement, on avait placé une horloge entre deux figures de captifs aux fers, comme pour enchaîner le temps et faire plus lourde-25 ment peser la lente succession des heures.

[1] Un des « électeurs » de Paris; plus tard membre de l'Assemblée nationale. Il venait, à son tour, pour essayer de parlementer avec le gouverneur de la Bastille. C'est lui qui, en 1794, présidait cette Assemblée lorsque Robespierre fut condamné à mort, mort qui fut le signal de la fin de la Terreur; il mourut lui-même seulement en 1829.

[2] Le terrible chef du parti Dantoniste ou de la Terreur qui fut responsable de si nombreuses condamnations. À la fin lui-même voulut pencher vers la modération, et il fut guillotiné à son tour en 1794.

Là étaient les canons chargés, la garnison, l'état-major. Rien n'imposa à Thuriot. « Monsieur, dit-il au gouverneur, je vous somme au nom du peuple, au nom de l'honneur et de la patrie, de retirer vos canons, et de rendre la Bastille. » Et, se tournant vers la garnison, il répéta les mêmes mots.

Si M. De Launey eût été un vrai militaire, il n'eût pas introduit ainsi le parlementaire au cœur de la place; encore moins, l'eût-il laissé haranguer la garnison. Mais il faut bien remarquer que les officiers de la Bastille étaient la plupart officiers par la grâce du lieutenant de police; ceux mêmes qui n'avaient servi jamais, portaient la croix de Saint-Louis.[1] Tous, depuis le gouverneur jusqu'aux marmitons, avaient acheté leurs places, et ils en tiraient parti. Le gouverneur à ses soixante mille livres d'appointements, trouvait moyen chaque année d'en ajouter bien autant par ses rapines. Il nourrissait sa maison aux dépens des prisonniers; il avait réduit leur chauffage, gagnait sur leur vin, sur leur triste mobilier. Chose impie, barbare, il louait à un jardinier le petit jardin de la Bastille, qui couvrait un bastion, et, pour ce misérable gain, il avait ôté aux prisonniers cette promenade, ainsi que celle des tours, c'est-à-dire l'air et la lumière.

Cette âme basse et avide avait encore une chose qui lui abaissait le courage, il savait qu'il était connu; les terribles mémoires de Linguet avaient rendu De Launey illustre en Europe. La Bastille était haïe, mais le gouverneur était personnellement haï. Les cris furieux du peuple, qu'il entendait, il les prenait pour lui-même; il était plein de trouble et de peur.

Les paroles de Thuriot eurent un effet différent sur les

[1] Insigne de l'ordre fondé par Louis XIV pour récompenser des exploits militaires.

Suisses et sur les Français.  Les Suisses ne les comprirent
pas [1];  leur capitaine, M. de Flue, était résolu à tenir.  Mais
l'état-major, mais les invalides, furent ébranlés: ces vieux
soldats, en rapport habituel avec le peuple du faubourg,
5 n'avaient nulle envie de tirer sur lui.  Voilà la garnison
divisée;  que feront les deux partis ? s'ils ne peuvent s'accorder, vont-ils tirer l'un sur l'autre ?

Le triste gouverneur, d'un ton apologétique, dit ce qui
venait d'être convenu avec la ville.  Il jura et fit jurer à la
10 garnison, que s'ils n'étaient attaqués, ils ne commence-
raient pas.

Thuriot ne s'en tient pas là.  Il veut monter sur les tours,
voir si effectivement les canons sont retirés.  De Launey,
qui n'en était pas à se repentir de l'avoir déjà laissé péné-
15 trer si loin, refuse; mais ses officiers le pressent, il monte
avec Thuriot.

Les canons étaient reculés, masqués, toujours en direction.

La vue, de cette hauteur de cent quarante pieds, était
20 immense, effrayante;  les rues, les places, pleines de peuple;
tout le jardin de l'arsenal comblé d'hommes armés ...
Mais voilà de l'autre côté, une masse noire qui s'avance ...
C'est le faubourg Saint-Antoine.[2]

Le gouverneur devint pâle.  Il prend Thuriot au bras:
25 « Qu'avez-vous fait ? vous abusez du titre parlementaire !
vous m'avez trahi ! »

Tous deux étaient sur le bord, et De Launey avait une
sentinelle sur la tour.  Tout le monde dans la Bastille
faisait serment au gouverneur; il était, dans sa forteresse,
30 le roi et la loi.  Il pouvait se venger encore ...

Mais ce fut tout au contraire Thuriot qui lui fit peur:

---

[1] Des Suisses-allemands, sauf la plupart des officiers.

[2] Le bas peuple;  voir note 2, page 494.

« Monsieur, dit-il, un mot de plus, et je vous jure qu'un de nous deux tombera dans le fossé. »

Au moment même, la sentinelle approche, aussi troublée que le gouverneur, et s'adressant à Thuriot: « De grâce, monsieur, montrez-vous, il n'y a pas de temps à perdre; voilà qu'ils s'avancent... Ne vous voyant pas, ils vont attaquer. » Il passa la tête aux créneaux; et le peuple, le voyant en vie, et fièrement monté sur la tour, poussa une clameur immense de joie et d'applaudissement.

Thuriot descendit avec le gouverneur, traversa de nouveau la cour, et parlant encore à la garnison: « Je vais faire mon rapport, j'espère que le peuple ne se refusera pas à fournir une garde bourgeoise qui garde la Bastille avec vous. »

Le peuple s'imaginait entrer dans la Bastille, à la sortie de Thuriot. Quand il le vit partir pour faire son rapport à la Ville, il le prit pour traître et le menaça. L'impatience allait jusqu'à la fureur; la foule prit trois invalides, et voulait les mettre en pièces. Elle s'empara d'une demoiselle qu'elle croyait être la fille du gouverneur; il y en avait qui voulaient la brûler, s'il refusait de se rendre. D'autres l'arrachèrent de leurs mains.

Que deviendrons-nous, disaient-ils, si la Bastille n'est pas prise avant la nuit?... Le gros Santerre,[1] un brasseur que le faubourg s'était donné pour commandant, proposait d'incendier la place en plaçant de l'huile d'œillette et d'aspic, qu'on avait saisie la veille et qu'on enflammerait avec du phosphore. Il envoyait chercher des pompes.

Un charron, ancien soldat, sans s'amuser à ce parlage, se mit bravement à l'œuvre. Il avance, la hache à la main,

---

[1] Prit part à d'autres émeutes pendant les années de la Révolution; il est le type de la force brutale. Il mourut obscurément en 1809.

monte sur le toit d'un petit corps de garde, voisin du
premier pont-levis, et, sous une grêle de balles, il travaille
paisiblement, coupe, abat les chaînes, fait tomber le pont.
La foule passe; elle est dans la cour.

5    On tirait à la fois des tours et des meurtrières qui étaient
au bas. Les assaillants tombaient en foule, et ne faisaient
aucun mal à la garnison. De tous les coups de fusil qu'ils
tirèrent tout le jour, deux portèrent: un seul des assiégés
fut tué.

10   Le comité des électeurs, qui déjà voyait arriver les blessés
à l'Hôtel de Ville, qui déplorait l'effusion du sang, aurait
voulu l'arrêter. Il n'y avait plus qu'un moyen pour cela,
c'était de sommer la Bastille, au nom de la ville, et d'y
faire entrer la garde bourgeoise. Le prévôt Flesselles hési-
15  tait fort; Fauchet [1] insista; d'autres électeurs pressèrent.
Ils allèrent, comme députés; mais, dans le feu et la fumée,
ils ne furent pas même vus; ni la Bastille, ni le peuple, ne
cessèrent de tirer. Les députés furent dans le plus grand
péril.

20   Une seconde députation, le procureur de la ville marchant à la tête, avec un tambour et un drapeau, fut aperçue
de la place. Les soldats qui étaient sur les tours arborèrent
un drapeau blanc, renversèrent leurs armes. Le peuple
cessa de tirer, suivit la députation, entra dans la cour.
25  Arrivés là, ils furent accueillis d'une furieuse décharge qui
coucha plusieurs hommes par terre, à côté des députés.
Très probablement, les Suisses qui étaient en bas avec De
Launey, ne tinrent compte des signes que faisaient les
invalides.

30   La rage du peuple fut inexprimable. Depuis le matin, on

---

[1] Un prêtre qui commença par embrasser passionnément la cause
de la Révolution. Comme tant d'autres il recula devant les massacres
de la Terreur, et fut guillotiné en 1793. Prêtre assermenté, il fut même
évêque de l'Église révolutionnaire.

disait que le gouverneur avait attiré la foule dans la cour
pour tirer dessus; ils se crurent trompés deux fois et ré-
solurent de périr ou de se venger des traîtres. À ceux qui
les rappelaient, ils disaient dans leur transport: « Nos
cadavres serviront du moins à combler les fossés ! » Et ils 5
allèrent obstinément, sans se décourager jamais, contre la
fusillade, contre ces tours meurtrières, croyant qu'à force
de mourir, ils pourraient les renverser.

Mais alors et de plus en plus, nombre d'hommes généreux qui n'avaient encore rien fait, s'indignèrent d'une 10
lutte tellement inégale, qui n'était qu'un assassinat. Ils
voulurent en être. Il n'y eut plus moyen de tenir les
gardes françaises; tous prirent parti pour le peuple. Ils
allèrent trouver les commandants nommés par la ville et
les obligèrent de leur donner cinq canons. Deux colonnes 15
se formèrent, l'une d'ouvriers et de bourgeois, l'autre de
gardes françaises. La première prit pour son chef un jeune
homme d'une taille et d'une force héroïques, Hullin,[1] hor-
loger de Genève, mais devenu domestique, chasseur du
marquis de Conflans; le costume hongrois du chasseur fut 20
pris sans doute pour un uniforme; les livrées de la servitude guidèrent le peuple au combat de la liberté. Le chef
de l'autre colonne fut Élie, officier de fortune, du régiment
de la reine, qui, d'abord, en habit bourgeois, prit son brillant uniforme, se désignant bravement aux siens et à 25
l'ennemi. Dans ses soldats, il en avait un, admirable de
vaillance, de jeunesse, de pureté, l'une des gloires de la
France, Marceau,[2] qui se contenta de combattre, et ne
réclama rien dans l'honneur de la victoire.

[1] Il avait été autrefois sergent dans les gardes françaises. *Chasseur*, domestique portant livrée.

[2] (1769–1796). Alors simple soldat, mais dont la bravoure fut
tôt remarquée. Il était monté aux plus hauts grades quand il mourut
en combattant pour la République contre les Autrichiens à Altkir-
chen.

Les choses n'étaient guère avancées quand ils arrivèrent. On avait poussé, allumé trois voitures de paille, brûlé les casernes et les cuisines. Et l'on ne savait plus que faire. Le désespoir du peuple retombait sur l'Hôtel de Ville. On 5 accusait le prévôt, les électeurs, on les pressait avec menace d'ordonner le siège de la Bastille. Jamais on n'en put tirer l'ordre.

Divers moyens bizarres, étranges, étaient proposés aux électeurs pour prendre la forteresse. Un charpentier 10 conseillait un ouvrage de charpenterie, une catapulte romaine pour lancer des pierres contre les murailles. Les commandants de la ville disaient qu'il fallait attaquer dans les règles, ouvrir la tranchée. Pendant ces longs et vains discours, on apporta, on lut un billet que l'on venait de 15 saisir; Besenval écrivait à De Launey de tenir jusqu'à la dernière extrémité.

Pour sentir le prix du temps, dans cette crise suprême, pour s'expliquer l'effroi du retard, il faut savoir qu'à chaque instant il y avait de fausses alertes. On supposait que la 20 cour, instruite à deux heures de l'attaque de la Bastille, commencée depuis midi, prendrait ce moment pour lancer sur Paris ses Suisses et ses Allemands. Ceux de l'École militaire passeraient-ils le jour sans agir ? cela n'était pas vraisemblable.

25 Le faubourg Saint-Honoré [1] dépavait,[2] se croyait attaqué de moment en moment; la Villette [3] était dans les mêmes transes, et effectivement un régiment vint l'occuper, mais trop tard. Toute lenteur semblait trahison. La tergiversation du prévôt le rendait suspect, ainsi que les

[1] Un des quartiers de Paris.
[2] C'est à dire que le peuple enlevait les pavés pour élever des barricades contre les soldats.
[3] Un autre faubourg du Paris populaire; siège des abattoirs.

électeurs. La foule indignée sentit qu'elle perdait le temps avec eux. Un vieillard s'écrie: « Amis, que faisons-nous là avec ces traîtres? allons plutôt à la Bastille! » Tout s'écoula; les électeurs stupéfaits se trouvèrent seuls... L'un d'eux sort, et rentrant tout pâle, avec le visage d'un spectre: « Vous n'avez pas deux minutes à vivre, si vous restez... La Grève[1] frémit de rage... Les voilà qui montent... » Ils n'essayèrent pas de fuir, et c'est ce qui les sauva...

Le prévôt, les électeurs restaient à la salle Saint-Jean, entre la vie et la mort, plusieurs fois couchés en joue. « Tous ceux qui étaient là, dit Dussaulx,[2] étaient comme des sauvages: » parfois, ils écoutaient, regardaient en silence; parfois, un murmure terrible, comme un tonnerre sourd, sortait de la foule. Plusieurs parlaient et criaient, mais la plupart étaient étourdis de la nouveauté du spectacle. Les bruits, les voix, les nouvelles, les alarmes, les lettres saisies, les découvertes vraies ou fausses, tant de secrets révélés, tant d'hommes amenés au tribunal, brouillaient l'esprit et la raison; un des électeurs disait: « N'est-ce pas le jugement dernier?... » L'étourdissement était arrivé à ce point qu'on avait tout oublié, le prévôt et la Bastille.

Il était cinq heures et demie. Un cri monte de la Grève. Un grand bruit, d'abord lointain, éclate, avance, se rapproche avec la rapidité, le fracas de la tempête... La Bastille est prise!

Dans cette salle Saint-Jean déjà pleine, il entre d'un coup mille hommes, et dix mille poussaient derrière. Les

[1] Une place devant l'Hôtel de Ville, bordant la Seine, et où alors on exécutait les criminels.
[2] Un des électeurs; plus tard membre de la Convention; le traducteur de Juvénal (1728–1799).

boiseries craquent, les bancs se renversent, la barrière est
poussée sur le bureau, le bureau sur le président.

Tous armés, de façons bizarres, les uns presque nus,
d'autres vêtus de toutes couleurs. Un homme était porté
5 sur les épaules et couronné de lauriers, c'était Élie, toutes
les dépouilles et les prisonniers autour. En tête, parmi ce
fracas où l'on n'aurait pas entendu la foudre, marchait un
jeune homme recueilli et plein de religion; il portait suspendue et percée de sa baïonnette une chose impie, trois
10 fois maudite, le règlement de la Bastille.

Les clefs aussi étaient portées, ces clefs monstrueuses,
ignobles, grossières, usées par les siècles et par les douleurs
des hommes. Le hasard ou la Providence voulut qu'elles
fussent remises à un homme qui ne les connaissait que trop,
15 à un ancien prisonnier. L'Assemblée nationale les plaça
dans ses Archives, la vieille machine des tyrans, à côté des
lois qui ont brisé les tyrans. Nous les tenons encore aujourd'hui ces clefs,[1] dans l'armoire de fer des Archives de
la France ... Ah! puissent dans l'armoire de fer, venir
20 s'enfermer les clefs de toutes les Bastilles du monde!

La Bastille ne fut pas prise, il faut le dire, elle se livra.
Sa mauvaise conscience la troubla, la rendit folle et lui
fit perdre l'esprit.

Les uns voulaient qu'on se rendît, les autres tiraient,
25 surtout les Suisses, qui, cinq heures durant, sans péril,
n'ayant nulle chance d'être atteints, désignèrent, visèrent à
leur aise abattirent qui ils voulaient. Ils tuèrent quatre-
vingt-trois hommes, en blessèrent quatre-vingt-huit. Vingt
des morts étaient de pauvres pères de famille qui laissaient
30 des femmes, des enfants pour mourir de faim.

La honte de cette guerre sans danger, l'horreur de verser

---

[1] Une de ces clefs est aujourd'hui déposée à Mount-Vernon. La
Fayette la remit à Washington.

le sang français, qui ne touchaient guère les Suisses, finirent par faire tomber les armes des mains des invalides. Les sous-officiers, à quatre heures, supplièrent De Launey de finir ces assassinats. Il savait ce qu'il méritait; mourir pour mourir, il eut envie un moment de se faire sauter, idée  5 horriblement féroce: il aurait détruit un tiers de Paris. Ses trente-cinq barils de poudre auraient soulevé la Bastille dans les airs, écrasé, enseveli tout le faubourg, tout le Marais, tout le quartier de l'Arsenal [1] . . . Il prit la mèche d'un canon.  Deux sous-officiers empêchèrent le crime;  10 ils croisèrent la baïonnette, et lui fermèrent l'accès des poudres.  Il fit mine alors de se tuer, et prit un couteau qu'on lui arracha.

Il avait perdu la tête, et ne pouvait donner d'ordre. Quand les gardes françaises eurent mis leurs canons en  15 batterie, et tiré (selon quelques-uns), le capitaine des Suisses vit bien qu'il fallait traiter; il écrivit, il passa un billet où il demandait à sortir avec les honneurs de la guerre. — Refusé. — Puis, la vie sauve. — Hullin et Élie promirent.                                          20

La difficulté était de faire exécuter la promesse.  Empêcher une vengeance entassée depuis des siècles, irritée par tant de meurtres que venait de faire la Bastille, qui pouvait cela ? . . . Une autorité qui datait d'une heure, qui venait de la Grève à peine, qui n'était même connue  25 que des deux petites bandes de l'avant-garde, n'était pas pour contenir cent mille hommes qui suivaient.

La foule était enragée, aveugle, ivre de son danger même. Elle ne tua cependant qu'un seul homme dans la place; elle épargna ses ennemis les Suisses, qu'à leurs sarraux [2]  30

---

[1] Ce sont les trois quartiers proches de la Bastille.

[2] Que les Suisses avaient mis par-dessus leurs brillants uniformes pour se soustraire à l'attention de la foule.

elle prenait pour des domestiques ou des prisonniers; elle blessa, maltraita ses amis les invalides.  Elle aurait voulu pouvoir exterminer la Bastille; elle brisa les deux esclaves du cadran à coups de pierres: elle monta aux
5 tours pour insulter les canons.

On alla vite aux cachots délivrer les prisonniers; deux étaient devenus fous.  L'un, effarouché du bruit, voulait se mettre en défense; il fut tout surpris quand ceux qui brisèrent sa porte se jetèrent dans ses bras en le mouillant de
10 leurs larmes.  Un autre, qui avait une barbe jusqu'à la ceinture, demanda comment se portait Louis XV; il croyait qu'il régnait encore.  À ceux qui demandaient son nom, il disait qu'il s'appelait le Major de l'Immensité.

Les vainqueurs n'avaient pas fini; ils soutenaient dans la
15 rue Saint-Antoine un autre combat.  En avançant vers la Grève,[1] ils rencontraient de proche en proche des foules d'hommes, qui, n'ayant pas pris part au combat, voulaient pourtant faire quelque chose, tout au moins massacrer les prisonniers.  L'un fut tué dès la rue des Tournelles, un
20 autre sur le quai.  Des femmes suivaient échevelées, qui venaient de reconnaître leurs maris parmi les morts, et elles les laissaient là pour courir aux assassins; l'une d'elles, écumante, demandait à tout le monde qu'on lui donnât un couteau.

25 De Launey était mené, soutenu, dans ce grand péril, par deux hommes de cœur et d'une force peu commune, Hullin et un autre.  Ce dernier alla jusqu'au Petit-Antoine, et fut arraché de lui par un tourbillon de foule.  Hullin ne lâcha pas prise.  Conduire son homme de là à la Grève, qui est si
30 près, c'était plus que les douze travaux d'Hercule.  Ne sachant plus comment faire, et voyant qu'on ne connaissait De Launey qu'à une chose, que seul il était sans chapeau,

[1] C'est à dire vers la Place de l'Hôtel de Ville.

il eut l'idée héroïque de lui mettre le sien sur la tête, et
dès ce moment reçut les coups qu'on lui destinait. Il
passa enfin l'Arcade-Saint-Jean [1]; s'il pouvait lui faire
monter le perron,[2] le lancer dans l'escalier, tout était fini.
La foule le voyait bien; aussi, de son côté, fit-elle un 5
furieux effort. La force de géant qu'Hullin avait déployée
ne lui servit plus ici. Étreint du boa énorme que la masse
tourbillonnante serrait et resserrait sur lui, il perdit terre,
fut poussé, repoussé, lancé sur la pierre. Il se releva par
deux fois. À la seconde, il vit dans l'air, au bout d'une 10
pique, la tête de De Launey.

Une autre scène se passait dans la salle Saint-Jean. Les
prisonniers étaient là, en grand danger de mort; on s'achar-
nait surtout contre trois invalides qu'on croyait avoir été
les canonniers de la Bastille. L'un était blessé; le com- 15
mandant De la Salle,[3] par d'incroyables efforts, en invoquant son titre de commandant, vint à bout de le sauver;
pendant qu'il le menait dehors, les deux autres furent entraînés, accrochés à la lanterne [4] du coin de la Vannerie,
en face de l'Hôtel de Ville. 20

Ce grand mouvement, qui semblait avoir fait oublier
Flesselles, fut pourtant ce qui le perdit. Ses implacables
accusateurs du Palais-Royal, peu nombreux, mais mé-
contents de voir la foule occupée de toute autre affaire, se
tenaient près du bureau, le menaçaient,[5] le sommaient 25
de les suivre . . . Il finit par leur céder, soit qu'une si longue

[1] Une rue couverte qui aboutissait à la Place de l'Hôtel de Ville.
[2] Le perron de l'Hôtel de Ville.
[3] Le commandant de la garde nationale bourgeoise qui avait été
convoquée à la hâte.
[4] C'est à dire à la barre de fer plantée dans le mur d'une maison
pour soutenir la lanterne allumée la nuit. « La lanterne » devint une
potence fréquente, partout au service des émeutiers.
[5] « Les affres de la mort étaient sur son visage » dit ailleurs
Michelet.

attente de la mort lui parût pire que la mort même, soit
qu'il espérât échapper dans la préoccupation universelle
du grand événement du jour.  « Eh bien, messieurs, dit-il,
allons au Palais-Royal. »  Il n'était pas au quai, qu'un
5 jeune homme lui cassa la tête d'un coup de pistolet.

La masse du peuple accumulé dans la salle ne demandait
pas de sang; il le voyait couler avec stupeur, dit le témoin
oculaire.  Il regardait bouche béante ce prodigieux spectacle, bizarre, étrange à rendre fou.  Les armes du moyen
10 âge, de tous les âges, se mêlaient; les siècles étaient présents.  Élie, debout sur une table, le casque en tête, à la
main son épée faussée à trois places, semblait un guerrier
romain.  Il était tout entouré de prisonniers, et priait pour
eux.  Les gardes françaises demandaient pour récompense
15 la grâce des prisonniers.

À ce moment, on amène, on apporte plutôt, un homme,
suivi de sa femme; c'était le prince de Montbarrey,[1]
ancien ministre, arrêté à la barrière.  La femme s'évanouit;
l'homme est jeté sur le bureau, tenu sous les bras de douze
20 hommes, plié en deux ...  Le pauvre diable, dans cette
étrange attitude, expliqua qu'il n'était plus ministre depuis
longtemps, que son fils avait eu grande part à la révolution
de sa province ...  Le commandant De la Salle parlait
pour lui et s'exposait beaucoup lui-même.  Cependant, on
25 s'adoucit, on lâcha prise un moment.  De la Salle, qui
était très fort, enleva le malheureux ...  Ce coup de force
plut au peuple, et fut applaudi ...

Au moment même, le brave et excellent Élie trouva
moyen de finir d'un coup tout procès, tout jugement.  Il
30 aperçut les enfants du service[2] de la Bastille, et se mit à
crier: « Grâce pour les enfants ! grâce ! »

---

[1] Ministre de la Guerre de 1777 à 1780; il fut guillotiné en 1794.
[2] Enfants de ceux qui avaient été attachés au service de la Bastille.

Vous auriez vu alors les visages bruns, les mains noircies par la poudre, qui commençaient à se laver de grosses larmes, comme tombent après l'orage de grosses gouttes de pluie ... Il ne fut plus question de justice, ni de vengeance. Le tribunal était brisé. Élie avait vaincu les vainqueurs 5 de la Bastille. Ils firent jurer aux prisonniers fidélité à la nation, et les emmenèrent avec eux; les invalides s'en allèrent paisiblement à leur hôtel; les gardes françaises s'emparèrent des Suisses, les mirent en sûreté dans leurs rangs, les conduisirent à leurs propres casernes, les logèrent 10 et les nourrirent.

Les veuves, chose admirable! se montrèrent aussi magnanimes. Indigentes et chargées d'enfants, elles ne voulurent pas recevoir seules une petite somme qui leur fut distribuée; elles mirent dans le partage la veuve d'un 15 pauvre invalide, qui avait empêché la Bastille de sauter, et qui fut tué par méprise. La femme de l'assiégé fut ainsi comme adoptée par celles des assiégeants.

Inoubliables jours! Qui suis-je pour les avoir contés? Je ne sais pas encore, je ne saurai jamais comment j'ai 20 pu les reproduire. L'incroyable bonheur de retrouver cela si vivant, si brûlant, après soixante années, m'avait grandi le cœur d'une joie héroïque, et mon papier semblait enivré de mes larmes.

O France, vous êtes sauvée! ô monde, vous êtes 25 sauvé! ... Je revois au ciel ma jeune lueur, où j'espérai si longtemps, la lumière de Jeanne d'Arc ... Que m'importe que, de fille, elle soit devenue un jeune homme, Hoche, Marceau, Joubert ou Kléber.[1]

---

[68] Quelques uns des officiers qui firent triompher la cause du peuple avant que les horreurs de la Révolution eussent en partie terni ces journées héroïques. Sauf Marceau, ils servirent encore sous Bonaparte.

Grande époque, moment sublime, où les plus guerriers
des hommes sont pourtant les hommes de la paix ! où
le Droit, si longtemps pleuré, se retrouve à la fin des
temps; où la Grâce,[1] au nom de laquelle la tyrannie nous
5 écrasa, se retrouve concordante, identique à la Justice.

### Le Philosophe

#### L'Alouette

L'oiseau des champs par excellence, l'oiseau du laboureur, c'est l'alouette, sa compagne assidue, qu'il retrouve
partout dans son sillon pénible pour l'encourager, le soutenir, lui chanter l'espérance.  Espoir, c'est la vieille devise de
10 nos Gaulois [2] et c'est pour cela qu'ils avaient pris comme
oiseau national cet humble oiseau si pauvrement vêtu,
mais si riche de cœur et de chant.

La nature semble avoir traité sévèrement l'alouette.
La disposition de ses ongles la rend impropre à percher
15 sur les arbres.  Elle niche à terre, tout près du pauvre
lièvre et sans autre abri que le sillon.  Quelle vie précaire,
aventurée, au moment où elle couve !  Que de soucis, que
d'inquiétudes !  À peine une motte de gazon dérobe au
chien, au milan, au faucon, le doux trésor de cette mère.
20 Elle couve à la hâte, elle élève à la hâte la tremblante
couvée.  Qui ne croirait que cette infortunée participera à
la mélancolie de son triste voisin le lièvre ?

*Cet animal est triste et la crainte le ronge* (La Fontaine).

Mais le contraire a lieu par un miracle inattendu de

[1] La Grâce du salut offert par cette Église que Michelet accusait
d'avoir manqué à sa mission.
[2] Sous Dioclétien, les Gaulois chassèrent pour quelque temps les
Romains de la Gaule, et ils inscrivirent sur leurs monnaies la devise
ESPOIR.

gaieté et d'oubli facile, de légèreté, si l'on veut, et d'insouciance française: l'oiseau national, à peine hors de danger,
retrouve toute sa sérénité, son chant, son indomptable
joie.  Autre merveille: ses périls, sa vie précaire, ses
épreuves cruelles n'endurcissent pas son cœur; elle reste  5
bonne autant que gaie, sociable et confiante, offrant un
modèle, assez rare parmi les oiseaux, d'amour fraternel;
l'alouette, comme l'hirondelle, au besoin, nourrira ses
sœurs.

C'est la fille du jour.  Dès qu'il commence, quand l'ho- 10
rizon s'empourpre et que le soleil va paraître, elle part du
sillon comme une flèche, porte au ciel l'Hymne de la
joie.

Sainte poésie, fraîche comme l'aube, pure et gaie comme
un cœur d'enfant !                                        15

(L'oiseau.)


### Combat de Fourmis


Il y a deux espèces de fourmis, assez grosses, du reste,
nullement distinguées, qui emploient comme servantes,
nourrices et cuisinières, de petites fourmis qui ont bien
plus d'art et plus d'*ingegno*.[1]

Ce fait bizarre, qui semble devoir changer toutes nos 20
idées sur la moralité animale, a été trouvé au commencement de ce siècle.  Pierre Huber, fils du célèbre observateur des abeilles, se promenant dans une campagne près
de Genève, vit à terre une forte colonne de fourmis rous-
sâtres qui étaient en marche, et s'avisa de la suivre.  Sur 25
les flancs, quelques-unes empressées allaient et venaient,
comme pour aligner la colonne.  À un quart d'heure de

---

[1] Ingéniosité.

marche, elles s'arrêtent devant une fourmilière de petites fourmis noires; un combat acharné s'engage aux portes.

Les noires résistent, en petit nombre; la grande masse du peuple attaqué s'enfuyait par les portes les plus éloignées 5 du combat, emportant leurs petits. C'était précisément de ces petits qu'ils s'agissait; ce que les noires craignaient avec raison, c'était un vol d'enfants. Il vit bientôt les assaillants qui avaient pu pénétrer dans la place en ressortir chargés d'enfants des noires. On eût cru voir sur 10 la côte d'Afrique une descente de négriers.

Les rousses, chargées de ce butin vivant, laissèrent la pauvre cité dans la désolation de cette grande perte, et reprirent le chemin de leur demeure, où les suivit l'observateur ému et retenant presque son souffle. Mais combien 15 son étonnement s'accrut quand, aux portes de la cité rousse, une petite population de fourmis noires vint recevoir les vainqueurs, les décharger de leur butin, accueillant avec une joie visible ces enfants de leur race, qui, sans doute, devaient la continuer sur la terre étrangère.

20 Voilà donc une cité mixte, où vivent en bonne intelligence des fourmis fortes et guerrières et de petites noires. Mais celles-ci, que font-elles? Huber ne tarda pas à voir qu'elles seules, en effet, faisaient tout. Seules elles construisaient; seules elles élevaient les enfants des rousses et 25 ceux de leur espèce qu'elles leur apportaient; seules elles administraient la cité, l'alimentation, servaient et nourrissaient les rousses, qui, comme de gros enfants géants, indolemment se faisaient donner la becquée par leur petites nourrices. Nul travail que la guerre, le vol et leur 30 piraterie de négrier. Nul mouvement, dans les intervalles, que de vagabonder oisives, et de se chauffer au soleil sur la porte de leurs casernes.

Le plus curieux, c'est de voir ces ilotes civilisés aimer

leurs gros guerriers barbares et soigner leurs enfants, accomplir avec joie les œuvres de servage, que dis-je ? pousser à l'extension du servage, encourager les vols d'enfants. Tout cela n'a-t-il pas l'apparence d'un libre consentement à l'ordre de choses établi ? 5

Et qui sait si la joie, l'orgueil de gouverner les forts, de maîtriser les maîtres, n'est pas pour ces petites noires une liberté intérieure, exquise et souveraine, au-dessus de toutes celles que leur aurait données l'égalité de la patrie ?

Huber fit une expérience. Il voulait voir ce qu'il ad- 10 viendrait, si ces grosses rousses se trouvaient sans serviteurs, et si elles sauraient se servir elles-mêmes. Il pensa que peut-être ces dégénérées pourraient se relever par l'amour maternel, si fort chez les fourmis.

Il en mit quelques-unes dans une boîte vitrée, et avec 15 elles quelques nymphes. Instinctivement elles se mirent d'abord à les remuer, à les bercer à leur manière; mais bientôt elles trouvèrent (fort grosses et bien portantes qu'elles étaient !) que c'était un poids trop lourd; elles les laissèrent là, par terre, et les abandonnèrent. Elles s'aban- 20 donnaient elles-mêmes. Huber leur avait mis du miel dans un coin, et elles n'avaient qu'à prendre. Misérable dégradation ! cruelle punition dont l'esclavage atteint les maîtres ! elles n'y touchèrent pas; elles étaient devenues si grossièrement ignorantes, indolentes, qu'elles ne pouvaient 25 plus se nourrir. Elles moururent, en partie, devant les aliments.

Alors Huber, pour compléter l'expérience, introduisit une seule petite noire. La présence de ce sage ilote changea tout; et rétablit la vie et l'ordre. Il alla droit au miel, et 30 nourrit les gros imbéciles mourants; il fit une case dans la terre, un couvoir, y mit les petits, prépara l'éclosion, surveilla les maillots (ou nymphes), amena à bien un petit peuple, qui, bientôt laborieux à son tour, devait seconder sa nourrice. Heureuse puissance de l'esprit! Un seul individu avait recréé la cité.

L'observateur comprit alors qu'avec une telle supériorité d'intelligence, ces ilotes, en réalité, devaient, dans la cité, porter légèrement le servage et peut-être gouverner leurs maîtres. Une étude persévérante lui montra qu'en effet il en était ainsi. Les petites noires, en beaucoup de choses, pèsent d'une autorité morale dont les signes sont très visibles; elles ne permettent pas, par exemple, aux grosses rousses de sortir seules pour des courses inutiles, et elles les forcent à rentrer. Même en corps, ces guerriers ne sont pas libres de sortir, si leurs sages petits ilotes ne jugent pas le temps favorable, s'ils craignent l'orage, ou si le jour est avancé. Quand une excursion réussit mal et que les rousses reviennent sans enfants, les petites noires sont à la porte de la cité pour les empêcher de rentrer et les renvoyer au combat. Bien plus, on les voit empoigner ces lâches au collet, et les forcer de se remettre en route.

Voilà des faits prodigieux, tels que les vit l'illustre observateur. Il n'en crut pas ses yeux, et il appela un des premiers naturalistes de la Suisse, M. Jurine, pour examiner de nouveau et décider s'il se trompait. Ce témoin, et tous ceux qui observèrent ensuite, trouvèrent qu'il avait très bien vu.

(*L'Insecte*)

# CHAPITRE DIX

## BÉRANGER

### 1780–1857

**Consulter:** Béranger, *Ma biographie* (1857) va jusqu'en 1840.
Stéphane Strowski, *Pierre J. de Béranger*, textes choisis et commentés (Plon, 1913). Ch. Causeret, *Béranger* (Coll. Classiques pop.,
Lecène, Oudin 1895.) J. Janin, *Béranger et son temps* (Libr. Richelieu,
2 vol., 1866). À signaler aussi les articles de A. Séché et J. Bertaut,
sur « Béranger », dans *Au temps du Romantisme* (Sansot, 1909).

Pour les airs des chansons: *Musique des Chansons de Béranger,
Airs notés, anciens et modernes ... avec deux tables, l'une alphabétique,
l'autre historique des 450 airs du recueil,* 10me édition, revue par Fr.
Bérat (Paris, Garnier; sans date).

En France le peuple fait des chansons à toute occasion, et surtout
quand les temps sont mauvais; c'est la soupape de sûreté, et la forme
fréquente de l'humour français. Au XVIIo siècle, par exemple, on
protestait ainsi contre un gouvernement très fort; voir la « Chanson
de Lanturlu », par Voiture (*Seventeenth Century French Readings*,
Holt & Co. p. 89–91). Mazarin disait, quand on chansonnait ses
levées de lourds impôts: « Qu'ils chantent, pourvu qu'ils paient ! ».
Le XIXo siècle fut le siècle des révolutions; après 1789, vint 1814
(la Restauration), puis 1830, 1848, 1851 ... donc, la chanson devait
fleurir. Béranger l'éleva à la hauteur d'un genre littéraire, surtout
par la perfection de ses refrains. Il est *le* chansonnier de la France
comme La Fontaine en est *le* fabuliste.[1] Sainte-Beuve, en 1842,
faisant une revue d'ensemble sur le mouvement romantique français,

---

[1] Les plus connus, avec Béranger, de ces chansonniers du XIXo
siècle, sont Hégésippe Moreau, Pierre Dupont, et surtout George
Nadaud, (mort 1893). Voir E. Vaillant, *G. Nadaud et la chanson
française, avec notice sur Désaugiers et Dupont* (1911), et Sainte-
Beuve, *Causeries du Lundi*, IV, pp. 51–75.

écrivait: « Je fais trois groupes de poètes parmi ceux de ce temps, c'est-à-dire parmi ceux des vingt dernières années [Chateaubriand régnant au fond, et apparaissant dans un demi-lointain majestueux comme notre moderne buste d'Homère]; on a: I°, hors ligne — et je ne prétends ici constater qu'une situation — Lamartine, Hugo, Béranger, par le talent, la puissance, la raison et le bonheur...» (*Portraits contemp.*, Tome III, art. « Mlle Bertin »).

J.-P. de Béranger est né à Paris, le 19 août, 1780, de parents qui ne s'entendaient pas; il fut mis en nourrice à Auxerre; puis recueilli par son grand-père, tailleur à Paris, il reçut une instruction sommaire au Faubourg Saint-Antoine (le quartier populaire de Paris), et il raconte dans *Ma biographie* qu'il assista à la prise de la Bastille, perché sur un toit, avec d'autres gamins de son âge. Puis il alla à Péronne (non loin de Paris), chez une tante qui y tenait un cabaret, « l'Epée royale ». À 15 ans il revint à Paris, fut associé avec son père dans diverses entreprises, aucune brillante. Il fut protégé par Lucien Bonaparte qui avait lu ses premiers vers. Nous le trouvons enfin comme commis-expéditionnaire de l'Université. C'est à cette époque qu'il composa celle de ses chansons qui, de toutes, est restée la plus fameuse, *Le Roi d'Yvetot;* il osait s'attaquer à Napoléon (1813). Ses chansons circulaient manuscrites, et dans quelques petits journaux et revues. Il allait souvent à Péronne où il avait laissé des amis et avec lesquels il avait fondé une petite société frondeuse et gaie « Le couvent des Sans-soucis ». En 1821 il fut obligé de démissionner de sa modeste place à l'université, probablement à cause de ses chansons politiques; mais déjà il était populaire. Il demeura modeste et pauvre, quoique, du reste, ses *Chansons* se vendissent assez bien. Son premier volume était de 1815; il en publia un deuxième en 1821 qui lui valut la cour d'assises. Il fut condamné, pour attaques contre le gouvernement et excitation au mécontentement, à trois mois de prison à Sainte-Pélagie et à 500 francs d'amende. Il profita de la nourriture et du logement gratuits pour faire tranquillement de nouvelles chansons. Cet emprisonnement du reste — qui faisait de lui un martyr politique — mit le sceau à sa gloire ! Mais il continua toute sa vie à refuser richesses, places lucratives, députations populaires. En 1825, il avait publié un nouveau recueil; puis en 1828 les *Chansons inédites.* On était sous le régime réactionnaire de Charles X; et Béranger fut encore condamné; cette fois à neuf mois de prison et à mille francs d'amende. La somme fut couverte, d'enthousiasme et immédiatement, par souscription populaire.

En 1830, la Révolution de Juillet, qui fut peut-être en partie l'œuvre de Béranger, mit le comble à sa célébrité. Les grands écrivains comme Victor Hugo et Sainte-Beuve, les aristocrates même comme Chateaubriand et Lamartine s'honoraient de connaître Béran-

ger.[1] On conçoit alors combien il devait être révéré par le peuple —
dont lui-même se réclamait.    Enfin, il dut quitter Paris, ne pouvant
plus sortir de chez lui sans être victime de l'admiration des passants.
Il revint cependant mourir à Paris, en 1857.

La célébrité de Béranger ne souffrit aucune éclipse, parce que,
ayant toujours été l'ami du peuple, il a toujours attaqué les abus du
gouvernement au pouvoir.    Il avait chansonné l'absolutisme de
Napoléon Iᵒ.    Lorsque les rois, la noblesse et le clergé de la Restauration se montrèrent réactionnaires, et, peut-être plus que Napoléon
même, les ennemis des libertés populaires, il les chansonna plus
impitoyablement encore;  bien plus, il opposa à leur gouvernement
maladroit celui de ce Napoléon qui, lui au moins, avait apporté à la
France une gloire magnifique.    Béranger était déjà vieux (70 ans)
quand Napoléon III saisit le pouvoir, et il ne chansonnait plus guère.
Aussi le second empire trouva son avantage à encenser celui qui avait
chansonné ces rois dont le nouvel empereur avait usurpé le pouvoir,
et qui avait exalté Napoléon Iᵒ dont ce nouvel empereur continuait
la dynastie;  on fit à « l'ami du peuple », quand il mourut, en 1857, de
splendides funérailles.

## Le Roi d'Yvetot

Cette chanson fit la renommée de Béranger et demeure la plus
célèbre.    Elle est de 1813, quand la France commençait à gémir
sous le despotisme de Napoléon.    Tout le monde se taisait.

Une tradition rapporte que sous les rois Mérovingiens (VIᵒ–VIIIᵒ
siècle), un seigneur d'Yvetot, petite localité de Normandie, non loin
du Havre, avait obtenu que son minuscule domaine fût érigé en
royaume.    Ce roi, pense Béranger, s'il n'a pas laissé de trace profonde
dans l'histoire, a rendu son peuple heureux:  et chacune des vertus
louées en lui par le poète suggère, par contraste, un des reproches
adressés à Napoléon:  le roi d'Yvetot vivait fort bien ( sans gloire ),
dans un palais ( couvert de chaume ), avec, comme couronne, un
( bonnet de coton );  il ne fit aucune guerre de conquête, ne connaissait
pas les parades, mais se promenait paisiblement sur ( un âne );

---

[1] Chateaubriand, dans les *Mémoires d'Outre-tombe* écrit: « Sous
le simple titre de chansonnier, un homme est devenu un des plus
grands poètes que la France ait produits;  avec un génie qui tient de
La Fontaine et d'Horace [bon sens et finesse] il a chanté, lorsqu'il
l'a voulu, comme Tacite écrivait ».    Béranger était porté plus haut
que n'importe quel poète français par Goethe vieillissant, et par
Thackeray.

et avait comme seule garde ( un chien ); enfin, il ne levait pas
d'impôts, sauf seulement quelques ( pots de vin ), car il aimait causer,
chanter, rire . . . et boire — son unique défaut peut-être.[1]

[Chanté sur l'air *Quand un tendron vient en ces lieux* (air du vaudeville de *Bastien et Bastienne*, employé par Moreau dans une ronde.
N° i du recueil cité.]

Il était un roi d'Yvetot
Peu connu dans l'histoire,

[1] On dit que Napoléon ayant entendu la chanson demanda qui en
était l'auteur; on lui dit qu'il était un modeste employé de l'université; et l'empereur fit augmenter ses gages. De son côté Béranger,
qui devait plus tard chanter la gloire de Napoléon, ne renia jamais
cette chanson; il écrivit dans ses *Mémoires:* « Mon admiration pour
le génie de Napoléon n'ôte rien à ma répugnance pour le despotisme
de son gouvernement ». (p. 80.)

Se levant tard, se couchant tôt,
   Dormant fort bien sans gloire,
Et couronné par Jeanneton [1]
D'un simple bonnet de coton,
    Dit-on.                              5
Oh ! oh ! oh ! oh ! ah ! ah ! ah ! ah !
Quel bon petit roi c'était là !
    La, la.

Il faisait ses quatre repas
   Dans son palais de chaume,          10
Et sur un âne, pas à pas,
   Parcourait son royaume.
Joyeux, simple et croyant le bien,
Pour toute garde il n'avait rien
    Qu'un chien.                        15
Oh ! oh ! oh ! oh ! ah ! ah ! ah ! ah !
Quel bon petit roi c'était là !
    La, la.

Il n'avait de goût onéreux
   Qu'une soif un peu vive;            20
Mais, en rendant son peuple heureux,
   Il faut bien qu'un roi vive.
Lui-même, à table et sans suppôt,
Sur chaque muid levait un pot [2]
    D'impôt.                            25
Oh ! oh ! oh ! oh ! ah ! ah ! ah ! ah !
  Quel bon petit roi c'était là !
    La, la.

[1] Modification familière de Jeannette, pour désigner une brave fille du peuple.

[2] **Muid,** ancienne mesure pour les liquides; le ‹ muid de Paris › valait 18 hectolitres; le **pot** valait deux pintes.

Il n'agrandit point ses États,
    Fut un voisin commode,
Et, modèle des potentats,
        Prit le plaisir pour code.
5   Ce n'est que lorsqu'il expira
Que le peuple qui l'enterra
        Pleura.
Oh ! oh ! oh ! oh ! ah ! ah ! ah ! ah !
Quel bon petit roi c'était là !
10              La, la.

On conserve encor le portrait
    De ce digne et bon prince;
C'est l'enseigne d'un cabaret
    Fameux dans la province.[1]
15  Les jours de fête, bien souvent,
La foule s'écrie en buvant
        Devant:
Oh ! oh ! oh ! oh ! ah ! ah ! ah ! ah !
Quel bon petit roi c'était là !
20              La, la.

\* \* \*

Après les guerres de la Révolution et de l'Empire, l'Europe rêvait une ère de paix, une alliance de tous les peuples qui inspira à Béranger un beau morceau lyrique *La Sainte alliance des peuples*, dont voici une strophe:

J'ai vu la Paix descendre sur la terre,
Semant de l'or, des fleurs et des épis.
L'air était calme, et du Dieu de la guerre
Elle étouffait les foudres assoupis.
25  « Ah ! disait-elle, égaux par la vaillance,

[1] Ce cabaret, ou auberge, existe toujours.

Français, Anglais, Belge, Russe ou Germain,
Peuples, formez une sainte alliance,
    Et donnez-vous la main ! »


### Le Marquis de Carabas

#### (1816)

Napoléon est tombé, et les rois d'Europe remettent sur le trône de France l'ancienne dynastie des Bourbons (Restauration). Le peuple reçut une belle charte de libertés, mais mal inspirés, les « ci-devant » (nobles) voulurent réaffirmer tous leurs anciens privilèges. Béranger va donc diriger contre eux sa satire. Le nom de ‹ Marquis de Carabas › est emprunté, on le voit bien, au conte du *Chat Botté*, de Charles Perrault. [La chanson était chantée sur l'air *Le bon roi Dagobert*.]

        Voyez ce vieux marquis
    Nous traiter en peuple conquis;          5
        Son coursier décharné
    De loin chez nous l'a ramené.[1]
        Vers son vieux castel
        Ce noble mortel
        Marche en brandissant               10
        Un sabre innocent.
    Chapeau bas ! chapeau bas !
    Gloire au marquis de Carabas !

        Aumôniers, châtelains,
    Vassaux, vavassaux et vilains,          15
        C'est moi, dit-il, c'est moi
    Qui seul ai rétabli mon roi.

[1] De l'étranger, bien loin, où il avait bravement fui pendant la Révolution; puis, tout danger écarté, la Révolution vaincue et le roi rétabli, il était rentré, hautain comme avant, *brandissant un sabre innocent*, c'est à dire parlant avec autorité au peuple qui cependant se moquait de lui.

Mais s'il ne me rend
Les droits de mon rang,
Avec moi, corbleu !
Il verra beau jeu.
5      Chapeau bas ! chapeau bas !
Gloire au marquis de Carabas !

Pour me calomnier,
Bien qu'on ait parlé d'un meunier,
Ma famille eut pour chef
10      Un des fils de Pépin le Bref.[1]
D'après mon blason,
Je crois ma maison
Plus noble, ma foi,
Que celle du Roi.
15      Chapeau bas ! chapeau bas !
Gloire au marquis de Carabas !

Qui me résisterait ?
La marquise a le tabouret.[2]
Pour être évêque un jour
20      Mon dernier fils suivra la Cour.
Mon fils le baron,
Quoique un peu poltron,
Veut avoir des croix:[3]
Il en aura trois.
25      Chapeau bas ! chapeau bas !
Gloire au marquis de Carabas !

[1] Le père de Charlemagne. Beaucoup de ces soi-disant nobles avaient usurpé des titres profitant de la confusion de toutes choses à l'époque, et ils étaient pleins de jactance en proportion de leur peu de mérite.

[2] Ici siège pliant sur lequel ont le droit de s'asseoir, devant le roi et la reine, seulement des dames d'un certain rang. *Droit de tabouret*, droit de s'asseoir sur ce siège.

[3] *Décorations*.

Vivons donc en repos.
Mais l'on m'ose parler d'impôts !
À l'État, pour son bien,
Un gentilhomme ne doit rien.
    Grâce à mes créneaux,           5
    À mes arsenaux,
    Je puis au préfet [1]
    Dire un peu son fait.
Chapeau bas ! chapeau bas !
Gloire au marquis de Carabas !       10

    Curé, fais ton devoir,
Remplis pour moi ton encensoir.
    Vous, pages et varlets,
Guerre aux vilains, et rossez-les !
    Que de mes aïeux          15
    Les droits glorieux
    Passent tout entiers
    À mes héritiers.
Chapeau bas ! chapeau bas !
Gloire au marquis de Carabas !       20

### Les Clefs du Paradis

Le clergé, qui avait pris sa large part à la réaction anti-révolution-
naire, n'est pas oublié par Béranger. Le morceau suivant rappelle
certains fabliaux du moyen-âge satirisant gentiment le clergé.

Saint Pierre perdit l'autre jour
Les clefs du céleste séjour.
(L'histoire est vraiment singulière !)
C'est Margot [2] qui, passant par là,

[1] Administrateur civil du département dans le nouveau régime.
[2] *Margot*, abrégé de Marguerite, nom servant souvent à désigner
une femme hardie et bavarde; nom populaire de la pie.

Dans son gousset les lui vola.

    « Je vais, Margot,

    « Passer pour un nigaud;

    « Rendez-moi mes clefs, » disait saint Pierre.

Allegretto

Saint Pier — re perd dit l'au — tre

jour Les clefs du cé — les — te sé

jour. L'his-toire est vrai — ment sin — gu — liè —

re: C'est Mar-got qui, pas — sant par

là, Dans son gous — set, les lui vo-

la. Je vais, Mar — got, pas-ser pour un ni —

gaud, Ren-dez-moi mes clefs, di-sait Saint Pier — re.

Margoton, sans perdre de temps,
Ouvre le ciel à deux battants.
(L'histoire est vraiment singulière !)
Dévots fieffés, pécheurs maudits,
Entrent ensemble en paradis.                                5
  « Je vais, Margot,
 « Passer pour un nigaud ;
« Rendez-moi mes clefs, » disait saint Pierre.

On voit arriver en chantant
Un turc, un juif, un protestant ;                           10
(L'histoire est vraiment singulière !)
Puis un pape, l'honneur du corps,
Qui, sans Margot, restait dehors.
  « Je vais, Margot,
 « Passer pour un nigaud ;                              15
« Rendez-moi mes clefs, » disait saint Pierre.

En vain un fou crie, en entrant,
Que Dieu doit être intolérant ;
(L'histoire est vraiment singulière !)
Satan lui-même est bienvenu :                               20
La belle en fait un saint cornu.
  « Je vais, Margot,
 « Passer pour un nigaud ;
« Rendez-moi mes clefs, » disait saint Pierre.

Dieu, qui pardonne à Lucifer,                               25
Par décret supprime l'enfer.
(L'histoire est vraiment singulière !)
La douceur va tout convertir.
On n'aura personne à rôtir.
  « Je vais, Margot,                               30
 « Passer pour un nigaud ;
« Rendez-moi mes clefs, » disait saint Pierre.

Le paradis devient gaillard,
Et Pierre en veut avoir sa part.
(L'histoire est vraiment singulière !)
Pour venger ceux qu'il a damnés,
5    On lui ferme la porte au nez.
      « Je vais, Margot,
       « Passer pour un nigaud;
    « Rendez-moi mes clefs, » disait Saint Pierre.

[Ceci était chanté sur l'air *À coups d'pied, à coups d'poing*, chanté par Blaise, sur un air de Vadé. Nº 117 du livre cité.]

\*  \*  \*

Sous la Restauration, et grâce aux maladresses de la royauté restaurée, l'image de Napoléon et de la gloire que son nom valait à la France, grandit. Le prisonnier de Sainte-Hélène mourut (1821), et on oublia les souffrances pour ne plus songer qu'à la gloire de la France. Parmi les poètes, Victor Hugo (voir plus haut) et Béranger contribuèrent plus que tant d'autres à créer ce qu'on a appelé la « légende de Napoléon ». Mais ils chantèrent leur héros d'une manière bien différente. Il faudrait relire par exemple quelques strophes de l'*Ode à la Colonne*, de Victor Hugo, ou du poème *Lui* qui a été donnée plus haut,[1] pour les comparer avec ces *Souvenirs du peuple* — une des plus connues des pièces de Béranger.

### Les Souvenirs du Peuple

On parlera de sa gloire
10    Sous le chaume bien longtemps.
L'humble toit, dans cinquante ans,
Ne connaîtra plus d'autre histoire.
Là viendront les villageois
Dire alors à quelque vieille:
15    Par des récits d'autrefois,

[1] Page 298–303. *L'Ode à la Colonne* commence ainsi: *Oh! Quand il bâtissait de sa main colossale...*

Mère, abrégez notre veille.
Bien, dit-on, qu'il nous ait nui,
Le peuple encore le révère,
Oui, le révère.

Parlez-nous de lui, grand'mère,
Parlez-nous de lui.

Mes enfants, dans ce village,
Suivi de rois, il passa.[1]
5    Voilà bien longtemps de ça:
Je venais d'entrer en ménage.
À pied grimpant le coteau
Où pour voir je m'étais mise,
Il avait petit chapeau
10    Avec redingote grise.
Près de lui je me troublai;
Il me dit: Bonjour, ma chère,
Bonjour, ma chère.
— Il vous a parlé, grand'mère !
15    Il vous a parlé !

L'an d'après, moi, pauvre femme,
À Paris étant un jour,
Je le vis avec sa cour:
Il se rendait à Notre-Dame.[2]
20    Tous les cœurs étaient contents;
On admirait son cortège.
Chacun disait: Quel beau temps !
Le ciel toujours le protège.
Son sourire était bien doux;
25    D'un fils Dieu le rendait père,
Le rendait père.

[1] C'était en 1810, probablement quand Napoléon alla à Compiègne, à la rencontre de sa nouvelle épouse, Marie-Louise d'Autriche, qui l'année suivante lui donna un fils.

[2] En 1811, pour le baptême de son fils, nommé par l'empereur « Roi de Rome », et par Victor Hugo « L'aiglon ». (Voir le poème de V. Hugo, « Napoléon II » dans les *Chants du Crépuscule*.)

— Quel beau jour pour vous, grand'mère.
      Quel beau jour pour vous !


Mais quand la pauvre Champagne [1]
Fut en proie aux étrangers,
Lui, bravant tous les dangers,            5
Semblait seul tenir la campagne.
Un soir, tout comme aujourd'hui,
J'entends frapper à la porte;
J'ouvre.  Bon Dieu ! c'était lui,
Suivi d'une faible escorte.          10
Il s'assoit où me voilà,
S'écriant: Oh ! quelle guerre !
      Oh ! quelle guerre !
— Il s'est assis là, grand'mère !
      Il s'est assis là !          15


J'ai faim, dit-il; et bien vite
Je sers piquette [2] et pain bis;
Puis il sèche ses habits;
Même à dormir le feu l'invite.
Au réveil, voyant mes pleurs,          20
Il me dit: Bonne espérance !
Je cours de tous ses malheurs
Sous Paris, venger la France. [3]
Il part; et, comme un trésor,
J'ai depuis gardé son verre,          25
      Gardé son verre.


[1] En 1814, l'année de l'invasion par les ennemis de Napoléon.  Le peintre Meissonier a fait une toile célèbre appelée « 1814 ».

[2] Du vin de modeste qualité, la boisson des humbles gens du peuple.

[3] La dernière victoire de Napoléon fut celle de Montmirail, 11 et 12 février, 1814.

— Vous l'avez encor, grand'mère.
Vous l'avez encor !

— Le voici.  Mais à sa perte
Le héros fut entraîné.
5    Lui, qu'un pape a couronné,
Est mort dans une île déserte.
Longtemps aucun ne l'a cru;[1]
On disait: Il va paraître.
Par mer il est accouru;
10    L'étranger va voir son maître.
Quand d'erreur on nous tira,
Ma douleur fut bien amère !
Fut bien amère !
— Dieu vous bénira, grand'mère,
15            Dieu vous bénira.

[Il y a deux airs pour cette chanson; l'un sur *Passez votre chemin,
beau sire* « ancienne chanson », (N° 252) l'autre sur un « air connu »
(N° 252 bis) dit le livre cité.  Nous donnons le premier.]

* * *

Parmi les chansons qui célèbrent les joies simples et vraies du peuple, les plus connues sont: *Roger Bontemps*, et celle des *Gueux*,
celle-ci écrite pour les amis du ( Couvent des sans-souci ), avec ce
refrain:

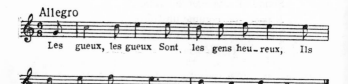

Les   gueux, les gueux Sont  les gens heu‿reux,   Ils
s'ai‿ment entre  eux:    Vi‿vent  les gueux!

[1] Rappelle la légende du Roi Arthur, qui devait revenir de l'Île
d'Avalon.

Les gueux, les gueux,
Sont les gens heureux;
Ils s'aiment entre eux,
Vivent les gueux !

[Sur l'air de la première ronde du *Départ de Saint-Malo*.  N°20 du livre cité.]

Une autre chanson célèbre est celle du *Dieu des bonnes gens*, voici la première strophe:

Il est un Dieu devant qui je m'incline,                    5
Pauvre et content, sans lui demander rien.
De l'univers observant la machine,
J'y vois du mal et n'aime que le bien.
Mais le plaisir, à ma philosophie,
Révèle assez des cieux intelligents.                       10
Le verre en main, gaiement je me confie
Au Dieu des bonnes gens !

\* \* \*

Béranger, à sa manière chante fréquemment l'amour; ainsi dans la fameuse chanson *Ma grand'mère* — une vieille qui raconte son passé — avec ce refrain:

Combien je regrette
Mon bras si dodu,
Ma jambe bien faite,
Et le temps perdu !

[Sur l'air d'une ancienne chanson: *En revenant de Bâle, en Suisse* ... N° 8 du livre cité.]

Puis les charmantes chansons de « Lisette » — la fillette aux gentilles amours — dont voici la plus jolie:

*Ce n'est plus Lisette*

5       Quoi. Lisette, est-ce vous ?
Vous en riche toilette.
Vous avez des bijoux.
Vous avez une aigrette.
    Eh non, non, non,
10    Vous n'êtes plus Lisette;
    Eh non, non, non,
Ne portez plus ce nom.

Vos pieds dans le satin
N'osent fouler l'herbette.
Des fleurs de votre teint
Où faites-vous emplette ?
   Eh ! non, non, non,       5
Vous n'êtes plus Lisette;
   Eh ! non, non, non,
Ne portez plus ce nom.

Dans un lieu décoré
De tout ce qui s'achète,       10
L'opulence a doré
Jusqu'à votre couchette.
   Eh ! non, non, non,
Vous n'êtes plus Lisette;
   Eh ! non, non, non,       15
Ne portez plus ce nom.

Votre bouche sourit
D'une façon discrète.
Vous montrez de l'esprit;
Du moins on le répète.       20
   Eh ! non, non, non,
Vous n'êtes plus Lisette;
   Eh ! non, non, non,
Ne portez plus ce nom.

Comme ils sont loin, ces jours       25
Où, dans votre chambrette,
La reine des amours
N'était qu'une grisette !
   Eh ! non, non, non,
Vous n'êtes plus Lisette;       30
   Eh ! non, non, non,
Ne portez plus ce nom.

Quand d'un cœur amoureux
Vous prisiez la conquête,
Vous faisiez dix heureux,
Et n'étiez pas coquette.
5     Eh ! non, non, non,
Vous n'êtes plus Lisette.
    Eh ! non, non, non,
Ne portez plus ce nom.

Si l'amour est un dieu,
10 C'est près d'une fillette.
Adieu, Madame, adieu:
En duchesse on vous traite.
    Eh ! non, non, non,
Vous n'êtes plus Lisette;
15     Eh ! non, non, non,
Ne portez plus ce nom.

[Sur l'air de *Eh! non, non, non, vous n'êtes pas Ninette*, chanson ancienne, air de Lambert (musicien et chanteur, 1610–1696, maître de la Musique de chambre de Louis XIV). N° 87 du livre cité.]

\*    \*    \*

À ses heures Béranger était poète lyrique, même romantique. Citons parmi les plus connues de ses chansons de ce genre, *Les Bohémiens* [Gypsies]; *Les Hirondelles* — qui chante l'amour de la patrie absente chez un soldat fait prisonnier par l'ennemi en Afrique; une strophe suffira pour en indiquer le charme [air N° 201, du livre cité: *la Romance de Joseph.*]

Captif au rivage du More,
Un guerrier, courbé sous ses fers,
Disait: Je vous revois encore,
20 Oiseaux ennemis des hivers.
Hirondelles que l'espérance

Suit jusqu'en ces brûlants climats,
Sans doute vous quittez la France:
De mon pays ne me parlez-vous pas ?

Citons encore, à cause du refrain si frappant:

### Les Étoiles qui Filent

Berger, tu dis que notre étoile
Règle nos jours et brille aux cieux.                      5
— Oui, mon enfant; mais dans son voile
La nuit la dérobe à nos yeux.
— Berger, sur cet azur tranquille
De lire on te croit le secret:
Quelle est cette étoile qui file,                        10
Qui file, file, et disparaît ?

— Mon enfant, un mortel expire,
Son étoile tombe à l'instant.
Entre amis que la joie inspire,
Celui-ci buvait en chantant.                             15
Heureux, il s'endort immobile
Auprès du vin qu'il célébrait.
— Encore une étoile qui file,
Qui file, file, et disparaît.

— Mon enfant, qu'elle est pure et belle.                 20
C'est celle d'un objet charmant:
Fille heureuse, amante fidèle,
On l'accorde au plus tendre amant.
Des fleurs ceignent son front nubile,
Et de l'hymen l'autel est prêt ...                       25
— Encore une étoile qui file,
Qui file, file, et disparaît.

— Mon enfant, quel éclair sinistre !
C'était l'astre d'un favori
Qui se croyait un grand ministre
Quand de nos maux il avait ri.
5 Ceux qui servaient ce dieu fragile
Ont déjà caché son portrait ...
— Encore une étoile qui file,
Qui file, file, et disparaît.

— Mon fils, quels pleurs seront les nôtres !
10 D'un riche nous perdons l'appui:
L'indigence plane chez d'autres,
Mais elle moissonnait chez lui.
Ce soir même, sûr d'un asile,
À son toit le pauvre accourait ...
15 — Encore une étoile qui file,
Qui file, file, et disparaît.

— C'est celle d'un puissant monarque !...
Va, mon fils, garde ta candeur,
Et que ton étoile ne marque
20 Par l'éclat ni par la grandeur.
Si tu brillais sans être utile,
À ton dernier jour on dirait:
Ce n'est qu'une étoile qui file,
Qui file, file, et disparaît.

[Sur l'air du *Ballet des Pierrots*, bien connu en France. N° 145 du recueil cité.]

## Adieux de Marie Stuart à la France

Enfin la chanson très populaire — du reste inspirée par une chanson du moyen-âge — sur les adieux de Marie Stuart à la France, quand la fille de Jacques V d'Écosse, reine d'Écosse, puis de France par son mariage avec François II, dut à la mort de celui-ci (1560), fuir devant la redoutable Catherine de Médicis, et retourner en Angleterre — pour y subir la fin de sa destinée tragique.[1]

[Une mélodie spéciale a été composée pour cette chanson par B. Wilhem (fondateur des « Orphéons », ou écoles populaires de chant en France, 1781–1842); on la trouvera au N° 52 du recueil cité.]

Adieu, charmant pays de France,
Que je dois tant chérir !
Berceau de mon heureuse enfance,
Adieu ! te quitter, c'est mourir.

Toi que j'adoptai pour patrie,                     5
Et d'où je crois me voir bannir,
Entends les adieux de Marie,
France, et garde son souvenir.
Le vent souffle, on quitte la plage,
Et, peu touché de mes sanglots,                    10
Dieu, pour me rendre à ton rivage,
Dieu n'a point soulevé les flots !

Adieu, charmant pays de France,
Que je dois tant chérir !
Berceau de mon heureuse enfance,                   15
Adieu ! te quitter, c'est mourir.

Lorsqu'aux yeux du peuple que j'aime
Je ceignis les lis éclatants,
Il applaudit au rang suprême
Moins qu'aux charmes de mon printemps.             20
En vain la grandeur souveraine
M'attend chez le sombre Écossais;
Je n'ai désiré d'être reine
Que pour régner sur des Français.

[1] On montre encore à Roscoff, sur la côte de Bretagne, la maison tout au bord de la mer, où la reine aurait passé sa dernière nuit sur le rivage de France.

Adieu, charmant pays de France,
  Que je dois tant chérir !
Berceau de mon heureuse enfance,
Adieu ! te quitter, c'est mourir.

5      L'amour, la gloire, le génie,
Ont trop enivré mes beaux jours;
Dans l'inculte Calédonie
De mon sort va changer le cours.
Hélas ! un présage terrible
10    Doit livrer mon cœur à l'effroi !
J'ai cru voir, dans un songe horrible,
Un échafaud dressé pour moi.

Adieu, charmant pays de France,
  Que je dois tant chérir !
15    Berceau de mon heureuse enfance,
Adieu ! te quitter, c'est mourir.

France, du milieu des alarmes,
La noble fille des Stuarts,
Comme en ce jour qui voit ses larmes,
20    Vers toi tournera ses regards.
Mais, Dieu ! le vaisseau trop rapide
Déjà vogue sous d'autres cieux,
Et la nuit, dans son voile humide,
Dérobe tes bords à mes yeux !

25    Adieu, charmant pays de France,
  Que je dois tant chérir !
Berceau de mon heureuse enfance,
Adieu ! te quitter, c'est mourir.

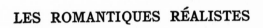

# LES ROMANTIQUES RÉALISTES

CHAPITRE ONZE

# HENRI BEYLE (STENDHAL) [1]

## 1783–1842

**Consulter:** Pour la biographie, si importante dans le cas de Beyle:
Paul Hazard, *La vie de Stendhal* (Coll. « Hommes illustres », Nouv.
Rev. française, 1927). Pour la vie et les œuvres, F. Rod, *Stendhal*
(Coll. « Grands écr. fr. », Hachette, 1892); A. Chuquet, *Stendhal-
Beyle* (Plon, 1902); Pierre Martino, *Stendhal* (Soc. fr. d'imprimerie,
1914); L. Blum, *Stendhal et le Beylisme* (Ollendorff, 1914; nouv. éd.
1930). Pour beaucoup de détails, les volumes de la grande édition
des *Œuvres complètes*, sous la direction de P. Arbelet, avec des introductions nourries (Champion, depuis 1923).

Né à Grenoble, de famille bourgeoise, il perdit sa mère à 7 ans;
son père s'occupa peu de lui; on ne lui permit pas de fréquenter des
enfants de son âge; mais il avait une tante, Elizabeth, qui lui racon-
tait des histoires romanesques, et celles-ci laissèrent une trace
indélébile dans son esprit; il fut toujours assoiffé de sensations extraordinaires. Après trois ans à l'École Centrale de Grenoble (1796-9)
où il se préparait — avec infiniment de paresse — pour la carrière
d'ingénieur, et quelques mois à Paris, il commença une vie aventureuse qui ne finit qu'avec sa mort. Dès 1800 il voyagea beaucoup,
surtout en Italie; il y fit un long séjour, 1814-1821, à Milan; et dès
lors ce pays fut pour lui comme une vraie patrie. Il y retourna en
1830, comme consul à Trieste d'abord, puis à Civita Vecchia. Il
connut aussi l'Angleterre; et fut à diverses époques à Paris, où il
mourut en 1842.

Beyle s'occupait beaucoup d'art: de musique (Vies de *Haydn*, de
*Mozart*), de peinture (*Histoire de la peinture en Italie*, 1817; *Rome,*

---

[1] De nature timide, Beyle se cachait volontiers sous les pseudo-
nymes les plus divers. On en a compté près de deux cents; les plus
connus sont: Stendhal, Henri Brûlard, Lucien Leuwen. — Ne pas
confondre Beyle, romancier du XIX^me siècle, avec Bayle, philosophe
de la fin du XVII^me siècle.

*Naples, Florence*, 1826; *Promenades dans Rome*, 1829). Mais partout il se raconte lui-même. C'est ce qui le rattache encore au romantisme, bien qu'il soit trop indépendant — ou trop timide — pour se rallier ouvertement au groupe romantique proprement dit. Il s'occupe encore de critique littéraire; dans son *Racine et Shakespeare* (1823–5) il formule, plusieurs années avant V. Hugo, certaines idées essentielles de la *Préface de Cromwell*. Il ne réussit jamais, cependant, au théâtre.

C'est dans le roman qu'il devait acquérir la vraie gloire. Il rêvait d'accomplir de grandes choses; il avait le culte de l'énergie: Napoléon était son idole; mais une réelle laideur ajoutant à sa timidité, il manquait de confiance en lui-même; pour cette raison même, il cherchait toujours à se donner les *apparences* de l'homme agissant et fort. Il souffrit beaucoup de ses manques de moyens; la solitude fut son partage. Cette solitude lui inspira un grand besoin d'amour; mais lui-même il devra aimer surtout en imagination et dans ses livres. Dans la vie, dit-il: « Je n'ai eu que six femmes que j'ai aimées »: — pour son appétit, c'était si peu ! Il commença de bonne heure, à 13 ans, brûlant timidement pour une petite comédienne de Grenoble. Sa grande passion fut celle de Milan, 18 ans plus tard, pour une dame Visconti (Mathilde) qui vivait là, séparée de son mari, et qui lui demeura froide. Cette aventure lui inspira un livre *Essai sur l'amour* (1822, publié de nouveau, avec des additions, en 1853). Il y distingue quatre sortes d'amour: physique, passionné, amour-goût, et amour-vanité. L'amour passionné seul l'intéresse, car celui-ci enflamme l'imagination, mère de l'action; il est une source d'énergie qui fait oublier tout le reste dans l'existence; cette excitation à l'action par l'amour est encore augmentée chez l'homme par la pudeur naturelle de la femme qui irrite chez l'homme le désir de vaincre. Ces idées seront mises en action dans ses romans. On a parfois appelé Beyle le « père du roman psychologique au XIX$^{me}$ siècle ».

Paul Hazard a fort bien formulé l'esprit et le sens de Beyle romancier: « Dans la réalité, Stendhal a su déchiffrer les âmes, mais il n'a « pas été capable de jouer sur elles en grand vainqueur ... Dans le « roman, c'est une autre affaire; rien ne vient troubler les calculs du « maître du jeu ... Et donc, en matière de consolation ou d'idéale « revanche, Stendhal prête à Julien Sorel [le héros dans *Le Rouge et* « *le Noir*] cette maîtrise des cœurs qui lui avait manqué. Julien « Sorel est son fils spirituel, chargé de jouer en virtuose sur le clavier « des passions humaines » (Introd. au roman *Le Rouge et le Noir*, Scribner, N. Y. p. xviii–xix).

## Le Rouge et le Noir

### (1831)

On discute encore sur le sens exact de ce titre. On pense généralement que le rouge représente l'armée, où le héros de Beyle aurait voulu se distinguer; mais le temps des guerres était passé; et que le noir représente la prêtrise, où le héros voulait essayer son pouvoir en entrant au séminaire.

De naissance fort humble, mais ambitieux, Julien Sorel devient précepteur dans la famille de M. Rênal, maire de Verrières; il réussit à gagner l'amour de Mme Rênal; chassé de la maison, il entre au séminaire, puis devient secrétaire du marquis de La Mole, dont il séduit la fille; il faut consentir au mariage. Mais une lettre envoyée par Mme Rênal, sur les instances de son confesseur, arrête l'affaire. Julien Sorel alors, voyant ses projets d'avenir anéantis, va attendre Mme Rênal à l'église et la blesse de deux balles de pistolet. Il est condamné à mort et guillotiné.[1]

Beyle veut faire admirer l'habileté de Julien Sorel; l'intelligence et la volonté doivent le conduire à la conquête du monde; même s'il échoue à la fin, il demeure absolument maître de lui-même; il est un volontaire; il est ce que Beyle eût voulu être. Sa connaissance du cœur humain lui permet de réduire sous sa puissance, aussi bien que la tendre et sensitive Mme Rênal, l'impérieuse et fière Mathilde de La Mole.

Le morceau suivant montre Julien Sorel pesant ses chances de réussite auprès de Mathilde de La Mole:

### Julien Sorel et Mathilde de La Mole

À moins d'un mois de là, Julien se promenait pensif dans le jardin de l'hôtel de La Mole; mais sa figure n'avait plus la dureté et la roguerie philosophe qu'y imprimait le sentiment continu de son infériorité. Il venait de recon-

---

[1] L'idée du roman a été suggérée à Beyle par une affaire de justice de l'époque, comme le *Claude Gueux* de V. Hugo (voir plus haut). On en trouvera quelques détails dans l'Introduction de M. Hazard citée tout à l'heure. Le procès s'est déroulé à Besançon. Verrières est un nom de ville fictif.

duire jusqu'à la porte du salon M<sup>lle</sup> de La Mole, qui prétendait s'être fait mal au pied en courant avec son frère.

— Elle s'est appuyée sur mon bras d'une façon bien singulière ! se disait Julien.  Suis-je un fat, ou serait-il vrai
5  qu'elle a du goût pour moi ?  Elle m'écoute d'un air si
doux, même quand je lui avoue toutes les souffrances de
mon orgueil !  Elle qui a tant de fierté avec tout le monde !
On serait bien étonné au salon si on lui voyait cette
physionomie.  Très certainement, cet air doux et bon, elle
10 ne l'a avec personne.

Julien cherchait à ne pas s'exagérer cette singulière
amitié.  Il la comparait lui-même à un commerce armé.
Chaque jour en se retrouvant, avant de reprendre le ton
presque intime de la veille, on se demandait presque:
15 Serons-nous aujourd'hui amis ou ennemis ?  Julien avait
compris que se laisser offenser impunément une seule fois
par cette fille si hautaine, c'était tout perdre.  Si je dois
me brouiller, ne vaut-il pas mieux que ce soit de prime
abord, en défendant les justes droits de mon orgueil, qu'en
20 repoussant les marques de mépris dont serait bientôt suivi
le moindre abandon de ce que je dois à ma dignité personnelle ?

Plusieurs fois, en des jours de mauvaise humeur, Mathilde essaya de prendre avec lui le ton d'une grande
25 dame;  elle mettait une rare finesse à ces tentatives, mais
Julien les repoussait rudement.

Un jour il l'interrompit brusquement. — Mademoiselle
de La Mole a-t-elle quelque ordre à donner au secrétaire de
son père ? lui dit-il, il doit écouter ses ordres, et les exécuter
30 avec respect; mais, du reste, il n'a pas un mot à lui adresser.
Il n'est point payé pour lui communiquer ses pensées.

Cette manière d'être et les singuliers doutes qu'avait
Julien firent disparaître l'ennui qu'il trouvait régulièrement

dans ce salon si magnifique, mais où l'on avait peur de tout, et où il n'était convenable de plaisanter de rien.

Il serait plaisant qu'elle m'aimât ! Qu'elle m'aime ou non, continuait Julien, j'ai pour confidente intime une fille d'esprit devant laquelle je vois trembler toute la maison, et, plus que tous les autres, le marquis de Croisenois. Ce jeune homme si poli, si doux, si brave, et qui réunit tous les avantages de naissance et de fortune dont un seul me mettrait le cœur si à l'aise ! Il en est amoureux fou, il doit l'épouser. Que de lettres M. de La Mole m'a fait écrire aux deux notaires pour arranger le contrat ! Et moi qui me vois si subalterne la plume à la main, deux heures après, ici, dans le jardin, je triomphe de ce jeune homme si aimable: car enfin, les préférences sont frappantes, directes. Peutêtre aussi, elle hait en lui un mari futur. Elle a assez de hauteur pour cela. Et les bontés qu'elle a pour moi, je les obtiens à titre de confident subalterne !

Mais non, ou je suis fou, ou elle me fait la cour; plus je me montre froid et respectueux avec elle, plus elle me recherche. Ceci pourrait être un parti pris, une affectation; mais je vois ses yeux s'animer quand je parais à l'improviste. Les femmes de Paris savent-elles feindre à ce point ? Que m'importe ! j'ai l'apparence pour moi, jouissons des apparences. Mon Dieu, qu'elle est belle ! Que ses grands yeux bleus me plaisent, vus de près, et me regardant comme ils le font souvent ! Quelle différence de ce printemps-ci à celui de l'année passée, quand je vivais malheureux et me soutenant à force de caractère, au milieu de ces trois cents hypocrites méchants et sales ![1] J'étais presque aussi méchant qu'eux.

Dans les jours de méfiance: Cette jeune fille se moque de

[1] Au Séminaire de Besançon.

moi, pensait Julien.  Elle est d'accord avec son frère pour
me mystifier.  Mais elle a l'air de tellement mépriser le
manque d'énergie de ce frère ! — Il est brave, et puis c'est
tout, me dit-elle; il n'a pas une pensée qui ose s'écarter de
5 la mode. — C'est toujours moi qui suis obligé de prendre
sa défense.  Une jeune fille de dix-neuf ans !  À cet âge
peut-on être fidèle, chaque instant de la journée, à l'hypo-
crisie qu'on s'est prescrite ?

D'un autre côté, quand M\ule de La Mole fixe sur moi ses
10 grands yeux bleus avec une certaine expression singulière,
toujours le comte Norbert s'éloigne.  Ceci m'est suspect;
ne devrait-il pas s'indigner de ce que sa sœur distingue un
*domestique* de leur maison ? car j'ai entendu le duc de
Chaulnes parler ainsi de moi.  (À ce souvenir, la colère
15 remplaçait tout autre sentiment.)  Est-ce amour du vieux
langage chez ce duc maniaque ? . . .

À chaque instant, cherchant à s'occuper de quelque
affaire sérieuse, sa pensée abandonnait tout, et il se réveillait un quart d'heure après, le cœur palpitant, la tête
20 troublée, et rêvant à cette idée: M'aime-t-elle ? [1]

[1] Voici quelques lignes qui peignent la hauteur de Mlle de La Mole:
« . . . En quoi consistait son empire sur tout ce qui l'entourait ?
Dès qu'on déplaisait à mademoiselle de La Mole, elle savait punir
par une plaisanterie si mesurée, si bien choisie, si convenable en
apparence, lancée si à propos, que la blessure croissait à chaque
instant, plus on y réfléchissait.  Peu à peu, elle devenait atroce
pour l'amour-propre offensé.  Comme elle n'attachait aucun prix à
bien des choses qui étaient des objets de désirs sérieux pour le reste
de la famille, elle paraissait toujours de sang-froid à leurs yeux.
Les salons de l'aristocratie sont agréables à citer quand on en sort,
mais voilà tout; la politesse toute seule n'est quelque chose par elle-
même que les premiers jours.  Julien l'éprouvait; après le premier
enchantement, le premier étonnement.  La politesse, se disait-il,
n'est que l'absence de la colère que donneraient les mauvaises
manières.  Mathilde s'ennuyait souvent, peut-être se fût-elle ennuyée
partout.  Alors, aiguiser une épigramme était pour elle une distraction et un vrai plaisir » (IIᵉ Partie, Chap. ix).

## La Chartreuse de Parme

### (1839)

C'est le second des romans très célèbres de Beyle. Le sujet en est tiré d'une chronique du XVI° siècle découverte par l'auteur en Italie, et dont il a transposé et adapté la donnée au commencement du XIX° siècle. On nous offre le tableau d'une petite principauté italienne avec ses intrigues politiques et amoureuses, où régnait l'esprit d'aventure, et où l'on ne se piquait point de suivre trop religieusement le code moral. Le jeune Fabrice del Dongo, cadet de famille, sacrifié à son aîné, mais courageux et grand admirateur de la France et de Napoléon que sa famille abhorrait, est un nouveau portrait d'un Beyle tel que Beyle eût voulu être — toujours aventureux, amoureux et impulsif ou volontaire. Il partage l'attention du lecteur avec sa protectrice, la charmante, mais peu scrupuleuse duchesse de Sanseverina.

C'est à propos de ce roman que Balzac écrivit un article enthousiaste dans *La Vie Parisienne* (30 oct. 1840) où il attira l'attention sur Beyle auteur méconnu: « si Machiavel avait écrit un roman, il aurait écrit celui-là ». Balzac admirait surtout la description d'un coin du champ de bataille de Waterloo, qui, par un réalisme saisissant permet d'imaginer l'action gigantesque, entière — action à laquelle Fabrice, comme tout autre soldat, ne comprenait rien. (On compare volontiers cette description de Waterloo à celles aussi célèbres, mais si différentes, de Victor Hugo dans *Les Misérables*, ou dans son poème de *L'Expiation*, et à celle de l'historien Thiers dans *Le Consulat et l'Empire*).

Fabrice, tout jeune, 17 ans, se décide soudainement à partir pour rejoindre Napoléon que les Alliés cherchent à anéantir; il veut « mourir ou vaincre avec cet homme marqué par le destin ». Il quitte la cour muni seulement de quelque argent, traverse la Suisse rapidement, et arrive en pleine bataille de Waterloo. Il avait d'abord été pris pour un espion et arrêté; puis, délivré par une paysanne qui lui avait donné l'uniforme pris sur un cadavre de hussard, et vendu un vieux cheval. Puis une cantinière s'intéresse à son tour à cet enfant, lui donne quelques conseils, et lui sert de guide sur le champ de bataille:

## Fabrice à la Bataille de Waterloo

« . . . Je comprends bien que je ne sais rien, lui dit Fabrice, mais je veux me battre et je suis résolu d'aller là-bas vers cette fumée blanche.

— Regarde comme ton cheval remue les oreilles ! Dès
5 qu'il sera là-bas, quelque peu de vigueur qu'il ait, il te forcera la main, il se mettra à galoper, et Dieu sait où il te mènera. Veux-tu m'en croire ? Dès que tu seras avec les petits soldats, ramasse un fusil et une giberne, mets-toi à côté des soldats et fais comme eux, exactement. Mais,
10 mon Dieu, je parie que tu ne sais pas seulement déchirer une cartouche.[1] »

Fabrice, fort piqué, avoua cependant à sa nouvelle amie qu'elle avait deviné juste.

« Pauvre petit ! il va être tué tout de suite, vrai comme
15 Dieu ! ça ne sera pas long. Il faut absolument que tu viennes avec moi, reprit la cantinière d'un air d'autorité.

— Mais je veux me battre.

— Tu te battras aussi ; va, le 6ᵉ léger [2] est un fameux, et aujourd'hui il y en a pour tout le monde.

20 — Mais serons-nous bientôt à votre régiment ?

— Dans un quart d'heure tout au plus. »

« Recommandé par cette brave femme, se dit Fabrice, mon ignorance de toutes choses ne me fera pas prendre pour un espion, et je pourrai me battre. » À ce moment,
25 le bruit du canon redoubla, un coup n'attendait pas l'autre.

« C'est comme un chapelet, dit Fabrice.

---

[1] Le fusil se chargeait alors encore par l'ouverture du canon. Le soldat déchirait la cartouche contenant la charge de poudre avec ses dents, et versait la poudre dans son fusil. Puis il mettait une bourre, la balle, et une deuxième bourre.

[2] C'est à dire, appartenant au 6º corps de soldats légèrement armés.

— On commence à distinguer les feux de peloton », dit la vivandière en donnant un coup de fouet à son petit cheval qui semblait tout animé par le feu.

La cantinière tourna à droite et prit un chemin de traverse au milieu des prairies; il y avait un pied de boue; la petite charrette fut sur le point d'y rester: Fabrice poussa à la roue. Son cheval tomba deux fois, bientôt le chemin, moins rempli d'eau, ne fut plus qu'un sentier au milieu du gazon. Fabrice n'avait pas fait cinq cents pas que la rosse s'arrêta tout court: c'était un cadavre, posé en travers du sentier, qui faisait horreur au cheval et au cavalier.

La figure de Fabrice, très pâle naturellement, prit une teinte verte fort prononcée; la cantinière, après avoir regardé le mort, dit, comme se parlant à elle-même: « Ça n'est pas de notre division. » Puis, levant les yeux sur notre héros, elle éclata de rire.

« Ha ! ha ! mon petit ! s'écria-t-elle, en voilà du nanan ! [1] »

Fabrice restait glacé. Ce qui le frappait surtout, c'était la saleté des pieds de ce cadavre qui déjà était dépouillé de ses souliers, et auquel on n'avait laissé qu'un mauvais pantalon tout souillé de sang.

« Approche, lui dit la cantinière, descends de cheval; il faut que tu t'y accoutumes. Tiens, s'écria-t-elle, il en a eu par la tête. »

Une balle, entrée à côté du nez, était sortie par la tempe opposée, et défigurait ce cadavre d'une façon hideuse; il était resté avec un œil ouvert.

« Descends donc de cheval, petit, dit la cantinière, et donne-lui une poignée de main pour voir s'il te la rendra. »

Sans hésiter, quoique près de rendre l'âme de dégoût, Fabrice se jeta à bas de son cheval et prit la main du

[1] Dans le langage d'un enfant, friandise (*candy*). Fabrice avait 17 ans.

cadavre, qu'il secoua ferme; puis il resta comme anéanti: il sentait qu'il n'avait pas la force de remonter à cheval. Ce qui lui faisait horreur surtout, c'était cet œil ouvert.

« La vivandière va me croire lâche », se disait-il avec
5 amertume.   Mais il sentait l'impossibilité de faire un mouvement: il serait tombé.   Ce moment fut affreux; Fabrice fut sur le point de se trouver mal tout à fait.   La vivandière s'en aperçut, sauta lestement à bas de sa petite voiture, et lui présenta, sans mot dire, un verre d'eau-de-
10 vie qu'il avala d'un trait; il put remonter sur sa rosse et continua la route sans dire une parole.   La vivandière le regardait de temps à autre du coin de l'œil.

« Tu te battras demain, mon petit, lui dit-elle enfin, aujourd'hui tu resteras avec moi.   Tu vois bien qu'il faut
15 que tu apprennes le métier de soldat.

— Au contraire, je veux me battre tout de suite », s'écria notre héros d'un air sombre, qui sembla de bon augure à la vivandière.

Le bruit du canon redoublait et semblait s'approcher.
20 Les coups commençaient à former comme une basse continue; un coup n'était séparé du coup voisin par aucun intervalle, et sur cette basse continue, qui rappelait le bruit d'un torrent lointain, on distinguait fort bien les feux de peloton.

25    Dans ce moment, la route s'enfonçait au milieu d'un bouquet de bois.   La vivandière vit trois ou quatre soldats des nôtres qui venaient à elle, courant à toutes jambes; elle sauta lestement à bas de sa voiture et courut se cacher à quinze ou vingt pas du chemin.   Elle se blottit dans un
30 trou qui était resté au lieu où l'on venait d'arracher un grand arbre.   « Donc, se dit Fabrice, je vais voir si je suis un lâche ! »   Il s'arrêta auprès de la petite voiture abandonnée par la cantinière et tira son sabre.   Les soldats ne

firent pas attention à lui et passèrent en courant le long du bois, à gauche de la route.

« Ce sont des nôtres, dit tranquillement la vivandière en revenant tout essoufflée vers sa petite voiture ... Si ton cheval était capable de galoper, je te dirais: Pousse en 5 avant jusqu'au bout du bois, vois s'il y a quelqu'un dans la plaine. » Fabrice ne se le fit pas dire deux fois, il arracha une branche à un peuplier, l'effeuilla et se mit à battre son cheval à tour de bras; la rosse prit le galop un instant, puis revint à son petit trot accoutumé. La vivandière avait 10 mis son cheval au galop. « Arrête-toi donc, arrête ! » criait-elle à Fabrice. Bientôt tous les deux furent hors du bois. En arrivant au bord de la plaine, ils entendirent un tapage effroyable; le canon et la mousqueterie tonnaient de tous les côtés, à droite, à gauche, derrière. Et comme le 15 bouquet de bois d'où ils sortaient occupait un tertre élevé de huit ou dix pieds au-dessus de la plaine, ils aperçurent assez bien un coin de la bataille; mais enfin il n'y avait personne dans le pré au delà du bois. Ce pré était bordé, à mille pas de distance, par une longue rangée de saules très 20 touffus; au-dessus des saules paraissait une fumée blanche qui quelquefois s'élevait dans le ciel en tournoyant.

« Si je savais seulement où est le régiment ! disait la cantinière embarrassée. Il ne faut pas traverser ce grand pré tout droit. À propos, toi, dit-elle à Fabrice, si tu vois un 25 soldat ennemi, pique-le avec la pointe de ton sabre, ne va pas t'amuser à le sabrer. »

À ce moment, la cantinière aperçut les quatre soldats dont nous venons de parler: ils débouchaient du bois dans la plaine à gauche de la route. L'un d'eux était à cheval. 30

« Voilà ton affaire, dit-elle à Fabrice. Holà, ho ! criat-elle à celui qui était à cheval, viens donc ici boire le verre d'eau-de-vie.

Les soldats s'approchèrent.

— Où est le 6ᵉ léger ? cria-t-elle.

— Là-bas, à cinq minutes d'ici, en avant de ce canal qui
est le long des saules;  même que le colonel Macon vient
5 d'être tué.

— Veux-tu cinq francs de ton cheval, toi ?

— Cinq francs ! tu ne plaisantes pas mal, petite mère, un
cheval d'officier que je vais vendre cinq napoléons [1] avant
un quart d'heure.

10   — Donne-m'en un de tes napoléons, dit la vivandière à
Fabrice.

Puis s'approchant du soldat à cheval:

— Descends vivement, lui dit-elle, voilà ton napoléon.

Le soldat descendit.  Fabrice sauta en selle gaiement, la
15 vivandière détachait le petit porte-manteau qui était sur
la rosse.

« Aidez-moi donc, vous autres ! dit-elle aux soldats:
c'est comme cela que vous laissez travailler une dame ! »

Mais à peine le cheval de prise sentit le porte-manteau,
20 qu'il se mit à se cabrer, et Fabrice, qui montait fort bien,
eut besoin de toute sa force pour le contenir.

... À ce moment, un boulet donna dans une ligne de
saules, qu'il prit de biais, et Fabrice eut le curieux spectacle
de toutes ces petites branches volant de côté et d'autre
25 comme rasées par un coup de faux.

« Tiens, voilà le brutal [2] qui s'avance », lui dit le soldat
en prenant ses vingt francs.

Il pouvait être deux heures.

Fabrice était encore dans l'enchantement de ce spectacle
30 curieux, lorsqu'une troupe de généraux, suivis d'une vingtaine de hussards, traversèrent au galop un des angles de la

---

[1] Pièce d'or de 20 francs.
[2] Dans le langage du soldat, *le canon*.

vaste prairie au bord de laquelle il était arrêté: son cheval hennit, se cabra deux ou trois fois de suite, puis donna des coups de tête violents contre la bride qui le retenait. « Eh bien, soit ! » se dit Fabrice.

Le cheval, laissé à lui-même, partit ventre à terre et alla rejoindre l'escorte qui suivait les généraux. Fabrice compta quatre chapeaux brodés. Un quart d'heure après, par quelques mots que dit un hussard, son voisin, Fabrice comprit qu'un de ces généraux était le célèbre maréchal Ney.[1] Son bonheur fut au comble; toutefois il ne put deviner lequel des quatre généraux était le maréchal Ney; il eût donné tout au monde pour le savoir, mais il se rappela qu'il ne fallait pas parler. L'escorte s'arrêta pour passer un large fossé rempli d'eau par la pluie de la veille; il était bordé de grands arbres et terminait sur la gauche la prairie à l'entrée de laquelle Fabrice avait acheté le cheval. Presque tous les hussards avaient mis pied à terre; le bord du fossé était à pic et fort glissant, et l'eau se trouvait bien à trois ou quatre pieds en contre-bas au-dessous de la prairie. Fabrice, distrait par sa joie, songeait plus au maréchal Ney et à la gloire qu'à son cheval, lequel, étant fort animé, sauta dans le canal, ce qui fit rejaillir l'eau à une hauteur considérable. Un des généraux fut entièrement mouillé par la nappe d'eau, et s'écria en jurant: « Au diable la fichue bête ! » Fabrice se sentit profondément blessé de cette injure.

... Le tapage devint tellement fort en ce moment, que Fabrice ne put lui répondre. Nous avouerons que notre

[1] Un des plus célèbres maréchaux de la Grande Armée, surnommé par Napoléon ‹ le brave des braves ›, reçut le titre de ‹ Prince de la Moskowa › pour sa brillante conduite à la victoire de la Moskowa sur les Russes en 1812. Il fut fusillé à la Restauration, en 1815, étant demeuré loyal à l'Empereur.

héros était fort peu un héros en ce moment.  Toutefois, la
peur ne venait chez lui qu'en seconde ligne; il était surtout
scandalisé de ce bruit qui lui faisait mal aux oreilles.  L'escorte prit le galop; on traversait une grande pièce de terre
5 labourée, située au delà de ce canal, et ce champ était
jonché de cadavres.

« Les habits rouges ! les habits rouges ! » criaient avec
joie les hussards de l'escorte.  Et d'abord Fabrice ne comprenait pas; enfin il remarqua qu'en effet presque tous les
10 cadavres étaient vêtus de rouge.  Une circonstance lui
donna un frisson d'horreur: il remarqua que beaucoup de
ces malheureux habits rouges vivaient encore; ils criaient
évidemment pour demander du secours, et personne ne
s'arrêtait pour leur en donner.  Notre héros, fort humain,
15 se donnait toutes les peines du monde pour que son cheval
ne mît les pieds sur aucun habit rouge.  L'escorte s'arrêta;
Fabrice, qui ne faisait pas assez attention à son devoir de
soldat, galopait toujours en regardant un malheureux
blessé.

20 « Veux-tu bien t'arrêter, blanc-bec ! » lui cria le maréchal
des logis.  Fabrice s'aperçut qu'il était à vingt pas sur la
droite en avant des généraux, et précisément du côté où ils
regardaient avec leurs lorgnettes.  En revenant se ranger
à la queue des autres hussards restés à quelques pas en
25 arrière, il vit le plus gros de ces généraux qui parlait à son
voisin, général aussi, d'un air d'autorité et presque de
réprimande; il jurait.  Fabrice ne put retenir sa curiosité;
et, malgré le conseil de ne point parler, à lui donné par son
amie la geôlière, il arrangea une petite phrase bien fran-
30 çaise, bien correcte, et dit à son voisin:

« Quel est-il ce général qui *gourmande* son voisin ?

— Pardi, c'est le maréchal !

— Quel maréchal ?

— Le maréchal Ney, bêta ! Ah çà ! où as-tu servi jusqu'ici ? »

Fabrice, quoique fort susceptible, ne songea point à se
fâcher de l'injure; il contemplait, perdu dans une admiration enfantine, ce fameux prince de la Moskowa, le brave 5
des braves.

Tout à coup on partit au grand galop. Quelques instants après, Fabrice vit, à vingt pas en avant, une terre
labourée qui était remuée d'une façon singulière. Le fond
des sillons était plein d'eau, et la terre fort humide qui 10
formait la crête de ces sillons volait en petits fragments
noirs lancés à trois ou quatre pieds de haut. Fabrice remarqua en passant cet effet singulier; puis sa pensée se
remit à songer à la gloire du maréchal. Il entendit un cri
sec auprès de lui: c'était deux hussards qui tombaient 15
atteints par les boulets; et, lorsqu'il les regarda, ils étaient
déjà à vingt pas de l'escorte. Ce qui lui sembla horrible,
ce fut un cheval tout sanglant qui se débattait sur la terre
labourée, en engageant ses pieds dans ses propres entrailles:
il voulait suivre les autres. Le sang coulait dans la boue. 20

« Ah ! m'y voilà donc enfin au feu ! se dit-il. J'ai vu le
feu ! se répétait-il avec satisfaction. Me voici un vrai
militaire. » À ce moment, l'escorte allait ventre à terre,
et notre héros comprit que c'étaient des boulets qui faisaient voler la terre de toutes parts. Il avait beau regarder 25
du côté d'où venaient les boulets, il voyait la fumée blanche
de la batterie à une distance énorme et, au milieu du ron-
flement égal et continu produit par les coups de canon,
il lui semblait entendre des décharges beaucoup plus voisines: il n'y comprenait rien du tout. 30

Fabrice continue à errer avec ce groupe d'officiers, puis il se trouve
tout à coup mêlé à un autre groupe de soldats; il est entraîné dans la
débâcle de la fin de la bataille; on lui vole son cheval; il en trouve un

autre; il passe près de l'empereur; il est blessé — mais continue à se demander encore, sur ce champ de Waterloo: « *Ai-je réellement assisté à une bataille?* « Il lui semblait que oui, et il eût été au comble du « bonheur s'il en eût été certain ». Finalement Fabrice rentre à Milan, où commence une nouvelle série d'aventures, la paix ayant été rétablie en Europe. On trouve un prétexte pour faire enfermer ce cadet gênant, mais il est protégé par la duchesse de Sanseverina, admirable intrigante; il réussit à faire une audacieuse évasion. Ses amours ne sont pas très heureuses. On finit par lui donner une place de coadjuteur (Adjoint à l'archevêque); enfin il se retire chez les moines chartreux de Parme; c'est là qu'il meurt après un an.

*		*		*

Beyle ne fut pas compris de ses contemporains; il l'avait du reste prédit. Longtemps après Balzac, le grand psychologue et critique Taine, le premier, comprit toute sa valeur. É. Faguet, encore en 1892 (*Revue des Deux Mondes*) ne peut voir en Beyle un grand écrivain, mais depuis le commencement du XX° siècle, le romancier qui créa Julien Sorel et Fabrice est l'objet d'une sorte de culte; on prétend retrouver chez lui l'ironie d'Anatole France, la psychologie de Paul Bourget, le culte du moi ou de l'énergie de Maurice Barrès.

# CHAPITRE DOUZE

# PROSPER MÉRIMÉE

1803–1871

**Consulter:** Augustin Filon, *Mérimée* (Coll. grands écr. fr., Hachette, 1893); le même, *Mérimée et ses amis* (Hachette, 1894). Pour une étude très détaillée, Pierre Trahard, *Mérimée* (Champion, 4 volumes, 1924–1930). Pour une étude brève, voir E. Faguet, dans ses *Études sur le XIX^me Siècle* (Lecène, Oudin, 1887; ch. V).

Né et élevé dans un milieu artistique, très cultivé, et profondément imbu encore de l'esprit rationaliste — même voltairien — du XVIII° siècle, il fut destiné à la carrière du droit, mais il préféra de bonne heure les lettres. Tout en gardant distinctement la marque de son éducation, il n'en fut pas moins saisi par le tourbillon de l'esprit romantique ou romanesque; son œuvre littéraire est le résultat de la lutte entre cet esprit du temps qui consistait à s'abandonner à ses émotions et sentiments personnels, et l'habitude de contrôler toujours les mouvements du cœur par la raison; la crainte de céder à l'appel romantique eut comme résultat d'accentuer volontairement l'expression froide, ironique, un peu cynique. Tout en n'étant pas timide comme Beyle — il avait au contraire une aisance admirable en société et fut tout-à-fait un homme de salon — il avait cependant beaucoup en commun avec celui-ci. Ils se connaissaient, et, pendant quelque temps, firent partie du même groupe littéraire à Paris, celui du premier salon romantique (se réunissant chez l'artiste Delécluze); on y affirmait l'indépendance vis à vis de la tradition philosophique et littéraire, l'individualisme en art; dès que, cependant, le mouvement émancipateur devint l'apanage de tout le monde, ils refusèrent de marcher avec les romantiques (Victor Hugo et son groupe); ils adoptèrent une attitude moqueuse et hautaine vis à vis de ceux dont ils partageaient au fond les dispositions.[1]

---

[1] Comme Beyle avait écrit *Racine et Shakespeare* quatre ans avant que V. Hugo écrivît la *Préface de Cromwell*, Mérimée avait écrit un drame de *Cromwell* plusieurs années avant celui de V. Hugo.

Les deux premières œuvres imprimées de Mérimée sont romantiques d'esprit, mais il faut n'y voir qu'une mystification. L'une est un recueil de courtes pièces de théâtre qu'il prétendait avoir traduites du manuscrit d'une actrice espagnole très ardente et passionnée qui, chassée de son pays par l'inquisition et réfugiée en Angleterre, aurait consacré ses loisirs à écrire. *Le théâtre de Clara Gazul* (1825) fut acclamé comme un chef d'œuvre sans que l'auteur réel fût d'abord découvert (cependant Mérimée avait mis en tête du volume un propre portrait de lui-même déguisé en Espagnole). Cette supercherie lui en suggéra une autre. Comme l'exotisme continuait à être à la mode, il composa un recueil de poèmes « illyriens » (1827). Le titre du volume *La Guzla* (soi-disant un instrument de musique illyrien) est un anagramme de Gazul. Avec l'argent gagné, il comptait se rendre en Illyrie pour voir si le pays était bien tel qu'il l'avait imaginé.

Avec tout cela, Mérimée était un érudit remarquable et un styliste de tout premier ordre.

À cause de ses connaissances archéologiques, il fut nommé, en 1831, Inspecteur des monuments historiques, et, quelques années plus tard, ses *Études sur l'Histoire romaine*, lui valurent d'être reçu à l'Académie française (1844).[1]

Comme écrivain, il partage aujourd'hui encore avec Maupassant le titre de « maître de la nouvelle française ». Les sujets de ses récits continuent à être fort romantiques et ses héros à être animés de passions violentes, mais, en écrivant il se défend toute réflexion personnelle ou toute note d'émotion. En cela il est aussi près de Balzac que de Beyle.

Ses histoires les plus connues sont *Mateo Falcone* (nouvelle corse, 1829), *L'enlèvement de la redoute* (récit militaire), *La Vénus d'Ille* (une adaptation d'un conte du moyen-âge) et surtout la plus célèbre de toutes, une histoire de « vendetta » corse,[2] *Colomba* (1840) que tout le monde a lue.

Il faut mentionner encore *Carmen* (1847) qui est aujourd'hui doublement célèbre comme nouvelle de Mérimée et comme opéra de Bizet. Le sujet du récit avait été fourni à Mérimée par la comtesse de Montijo, dont il avait fait la connaissance au cours d'un voyage en

---

[1] Deux de ses livres les plus remarquables, *La Jacquerie* (1828), et *La chronique du règne de Charles IX* (1829) sont présentés sous la forme de romans; mais ils sont d'une historicité très fidèle, bien différents en ceci des romans « historiques » de Vigny et de Dumas.

[2] Sujet très romanesque, traité aussi par Balzac en 1830, et de nouveau par Maupassant en 1885. Voir Lorenzo de Bradi, *La vraie Colomba*, Flammarion, 1922.

Espagne et dont la fille devait plus tard épouser l'empereur Napoléon
III. (Mérimée fut plus tard fort apprécié dans les salons du Second
Empire et aux Tuileries). Enfin Mérimée fut un des premiers à signaler l'intérêt des écrivains russes, et il emprunta lui-même à la Russie
certains sujets, par exemple *Lokis*.

Comme épistolier aussi Mérimée a brillé; ainsi dans les *Lettres
à une inconnue* (Mlle Daquin, de Boulogne) publiées après sa mort.

E. Faguet caractérise excellemment Mérimée dans ses études sur
le XIX° siècle: « Il avait la qualité essentielle de l'homme du monde,
« *la tenue*. Cela veut dire qu'il s'interdisait tout ce qui est spontané,
« se défiait toujours du premier mouvement. Le premier mouvement
« chez l'homme est celui du sentiment, et le second est celui de la
« défiance. Sans méfiance sournoise et apeurée de niais, Mérimée avec
« tranquillité et politesse, se défiait de tout, ou plutôt ne se fiait
« à rien: μέμνησο ἀπιστεῖν [souviens-toi de te défier] était sa devise.
« *Il faut être honnête homme et douter*, disait-il encore. La naïveté, la
« candeur, la conviction, la foi, le besoin de persuader les autres sont
« choses un peu sottes, signes d'une confiance en soi un peu ridicule et
« d'assez mauvais goût ... Ce qui est correct et sensé, c'est de ne
« croire à rien, sans vouloir convertir personne à son scepticisme, de
« causer à petit bruit, de s'exprimer en peu de mots, d'avoir une
« langue claire, et de ne point faire de grands gestes ».

Et plus bas: « Mérimée a eu la récompense qu'il eût souhaitée. Il
« a été goûté discrètement et intimement par les délicats. Il n'a pas
« été ballotté brutalement dans le tumulte de discussions d'écoles. Il
« n'a été attaqué par personne, ni loué à grands cris et admiré à
« grands renforts d'adjectifs, ce qui eût été pour lui une inexpri-
« mable douleur ... Il est entré dans la postérité comme on entre
« dans un salon, sans discussion, sans fracas, reçu avec le plus grand
« plaisir, sans vaine effusion, et s'y est installé commodément à une
« bonne place dont on ne l'écartera jamais ».

### Mateo Falcone [1]

En sortant de Porto-Vecchio [2] et se dirigeant au nord-
ouest, vers l'intérieur de l'île, on voit le terrain s'élever

---

[1] Voir *Revue d'Hist. litt.*, avril 1920, « Sources de Mateo Falcone »,
par G. Courtillier; et Gustave Charlier, *De Ronsard à Victor Hugo*
(Éd. de la Revue de l'Université de Bruxelles, 1931) l'article « La
source de *Mateo Falcone* ».

[2] **Porto-Vecchio**: italien, *vieux port*, au sud de l'île de Corse.

assez rapidement, et, après trois heures de marche par des
sentiers tortueux, obstrués par de gros quartiers de rocs, et
quelquefois coupés par des ravins, on se trouve sur le bord
d'un *maquis* très étendu.　Le maquis est la patrie des
5 bergers corses et de quiconque s'est brouillé avec la justice.
Il faut savoir que le laboureur corse, pour s'épargner la
peine de fumer son champ, met le feu à une certaine étendue de bois: tant pis si la flamme se répand plus loin que
besoin n'est; arrive que pourra, on est sûr d'avoir une
10 bonne récolte en semant sur cette terre fertilisée par les
cendres des arbres qu'elle portait.　Les épis enlevés, car on
laisse la paille, qui donnerait de la peine à recueillir, les
racines qui sont restées en terre sans se consumer poussent,
au printemps suivant, des cépées très épaisses qui, en peu
15 d'années, parviennent à une hauteur de sept ou huit
pieds.　C'est cette manière de taillis fourré que l'on
nomme maquis.　Différentes espèces d'arbres et d'ar-
brisseaux le composent, mêlés et confondus comme il
plaît à Dieu.　Ce n'est que la hache à la main que l'homme
20 s'y ouvrirait un passage, et l'on voit des maquis si épais et
si touffus, que les mouflons[1] eux-mêmes ne peuvent y
pénétrer.
　　Si vous avez tué un homme, allez dans le maquis de
Porto-Vecchio, et vous y vivrez en sûreté, avec un bon
25 fusil, de la poudre et des balles; n'oubliez pas un manteau
brun garni d'un capuchon, qui sert de couverture et de
matelas.　Les bergers vous donnent du lait, du fromage et
des châtaignes, et vous n'aurez rien à craindre de la justice
ou des parents du mort, si ce n'est quand il vous faudra
30 descendre à la ville pour y renouveler vos munitions.
　　Mateo Falcone, quand j'étais en Corse en 18.., avait

---

[1] Espèce de moutons élevés en Corse.

sa maison à une demi-lieue de ce maquis. C'était un homme assez riche pour le pays; vivant noblement, c'est-à-dire sans rien faire, du produit de ses troupeaux, que des bergers, espèces de nomades, menaient paître çà et là sur les montagnes. Lorsque je le vis, deux années après l'événement que je vais raconter, il me parut âgé de cinquante ans tout au plus. Figurez-vous un homme petit mais robuste, avec des cheveux crépus, noirs comme le jais, un nez aquilin, les lèvres minces, les yeux grands et vifs, et un teint couleur de revers de botte. Son habileté au tir du fusil passait pour extraordinaire, même dans son pays, où il y a tant de bons tireurs. Par exemple, Mateo n'aurait jamais tiré sur un mouflon avec des chevrotines [1]; mais, à cent vingt pas, il l'abattait d'une balle dans la tête ou dans l'épaule, à son choix. La nuit, il se servait de ses armes aussi facilement que le jour, et l'on m'a cité de lui ce trait d'adresse qui paraîtra peut-être incroyable à qui n'a pas voyagé en Corse. À quatre-vingts pas, on plaçait une chandelle allumée derrière un transparent de papier, large comme une assiette. Il mettait en joue, puis on éteignait la chandelle, et, au bout d'une minute, dans l'obscurité la plus complète, il tirait et perçait le transparent trois fois sur quatre.

Avec un mérite aussi transcendant, Mateo Falcone s'était attiré une grande réputation. On le disait aussi bon ami que dangereux ennemi: d'ailleurs serviable et faisant l'aumône, il vivait en paix avec tout le monde dans le district de Porto-Vecchio. Mais on contait de lui qu'à Corte,[2] où il avait pris femme, il s'était débarrassé fort vigoureusement d'un rival qui passait pour aussi redoutable

[1] *rifle for grapeshot.*
[2] Une localité de quelque importance (5000 habitants) à l'intérieur de l'île.

en guerre qu'en amour; du moins on attribuait à Mateo
certain coup de fusil qui surprit ce rival comme il était à se
raser devant un petit miroir pendu à sa fenêtre. L'affaire
assoupie, Mateo se maria. Sa femme Giuseppa lui avait
5 donné d'abord trois filles (dont il enrageait), et enfin un
fils, qu'il nomma Fortunato: c'était l'espoir de sa famille,
l'héritier du nom. Les filles étaient bien mariées: leur
père pouvait compter au besoin sur les poignards et les
escopettes de ses gendres. Le fils n'avait que dix ans, mais
10 il annonçait déjà d'heureuses dispositions.

Un certain jour d'automne, Mateo sortit de bonne
heure avec sa femme pour aller visiter un de ses troupeaux
dans une clairière du maquis. Le petit Fortunato voulait
l'accompagner, mais la clairière était trop loin; d'ailleurs,
15 il fallait bien que quelqu'un restât pour garder la maison;
le père refusa donc: on verra s'il n'eut pas lieu de s'en
repentir.

Il était absent depuis quelques heures, et le petit Fortunato était tranquillement étendu au soleil, regardant
20 les montagnes bleues, et pensant que, le dimanche prochain, il irait dîner à la ville, chez son oncle le *caporal*,[1]
quand il fut soudainement interrompu dans ses méditations
par l'explosion d'une arme à feu. Il se leva et se tourna du
côté de la plaine d'où partait ce bruit. D'autres coups de
25 fusil se succédèrent, tirés à intervalles inégaux, et toujours

---

[1] Les caporaux furent autrefois les chefs que se donnèrent les
communes corses quand elles s'insurgèrent contre les seigneurs féo-
daux. Aujourd'hui, on donne encore quelquefois ce nom à un homme
qui, par ses propriétés, ses alliances et sa clientèle, exerce une influence
et une sorte de magistrature effective sur une *pieve** ou un canton.
Les Corses se divisent, par une ancienne habitude, en cinq castes: les
*gentilshommes* (dont les uns sont *magnifiques*, les autres *signori*), les
*caporali*, les *citoyens*, les *plébéiens* et les *étrangers*. (*Note de l'auteur.*)

* **pieve** (It.) paroisse.

de plus en plus rapprochés; enfin, dans le sentier qui menait de la plaine à la maison de Mateo parut un homme,
coiffé d'un bonnet pointu comme en portent les montagnards, barbu, couvert de haillons, et se traînant avec
peine en s'appuyant sur son fusil. Il venait de recevoir un 5
coup de feu dans la cuisse.

Cet homme était un *bandit*,[1] qui, étant parti de nuit pour
aller chercher de la poudre à la ville, était tombé en route
dans une embuscade de voltigeurs corses.[2] Après une
vigoureuse défense, il était parvenu à faire sa retraite, 10
vivement poursuivi et tiraillant de rocher en rocher. Mais
il avait peu d'avance sur les soldats, et sa blessure le mettait hors d'état de gagner le maquis avant d'être rejoint.

Il s'approcha de Fortunato et lui dit:

— Tu es le fils de Mateo Falcone ? 15

— Oui.

— Moi, je suis Gianetto Sanpiero. Je suis poursuivi
par les collets jaunes.[3] Cache-moi, car je ne puis aller plus
loin.

— Et que dira mon père si je te cache sans sa permis- 20
sion ?

— Il dira que tu as bien fait.

— Qui sait ?

— Cache-moi vite; ils viennent.

— Attends que mon père soit revenu. 25

— Que j'attende ? malédiction ! Ils seront ici dans cinq
minutes. Allons, cache-moi, ou je te tue.

Fortunato lui répondit avec le plus grand sang-froid:

[1] Ce mot est ici le synonyme de proscrit. (*Note de l'auteur.*)
[2] C'est un corps levé depuis peu d'années par le gouvernement,
et qui sert concurremment avec la gendarmerie au maintien de la
police. (*Note de l'auteur.*)
[3] L'uniforme des voltigeurs était alors un habit brun avec un collet jaune. (*Note de l'auteur.*)

— Ton fusil est déchargé, et il n'y a plus de cartouches dans ta carchera.[1]

— J'ai mon stylet.

— Mais courras-tu aussi vite que moi ?

5 Il fit un saut, et se mit hors d'atteinte.

— Tu n'es pas le fils de Mateo Falcone ! Me laisseras-tu donc arrêter devant ta maison ?

L'enfant parut touché.

— Que me donneras-tu si je te cache ? dit-il en se rap-10 prochant.

Le bandit fouilla dans une poche de cuir qui pendait à sa ceinture, et il en tira une pièce de cinq francs qu'il avait réservée sans doute pour acheter de la poudre. Fortunato sourit à la vue de la pièce d'argent; il s'en saisit, et dit à 15 Gianetto:

— Ne crains rien.

Aussitôt il fit un grand trou dans un tas de foin placé auprès de la maison. Gianetto s'y blottit, et l'enfant le recouvrit de manière à lui laisser un peu d'air pour respirer, 20 sans qu'il fût possible cependant de soupçonner que ce foin cachât un homme. Il s'avisa, de plus, d'une finesse de sauvage assez ingénieuse. Il alla prendre une chatte et ses petits, et les établit sur le tas de foin pour faire croire qu'il n'avait pas été remué depuis peu. Ensuite, remar-25 quant des traces de sang sur le sentier près de la maison, il les couvrit de poussière avec soin, et, cela fait, il se recoucha au soleil avec la plus grande tranquillité.

Quelques minutes après, six hommes en uniforme brun à collet jaune, et commandés par un adjudant, 30 étaient devant la porte de Mateo. Cet adjudant était quelque peu parent de Falcone. (On sait qu'en Corse on

---

[1] Ceinture de cuir qui sert de giberne et de portefeuille. (*Note de l'auteur.*)

suit les degrés de parenté beaucoup plus loin qu'ailleurs.)
Il se nommait Tiodoro Gamba: c'était un homme actif,
fort redouté des bandits dont il avait déjà traqué plusieurs.

— Bonjour, petit cousin, dit-il à Fortunato en l'abordant; comme te voilà grandi ! As-tu vu passer un homme 5
tout à l'heure ?

— Oh ! je ne suis pas encore si grand que vous, mon cousin, répondit l'enfant d'un air niais.

— Cela viendra. Mais n'as-tu pas vu passer un homme,
dis-moi ? 10

— Si j'ai vu passer un homme ?

— Oui, un homme avec un bonnet pointu en velours noir,
et une veste brodée de rouge et de jaune ?

— Un homme avec un bonnet pointu, et une veste brodée
de rouge et de jaune ? 15

— Oui, réponds vite, et ne répète pas mes questions.

— Ce matin, M. le curé est passé devant notre porte,
sur son cheval Piero. Il m'a demandé comment papa se
portait, et je lui ai répondu . . .

— Ah ! petit drôle, tu fais le malin ! Dis-moi vite par où 20
est passé Gianetto, car c'est lui que nous cherchons; et, j'en
suis certain, il a pris par ce sentier.

— Qui sait ?

— Qui sait ? C'est moi qui sais que tu l'as vu.

— Est-ce qu'on voit les passants quand on dort ? 25

— Tu ne dormais pas, vaurien; les coups de fusil t'ont
réveillé.

— Vous croyez donc, mon cousin, que vos fusils font
tant de bruit ? L'escopette de mon père en fait bien davantage. 30

— Que le diable te confonde, maudit garnement ! Je
suis bien sûr que tu as vu le [1] Gianetto. Peut-être même

---

[1] Usage italien de faire précéder un nom propre par l'article.

l'as-tu caché. Allons, camarades, entrez dans cette maison, et voyez si notre homme n'y est pas. Il n'allait plus que d'une patte, et il a trop de bon sens, le coquin, pour avoir cherché à gagner le maquis en clopinant. D'ailleurs, les
5 traces de sang s'arrêtent ici.

— Et que dira papa ? demanda Fortunato en ricanant; que dira-t-il s'il sait qu'on est entré dans sa maison pendant qu'il était sorti ?

— Vaurien ! dit l'adjudant Gamba en le prenant par
10 l'oreille, sais-tu qu'il ne tient qu'à moi de te faire changer de note ? Peut-être qu'en te donnant une vingtaine de coups de plat de sabre tu parleras enfin.

Et Fortunato ricanait toujours.

— Mon père est Mateo Falcone ! dit-il avec emphase.

15 — Sais-tu bien, petit drôle, que je puis t'emmener à Corte ou à Bastia ?[1] Je te ferai coucher dans un cachot, sur la paille, les fers aux pieds, et je te ferai guillotiner si tu ne dis où est Gianetto Sanpiero.

L'enfant éclata de rire à cette ridicule menace. Il ré-
20 péta:

— Mon père est Mateo Falcone.

— Adjudant, dit tout bas un des voltigeurs, ne nous brouillons pas avec Mateo.

Gamba paraissait évidemment embarrassé. Il causait
25 à voix basse avec ses soldats, qui avaient déjà visité toute la maison. Ce n'était pas une opération fort longue, car la cabane d'un Corse ne consiste qu'en une seule pièce carrée. L'ameublement se compose d'une table, de bancs, de coffres et d'ustensiles de chasse ou de ménage. Cependant le
30 petit Fortunato caressait sa chatte, et semblait jouir ma-lignement de la confusion des voltigeurs et de son cousin.

[1] Ancienne capitale de la Corse, port au nord-est de l'île (environ 25000 habitants).

Un soldat s'approcha du tas de foin. Il vit la chatte, et donna un coup de baïonnette dans le foin avec négligence, et en haussant les épaules, comme s'il sentait que sa précaution était ridicule. Rien ne remua; et le visage de l'enfant ne trahit pas la plus légère émotion. 5

L'adjudant et sa troupe se donnaient au diable; déjà ils regardaient sérieusement du côté de la plaine, comme disposés à s'en retourner par où ils étaient venus, quand leur chef, convaincu que les menaces ne produiraient aucune impression sur le fils de Falcone, voulut faire un dernier 10 effort et tenter le pouvoir des caresses et des présents.

— Petit cousin, dit-il, tu me parais un gaillard bien éveillé! Tu iras loin. Mais tu joues un vilain jeu avec moi; et, si je ne craignais de faire de la peine à mon cousin Mateo, le diable m'emporte! je t'emmènerais avec moi. 15

— Bah!

— Mais, quand mon cousin sera revenu, je lui conterai l'affaire, et, pour ta peine d'avoir menti il te donnera le fouet jusqu'au sang.

— Savoir? [1] 20

— Tu verras ... Mais, tiens ... sois brave garçon, et je te donnerai quelque chose.

— Moi, mon cousin, je vous donnerai un avis: c'est que, si vous tardez davantage, le Gianetto sera dans le maquis, et alors il faudra plus d'un luron comme vous pour 25 aller l'y chercher.

L'adjudant tira de sa poche une montre d'argent qui valait bien dix écus; et, remarquant que les yeux du petit Fortunato étincelaient en la regardant, il lui dit en tenant la montre suspendue au bout de sa chaîne d'acier: 30

— Fripon! tu voudrais bien avoir une montre comme

---

[1] Idiomatic = *Remains to be seen!*

celle-ci suspendue à ton col, et tu te promènerais dans les rues de Porto-Vecchio, fier comme un paon; et les gens te demanderaient: « Quelle heure est-il? » et tu leur dirais: « Regardez à ma montre. »

5 — Quand je serai grand, mon oncle le caporal me donnera une montre.

— Oui; mais le fils de ton oncle en a déjà une ... pas aussi belle que celle-ci, à la vérité ... Cependant il est plus jeune que toi.

10 L'enfant soupira.

— Eh bien, la veux-tu cette montre, petit cousin?

Fortunato, lorgnant la montre du coin de l'œil, ressemblait à un chat à qui l'on présente un poulet tout entier. Comme il sent qu'on se moque de lui, il n'ose y porter la 15 griffe, et de temps en temps il détourne les yeux pour ne pas s'exposer à succomber à la tentation; mais il se lèche les babines à tout moment, et il a l'air de dire à son maître: « Que votre plaisanterie est cruelle! »

Cependant l'adjudant Gamba semblait de bonne foi en 20 présentant sa montre. Fortunato n'avança pas la main; mais il lui dit avec un sourire amer:

— Pourquoi vous moquez-vous de moi?

— Par Dieu! je ne me moque pas. Dis-moi seulement où est Gianetto, et cette montre est à toi.

25 Fortunato laissa échapper un sourire d'incrédulité; et, fixant ses yeux noirs sur ceux de l'adjudant, il s'efforçait d'y lire la foi qu'il devait avoir en ses paroles.

— Que je perde mon épaulette, s'écria l'adjudant, si je ne te donne pas la montre à cette condition! Les cama-30 rades sont témoins; et je ne puis m'en dédire.

En parlant ainsi, il approchait toujours la montre, tant, qu'elle touchait presque la joue pâle de l'enfant. Celui-ci montrait bien sur sa figure le combat que se livraient en

son âme la convoitise et le respect dû à l'hospitalité. Sa
poitrine nue se soulevait avec force, et il semblait
près d'étouffer. Cependant la montre oscillait, tournait, et quelquefois lui heurtait le bout du nez. Enfin,
peu à peu, sa main droite s'éleva vers la montre: le bout 5
de ses doigts la toucha; et elle pesait tout entière dans sa
main sans que l'adjudant lâchât pourtant le bout de la
chaîne... Le cadran était azuré... la boîte nouvellement
fourbie..., au soleil, elle paraissait toute de feu... La
tentation était trop forte. 10

Fortunato éleva aussi sa main gauche, et indiqua du
pouce, par-dessus son épaule, le tas de foin auquel il était
adossé. L'adjudant le comprit aussitôt. Il abandonna
l'extrémité de la chaîne; Fortunato se sentit seul possesseur de la montre. Il se leva avec l'agilité d'un daim, et 15
s'éloigna de dix pas du tas de foin, que les voltigeurs se
mirent aussitôt à culbuter.

On ne tarda pas à voir le foin s'agiter; et un homme
sanglant, le poignard à la main, en sortit; mais, comme il
essayait de se lever en pied, sa blessure refroidie ne lui 20
permit plus de se tenir debout. Il tomba. L'adjudant se
jeta sur lui et lui arracha son stylet. Aussitôt on le gar-
rotta fortement, malgré sa résistance.

Gianetto, couché par terre et lié comme un fagot, tourna
la tête vers Fortunato qui s'était rapproché. 25

— Fils de...! lui dit-il avec plus de mépris que de
colère.

L'enfant lui jeta la pièce d'argent qu'il en avait reçue,
sentant qu'il avait cessé de la mériter; mais le proscrit
n'eut pas l'air de faire attention à ce mouvement. Il dit 30
avec beaucoup de sang-froid à l'adjudant:

— Mon cher Gamba, je ne puis marcher; vous allez
être obligé de me porter à la ville.

— Tu courais tout à l'heure plus vite qu'un chevreuil, repartit le cruel vainqueur; mais sois tranquille: je suis si content de te tenir, que je te porterais une lieue sur mon dos sans être fatigué. Au reste, mon camarade, nous allons
5 te faire une litière avec des branches et ta capote; et à la ferme de Crespoli nous trouverons des chevaux.

— Bien, dit le prisonnier; vous mettrez aussi un peu de paille sur votre litière, pour que je sois plus commodément.

Pendant que les voltigeurs s'occupaient, les uns à
10 faire une espèce de brancard avec des branches de châ- taignier, les autres à panser la blessure de Gianetto, Mateo Falcone et sa femme parurent tout d'un coup au détour d'un sentier qui conduisait au maquis. La femme s'avan- çait courbée péniblement sous le poids d'un énorme sac
15 de châtaignes, tandis que son mari se prélassait, ne portant qu'un fusil à la main et un autre en bandoulière; car il est indigne d'un homme de porter d'autre fardeau que ses armes.

À la vue des soldats, la première pensée de Mateo fut
20 qu'ils venaient pour l'arrêter. Mais pourquoi cette idée? Mateo avait-il donc quelques démêlés avec la justice? Non. Il jouissait d'une bonne réputation. C'était, comme on dit, *un particulier bien famé;* mais il était Corse et montagnard, et il y a peu de Corses montagnards qui, en
25 scrutant bien leur mémoire, n'y trouvent quelque peccadille, telle que coups de fusil, coups de stylet et autres bagatelles. Mateo, plus qu'un autre, avait la conscience nette; car depuis plus de dix ans il n'avait dirigé son fusil contre un homme, mais toutefois il était prudent, et il se mit en
30 posture de faire une belle défense, s'il en était besoin.

— Femme, dit-il à Giuseppa, mets bas ton sac et tiens- toi prête.

Elle obéit sur-le-champ. Il lui donna le fusil qu'il

avait en bandoulière et qui aurait pu le gêner.  Il arma
celui qu'il avait à la main, et il s'avança lentement vers sa
maison, longeant les arbres qui bordaient le chemin, et
prêt, à la moindre démonstration hostile, à se jeter derrière
le plus gros tronc, d'où il aurait pu faire feu à couvert.  5
Sa femme marchait sur ses talons, tenant son fusil de re-
change et sa giberne.  L'emploi d'une bonne ménagère, en
cas de combat, est de charger les armes de son mari.

D'un autre côté, l'adjudant était fort en peine en voyant
Mateo s'avancer ainsi, à pas comptés, le fusil en avant et le  10
doigt sur la détente.

— Si par hasard, pensa-t-il, Mateo se trouvait parent de
Gianetto, ou s'il était son ami, et qu'il voulût le défendre,
les bourres de ses deux fusils arriveraient à deux d'entre
nous, aussi sûr qu'une lettre à la poste, et s'il me visait,  15
nonobstant la parenté ! . . .

Dans cette perplexité, il prit un parti fort courageux,
ce fut de s'avancer seul vers Mateo pour lui conter l'affaire, en l'abordant comme une vieille connaissance; mais
le court intervalle qui le séparait de Mateo lui parut terri-  20
blement long.

— Holà ! eh ! mon vieux camarade, criait-il, comment
cela va-t-il, mon brave ?  C'est moi, je suis Gamba, ton
cousin.

Mateo, sans répondre un mot, s'était arrêté, et, à mesure  25
que l'autre parlait il relevait doucement le canon de son
fusil, de sorte qu'il était dirigé vers le ciel au moment où
l'adjudant le joignit.

— Bonjour, frère,[1] dit l'adjudant en lui tendant la main.
Il y a bien longtemps que je ne t'ai vu.                            30

— Bonjour, frère.

---

[1] **Buon giorno, fratello,** salut ordinaire des Corses. (*Note de l'auteur.*)

— J'étais venu pour te dire bonjour en passant, et à ma cousine Pepa. Nous avons fait une longue traite aujourd'hui; mais il ne faut pas plaindre notre fatigue, car nous avons fait une fameuse prise. Nous venons d'empoigner Gianetto Sanpiero.

— Dieu soit loué! s'écria Giuseppa. Il nous a volé une chèvre laitière la semaine passée.

Ces mots réjouirent Gamba.

— Pauvre diable! dit Mateo, il avait faim.

— Le drôle s'est défendu comme un lion, poursuivit l'adjudant un peu mortifié; il m'a tué un de mes voltigeurs, et, non content de cela, il a cassé le bras au caporal Chardon; mais il n'y a pas grand mal, ce n'était qu'un Français ... Ensuite, il s'était si bien caché, que le diable ne l'aurait pu découvrir. Sans mon petit cousin Fortunato, je ne l'aurais jamais pu trouver.

— Fortunato! s'écria Mateo.

— Fortunato! répéta Giuseppa.

— Oui, le Gianetto s'était caché sous ce tas de foin là-bas; mais mon petit cousin m'a montré la malice. Aussi je le dirai à son oncle le caporal, afin qu'il lui envoie un beau cadeau pour sa peine. Et son nom et le tien seront dans le rapport que j'enverrai à M. l'avocat général.

— Malédiction! dit tout bas Mateo.

Ils avaient rejoint le détachement. Gianetto était déjà couché sur la litière et prêt à partir. Quand il vit Mateo en la compagnie de Gamba, il sourit d'un sourire étrange; puis, se tournant vers la porte de la maison, il cracha sur le seuil en disant:

— Maison d'un traître!

Il n'y avait qu'un homme décidé à mourir qui eût osé prononcer le mot de traître en l'appliquant à Falcone. Un bon coup de stylet, qui n'aurait pas eu besoin d'être répété, aurait immédiatement payé l'insulte. Cependant Mateo ne fit pas d'autre geste que celui de porter sa main à son front comme un homme accablé.

Fortunato était entré dans la maison en voyant arriver son père. Il reparut bientôt avec une jatte de lait, qu'il 5 présenta les yeux baissés à Gianetto.

— Loin de moi! lui cria le proscrit d'une voix foudroyante.

Puis, se tournant vers un des voltigeurs:

— Camarade, donne-moi à boire, dit-il.                       10

Le soldat remit sa gourde entre ses mains, et le bandit but l'eau que lui donnait un homme avec lequel il venait d'échanger des coups de fusil. Ensuite il demanda qu'on lui attachât les mains de manière qu'il les eût croisées sur sa poitrine, au lieu de les avoir liées derrière le dos.       15

— J'aime, disait-il, à être couché à mon aise.

On s'empressa de le satisfaire, puis l'adjudant donna le signal du départ, dit adieu à Mateo, qui ne lui répondit pas, et descendit au pas accéléré vers la plaine.

Il se passa près de dix minutes avant que Mateo ouvrît 20 la bouche. L'enfant regardait d'un œil inquiet tantôt sa mère et tantôt son père, qui, s'appuyant sur son fusil, le considérait avec une expression de colère concentrée.

— Tu commences bien! dit enfin Mateo d'une voix calme, mais effrayante pour qui connaissait l'homme.       25

— Mon père! s'écria l'enfant en s'avançant les larmes aux yeux comme pour se jeter à ses genoux.

Mais Mateo lui cria:

— Arrière de moi!

Et l'enfant s'arrêta et sanglota, immobile, à quelques 30 pas de son père.

Giuseppa s'approcha. Elle venait d'apercevoir la chaîne de la montre, dont un bout sortait de la chemise de Fortunato.

— Qui t'a donné cette montre ? demanda-t-elle d'un ton sévère.

— Mon cousin l'adjudant.

Falcone saisit la montre, et, la jetant avec force contre une pierre, il la mit en mille pièces.

— Femme, dit-il, cet enfant est-il de moi ?

Les joues brunes de Giuseppa devinrent d'un rouge de brique.

— Que dis-tu, Mateo ? et sais-tu bien à qui tu parles ?

— Eh bien, cet enfant est le premier de sa race qui ait fait une trahison.

Les sanglots et les hoquets de Fortunato redoublèrent, et Falcone tenait ses yeux de lynx toujours attachés sur lui. Enfin il frappa la terre de la crosse de son fusil, puis le rejeta sur son épaule et reprit le chemin du maquis en criant à Fortunato de le suivre. L'enfant obéit.

Giuseppa courut après Mateo et lui saisit le bras.

— C'est ton fils, lui dit-elle d'une voix tremblante en attachant ses yeux noirs sur ceux de son mari, comme pour lire ce qui se passait dans son âme.

— Laisse-moi, répondit Mateo: je suis son père.

Giuseppa embrassa son fils et entra en pleurant dans sa cabane. Elle se jeta à genoux devant une image de la Vierge et pria avec ferveur. Cependant Falcone marcha quelque deux cents pas dans le sentier et ne s'arrêta que dans un petit ravin où il descendit. Il sonda la terre avec la crosse de son fusil et la trouva molle et facile à creuser. L'endroit lui parut convenable pour son dessein.

— Fortunato, va auprès de cette grosse pierre.

L'enfant fit ce qu'il lui commandait, puis il s'agenouilla.

— Dis tes prières.

— Mon père, mon père, ne me tuez pas.

— Dis tes prières ! répéta Mateo d'une voix terrible.

L'enfant, tout en balbutiant et en sanglotant, récita le *Pater* et le *Credo*. Le père, d'une voix forte, répondait *Amen!* à la fin de chaque prière.

— Sont-ce là toutes les prières que tu sais ?

— Mon père, je sais encore l'*Ave Maria* et la litanie que ma tante m'a apprise.

— Elle est bien longue, n'importe.

L'enfant acheva la litanie d'une voix éteinte.

— As-tu fini ?

— Oh ! mon père, grâce ! pardonnez-moi ! Je ne le ferai plus ! Je prierai tant mon cousin le caporal qu'on fera grâce au Gianetto !

Il parlait encore ; Mateo avait armé son fusil et le couchait en joue en lui disant :

— Que Dieu te pardonne !

L'enfant fit un effort désespéré pour se relever et embrasser les genoux de son père ; mais il n'en eut pas le temps. Mateo fit feu, et Fortunato tomba roide mort.

Sans jeter un coup d'œil sur le cadavre, Mateo reprit le chemin de sa maison pour aller chercher une bêche afin d'enterrer son fils. Il avait fait à peine quelques pas qu'il rencontra Giuseppa, qui accourait alarmée du coup de feu.

— Qu'as-tu fait ? s'écria-t-elle.

— Justice.

— Où est-il ?

— Dans le ravin. Je vais l'enterrer. Il est mort en chrétien ; je lui ferai chanter une messe. Qu'on dise à mon gendre Tiodoro Bianchi de venir demeurer avec nous.

# CHAPITRE TREIZE

# HONORÉ DE BALZAC [1]

## 1799-1850

**Consulter:** Madame de Surville, (la sœur de Balzac) *Balzac, sa vie, ses œuvres* (Calmann-Lévy, 1858); A. Cerfberr et J. Christophe, *Répertoire de la Comédie humaine* (Calmann-Lévy, 1887); A. Le Breton, *Balzac, l'homme et l'œuvre* (A. Colin, 1905); F. Brunetière, *Honoré de Balzac* (Calmann-Lévy, 1906): A. Bellessort, *H. de Balzac et son œuvre* (Perrin, 1924); René Benjamin, *La vie prodigieuse de Balzac* (Plon, 1925); André Hallays, *En flânant, Touraine Anjou, Maine. Pèlerinage balzacien* (Perrin, 1912); M. Bouteron, *Balzac, l'homme, l'œuvre, le temps* (Coll. « Temps et Visages », 1934). Les Introductions et Notes dans *Œuvres complètes, Texte révisé et annoté* par M. Bouteron et H. Longnon, (Conard, 1912 et ss.; environ 40 vol. en 1932). Toute une série de monographies publiées par les universités de Chicago et de Princeton.

Comme un antidote peut-être nécessaire aux éloges souvent si absolus de Balzac, lire le chapitre d'É. Faguet, sur « Balzac », dans ses *Études littéraires sur le XIXᵒ siècle* (Lecène, Oudin, 1887, pp. 413-53).

Le plus grand nom du roman en France — au moins pour le XIXᵒ siècle.

Né à Tours, où il fut d'abord élevé. De 8 à 14 ans, il est placé au Collège Vendôme, où il souffre de solitude et d'incompréhension de la part de ses maîtres (Voir des éléments d'autobiographie dans son roman *Louis Lambert*, 1832). De très bonne heure, il est décidé à écrire, mais sa famille n'approuve pas. Il fait quelques études de droit à Paris, puis un stage chez un notaire — ce dont il tirera grand avantage pour ses romans.

Sa première œuvre est un drame *Cromwell* (sujet qui, à la même

---

[1] Ne pas confondre avec Guez de Balzac (1597–1682), l'épistolier du XVIIᵒ siècle. Voir *Seventeenth Century French Readings* (Holt & Co., pp. 68–75).

époque, tenta Victor Hugo, Mérimée, Villemain). Il finit par comprendre lui-même qu'il avait fait fausse route, et se donna au roman. Sa famille refusant de l'aider, il commença, pour faire un peu d'argent, par écrire des histoires sensationnelles, — romans feuilletons, — qu'il ne signa pas. Il fut soutenu dans ses ambitions par sa sœur, Madame de Surville (qui écrira la première biographie de Balzac), et par une amie, Madame de Berny. Celle-ci fut sa « première muse », de vingt ans son aînée, connue aussi sous le nom de la « Dilecta »; elle le tourna définitivement du côté du roman, et l'encouragea à se lancer dans les affaires pour trouver de l'argent en vue de la publication de ses livres; elle lui donna même des fonds. Il échoua successivement comme éditeur (de Molière et de La Fontaine), comme imprimeur, enfin comme fondeur de caractères d'imprimerie. Il accumula dettes sur dettes, mais comme il était fort honnête, la nécessité même de s'acquitter envers ses créanciers agit comme un stimulant dans son œuvre énorme.

Son premier succès fut un roman historique à la manière de Walter Scott — alors très à la mode en France — *Les Chouans;* il y décrit avec puissance les guerres de Vendée, c'est à dire les luttes terribles de l'ère révolutionnaire entre les fidèles royalistes (les Chouans) et les républicains (les Bleus). Il s'était alors définitivement établi à Paris; avait fait la connaissance des grands écrivains du temps, — Victor Hugo, Benjamin Constant, Béranger, George Sand, — dans le salon de la célèbre Delphine Gay. Balzac était d'une activité prodigieuse; tout en travaillant avec acharnement à ses livres, il fréquentait les milieux les plus divers, celui par exemple, de la Duchesse d'Abrantès, ex-femme du maréchal Junot, (et qui laissa des mémoires intéressants); ce fut Madame de Castries, sa « deuxième muse » qui l'introduisit dans les salons aristocratiques du Faubourg Saint-Germain (elle est la Duchesse de Langeais, de l'*Histoire des treize,* un des romans de Balzac). Le grand amour de Balzac, « la troisième muse », fut Madame Hanska, une Polonaise, qui était mariée quand il la connut — d'abord par correspondance; il l'aima 17 ans avant de l'épouser; elle vint alors à Paris; mais, très peu après, Balzac mourait d'épuisement à la suite de son grand labeur (le 20 août, 1850). C'est à Madame Hanska que sont adressées les *Lettres à l'Étrangère.* On a beaucoup discuté pour savoir si elle avait été pour lui un ange — comme le pensait Balzac —, ou le contraire (voir à ce sujet le livre de M. Bouteron, *La véritable Madame Hanska,* 1930).[1]

---

[1] On trouvera un récit intéressant des dernières heures de Balzac, dans Victor Hugo, *Choses vues.*

On a transformé la maison où habita Balzac de 1842–48, Rue Raynouard, 47, en « Musée Balzac ».

\* \* \*

L'œuvre de Balzac est considérable; plus de quarante volumes. Comme œuvres secondaires: quelques pièces de théâtre; une étude psychologique, *La Physiologie du mariage;* ce qu'il intitule *Contes drôlatiques,* pastiche de contes facétieux dans le genre des fabliaux du moyen âge; il faut mentionner aussi les *Lettres à l'Étrangère* (2 vol.).

Le nom de Balzac est cependant surtout associé à son grand œuvre *La Comédie humaine.* C'est sous ce titre général qu'il publia tous ses romans.

## La Comédie Humaine

L'idée de la Comédie humaine lui vint en 1833 — après avoir déjà publié plusieurs romans qui furent ensuite introduits dans le même cadre. D'autre part, il tomba épuisé par son labeur avant d'avoir pu compléter son œuvre; une série de romans ne sont indiqués que par des titres; mais il y en a assez de composés pour bien voir l'ensemble.

Il explique lui-même ainsi son idée centrale dans un fort important *Avant-Propos.*

### *Extrait de « L'Avant-Propos »*

... L'idée première de la *Comédie humaine* fut d'abord chez moi comme un rêve, comme un de ces projets impossibles que l'on caresse et qu'on laisse s'envoler; une Chimère qui sourit, qui montre son visage de femme et qui
5 déploie aussitôt ses ailes en remontant dans un ciel fantastique. Mais la chimère, comme beaucoup de chimères, se change en réalité, elle a ses commandements et ses tyrannies auxquels il faut céder.

Cette idée vint d'une comparaison entre l'Humanité et
10 l'Animalité.

Ce serait une erreur de croire que la grande querelle qui, dans ces temps derniers, s'est émue entre Cuvier et Geoffroi Saint-Hilaire, reposait sur une innovation scientifique. *L'unité de composition* occupait déjà sous d'autres termes les plus grands esprits des deux siècles précédents ...

Il n'y a qu'un animal. Le créateur ne s'est servi que d'un seul et même patron pour tous les êtres organisés. L'animal est un principe qui prend sa forme extérieure, ou, pour parler plus exactement, les différences de sa forme, dans les milieux où il est appelé à se développer. Les espèces zoologiques résultent de ces différences. La proclamation et le soutien de ce système, en harmonie d'ailleurs avec les idées que nous nous faisons de la puissance divine, sera l'éternel honneur de Geoffroi Saint-Hilaire, le vainqueur de Cuvier sur ce point de la haute science, et dont le triomphe a été salué par le dernier article qu'écrivit le grand Gœthe.[1]

Pénétré de ce système bien avant les débats auxquels il a donné lieu, je vis que, sous ce rapport, la société ressemblait à la nature. La société ne fait-elle pas de l'homme, suivant les milieux où son action se déploie, autant d'hommes différents qu'il y a de variétés en zoologie? Les différences entre un soldat, un ouvrier, un administrateur, un avocat, un oisif, un savant, un homme d'État, un commerçant, un marin, un poète, un pauvre, un prêtre, sont, quoique plus difficiles à saisir, aussi considérables que celles qui distinguent le loup, le lion, l'âne, le corbeau, le requin, le veau marin, la brebis, etc. Il a donc existé, il existera donc de tout temps des Espèces sociales, comme

---

[1] Ce débat avait commencé avec Lamarck (1744–1829), et fut repris par Darwin (1809-82) qui lui donna sa grande vogue en développant sa théorie de l'évolution ou du transformisme: Agassiz fut l'adversaire de Darwin, comme Cuvier avait été celui de Geoffroi Saint-Hilaire.

il y a des Espèces zoologiques. Si Buffon a fait un magnifique ouvrage, en essayant de représenter dans un livre l'ensemble de la zoologie, n'y avait-il pas une œuvre de ce genre à faire pour la société ?

Balzac ne se prononce pas sur la question de savoir si l'homme n'est qu'un animal supérieur aux autres; mais il part du fait que l'homme a, en plus des autres êtres vivants, l'intelligence, et que cette intelligence est le point de départ de plus de variétés humaines mentales qu'il n'y a de variétés physiologiques animales. Il veut faire l'histoire naturelle de l'être intelligent qu'est l'homme, comme Buffon a fait l'histoire naturelle du monde zoologique. Le mot « histoire » ne doit donc pas être pris dans le sens ordinaire d'histoire des peuples en descendant les siècles dans le temps, histoire des dynasties de rois, des guerres, etc.; mais dans le sens de tableau des différentes espèces humaines, l'histoire des mœurs. Balzac cependant ne pourra entreprendre l'histoire des mœurs de toutes les espèces humaines, mais il prendra une province spéciale, la France; et il limitera encore son champ d'observation en se bornant à l'histoire naturelle des Français après l'ère de la Révolution. Il écrit:

« La société française allait être l'historien, je ne devais être que le
« secrétaire ! En dressant l'inventaire des vices et des vertus, en
« rassemblant les principaux faits des passions, en peignant les
« caractères, en choisissant les événements principaux de la société,
« en composant des types par la réunion des traits de plusieurs
« caractères homogènes, peut-être pouvais-je arriver à écrire l'his-
« toire oubliée par tant d'historiens, celle des mœurs ».

Quelqu'un avait réalisé quelque chose de semblable à ce que rêvait Balzac, mais sans partir de théories scientifiques comme lui; c'était Walter Scott, qui avait donné un grand tableau des mœurs de la société du moyen-âge. Le romantisme, on s'en souvient, s'inspirait beaucoup du moyen-âge. Ces romans, cependant, étaient indépendants les uns des autres; Balzac voulut donner plus d'unité à son œuvre, et il imagine de relier tous ses romans en faisant réapparaître les personnages dans ses récits successifs; et d'ailleurs, un personnage important dans un roman jouait un rôle secondaire dans un autre, et *vice-versa* pour un personnage qui, sans importance particulière dans un roman, devenait protagoniste dans un autre.[1]

Balzac, tout en considérant *La Comédie humaine* comme une œuvre

---

[1] On verra Émile Zola, le romancier d'une série de romans, *Les Rougon-Macquart*, environ cinquante ans après Balzac, reprendre le même procédé.

d'observation objective avant tout, n'en tirait pas la conclusion
qu'un écrivain devait demeurer indifférent à la portée morale de ses
écrits; tout au contraire il affirmait, comme Victor Hugo, qu'un
écrivain avait charge d'âme et qu'une leçon devait ressortir de
l'œuvre. Et, de même que Victor Hugo avait dit en 1822 [1] « L'histoire des hommes ne présente de poésie que jugée du haut des idées
monarchiques et des croyances religieuses » (( Préface ) aux *Odes et
poésies diverses*), Balzac écrivait dans son ( Avant-Propos ) de *La
Comédie humaine* — et on voit par là comme il est bien dans le courant romantique —: « J'écris à la lueur de deux vérités éternelles, la
religion, la monarchie, deux nécessités que les événements contemporains proclament et vers lesquelles tout écrivain de bon sens doit
essayer de ramener notre pays ». Balzac a souligné avec force et
persistance les effets selon lui funestes de la Révolution, c'est à dire
l'avènement d'une société bourgeoise, philistine, mesquine, ne son
geant qu'à accaparer les richesses confisquées aux nobles et à l'Église
les drames d'argent et de cupidité sont presque toujours au premier
plan dans *La Comédie humaine*, tandis que rien n'a pris la place d'un
idéal que la noblesse et l'Église avaient, en théorie au moins, toujours
poursuivi; les peuples ont besoin d'institutions qui répriment chez eu
les instincts bas; or, « le christianisme a créé les peuples et il les
conservera ».

Selon la disposition d'une *comédie* au théâtre, l'œuvre de Balzac et
divisée en *scènes*, et les épisodes des *scènes* forment les différent
romans.

Voici les six « scènes », avec les titres des principaux romans dan
chacune:

**Scènes de la vie privée:** *Le père Goriot* (1834).

**Scènes de la vie de province:** *Eugénie Grandet* (1833), *Le L
dans la vallée* (1835), *Ursule Mirouet* (1841).

**Scènes de la vie parisienne:** *Histoire de la grandeur et de la d
cadence de César Birotteau* (1837), *La cousine Bette* (1846).

**Scènes de la vie politique:** *Une ténébreuse affaire* (1841).

**Scènes de la vie militaire:** *Les Chouans* (1829).

**Scènes de la vie de campagne:** *Le médecin de campagne* (1833
*Le curé de village* (1839), *Les paysans* (1844).

Le nombre des personnages imaginés par Balzac approche de tr
mille; tous sont loin cependant d'avoir la même importance; il y
a qu'il décrit avec beaucoup plus de minutie que les autres; il
appelle les *figures saillantes*. Les principales sont:

( Le père Goriot ), qui sacrifie tout pour le bonheur de ses filles
meurt sur un grabat; il est récompensé par la plus noire ingratitu

---

[1] On a vu plus haut qu'il avait un peu changé d'opinion plus ta

(c'est le ( roi Lear ) de la littérature française.). ( Le père Grandet ), l'avare sordide (qu'on compare toujours avec l'( Harpagon )
de Molière), et ( Gobseck ), l'usurier. ( Le baron de Nucingen ),
l'homme de finance, mondain, joueur aussi; et sa femme, grande
dépensière. ( Rastignac ), l'arriviste (*climber*) qui mène la haute vie
sous la Restauration et dans les premières années de Louis-Philippe.
On le trouve d'abord dans *Le Père Goriot*, et puis, un peu, dans toute
la série des « Scènes de la vie parisienne ». ( Birotteau ), enrichi dans
les parfums, épris de grandeurs mondaines, ce qui finit par amener sa
ruine. ( Vautrin ), le forçat évadé, volonté de fer et intelligence
supérieure, et qui finit par être nommé chef du service de police
secrète. (On a souvent vu un prototype de Jean Valjean, le forçat
évadé des *Misérables*). On le trouve aussi à partir du roman *Le père
Goriot*, puis dans *Illusions perdues*, dans *Grandeur et misères des Courtisanes*. Il a été mis même au théâtre. ( Balthazar Claës ), l'érudit
monomane, qui croit avoir trouvé le grand secret de la science, et
sacrifie le repos et le bonheur de tous les siens à la réalisation de cette
découverte. Et une quantité d'autres: le Docteur Benassis du
*Médecin de Campagne*, le curé de village Bonnet, le sculpteur Gras-
sou, l'avocat Savarus, le soldat Hulot, le parasite Philippe Brideau
(qui s'approprie avec un cynisme inouï les biens des autres), Rubem-
pré, le jeune journaliste impétueux (protégé de Vautrin), le cousin
Pons, le collectionneur, etc.

On considère généralement que les femmes de Balzac ne sont pas
aussi intéressantes que ses hommes; il faut citer cependant ( Eugénie
Grandet ), douce victime de l'avarice de son père; ( Cousine Bette ),
la jalouse, ( Mme de Mortsauf ), la femme héroïque. En général, dit
Émile Faguet : « les femmes de Balzac sont simples, ternes, un peu
plates, et un peu sottes (Eugénie Grandet, Ursule Mirouet, Modeste
Mignon [1]). Quand on les compare à la moindre paysanne de George
Sand, à Fadette, Jeanne, ou la Brulette, on saisit toute la différence. »
(*Ouvrage cité*, p. 446).

### Le Père Goriot

C'est l'histoire de ce père qui se dépouille de tout pour chercher à
assurer le bonheur de ses deux filles et qui mourra sur un grabat en

---

[1] *Modeste Mignon* (1844) est un des romans les mieux faits pour
voir comment Balzac altérait souvent sa conception première d'un
récit. L'idée lui venait — il le dit — du cas Bettina-Goethe: une
jeune fille, admiratrice naïve d'un grand écrivain, lequel est au fond
très attaché à l'encens de la renommée et y sacrifie l'amour. (Voir
J. Merlant, *H. de Balzac. Morceaux choisis;* Didier, 1912; p. 425-8.)

pensant à elles et en les bénissant; celles-ci l'ont payé de la plus cruelle ingratitude, ne songeant qu'à leurs plaisirs. Elles sont mariées, l'une, Anastasie, au comte de Restaud, l'autre, Delphine, au baron de Nucingen. Cette dernière est courtisée par Rastignac, le jeune ambitieux qui vit, pour le moment, dans la pension Vauquer où vit aussi, modestement, le père Goriot. Rastignac a comme conseiller Vautrin, le criminel échappé aux galères, et qui lui donne les avis les plus cyniques; « Il faut se salir les mains si l'on veut fricoter: là est toute la morale de notre époque ». Rastignac est encore un peu hésitant; mais il est décidé à lutter, et Balzac racontera sa carrière ascendante dans les romans suivants des « scènes de la vie parisienne ».

É. Faguet (*étude citée*) écrit à propos de ce roman: « J'ai montré les héros de George Sand se modifiant insensiblement au cours du récit. Figurez-vous l'excès contraire, vous aurez la manière ordinaire de Balzac. Un homme est une passion servie par une intelligence des organes, et contrariée par les circonstances; rien de plus » (439) ... « Voulez-vous un exemple de cette impuissance où est Balzac à peindre le conflit des passions au cœur de l'homme ? Il y a deux drames parallèles dans *Le Père Goriot*. Il y a l'histoire de Goriot, et l'histoire de Rastignac. L'histoire de Goriot, c'est bien une histoire *à la Balzac*, la peinture d'une passion fatale aboutissant à la démence. L'histoire de Rastignac est d'un ordre tout différent: Balzac y a voulu peindre une âme hésitante encore entre sa passion maîtresse qui commence à l'envahir, l'ambition, et les scrupules d'honnêteté qu'il tient de son éducation. Il est clair que c'est ici le drame curieux, intéressant, inquiétant, en un mot, le drame. Mais, c'est la partie la plus pâle du roman ! le père Goriot, avec sa manie de dévouement et sa joie furieuse de sacrifice, rejette tout dans l'ombre. La lutte de Rastignac contre lui-même, quelque soins que Balzac ait mis à la peindre, quelque place matérielle qu'il lui ait donnée, disparaît. C'est qu'il n'a pas su la comprendre et la mettre en lumière. Son génie s'arrêtait là; il n'était que le peintre énergique des forces simples » (p. 445).

Le morceau suivant est cité souvent comme parmi les plus caractéristiques de Balzac. C'est la description minutieuse du milieu, la ( pension Vauquer ) où se débat ce monde médiocre de la bourgeoisie, situé entre celui de la haute société et celui de la misère, agité des soucis et des passions les plus diverses.

## La pension Vauquer

(Extrait)

La façade de la pension donne sur un jardinet, en sorte que la maison tombe à angle droit sur la rue Neuve-Sainte-Geneviève, où vous la voyez coupée dans sa profondeur. Le long de cette façade, entre la maison et le
5 jardinet, règne un cailloutis en cuvette, large d'une toise, devant lequel est une allée sablée, bordée de géraniums, de lauriers-roses et de grenadiers plantés dans de grands vases de faïence bleue et blanche. On entre dans cette allée par une porte bâtarde, surmontée d'un écriteau sur
10 lequel est écrit: *Maison Vauquer,* et dessous: *Pension bourgeoise des deux sexes et autres* ... Le jardinet, aussi large que la façade est longue, se trouve encaissé par le mur de la rue et par le mur mitoyen de la maison voisine, le long de laquelle pend un manteau de lierre qui la cache
15 entièrement, et attire les yeux des passants par un effet pittoresque dans Paris. Chacun de ces murs est tapissé d'espaliers et de vignes, dont les fructifications grêles et poudreuses sont l'objet des craintes annuelles de M$^{me}$ Vauquer et de ses conversations avec les pensionnaires.
20 Le long de chaque muraille règne une étroite allée qui mène à un couvert de tilleuls, mot que M$^{me}$ Vauquer, quoique née de Conflans, prononce obstinément *tieuilles,* malgré les observations grammaticales de ses hôtes. Entre les deux allées latérales est un carré d'artichauts, flanqué
25 d'arbres fruitiers en quenouille, et bordé d'oseille, de laitue ou de persil. Sous le couvert de tilleuls est plantée une table ronde peinte en vert, et entourée de sièges. Là, durant les jours caniculaires, les convives assez riches pour se permettre de prendre du café viennent le savourer par

une chaleur capable de faire éclore des œufs. La façade,
élevée de trois étages et surmontée de mansardes, est
bâtie en moellons et badigeonnée avec cette couleur jaune
qui donne un caractère ignoble à presque toutes les maisons
de Paris. Les cinq croisées percées à chaque étage ont de 5
petits carreaux et sont garnies de jalousies dont aucune
n'est relevée de la même manière, en sorte que toutes leurs
lignes jurent entre elles. La profondeur de cette maison
comporte deux croisées qui, au rez-de-chaussée, ont pour
ornements des barreaux en fer, grillagés. Derrière le 10
bâtiment est une cour large d'environ vingt pieds, où
vivent en bonne intelligence des cochons, des poules, des
lapins, et du fond de laquelle s'élève un hangar à serrer le
bois. Entre ce hangar et la fenêtre de la cuisine se suspend le garde-manger, au-dessous duquel tombent les 15
eaux grasses de l'évier. Cette cour a sur la rue Neuve-
Sainte-Geneviève une porte étroite par où la cuisinière
chasse les ordures de la maison en nettoyant cette sentine
à grand renfort d'eau, sous peine de pestilence.

Naturellement destiné à l'exploitation de la pension 20
bourgeoise, le rez-de-chaussée se compose d'une première
pièce éclairée par les deux croisées de la rue, et où l'on entre
par une porte-fenêtre. Ce salon communique à une salle à
manger qui est séparée de la cuisine par la cage d'un
escalier dont les marches sont en bois et en carreaux mis en 25
couleur et frottés. Rien n'est plus triste à voir que ce
salon, meublé de fauteuils et de chaises en étoffes de crin
à raies alternativement mates et luisantes. Au milieu se
trouve une table ronde à dessus de marbre Sainte-Anne,[1]
décorée de ce cabaret[2] en porcelaine blanche ornée de 30

[1] Marbre gris veiné de blanc.
[2] Plateau portant un assortiment de tasses, soucoupes, sucrier,
théière, etc.

filets d'or effacés à demi, que l'on rencontre partout aujourd'hui. Cette pièce, assez mal planchéiée, est lambrissée à hauteur d'appui. Le surplus des parois est tendu d'un papier verni représentant les principales scènes de Télé-
5 maque,[1] et dont les classiques personnages sont coloriés. Le panneau d'entre les croisées grillagées offre aux pensionnaires le tableau du festin donné au fils d'Ulysse par Calypso. Depuis quarante ans cette peinture excite les plaisanteries des jeunes pensionnaires, qui se croient
10 supérieurs à leur position en se moquant du dîner auquel la misère les condamne. La cheminée en pierre, dont le foyer toujours propre atteste qu'il ne s'y fait de feu que dans les grandes occasions, est ornée de deux vases pleins de fleurs artificielles, vieillies et encagées, qui accompagnent
15 une pendule en marbre bleuâtre du plus mauvais goût. Cette première pièce exhale une odeur sans nom dans la langue, et qu'il faudrait appeler l'*odeur de pension*. Elle sent le renfermé, le moisi, le rance; elle donne froid, elle est humide au nez, elle pénètre les vêtements; elle a le
20 goût d'une salle où l'on a dîné; elle pue le service, l'office, l'hospice. Peut-être pourrait-elle se décrire si l'on inventait un procédé pour évaluer les quantités élémentaires et nauséabondes qu'y jettent les atmosphères catarrhales et *sui generis* de chaque pensionnaire, jeune ou vieux.
25 Eh bien ! malgré ces plates horreurs, si vous le compariez à la salle à manger, qui lui est contiguë, vous trouveriez ce salon élégant et parfumé comme doit l'être un boudoir. Cette salle, entièrement boisée, fut jadis peinte en une couleur indistincte aujourd'hui, qui forme un fond sur
30 lequel la crasse a imprimé ses couches de manière à y

---

[1] *Les Aventures de Télémaque*, fameux roman du XVII° siècle, par Fénelon. Cf. *Seventeenth Century French Readings* (Holt & Co., pp. 311–323).

dessiner des figures bizarres.  Elle est plaquée de buffets
gluants sur lesquels sont des carafes échancrées, ternies,
des ronds de moiré métallique, des piles d'assiettes en
porcelaine épaisse, à bords bleus, fabriquées à Tournai.[1]
Dans un angle est placée une boîte à cases numérotées qui  5
sert à garder les serviettes, ou tachées ou vineuses, de
chaque pensionnaire.  Il s'y rencontre de ces meubles in-
destructibles, proscrits partout, mais placés là comme le
sont les débris de la civilisation aux Incurables.[2]  Vous y
verriez un baromètre à capucin qui sort quand il pleut, des  10
gravures exécrables qui ôtent l'appétit, toutes encadrées
en bois noir verni à filets dorés;  un cartel en écaille in-
crustée de cuivre;  un poêle vert, des quinquets d'Argand [3]
où la poussière se combine avec l'huile, une longue table
couverte en toile cirée assez grasse pour qu'un facétieux  15
externe y écrive son nom en se servant de son doigt comme
de style,[4] des chaises estropiées, de petits paillassons
piteux en sparterie qui se déroule toujours sans se perdre
jamais, puis des chaufferettes misérables à trous cassés, à
charnières défaites, dont le bois se carbonise.  Pour ex-  20
pliquer combien ce mobilier est vieux, crevassé, pourri,
tremblant, rongé, manchot, borgne, invalide, expirant, il
faudrait en faire une description qui retarderait trop l'intérêt de cette histoire, et que les gens pressés ne pardon-
neraient pas.  Le carreau rouge est plein de vallées produites  25
par le frottement ou par les mises en couleur.  Enfin, là
règne la misère sans poésie;  une misère économe, concentrée, râpée.  Si elle n'a pas de fange encore, elle a des

[1] Ville de Belgique, sur l'Escaut, grand centre manufacturier.
[2] Hôpital des Incurables.
[3] Lampe dont l'huile arrive à la mèche par un long tuyau descendant.  (Argand, le nom d'un inventeur de la fin du 18° siècle.)
[4] Le poinçon dont les Anciens se servaient pour écrire sur leurs
tablettes de cire.

taches; si elle n'a ni trou ni haillons, elle va tomber en
pourriture.

### Eugénie Grandet

Le roman fait partie des « Scènes de la Vie de Province ».
On est à Saumur, en Touraine. Le père Grandet, par l'achat
à prix dérisoires des domaines arrachés à la noblesse et à
l'Église après la Révolution, et par d'adroites spéculations et de l'u-
sure, a acquis une fortune considérable; seuls lui et son homme
d'affaires sont au courant; sa famille non seulement est ignorante,
mais doit vivre une existence de lésinerie terrible. Eugénie Grandet,
sa fille unique, voit un jour arriver un cousin; ils s'aiment; mais le
père Grandet s'oppose absolument à ce mariage, le cousin ayant perdu
sa fortune. Celui-ci part, en pays éloignés, promettant fidélité à
Eugénie. Il réussit dans ses affaires, mais oublie Eugénie, qui dépérit
dans l'atmosphère desséchante de la maison paternelle. Ce récit est
un des plus connus de Balzac; on ne donnera ici qu'un court fragment,
montrant, dans une des dernières scènes, d'une part la folie du père
Grandet le poursuivant jusque dans la mort, et d'autre part le caractère dévoué et résigné de sa fille. La mère était morte victime de la
dureté de Grandet.

### Le vieux Grandet

#### (Extrait)

Le lendemain de cette mort,[1] Eugénie trouva de nouveaux
motifs de s'attacher à cette maison où elle était née, où
5 elle avait tant souffert, où sa mère venait de mourir. Elle
ne pouvait contempler la croisée et la chaise à patins dans
la salle sans verser des pleurs. Elle crut avoir méconnu
l'âme de son vieux père en se voyant l'objet de ses soins les
plus tendres; il venait lui donner le bras pour descendre au
10 déjeuner; il la regardait d'un œil presque bon pendant des
heures entières; enfin il la couvait comme si elle eût été

---

[1] La mort de M^me Grandet, mère d'Eugénie.

d'or. Le vieux tonnelier [1] se ressemblait si peu à lui-même, il tremblait tellement devant sa fille, que Nanon [2] et les Cruchotins,[3] témoins de sa faiblesse, l'attribuèrent à son grand âge, et craignirent ainsi quelque affaiblissement dans ses facultés; mais, le jour où la famille prit le deuil, 5 après le dîner, où fut convié maître Cruchot, qui seul connaissait le secret de son client, la conduite du bonhomme s'expliqua.

— Ma chère enfant, dit-il à Eugénie lorsque la table fut ôtée et les portes soigneusement closes, te voilà héritière de 10 ta mère, et nous avons de petites affaires à régler entre nous deux. Pas vrai, Cruchot?

— Oui.

— Est-il donc si nécessaire de s'en occuper aujourd'hui, mon père? 15

— Oui, oui, fifille. Je ne pourrais pas durer dans l'incertitude où je suis. Je ne crois pas que tu veuilles me faire de la peine.

— Oh! mon père . . .

— Eh bien! il faut arranger tout cela ce soir. 20

— Que voulez-vous donc que je fasse?

— Mais, fifille, ça ne me regarde pas. Dites-lui donc, Cruchot.

— Mademoiselle, monsieur votre père ne voudrait ni partager, ni vendre ses biens, ni payer des droits énormes 25 pour l'argent comptant qu'il peut posséder. Donc, pour cela, il faudrait se dispenser de faire l'inventaire de toute la fortune qui aujourd'hui se trouve indivise entre vous et monsieur votre père . . .

[1] C'était le métier du vieux Grandet auquel celui-ci était demeuré fidèle même après être devenu très riche.

[2] La servante.

[3] Nom donné ici aux membres de la famille du notaire Cruchot qui s'occupait des affaires du vieux Grandet.

— Cruchot, êtes-vous bien sûr de cela, pour en parler ainsi devant un enfant ?

— Laissez-moi dire, Grandet.

— Oui, oui, mon ami.  Ni vous ni ma fille ne voulez me
5 dépouiller.  N'est-ce pas, fifille ?

— Mais, monsieur Cruchot, que faut-il que je fasse ? demanda Eugénie impatientée.

— Eh bien, dit le notaire, il faudrait signer cet acte, par lequel vous renonceriez à la succession de madame votre
10 mère, et laisseriez à votre père l'usufruit de tous les biens indivis entre vous, et dont il vous assure la nue propriété.[1]

— Je ne comprends rien à tout ce que vous me dites, répondit Eugénie; donnez-moi l'acte, et montrez-moi la place où je dois signer.

15 Le père Grandet regardait alternativement l'acte et sa fille, sa fille et l'acte, en éprouvant de si violentes émotions qu'il s'essuya quelques gouttes de sueur venues sur son front.

— Fifille, dit-il, au lieu de signer cet acte qui coûtera gros
20 à faire enregistrer, si tu voulais renoncer purement et simplement à la succession de ta pauvre chère mère défunte, et t'en rapporter à moi pour l'avenir, j'aimerais mieux ça. Je te ferais alors tous les mois une bonne grosse rente de cent francs.  Vois, tu pourrais payer autant de messes que
25 tu voudrais à ceux pour lesquels tu en fais dire . . . Hein ! cent francs par mois, en livres ? [2]

— Je ferai tout ce qu'il vous plaira, mon père.

— Mademoiselle, dit le notaire, il est de mon devoir de vous faire observer que vous vous dépouillez . . .

30 — Eh ! mon Dieu, dit-elle, qu'est-ce que cela me fait ?

— Tais-toi, Cruchot.  C'est dit, c'est dit, s'écria Grandet

___

[1] Dont un autre (ici le père) a l'usufruit.

[2] C'est à dire en pièces d'argent dont la valeur est pleine.

en prenant la main de sa fille et y frappant avec la sienne. Eugénie, tu ne te dédiras point, tu es une honnête fille, hein ?

— Oh ! mon père . . .

Il l'embrassa avec effusion, la serra dans ses bras à l'é- 5 touffer.

— Va, mon enfant, tu donnes la vie à ton père; mais tu lui rends ce qu'il t'a donné: nous sommes quittes. Voilà comment doivent se faire les affaires. La vie est une affaire. Je te bénis ! Tu es une vertueuse fille, qui aime bien son 10 papa. Fais ce que tu voudras maintenant. A demain donc, Cruchot, dit-il en regardant le notaire épouvanté. Vous verrez à bien préparer l'acte de renonciation au greffe du tribunal.

Le lendemain, vers midi, fut signée la déclaration par 15 laquelle Eugénie accomplissait elle-même sa spoliation.

Cependant, malgré sa parole, à la fin de la première année, le vieux tonnelier n'avait pas encore donné un sou des cent francs par mois si solennellement promis à sa fille. Aussi, quand Eugénie lui en parla plaisamment, ne 20 put-il s'empêcher de rougir: il monta vivement à son cabinet, revint, et lui présenta environ le tiers des bijoux qu'il avait pris à son neveu.[1]

— Tiens, petite, dit-il d'un accent plein d'ironie, veux-tu ça pour tes douze cents francs ? 25

— Oh ! mon père ! vrai, me les donnez-vous ?

— Je t'en rendrai autant l'année prochaine, dit-il en les lui jetant dans son tablier. Ainsi en peu de temps tu auras toutes ces breloques, ajouta-t-il en se frottant les mains, heureux de pouvoir spéculer sur le sentiment de sa fille. 30

---

[1] *Son neveu.* Charles Grandet; après la ruine de son père, Charles avait passé quelque temps chez son oncle, et celui-ci s'était fait remettre les bijoux du jeune homme pour une somme dérisoire. Eugénie aimait son cousin.

Néanmoins le vieillard, quoique robuste encore, sentit la nécessité d'initier sa fille aux secrets du ménage. Pendant deux années consécutives il lui fit ordonner en sa présence le menu de la maison, et recevoir les redevances. Il lui apprit lentement et successivement les noms, la contenance de ses clos, de ses fermes. Vers la troisième année, il l'avait si bien accoutumée à toutes ses façons d'avarice, il les avait si véritablement tournées chez elle en habitude, qu'il lui laissa sans crainte les clefs de la dépense et l'institua la maîtresse au logis.

Cinq ans se passèrent sans qu'aucun événement marquât dans l'existence monotone d'Eugénie et de son père. Ce furent les mêmes actes constamment accomplis avec la régularité chronométrique des mouvements de la vieille pendule. La profonde mélancolie de M$^{lle}$ Grandet n'était un secret pour personne; mais, si chacun put en pressentir la cause, jamais un mot prononcé par elle ne justifia les soupçons que toutes les sociétés de Saumur formaient sur l'état du cœur de la riche héritière. Sa seule compagnie se composait des trois Cruchot et de quelques-uns de leurs amis, qu'ils avaient insensiblement introduits au logis. Ils avaient appris à jouer au whist, et venaient tous les soirs faire la partie. Dans l'année 1827, son père, sentant le poids des infirmités, fut forcé de l'initier aux secrets de sa fortune territoriale, et lui disait, en cas de difficultés, de s'en rapporter à Cruchot, le notaire, dont la probité lui était connue. Puis, vers la fin de cette année, le bonhomme fut enfin, à l'âge de quatre-vingt-deux ans, pris par une paralysie qui fit de rapides progrès . . .

En pensant qu'elle allait bientôt se trouver seule dans le monde, Eugénie se tint, pour ainsi dire, plus près de son père, et serra plus fortement ce dernier anneau d'affection. Dans sa pensée, comme dans celle de toutes les femmes aimantes, l'amour était le monde entier, et Charles n'était pas là. Elle fut sublime de soins et d'attentions pour son vieux père, dont les facultés commençaient à baisser, mais dont l'avarice se soutenait instinctivement. Aussi la mort de cet homme ne contrasta-t-elle point avec sa vie. Dès le matin il se faisait rouler entre la cheminée de sa chambre et la porte de son cabinet, sans doute plein d'or. Il restait là sans mouvement, mais il regardait tour à tour avec anxiété ceux qui venaient le voir et la porte doublée de fer. Il se faisait rendre compte des moindres bruits qu'il entendait, et, au grand étonnement du notaire, il entendait le bâillement de son chien dans la cour. Il se réveillait de sa stupeur apparente au jour et à l'heure où il fallait recevoir des fermages, faire des comptes avec les closiers,[1] ou donner des quittances. Il agitait alors son fauteuil à roulettes jusqu'à ce qu'il se trouvât en face de la porte de son cabinet. Il le faisait ouvrir par sa fille, et veillait à ce qu'elle plaçât en secret elle-même les sacs d'argent les uns sur les autres, à ce qu'elle fermât la porte. Puis elle revenait à sa place silencieusement, aussitôt qu'elle lui avait rendu la précieuse clef, toujours placée dans la poche de son gilet, et qu'il tâtait de temps en temps. D'ailleurs son vieil ami le notaire, sentant que la riche héritière épouserait nécessairement son neveu, le président, si Charles Grandet ne revenait pas, redoubla de soins et d'attentions: il venait tous les jours se mettre aux ordres de Grandet, allait à son commandement à Froidfond,[2] aux terres, aux prés, aux vignes, vendait les récoltes et transmutait tout en or et en argent qui venaient se réunir secrètement aux sacs empilés dans le cabinet. Enfin arrivèrent les jours d'agonie, pendant lesquels la forte charpente du bonhomme

---

[1] Le fermier d'une *closerie*, petite ferme avec enclos.
[2] Domaine du vieil avare.

fut aux prises avec la destruction.  Il voulut rester assis au
coin de son feu, devant la porte de son cabinet.  Il attirait
à lui et roulait toutes les couvertures que l'on mettait sur
lui, et disait à Nanon: — Serre, serre ça, pour qu'on ne me
5 vole pas.  Quand il pouvait ouvrir les yeux, où toute sa vie
s'était réfugiée, il les tournait aussitôt vers la porte du
cabinet où gisaient ses trésors, en disant à sa fille: — Y
sont-ils ? y sont-ils ? d'un son de voix qui dénotait une sorte
de peur panique.

10    — Oui, mon père.

      — Veille à l'or . . . mets l'or devant moi !

      Eugénie lui étendait des louis sur une table, et il de-
meurait des heures entières les yeux attachés sur les louis,
comme un enfant qui, au moment où il commence à voir,
15 contemple stupidement le même objet; et, comme à un
enfant, il lui échappait un sourire pénible.

      — Ça me réchauffe ! disait-il quelquefois en laissant
paraître sur sa figure une expression de béatitude.

      Lorsque le curé de la paroisse vint l'administrer, ses yeux,
20 morts en apparence depuis quelques heures, se ranimèrent
à la vue de la croix, des chandeliers, du bénitier d'argent
qu'il regarda fixement, et sa loupe [1] remua pour la dernière
fois.  Lorsque le prêtre lui approcha des lèvres le crucifix
en vermeil pour lui faire baiser le Christ, il fit un épou-
25 vantable geste pour le saisir, et ce dernier effort lui coûta
la vie; il appela Eugénie, qu'il ne voyait pas, quoiqu'elle
fût agenouillée devant lui et qu'elle baignât de ses larmes
une main déjà froide.

      — Mon père, bénissez-moi ! demanda-t-elle.

---

[1] Tumeur qui vient sous la peau et qui est parfois d'un volume assez
considérable.  A propos de la loupe du vieux Grandet, Balzac écrit:
« Son nez, gros par le bout, supportait une loupe veinée, que le vulgaire disait, non sans raison, pleine de malice. »

— Aie bien soin de tout.  Tu me rendras compte de ça
là-bas.

### La Recherche de l'Absolu

Balthazar Claës, disciple du grand chimiste Lavoisier, est en proie
à l'idée fixe qu'il a découvert le secret absolu de la vie.  Pour le prouver il se livre à des expériences continuelles et coûteuses; il a ruiné les
siens; il a fait mourir de chagrin sa femme adorée.  Sa fille a reçu de
sa mère mourante une somme d'argent qu'elle doit conserver à tout
prix.  Claës l'a surprise comptant cet argent, et il veut se le faire
donner.

### Balthazar Claës et sa fille

#### (Extrait)

Au moment où le père et la fille furent bien seuls, Claës
dit à sa fille:

— Tu m'aimes, n'est-ce pas ?                              5

— Ne prenez pas de détours, mon père.  Vous voulez
cette somme, vous ne l'aurez point.

Elle se mit à rassembler les ducats, son père l'aida silencieusement à les ramasser et à vérifier la somme qu'elle
avait semée, et Marguerite le laissa faire sans lui témoigner 10
la moindre défiance.  Les deux mille ducats remis en piles,
Balthazar dit d'un air désespéré:

— Marguerite, il me faut cet or !

— Ce serait un vol si vous le preniez, répondit-elle froidement.  Écoutez, mon père; il vaut mieux nous tuer d'un 15
seul coup, que de nous faire souffrir mille morts chaque
jour.  Voyez, qui de vous, qui de nous doit succomber.

— Vous aurez donc assassiné votre père, reprit-il.

— Nous aurons vengé notre mère, dit-elle en montrant la
place où madame Claës était morte.                         20

— Ma fille, si tu savais ce dont il s'agit, tu ne me dirais pas de telles paroles. Écoute, je vais t'expliquer le problème... Mais tu ne me comprendras pas ! s'écria-t-il avec désespoir. Enfin, donne ! crois une fois en ton père. Oui, je sais que j'ai fait de la peine à ta mère; que j'ai dissipé, pour employer le mot des ignorants, ma fortune et dilapidé la vôtre; que vous travailliez tous pour ce que tu nommes une folie; mais, mon ange, ma bien-aimée, mon amour, ma Marguerite, écoute-moi donc ! Si je ne réussis pas, je me donne à toi, je t'obéirai comme tu devrais, toi, m'obéir; je ferai tes volontés, je te remettrai la conduite de ma fortune, je ne serai plus le tuteur de mes enfants, je me dépouillerai de toute autorité. Je le jure par ta mère ! dit-il en versant des larmes.

Marguerite détourna la tête pour ne pas voir cette figure en pleurs, et Claës se jeta aux genoux de sa fille en croyant qu'elle allait céder.

— Marguerite, Marguerite ! donne, donne ! Que sont soixante mille francs pour éviter des remords éternels ! Vois-tu, je mourrai, ceci me tuera. Écoute-moi ! ma parole sera sacrée. Si j'échoue, je renonce à mes travaux, je quitterai la Flandre, la France même, si tu l'exiges, et j'irai travailler comme un manœuvre afin de refaire sou à sou ma fortune et rapporter à mes enfants ce que la Science leur aura pris.

Marguerite voulait relever son père, mais il persistait à rester à ses genoux, et il ajouta en pleurant:

— Sois une dernière fois tendre et dévouée ! Si je ne réussis pas, je te donnerai moi-même raison dans tes duretés. Tu m'appelleras vieux fou ! tu me nommeras mauvais père ! enfin tu me diras que je suis un ignorant ! Moi, quand j'entendrai ces paroles, je te baiserai les mains. Tu pourras me battre, si tu le veux, et quand tu me frap-

peras, je te bénirai comme la meilleure des filles en me
souvenant que tu m'as donné ton sang !

— S'il ne s'agissait que de mon sang, je vous le rendrais,
s'écria-t-elle, mais puis-je laisser égorger par la Science mon
frère et ma sœur ? non ! Cessez, cessez ! dit-elle en es- 5
suyant ses larmes et repoussant les mains caressantes de
son père.

— Soixante mille francs et deux mois, dit-il en se levant
avec rage, il ne me faut plus que cela ; mais ma fille se met
entre la gloire, entre la richesse et moi. Sois maudite ! 10
ajouta-t-il. Tu n'es ni fille, ni femme, tu n'as pas de cœur,
tu ne seras ni une mère, ni une épouse ! ajouta-t-il. Laisse-
moi prendre ! dis, ma chère petite, mon enfant chérie, je
t'adorerai, ajouta-t-il en avançant la main sur l'or par un
mouvement d'atroce énergie. 15

— Je suis sans défense contre la force, mais Dieu et le
grand Claës[1] vous voient ! dit Marguerite en montrant le
portrait.

— Eh bien, essaye de vivre couverte du sang de ton père,
cria Balthazar en lui jetant un regard d'horreur. 20

Il se leva, contempla le parloir, et sortit lentement. En
arrivant à la porte, il se retourna comme eût fait un
mendiant, et interrogea sa fille par un geste auquel Marguerite répondit en faisant un signe de tête négatif.

— Adieu, ma fille, dit-il avec douceur, tâchez de vivre 25
heureuse.

Quand il eut disparu, Marguerite resta dans une stupeur qui eut pour effet de l'isoler de la terre, elle n'était
plus dans le parloir, elle ne sentait plus son corps, elle avait
des ailes, et volait dans les espaces du monde moral où 30
tout est immense, où la pensée rapproche et les distances

---

[1] L'ancêtre

et les temps, où quelque main divine relève le voile étendu
sur l'avenir.   Il lui sembla qu'il s'écoulait des jours entiers
entre chacun des pas que faisait son père en montant
l'escalier; puis elle eut un frisson d'horreur au moment où
5 elle l'entendit entrer dans sa chambre.   Guidée par un
presentiment qui répandit dans son âme la poignante clarté
d'un éclair, elle franchit les escaliers sans lumière, sans
bruit, avec la vélocité d'une flèche, et vit son père qui
s'ajustait le front avec un pistolet.

10    — Prenez tout ! lui cria-t-elle en s'élançant vers lui.

Elle tomba sur un fauteuil.   Balthazar la voyant pâle
se mit à pleurer comme pleurent les vieillards; il redevint
enfant, il la baisa au front, lui dit des paroles sans suite,
il était près de sauter de joie . . .

15    — Assez ! assez, mon père, dit-elle, songez à votre promesse !   Si vous ne réussissez pas, vous m'obéirez !

— Oui.

O ma mère, dit-elle, en se tournant vers la chambre de
M^{me} Claës, vous auriez tout donné, n'est-ce pas ?

20    — Dors en paix, dit Balthazar, tu es une bonne fille.

— Dormir ! dit-elle, je n'ai plus les nuits de ma jeunesse;
vous me vieillissez, mon père, comme vous avez lentement
flétri le cœur de ma mère.

— Pauvre enfant, je voudrais te rassurer en t'expliquant
25 les effets de la magnifique expérience que je viens d'imaginer, tu comprendrais.

— Je ne comprends que notre ruine, dit-elle en s'en
allant.

### El Verdugo

Voici un des récits plus courts, publiés par Balzac sous le nom
d'« Études philosophiques » — ce sont des études consacrées à des
cas exceptionnels.   On a ici le Balzac romantique dans le sens le plus

complet du terme. (Les romans de *La Comédie humaine* constituaient dans l'œuvre de Balzac, ce qu'il appelait les « Études de mœurs ».)

*El Verdugo*, (mot espagnol pour le bourreau) sera mieux compris si on se souvient d'une très vieille coutume médiévale: « Au Moyen-âge, en France comme dans d'autres pays, quand plusieurs individus étaient condamnés à mort pour le même crime et que l'exécuteur faisait défaut, l'un d'eux recevait la vie à condition d'exécuter les autres. Ceci arrivait surtout en temps de guerre, dans les villes prises de force » (Art. « Exécuteur des hautes-œuvres » dans *Dictionnaire historique de la France*, par L. Lalanne, Hachette, 2^me éd., 1877).

L'épisode raconté se passe pendant les guerres de Napoléon en Espagne (1808-1813), guerres marquées par un acharnement terrible des deux parts.

Le clocher de la petite ville de Menda venait de sonner minuit. En ce moment, un jeune officier français, appuyé sur le parapet d'une longue terrasse qui bordait les jardins du château de Menda, paraissait abîmé dans une contemplation plus profonde que ne le comportait l'insouciance de la vie militaire; mais il faut dire aussi que jamais heure, site et nuit ne furent plus propices à la méditation. Le beau ciel d'Espagne étendait un dôme d'azur au-dessus de sa tête. Le scintillement des étoiles et la douce lumière de la lune éclairaient une vallée délicieuse qui se déroulait coquettement à ses pieds. Appuyé sur un oranger en fleur, le chef de bataillon pouvait voir, à cent pieds au-dessous de lui, la ville de Menda, qui semblait s'être mise à l'abri des vents du nord, au pied du rocher sur lequel était bâti le château. En tournant la tête, il apercevait la mer, dont les eaux brillantes encadraient le paysage d'une large lame d'argent. Le château était illuminé. Le joyeux tumulte d'un bal, les accents de l'orchestre, les rires de quelques officiers et de leurs danseuses arrivaient jusqu'à lui, mêlés au lointain murmure des flots. La fraîcheur de la nuit imprimait une sorte d'énergie à son corps fatigué par la chaleur du jour. Enfin, les jardins étaient plantés d'ar-

bres si odoriférants et de fleurs si suaves, que le jeune
homme se trouvait comme plongé dans un bain de parfums.

Le château de Menda appartenait à un grand d'Espagne,
5 qui l'habitait en ce moment avec sa famille.   Pendant
toute cette soirée, l'aînée des filles avait regardé l'officier
avec un intérêt empreint d'une telle tristesse, que le sentiment de compassion exprimé par l'Espagnole pouvait bien
causer la rêverie du Français.   Clara était belle, et, quoi-
10 qu'elle eût trois frères et une sœur, les biens du marquis de
Légañès paraissaient assez considérables pour faire croire
à Victor Marchand que la jeune personne aurait une riche
dot.   Mais comment oser croire que la fille du vieillard le
plus entiché de sa grandesse [1] qui fût en Espagne pourrait
15 être donnée au fils d'un épicier de Paris !   D'ailleurs, les
Français étaient haïs.   Le marquis ayant été soupçonné par
le général G..t..r, qui gouvernait la province, de préparer
un soulèvement en faveur de Ferdinand VII,[2] le bataillon
commandé par Victor Marchand avait été cantonné dans la
20 petite ville de Menda pour contenir les campagnes voisines,
qui obéissaient au marquis de Légañès.   Une récente dé-
pêche du maréchal Ney [3] faisait craindre que les Anglais
ne débarquassent prochainement sur la côte,[4] et signalait
le marquis comme un homme qui entretenait des intelli-
25 gences avec le cabinet de Londres.   Aussi, malgré le bon
accueil que cet Espagnol avait fait à Victor Marchand et à

[1] Terme emprunté à l'espagnol *grandezza*, dignité des grands d'Espagne.

[2] Roi d'Espagne depuis 1808, mais tenu prisonnier en France
jusqu'en 1813.   Il mourut en 1833.

[3] Un des plus célèbres des maréchaux de Napoléon, nommé Prince
de la Moskowa après la campagne de Russie en 1812.   Il était, en
1808, le chef de l'armée d'Espagne.

[4] Les Anglais, comme les Espagnols, s'insurgeaient contre la
domination de Napoléon, et envoyèrent des secours par mer.

ses soldats, le jeune officier se tenait-il constamment sur
ses gardes.  En se dirigeant vers cette terrasse où il venait
examiner l'état de la ville et des campagnes confiées à sa
surveillance, il se demandait comment il devait interpréter
l'amitié que le marquis n'avait cessé de lui témoigner, et 5
comment la tranquillité du pays pouvait se concilier avec
les inquiétudes de son général; mais, depuis un moment, ces
pensées avaient été chassées de l'esprit du jeune commandant par un sentiment de prudence et par une curiosité bien
légitime.  Il venait d'apercevoir dans la ville une assez 10
grande quantité de lumières.  Malgré la fête de saint
Jacques,[1] il avait ordonné, le matin même, que les feux
fussent éteints à l'heure prescrite par son règlement.  Le
château seul avait été excepté de cette mesure.  Il vit bien
briller çà et là les baïonnettes de ses soldats aux postes 15
accoutumés; mais le silence était solennel, et rien n'annonçait que les Espagnols fussent en proie à l'ivresse d'une
fête.  Après avoir cherché à s'expliquer l'infraction dont se
rendaient coupables les habitants, il trouva dans ce délit un
mystère d'autant plus incompréhensible, qu'il avait laissé 20
des officiers chargés de la police nocturne et des rondes.
Avec l'impétuosité de la jeunesse, il allait s'élancer par une
brèche pour descendre rapidement les rochers et parvenir
ainsi plus tôt que par le chemin ordinaire à un petit poste
placé à l'entrée de la ville du côté du château, quand 25
un faible bruit l'arrêta dans sa course.  Il crut entendre le
sable des allées criant sous le pas léger d'une femme.  Il
retourna la tête et ne vit rien; mais ses yeux furent saisis
par l'éclat extraordinaire de l'Océan.  Il y aperçut tout à
coup un spectacle si funeste, qu'il demeura immobile de 30
surprise, en accusant ses sens d'erreur.  Les rayons blan-

---

[1] Saint Jacques (qui a donné son nom à la ville de Santiago), le
saint patron de l'Espagne.

chissants de la lune lui permirent de distinguer des voiles à
une assez grande distance. Il tressaillit, et tâcha de se
convaincre que cette vision était un piège d'optique offert
par les fantaisies des ondes et de la lune. En ce moment,
5 une voix enrouée prononça le nom de l'officier, qui regarda vers la brèche, et vit s'y élever lentement la tête
du soldat par lequel il s'était fait accompagner au château.

— Est-ce vous, mon commandant ?

— Oui. Eh bien ? lui dit à voix basse le jeune homme,
10 qu'une sorte de pressentiment avertit d'agir avec mystère.

— Ces gredins-là se remuent comme des vers, et je
me hâte, si vous le permettez, de vous communiquer mes
petites observations.

— Parle, répondit Victor Marchand.

15 — Je viens de suivre un homme du château qui s'est
dirigé par ici une lanterne à la main. Une lanterne est
furieusement suspecte ! je ne crois pas que ce chrétien-là
ait besoin d'allumer des cierges à cette heure-ci ... « Ils
veulent nous manger ! » me suis-je dit, et je me suis mis à
20 lui examiner les talons. Aussi, mon commandant, ai-je
découvert à trois pas d'ici, sur un quartier de roche, un
certain amas de fagots.

Un cri terrible, qui tout à coup retentit dans la ville,
interrompit le soldat. Une lueur soudaine éclaira le com-
25 mandant. Le pauvre grenadier reçut une balle dans la tête
et tomba. Un feu de paille et de bois sec brillait comme un
incendie à dix pas du jeune homme. Les instruments et les
rires cessaient de se faire entendre dans la salle du bal.
Un silence de mort, interrompu par des gémissements,
30 avait soudain remplacé les rumeurs et la musique de la
fête. Un coup de canon retentit sur la plaine blanche de
l'Océan. Une sueur froide coula sur le front du jeune
officier. Il était sans épée. Il comprenait que ses soldats

avaient péri et que les Anglais allaient débarquer. Il se
vit déshonoré s'il vivait, il se vit traduit devant un conseil
de guerre; alors, il mesura des yeux la profondeur de la
vallée, et s'y élançait au moment où la main de Clara
saisit la sienne.

— Fuyez! dit-elle; mes frères me suivent pour vous
tuer. Au bas du rocher, par là, vous trouverez l'anda-
lou [1] de Juanito. Allez!

Elle le poussa; le jeune homme stupéfait la regarda
pendant un moment; mais, obéissant bientôt à l'instinct
de conservation qui n'abandonne jamais l'homme, même
le plus fort, il s'élança dans le parc en prenant la direction
indiquée, et courut à travers des rochers que les chèvres
avaient seules pratiqués jusqu'alors. Il entendit Clara
crier à ses frères de le poursuivre; il entendit les pas de ses
assassins; il entendit siffler à ses oreilles les balles de
plusieurs décharges; mais il atteignit la vallée, trouva le
cheval, monta dessus et disparut avec la rapidité de l'éclair.

En peu d'heures, le jeune officier parvint au quartier du
général G..t..r, qu'il trouva dînant avec son état-major.

— Je vous apporte ma tête! s'écria le chef de bataillon
en apparaissant pâle et défait.

Il s'assit, et raconta l'horrible aventure. Un silence
effrayant accueillit son récit.

— Je vous trouve plus malheureux que criminel, répondit enfin le terrible général. Vous n'êtes pas comptable
du forfait des Espagnols; et, à moins que le maréchal n'en
décide autrement, je vous absous.

Ces paroles ne donnèrent qu'une bien faible consolation
au malheureux officier.

— Quand l'empereur saura cela! s'écria-t-il.

[1] Ici « cheval d'Andalousie » — renommé comme race.

— Il voudra vous faire fusiller, dit le général, mais nous verrons. Enfin, ne parlons plus de ceci, ajouta-t-il d'un ton sévère, que pour en tirer une vengeance qui imprime une terreur salutaire à ce pays, où l'on fait la guerre à la façon des sauvages.

Une heure après, un régiment entier, un détachement de cavalerie et un convoi d'artillerie étaient en route. Le général et Victor marchaient à la tête de cette colonne. Les soldats, instruits du massacre de leurs camarades, étaient possédés d'une fureur sans exemple. La distance qui séparait la ville de Menda du quartier général fut franchie avec une rapidité miraculeuse. Sur la route, le général trouva des villages entiers sous les armes. Chacune de ces misérables bourgades fut cernée et leurs habitants décimés.

Par une de ces fatalités inexplicables, les vaisseaux anglais étaient restés en panne[1] sans avancer; mais on sut plus tard que ces vaisseaux ne portaient que de l'artillerie et qu'ils avaient mieux marché que le reste des transports. Ainsi la ville de Menda, privée des défenseurs qu'elle attendait, et que l'apparition des voiles anglaises semblait lui promettre, fut entourée par les troupes françaises presque sans coup férir. Les habitants, saisis de terreur, offrirent de se rendre à discrétion. Par un de ces dévouements qui n'ont pas été rares dans la Péninsule, les assassins des Français, prévoyant, d'après la cruauté connue du général, que Menda serait peut-être livrée aux flammes et la population entière passée au fil de l'épée, proposèrent de se dénoncer eux-mêmes au général. Il accepta

---

[1] *Panne*, voilure d'un vaisseau. Un vaisseau est « en panne » quand les voiles sont ainsi disposées — volontairement ou involontairement — que le bâtiment demeure en place. Ici cela signifie que les vaisseaux ne pouvaient pas avancer.

cette offre, en y mettant pour condition que les habitants
du château, depuis le dernier valet jusqu'au marquis,
seraient mis entre ses mains.   Cette capitulation con-
sentie, le général promit de faire grâce au reste de la
population et d'empêcher ses soldats de piller la ville ou
d'y mettre le feu.   Une contribution énorme fut frappée,[1]
et les plus riches habitants se constituèrent prisonniers
pour en garantir le payement, qui devait être effectué dans
les vingt-quatre heures.

Le général prit toutes les précautions nécessaires à la
sûreté de ses troupes, pourvut à la défense du pays,
et refusa de loger ses soldats dans les maisons.   Après les
avoir fait camper, il monta au château et s'en empara
militairement.   Les membres de la famille de Légañès et les
domestiques furent soigneusement gardés à vue, garrottés,
et enfermés dans la salle où le bal avait eu lieu.   Des
fenêtres de cette pièce, on pouvait facilement embrasser la
terrasse qui dominait la ville.   L'état-major s'établit dans
une galerie voisine, où le général tint d'abord conseil sur les
mesures à prendre pour s'opposer au débarquement.   Après
avoir expédié un aide de camp au maréchal Ney, ordonné
d'établir des batteries sur la côte, le général et son état-
major s'occupèrent des prisonniers.   Deux cents Espagnols
que les habitants avaient livrés furent immédiatement
fusillés sur la terrasse.   Après cette exécution militaire,
le général commanda de planter sur la terrasse autant
de potences qu'il y avait de gens dans la salle du château et de faire venir le bourreau de la ville.   Victor
Marchand profita du temps qui allait s'écouler avant le
dîner pour aller voir les prisonniers.   Il revint bientôt vers
le général.

[1] Une rançon fut imposée.

— J'accours, lui dit-il d'une voix émue, vous demander des grâces.

— Vous ! répliqua le général avec un ton d'ironie amère.

— Hélas ! répondit Victor, je demande de tristes grâces.
Le marquis, en voyant planter les potences, a espéré que vous changeriez ce genre de supplice pour sa famille, et vous supplie de faire décapiter les nobles.

— Soit ! dit le général.

— Ils demandent encore qu'on leur accorde les secours de la religion, et qu'on les délivre de leurs liens; ils promettent de ne pas chercher à fuir.

— J'y consens, dit le général; mais vous m'en répondez.

— Le vieillard vous offre encore toute sa fortune si vous voulez pardonner à son jeune fils.

— Vraiment ! répondit le chef.   Ses biens appartiennent déjà au roi Joseph.[1]

Il s'arrêta.   Une pensée de mépris rida son front, et il ajouta:

— Je vais surpasser leur désir.   Je devine l'importance de sa dernière demande.   Eh bien, qu'il achète l'éternité de son nom, mais que l'Espagne se souvienne à jamais de sa trahison et de son supplice !   Je laisse sa fortune et la vie à celui de ses fils qui remplira l'office du bourreau ... Allez, et ne m'en parlez plus.

Le dîner était servi.   Les officiers attablés satisfaisaient un appétit que la fatigue avait aiguillonné.   Un seul d'entre eux, Victor Marchand, manquait au festin.   Après avoir hésité longtemps, il entra dans le salon où gémissait l'orgueilleuse famille de Légañès, et jeta des regards tristes sur le spectacle que présentait alors cette salle, où, la sur-

[1] Joseph Bonaparte, le frère aîné de Napoléon qui avait été fait roi d'Espagne, et le resta de 1808 à 1813.

veille, il avait vu tournoyer, emportées par la valse, les têtes des deux jeunes filles et des trois jeunes gens: il frémit en pensant que, dans peu, elles devaient rouler tranchées par le sabre du bourreau. Attachés sur leurs fauteuils dorés, le père et la mère, les trois enfants et les deux filles restaient dans un état d'immobilité complète. Huit serviteurs étaient debout, les mains liées derrière le dos. Ces quinze personnes se regardaient gravement, et leurs yeux trahissaient à peine les sentiments qui les animaient. Une résignation profonde et le regret d'avoir échoué dans leur entreprise se lisaient sur quelques fronts. Des soldats immobiles les gardaient en respectant la douleur de ces cruels ennemis. Un mouvement de curiosité anima les visages quand Victor parut. Il donna l'ordre de délier les condamnés, et alla lui-même détacher les cordes qui retenaient Clara prisonnière sur sa chaise. Elle sourit tristement. L'officier ne put s'empêcher d'effleurer les bras de la jeune fille, en admirant sa chevelure noire, sa taille souple. C'était une véritable Espagnole: elle avait le teint espagnol, les yeux espagnols, de longs cils recourbés, et une prunelle plus noire que ne l'est l'aile d'un corbeau.

— Avez-vous réussi? dit-elle en lui adressant un de ces sourires funèbres où il y a encore de la jeune fille.

Victor ne put s'empêcher de gémir. Il regarda tour à tour les trois frères et Clara. L'un, et c'était l'aîné, avait trente ans. Petit, assez mal fait, l'air fier et dédaigneux, il ne manquait pas d'une certaine noblesse dans les manières, et ne paraissait pas étranger à cette délicatesse de sentiment qui rendit autrefois la galanterie espagnole si célèbre. Il se nommait Juanito. Le second, Philippe, était âgé de vingt ans environ. Il ressemblait à Clara. Le dernier avait huit ans. Un peintre aurait trouvé dans les traits de Manuel un peu de cette constance romaine que David a

prêtée aux enfants dans ses pages républicaines.[1]  Le
vieux marquis avait une tête couverte de cheveux blancs
qui semblait échappée d'un tableau de Murillo.  À cet
aspect, le jeune officier hocha la tête, en désespérant de
5 voir accepter par un de ces personnages le marché du
général; néanmoins, il osa le confier à Clara.  L'Espagnole
frissonna d'abord, mais elle reprit tout à coup un air calme
et alla s'agenouiller devant son père.

— Oh ! lui dit-elle, faites jurer à Juanito qu'il obéira
10 fidèlement aux ordres que vous lui donnerez, et nous
serons contents.

La marquise tressaillit d'espérance; mais, quand, se
penchant vers son mari, elle eut entendu l'horrible confidence de Clara, cette mère s'évanouit.  Juanito comprit
15 tout, il bondit comme un lion en cage.  Victor prit sur lui de
renvoyer les soldats, après avoir obtenu du marquis l'assurance d'une soumission parfaite.  Les domestiques
furent emmenés et livrés au bourreau, qui les pendit.
Quand la famille n'eut plus que Victor pour surveillant, le
20 vieux père se leva.

— Juanito ! dit-il.

Juanito ne répondit que par une inclination de tête
qui équivalait à un refus, retomba sur sa chaise et regarda
ses parents d'un œil sec et terrible.  Clara vint s'asseoir
25 sur ses genoux, et, d'un air gai:

— Mon cher Juanito, dit-elle en lui passant le bras
autour du cou et l'embrassant sur les paupières, si tu savais

---

[1] Le peintre David (1748–1825).  Il doit s'agir ici de sa toile
« Les licteurs rapportant à Brutus les corps de ses enfants ».  Lorsque
Brutus, qui avait aboli la royauté à Rome pour y établir la république,
avait trouvé que ses deux propres fils avaient trempé dans un complot
pour remettre Tarquin sur le trône, il les avait lui-même condamnés
à mort, mettant les droits de la justice au-dessus de la tendresse
paternelle.

combien, donnée par toi, la mort me sera douce ! Je n'aurai pas à subir l'odieux contact des mains d'un bourreau. Tu me guériras des maux qui m'attendaient, et . . . , mon bon Juanito, tu ne me voulais voir à personne, eh bien . . .

Ses yeux veloutés jetèrent un regard de feu sur Victor, comme pour réveiller dans le cœur de Juanito son horreur des Français.

— Aie du courage, lui dit son frère Philippe; autrement, notre race, presque royale, est éteinte.

Tout à coup Clara se leva, le groupe qui s'était formé autour de Juanito se sépara; et cet enfant, rebelle à bon droit, vit devant lui, debout, son vieux père, qui d'un ton solennel s'écria:

— Juanito, je te l'ordonne !

Le jeune comte restant immobile, son père tomba à ses genoux. Involontairement, Clara, Manuel et Philippe l'imitèrent. Tous tendirent les mains vers celui qui devait sauver la famille de l'oubli, et semblèrent répéter ces paroles paternelles:

— Mon fils, manquerais-tu d'énergie espagnole et de vraie sensibilité ? Veux-tu me laisser longtemps à genoux, et dois-tu considérer ta vie et tes souffrances ? — Est-ce mon fils, madame ? ajouta le vieillard en se retournant vers la marquise.

— Il y consent ! s'écria la mère avec désespoir en voyant Juanito faire un mouvement des sourcils dont la signification n'était connue que d'elle.

Mariquita, la seconde fille, se tenait à genoux en serrant sa mère dans ses faibles bras; et, comme elle pleurait à chaudes larmes, son petit frère Manuel vint la gronder. En ce moment, l'aumônier du château entra; il fut aussitôt entouré de toute la famille, on l'amena à Juanito. Victor,

ne pouvant supporter plus longtemps cette scène, fit un
signe à Clara, et se hâta d'aller tenter un dernier effort
auprès du général; il le trouva en belle humeur, au milieu
du festin, et buvant avec ses officiers, qui commençaient à
5 tenir de joyeux propos.

Une heure après, cent des plus notables habitants de
Menda vinrent sur la terrasse pour être, suivant les ordres
du général, témoins de l'exécution de la famille de Légañès.
Un détachement de soldats fut placé pour contenir les
10 Espagnols, que l'on rangea sous les potences auxquelles les
domestiques du marquis avaient été pendus. Les têtes de
ces bourgeois touchaient presque les pieds de ces martyrs.
A trente pas d'eux s'élevait un billot et brillait un cimeterre. Le bourreau était là, en cas de refus de la part de
15 Juanito. Bientôt les Espagnols entendirent, au milieu du
plus profond silence, les pas de plusieurs personnes, le son
mesuré de la marche d'un piquet de soldats et le léger
retentissement de leurs fusils. Ces différents bruits étaient
mêlés aux accents joyeux du festin des officiers, comme
20 naguère les danses d'un bal avaient déguisé les apprêts de
la sanglante trahison. Tous les regards se tournèrent vers
le château, et l'on vit la noble famille qui s'avançait avec
une incroyable assurance. Tous les fronts étaient calmes
et sereins. Un seul homme, pâle et défait, s'appuyait
25 sur le prêtre, qui prodiguait toutes les consolations de la
religion à cet homme, le seul qui dût vivre. Le bourreau
comprit, comme tout le monde, que Juanito avait accepté
sa place pour un jour. Le vieux marquis et sa femme,
Clara, Mariquita et leurs deux frères vinrent s'agenouiller
30 à quelques pas du lieu fatal. Juanito fut conduit par le
prêtre. Quand il arriva au billot, l'exécuteur, le tirant par
la manche, le prit à part et lui donna probablement quelques instructions. Le confesseur plaça les victimes de ma-

nière qu'elles ne pussent pas voir le supplice. Mais c'étaient de vrais Espagnols qui se tinrent debout et sans faiblesse.

Clara s'élança la première vers son frère.

— Juanito, lui dit-elle, aie pitié de mon peu de courage ! 5 commence par moi !

En ce moment, les pas précipités d'un homme retentirent. Victor arriva sur le lieu de cette scène. Clara était age-nouillée déjà, son cou blanc appelait le cimeterre. L'officier pâlit, mais il trouva la force d'accourir. 10

— Le général t'accorde la vie si tu veux m'épouser, lui dit-il à voix basse.

L'Espagnole lança sur l'officier un regard de mépris et de fierté.

— Allons, Juanito ! dit-elle d'un son de voix profond. 15

Sa tête roula aux pieds de Victor. La marquise de Légañès laissa échapper un mouvement convulsif en entendant le bruit; ce fut la seule marque de sa douleur.

— Suis-je bien comme ça, mon bon Juanito ? fut la demande que fit le petit Manuel à son frère. 20

— Ah ! tu pleures, Mariquita ! dit Juanito à sa sœur.

— Oh ! oui, répliqua la jeune fille. Je pense à toi, mon pauvre Juanito: tu seras bien malheureux sans nous !

Bientôt la grande figure du marquis apparut. Il regarda le sang de ses enfants, se tourna vers les spectateurs muets 25 et immobiles, étendit les mains vers Juanito, et dit d'une voix forte:

— Espagnols, je donne à mon fils ma bénédiction pa-ternelle ! — Maintenant, *marquis*, frappe sans peur, tu es sans reproche.[1] 30

---

[1] Allusion au fameux titre qu'à cause de sa bravoure on avait donné au chevalier Bayard (1473-1524): « Chevalier sans peur et sans reproche ».

Mais quand Juanito vit approcher sa mère, soutenue par le confesseur:

— Elle m'a nourri ! s'écria-t-il.

Sa voix arracha un cri d'horreur à l'assemblée. Le bruit
5 du festin et les rires joyeux des officiers s'apaisèrent à cette terrible clameur. La marquise comprit que le courage de Juanito était épuisé, elle s'élança d'un bond par-dessus la balustrade et alla se fendre la tête sur les rochers. Un cri d'admiration s'éleva. Juanito était tombé évanoui.

10 — Mon général, dit un officier à moitié ivre, Marchand vient de me raconter quelque chose de cette exécution, je parie que vous ne l'avez pas ordonnée ...

— Oubliez-vous, messieurs, s'écria le général G..t..r, que, dans un mois, cinq cents familles françaises seront en
15 larmes, et que nous sommes en Espagne ? Voulez-vous laisser nos os ici ?

Après cette allocution, il ne se trouva personne, pas même un sous-lieutenant, qui osât vider son verre.

Malgré les respects dont il est entouré, malgré le titre
20 d'*el verdugo* (le bourreau) que le roi d'Espagne a donné comme titre de noblesse au marquis de Légañès, il est dévoré par le chagrin, il vit solitaire et se montre rarement. Accablé sous le fardeau de son admirable forfait, il semble attendre avec impatience que la naissance d'un second fils
25 lui donne le droit de rejoindre les ombres qui l'accompagnent incessamment.

# DATE DUE

| | | | |
|---|---|---|---|
| | | | |
| | | | |
| | | | |
| | | | |
| | | | |
| | | | |
| | | | |
| | | | |
| | | | |
| | | | |
| | | | |
| | | | |
| | | | |
| | | | |
| | | | |
| | | | |
| | | | |
| | | | |
| | | | |

Demco, Inc. 38-293